編集復刻版

「職場の歴史」関係資料集

『運営委員会ニュース』第1号～第59号
／諸資料Ⅰ

六花出版

序文

竹村民郎

「職場の歴史をつくる」とはどういうことなのか。

一九五〇年代――敗戦前の皇国史観を否定することはもちろん、英雄の活躍や政権の変遷をたどるだけの歴史を批判し、「民衆」「市民」の視点から考察する歴史観が、ようやく主流となっていたが、それでもまだ歴史は学者ら専門家によって叙述されるものであった。

三井三池、日鋼室蘭、近江絹糸などの労働争議とのかかわりあいのなかから誕生した「工場の歴史をつくる会」は、いわゆるブルーカラーの労働者にとどまらず、働く女性たちの積極的な参加をえて、自分たちの歴史は自分たちで書く、という活動をはじめた。これが「職場の歴史をつくる会」の誕生である。歴史学者やその卵である学生たちは「知識の革新」をもとめて運動にどっと参加してきた。

自分たちの歴史を書くということは、働く職場の記録をつづることにとどまらなかった。機関誌『職場の歴史』が一時期「職場と生活」と改題したのもそのためで、職場だけではなく、ひろく「生活」を記録することで、自分たちの現在やこれからを見つめようとしたのである。

一九五八年に書かれた職場の歴史をつくる会品川客車区のサークル誌『仲間には』では、自分の歴史を集団で書くことについて、つぎのようにまとめている。

「自分の歴史を書きあげると、分会機関誌に発表し、それを全会員や職場の人々に読んでもらい、必ず合評会を開いてその中で書いた人の考え方、生き方を自分の問題として考え、又、批判しています。」

こうした批評活動は、職場の歴史をつくる運動におけるすべての職場サークルに共通するものであった。ここで注目することは、集団で「歴史」を書くことが、書き手の対象化をうながし、結果として自己の「発見」になるということである。

近年、全国的に若い研究者や学生の間でひろく一九五〇年代に展開された生活記録運動や多彩なサークル運動と結びついた文化運動の機関誌や文集などを発掘し、その「自立」主義に基礎を置く多くの作品についての研究が目覚しく展開している。

今回復刻された職場の歴史をつくる会の機関誌や運営委員会ニュースを網羅した全四巻の記録集は、時代が大きく動いた一九五〇年代のサークル時代、自らのアイデンティティをもとめて職場に生きた若者たちの真実の姿を直視するものとして、注目に値する。

（編者）

編集復刻版『「職場の歴史」関係資料集』第3巻

刊行にあたって

一、資料集では、一九五〇年代に日本全国各地でおこった生活記録運動のひとつである「職場の歴史をつくる会」の機関誌および関連資料をあつめ、収録した。原資料はすべて竹村民郎所蔵のものである。

一、第1巻巻頭に竹村民郎氏による序文、古川誠氏・稲賀繁美氏による解説、永岡崇氏による年表を掲載した。

一、本資料集は、原寸のまま、あるいは原資料を適宜縮小し、復刻版一ページにつき一面、二面または三面を収録した。

一、資料中の書き込みは原則としてそのままとした。

一、資料中には、ページ数などの表記に誤記と思われる箇所、文字が欠けている箇所、印字が薄い箇所、文章が途中で切れている箇所などがあるが、原本通りである。

一、資料の中の氏名・居住地などの個人情報については、個人が特定されることで人権が侵害される恐れがある場合は、■で伏せ字を施した。

一、原本はなるべく複数を照合して収録するようにしたが、原本の状態が良くないため、印刷が鮮明でない部分がある。

一、資料の中には、人権の視点から見て不適切な語句・表現・論もあるが、歴史的資料の復刻という性質上、そのまま収録した。

（編者・編集部）

［第3巻 目次］

誌名●号数●発行者は未記入のものはすべて「職場の歴史をつくる会」あるいは「職場の歴史をつくる会運営委員会」●発行年月（推定したものは＊）――復刻版ページ

《『運営委員会ニュース』第1号～第59号》

運営委員会ニュース●第1号●一九五七・七――2
運営委員会ニュース●第2号●一九五七・八――6
運営委員会ニュース●第3号●一九五七・九＊――10
運営委員会ニュース●第4号●一九五七・九＊――14
運営委員会ニュース●第5号●一九五七・一〇――18
運営委員会ニュース●第6号●一九五七・一〇――21
運営委員会ニュース●第7号●一九五七・一二――25
運営委員会ニュース●第8号●一九五七・一二――27
運営委員会ニュース●第9号●一九五八・二――31
運営委員会ニュース●第10号●一九五八・三――35
運営委員会ニュース●第11号●一九五八・三――39
運営委員会ニュース総会特集号●第12号●一九五八・五――43
運営委員会ニュース●第13号●一九五八・五――49
運営委員会ニュース●第14号●一九五八・七――53
運営委員会ニュース●第15号●一九五八・八――57
運営委員会ニュース●第16号●一九五八・九――61
運営委員会ニュース●第17号●一九五八・一〇――65
運営委員会ニュース●第18号●一九五八・一一――69
運営委員会ニュース●第19号●一九五八・一二――73
運営委員会ニュース●第20号●一九五九・一――77
運営委員会ニュース●第21号●一九五九・四――81
運営委員会ニュース●第22号●一九五九・六――84
運営委員会ニュース●第23号●一九五九・七――87
運営委員会ニュース●第24号●一九五九・七――91
運営委員会ニュース●第25号●一九五九・九――93
運営委員会ニュース●臨時号●職場の歴史をつくる会会計係●一九五九・一〇――96
運営委員会ニュース●第26号●一九五九・一一――98
運営委員会ニュース●第27号●一九五九・一二――100
運営委員会ニュース●第28号●一九六〇・二――102
運営委員会ニュース●第30号●一九六〇・四――116
職場の歴史会報（運営委員会ニュース）●第29号●一九六〇・三――110
運営委員会ニュース●第31号●一九六〇・四――126
運営委員会ニュース●第32号●一九六〇・六――132
運営委員会ニュース●第33号●一九六〇・七――138
運営委員会ニュース●第34号●一九六〇・八――144
運営委員会ニュース●第35号●一九六〇・九――152
運営委員会ニュース●第36号●一九六〇・一〇――160
運営委員会ニュース●第37号●一九六〇・一一――169
運営委員会ニュース●新春特集号●一九六一・一――173
運営委員会ニュース●第39号●一九六一・一――175

運営委員会ニュース●第40号●一九六一・三——179
運営委員会ニュース●第41号●一九六一・四——183
運営委員会ニュース●第42号●一九六一・五——191
運営委員会ニュース●第43号●一九六一・六——199
運営委員会ニュース●第44号●一九六一・八——205
運営委員会ニュース●第45号●一九六一・九——209
運営委員会ニュース●第46号●一九六一・一〇——210
運営委員会ニュース●第47号●一九六一・一一——217
運営委員会ニュース●第48号●一九六一・一二——230
運営委員会ニュース●第49号●一九六二・一——238
運営委員会ニュース●第50号●一九六二・二——244
運営委員会ニュース3・4月合併号●第51号●一九六二・四*——246
運営委員会ニュース●第52・53号●一九六二・五*——249
運営委員会ニュース●第54号●一九六二・六——252
運営委員会ニュース●第55号●一九六二・七——254
運営委員会ニュース1962・8・9・10合併号●第56号●一九六二・一〇——258
運営委員会ニュース総会準備特集号●第57号●一九六二・一一——260
運営委員会ニュース●総会報告号●一九六二・一二——264
職場の歴史ニュース〔運営委員会ニュース〕●第59号●一九六三・七*——266

《諸資料Ⅰ》

〔工場の歴史をつくる会案内〕●民主主義科学者協会歴史部会／工場の歴史を作る会●一九五四・一二*——268
ある労働者の歴史〈卒論〉●青山崇●一九五四・一二——269
職場の歴史をつくる会々則●一九五五*——285
資料職場の歴史をつくる会が生まれるまで●一九五五*——289
N労組の歴史●〔藤本敏雄・高木康次〕●一九五五・二——293
西岡製作所労働組合労働協約書案●一九五五・二*——312
〔ピクニックへのお誘い〕／幻灯会と総会のおしらせ●一九五五・三*——316
幻灯会と総会のおしらせ／ピクニックに行こう●一九五五・三*——317
職場の歴史を作る会ニュース●№1●一九五五・三*——318
職場の歴史を創る会ニュース●№1●一九五五・七——330
職場の歴史を創る会ニュース●№2●一九五五・八——334
庶務だより●№1●一九五五・八——336
御案内●一九五五・九*——338
職場の歴史を作る会連絡会のお知らせ●一九五五・九*——339
資料●一九五五・九*——340
「職場の歴史」原稿募集について●一九五五・一〇*——342
職場の歴史をつくる会連絡会議のお知らせ●一九五五・一〇*——344
「職場の歴史」の原稿を募ります！●一九五五・一〇*——345
参考資料「職場の歴史をつくる会」について●一九五五・一一——346
おさそい●一九五五*——349
はつ春の集い●一九五六・二*——350
会報●第1号●一九五六・二*——351
連絡会議のお知らせ●一九五六・三*——353
〝職場の歴史をつくる会〟の歴史について●竹村民郎●一九五六・九*——354
組合史編纂講座のお知らせ●国民文化会議／職場の歴史を作る会●一九五六・一〇*——366

御招待●一九五六・一〇――368
御案内●一九五六・一一*――372
職場の歴史をつくる会々則改正案●一九五七*――374
〔研究会案内〕●一九五七*――378
会の水準をあげるために●一九五七*――379
あらゆる職場にサークルを育成しよう●一九五七*――383
お願い●一九五七*――384
御案内 総会開催について●一九五七・三*――386
会報●2号●職歴機関誌部●一九五七・三――388
〔研究会 文例〕●一九五七・三*――392
大根物語／婦対部長には女性を●職歴サークル●一九五七・四*――396
国際電々職場の歴史を創る会発会の集い●一九五七・五*――400
〝炉材工場と労働者の変遷史〟合評会●S百貨店職歴サークル
●一九五七・七*――401
〝炉材工場と労働者の変遷史〟合評会●恩給局職歴サークル
●一九五七・七――402
1957年度第二回総会総会資料●一九五七・七*――404
〔故竹村民治郎氏追悼〕
●故竹村民治郎氏追悼「父の歴史を語る集い」世話人一同●一九五七・九――423
勉強会のお知らせ●一九五七・九――425
かいらん「職場の歴史」第八号をお読み下さい
●恩給局職場の歴史をつくる会●一九五七・九*――426
〔討論会案内〕●歴史評論編集部●一九五七・一〇*――427
御紹待●国民文化会議／職場の歴史をつくる会●一九五七・一〇*――429

総会御案内●一九五七・一一*――430
お知らせ／小説の歴史（第一回）●職歴サークル●一九五七・一一*――431
現在までの組織部の動きと反省●一九五七・一一*――433
三周年記念総会の討論のまとめ●一九五七・一一――437

◉全巻収録内容

第1巻	『職場の歴史』第1号～第10号	序文＝竹村民郎　解説＝古川誠・稲賀繁美 年表＝永岡崇
第2巻	『職場の歴史』第11号～第23号	
第3巻	運営委員会ニュース／諸資料Ⅰ	
第4巻	諸資料Ⅱ	

『運営委員会ニュース』第1号～第59号

運営委員会ニュース

No 1
1957
7.25 発行

発行責任者
耺場の厂史をつくる会
運営委員会

七月二十一日の総会の後ただちに、総会で委託された諸事項を検討するため臨時運営委員会が二十五日夜六時ら十時まで事務所にて開かれた。岡島、清水 田中、大田、菊地、秋山、竹村の全委員（違着順）及び小松機関誌部員の出席で会議は始め、川、砂川の厂史をつくる運動、耺厂の一般方針、サークル再建案、新研究会の設立、機関誌八号の予定、会の厂史編集、賛助員制度の検討等重要議題を審議し十時半全議題を終え散会した。詳細次の通り、

1. 砂川の厂史をつくる運動の促進について、

(イ)解放同盟及び当会が提唱者となり総評、各単産、文化団体等にひろく趣旨を宣伝しそれ等諸団体の協力を得ながら準備委員会を設立する。

(ロ)準備委員会設立後は運動の具体化はすべて民主的に討議して進め、その中からこの運動を組織的に進める機関として"砂川の厂史をつくる会"(仮称)を創立する。

(ハ)この様な意向をたずさえて、八月三日岡島、田中、竹村三委員が解放同盟を訪ね、意見を交換し、町の人々とも座談会をひらき、右の方向の具体化を相談する。

(ニ)八月三日午前十時おぎくぼ駅、立川寄り集合となっているが会員の皆さんも参加してほしい。

2 耺厂の一般方針について

次期総会までには方針案を作成することに決定しその具体化は3に述べる様な実践を各委員が進める中でまとめてゆく

3 サークル再建案と新研究会について.

(イ)職場サークルに所属していない会員は将来自分の職場サークルをつくるまでの過渡的なものとして、九月よ

り新しくつくる、Aサークル（仮称）に入って頂く、このサークルは月二回事務所で開かれ、一回は専門家（講師未定）と共に歴史理論の研究を行い、一回は各単産組合史の検討と職工運動の方法について討論する

（ロ）国鉄、恩給局、国際電々等の会員は八月中に運営委員会と相談しながら職場サークルをつくる、これ等サークルの会員の理論水準の向上については賛助員制度を強化し優秀な専門家の協力をえられる様に考慮する。

S書店サークルについては委員会は連絡を定期的にもち"大根物語"の続きが創りだされる様に援助する、それと共に専門家の協力をえてサークル会員の学習会を援助する。

4、機関誌八号の予定

八号は八月二十五日発行予定とし機関誌部が編集する、編集プランとして恩給局の"一職員の歴史""進む事を知っていた"（全面改訂）「炸機工場と労働者の変遷史」について（機関誌部編）等が予定されている、八号より表紙はアート写真版入りとなり、部数も増刷し二百部にする、定価は五〇円（会員外）

なお七号製作費未払分一千円は機関紙部より清水君に支払われた。

5 会の歴史編集について

会史編集委員会を設立し運営委員会と編集委員会が協力してこの仕事を進めることに決定、編集委員として岡島、竹村両会員が推選された。当初計画として会年表の作成を行う予定、

6 賛助員制度について

会規約の線に沿って賛助員制度を大幅に拡大することに決定し、その具体案を田中、竹村委員がつくることになった。

この他事務所設立の際の赤字参阡円（岩波会員へ返却金）をうずめるために行なわれた事務所基金カンパの中間報告が行われ、これを承認、今後の会財政の確立や機関誌の独立採算制についての意見が活発に討論され十時半運営委員会は八月十五日、午後六時、八月二十七日午後六時それぞれ事務所にて委員会を行う事を決定し散会した。

会員中会費滞納者（七月分迄）は左の十五名である。才二回総会で規約一部改正が行なわれ、会費三ヶ月分を理由なく滞納した場合は会員資格を失うことに決定したので　これらの方々は至急会計部(〇三)三七八一杉山産業内、菊地一徳)か事務所（夜七時半以降竹村在宅）に滞納分を払込み下さい。理由のある方はその旨御連絡下さい。

三・四・五・六・七月分　五百円　佐藤百合子殿
右仝　五百円　中間長典〃
右仝　五百円　石丸治朗〃
右仝　五百円　青山学〃
右仝　五百円　石村尚一〃
四・五・六・七・月分　四百円　斎藤昇〃
五・六・七　月分　三百円　野里貞二〃
右仝　三百円　亀井作司〃
右仝　三百円　小松洋一〃
七・　月分　百円　渡辺晃〃

六・七・月分　二百円　小泉とよ子殿
七　月分　百円　松尾拓三〃
右仝　百円　岡島博〃
右仝　百円　松尾和美〃
右仝　百円　藤本敏雄〃
（賛助会員）
四・五・六・七月分　四百円　玉島信義殿
七　月分　二百円　鳥居宏〃

会員及び会員以外の方々より当会に寄せられたカンパの内訳は左の通りである（七月二十五日現在）

茶わん　五個　清水澄夫殿
印刷機一式
金百円也
金阡五百円也
世界地図二枚　貸付　門義一〃
金阡円也
事務用品（洋紙地数点）　菊地一徳〃
金壱阡円也　石母田正〃
金五百円也　松島栄一〃
金五百円也　鳥居宏〃
金百円也
金参阡円也（貸付）　黒崎菊江殿
金百円也　田中正俊〃
金百円也
かさ一　宮沢武人〃
映写機（貸付）
世界地図、日本地図数点　松崎幸八郎〃
金五百円也　家永三郎〃

金　貳百五拾円也　S百貨店サークル一同〃

金　百　円也　遠藤一昇〃

金　貳百円也　石丸治朗〃

金　百　円也　玉島信義〃

金　壱阡五百円也（貸付）岩波忠夫〃

金　壱阡五百円也（〃）竹村民郎〃

金　百円也

事務所書冊一

岩波新書"日鉄"他二冊　大島藤太郎〃

私丁名刺一箱　秋山ヨリ〃

——以上——

日本三冊至急送ること

運営委員会ニュース

No. 2

一九五七年八月二十五日発行
発行責任者・職場の歴史をつくる会　運営委員会

八月二十四日夜、事務所で竹村、岩波、内、和田、菊池が出席して運営委員会が開かれた。議題は左の五つである。

一、運営委員会の強化について
二、財政問題について
三、サークルの問題について
四、岩波運営委員の件について
五、その他

当日討論されたことは次の通りである。

一、運営委員会の強化について

職場の一般方針案を作成する場合、いつも一部の会員の力だけによってなされ、集団的な討論と作成が行われていなかった。この欠点を克服してゆくために運営委員会をあらゆる面から強化することの必要が強調され、この問題が提出されたのである。そのための具体的な方法として次の四つが決定した。

1、運営委員間の親ぼくをはかる。これはたとえばハイキングにゆく（現在組織部で計画中）、飲む会、営養をとる会等の方法による。

2、運営委員の理論水準の向上
近いうちに約一週間継続の理論の学習会を行なう。具体的なスケジュールは小委員会でつくる（小委員は和田、竹村、内に決定）。この学習会中に親ぼくをはかる集りをひらき、また、後述の会運営技術向上の問題も組み入れる。

3、会運営技術向上の問題

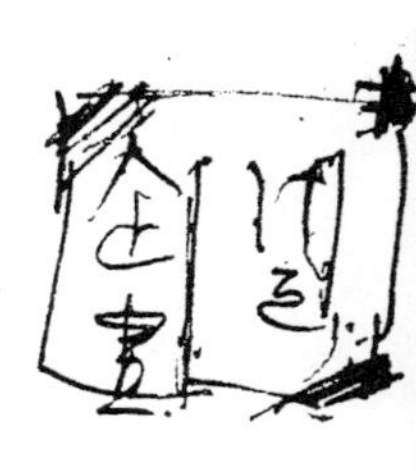

まだ会運営の規律が確立していない。その一つの現れとして無届欠席が多い（註 八月二十四日夜の運営委員会では清水君岡島君が無届欠席をしたい）。このため運営委員会の運営をスムースにするための試みとして運営委員会内規をつくることになった。内規の主な項目は大体左の通りであるが、この内規の原案は菊池が作成してた日に開かれる運営委員会に提出される予定である。

a、運営委員は交替で議長をやる（そしてニュース発行の責任者になる）。

b、運営委員は原則としてサークルに入り、サークルを代表するという資格で運営委員会に出席すること、

c、時間を厳守し、欠席するときは必ず届出るか、または委任状を提出すること、

d、決定したことは必ず所属するサークル員に連絡すること（このためにノートを忘れないこと）

――以下略――

運営委員会における議長の順番予定は次の通りである――竹村、菊池、岩波、門、岡島、清水、田中、宮沢、和田。

この他、運営技術の研究会等を適時開いて委員会の水準を向上するようにしようという提案が可決された。

四、サークルの件、

前回の運営委員会で決定したAサークルを至急結成する。組織部は秋山、菊池と協力して九月中に必らずAサークルを結成することが決ぎされた。Aサークルの予定されているメンバーは秋山、菊池小松、野里、高橋、佐藤、亀井、小泉（敬称略）等である。

二. 会計部報告

会計部から八月度会計状況について報告があり、その後、会員との討論が行われたが、特に八月度収支の減少をめぐって討論が集中した。その詳略は左の通り、

八月度会費の納入状況はこの十年間に比し最低となっている。未納金の回収も一部にとどまった。しかしサークルのあるところは会費の納入が好成績であったことは注目してよい。

このため会の活動が一部分ストップし、事務所費が払えない、岩波君からの三千円の借入金の返済の目あてがたゝない等の状態を生んだ。この原因として次の四点があげられる。

1、会計部独自の活動の不活発

2、活動が組織的でなかった

3、現在の会計部の状態では個人の果す役割へ会ヒの精力的な回収と督促等しが大きいが、八月度はこのような活動がほとんど行われなかった。

4、会全体が夏休み的なふん囲気となり、会活動が低下した。

この対策として、サークルのあるところはこの利点を生かして組織的に集めてゆく。フリーの人ははっきりした集金ルートをつくって集める（責任の所在をはっきりさせる）。

また会計部員が会員諸兄姉と交流を深めるため、それぞれの職場をたずねて会計状況を報告し、同時に集金することなどが決定した。

会計部としては次回運営委員会に予算と決算の総括と九月度予算案を提出することになった。

三. サークルの問題

一つのサークルの経験を他のサークルに伝えるというスタイルがとられていない。

このため中絶している会のニュースを再発

示し、経験を伝え合うことが決ぎされた。

また各サークルの経験は意識的に理論化して機関誌にのせてゆくことに決定した（第九号にSサークル有志の「Sサークルの半年」（仮題）を発表する。

四、その他、委員会で決ぎされたことは左の三点である。

1、岩波君はひきつづき運営委員としてとどまり組織部に入る、

2、内君は機関誌部に九月より入り、機関誌活動を推進する、

3、岩波君からの借入金三千円は九月の予算より返済計画をたてる。

五、故竹村民治郎氏の追とう会について、

この会を準備する中で各会員が自分の父を歴史の流れの中で正しく位置づけ理解する試みとして父の歴史をつくる運動を展開しよう。その具体化の一つとして会員竹村が現在〃父の歴史〃（七〇枚の予定）をまとめている。これは機関誌No.8にのせる予定である。追とう会の日時、場所は九月十五日（日）、國鉄労働会館、中会ぎ室の予定となっている。

七、砂川の歴史—近日中に田中、竹村、岡島で砂川を訪問するが日どりは現地と相談の上決定する。

以上のことが討論の結果、決定され、九時に散会した。

> 次回運営委員会は九月七日（土）午後六時である。
> 機関誌発行日、九月十日

前回の運営委員会の席上で、竹村さんから〃会員の皆さんの御尽力によって父の葬儀もとどこほりなくすませることができたことを母とともに感謝しています。いろいろとありがとうございました〃との挨拶がありましたことを御伝えいたします。

× ×

内君からトーシャインクとホチキス、山形県鶴岡市の青山君から四〇〇円のカンパがありました。お礼申しあげます。

また、会員佐藤百合子さんは御結婚なされたそうです。おめでとうございます。

運営委員会ニュース

No.3

職場の歴史を作る会
運営委員会発行

九月七日夜 事務所に松村、岩浪、和田、内[illegible]、菊池、清水、宮沢(田宮代理)、田中(早退)が出席し運営委員会が開かれた。(秋山 無届欠席)

議題

一、最近の会の状勢について
二、国民文化集会の件
三、サークルにおける傾向について
四、文化研究会の件
五、九月行事予定の件
六、藤本会員の件
七、機関誌「[illegible]」頒布の件
八、理論学習会の件
九、[illegible]委員会の[illegible]
十、[illegible]会の件

一、会の状勢

松村委員より大略次のような報告があった。

最近会は種々の方面から期待がよせられている。総評調査所の名[illegible]文庫[illegible]第二号[illegible]が会に依頼している研究会に会代表の出席をもとめられ、すでに松村、内田両委員が出席している。[illegible]史論から職場運動についての論文をのせてくれといわれており、十月上旬の[illegible]には[illegible]実際会に[illegible]一つの労働会を組織することになっている。こうした傾向は会がかかげている職場から出発して広く日本の労働者の状態を調査し今後の方向を打ち出すという仕事(実事求是のスタイル)が大きく認められて来たことを意味する。一方この理論に応えるために会に現在ある次のような傾向(1)サークルやせまい職場の一ことにおぼれて大局を見ない傾向、(2)大局のみを見て小さなことをかえりみない傾向の二つを克服して行かねばならない。

二、国民文化集会の件

昨年は会の力がよわく共闘のテーマをかかげて集会をリードすることが出来ず失敗した面もあったが今年は会も大きくいろんな問題をつかんでもいるので、自信を持って会の成果をこの集会に出すことが出来ると思う。たとえば清水君の[illegible]あいふれてに出ているような問題。藤本君の問題（婦人）などをとりあげてその中から色々な問題を提起することが出来る。こういう見地から事前に各労組やサークルにテーマをもち連絡して発言内容を整理してもらうことにして集会の準備を進めることに決定しました。

三、サークルの一傾向について

会の始まる前に田中委員より科学を専門にする若者がたとえばサークルにチューターとしてたのまれて準備して行くと向こうからはまったく思いつきの発言をされてしまうという感想がのべられた。運営委では科学者を大切にするという方針をもってサークルがぐらぐらしないようにしっかり組織をかためるようにすることも確認した。

四、文化研究会への件

総評・中立各単組教宣部長連合の研究会に会の代表が出ることになったので今後運営委員が二人づつ事前に発言内容を整理して出席することになった。

五、九月予算の件

九月予算は次のとおりである

「収入」四六〇〇円（未納会費一八月分まで一二〇〇円を含む）

「支出」交通費二九八円、通信費一一五円、紙代二三〇円、返済金一二〇〇円

事務所費二〇〇〇円、図書費三四三円　運営費一三八円　雑費二七六円

尚八月分までの会費帯納者は次のとおりである。

中間 三、四、五、六、七、八(六ケ月分) 田里 七、八、(二ケ月) 高橋(幸) 八、(一ケ月)
渡辺 七、八(二ケ月) 遠藤 八(一ケ月) 小松 五、六、七、八(四ケ月) 野里 五、六、七、八(四ケ月)
高橋(進) 八(一ケ月) 藤本 七、八(二ケ月) 佐山 八(一ケ月分) 以上

六、機関誌配布の件

8号は三十円の値段で売ることに決定した。但し各サークルで條件があれば四十円五十円で売って差引いた金をサークル運営費にまわしてもよい。

七、藤本君の件

古くからの会員藤本君は今牛乳配達をやっているが食費を五〇〇〇円もとられ、夕飯にコロッケ、サンマという粗食。しかもヨーグルトのビンがわれたりした分をさしひかれて月に千円もマイナスになるという、いわば女工哀史的な取扱をされている。雇主からはいやならやめろといわれ、組合がないので相談するところもない。このような問題をも会は取りあげて考える必要がある。次に藤本君の住所をのせるから皆で手紙を出してもらいたい。

新宿区[redacted]五[redacted]ニ方 藤本敏雄

八、理論の勉強会の件(運営委員会主催)

会費は二〇〇円(勤労者養成を取る会の会費を含む)内容は次のとおり

一、親孝行について(講師) 磯野誠一氏(予)
二、新開経済らんの是方 辻清澄氏(決)
三、国鉄労組というもの 大島藤太郎氏(決)
四、丁史研究法 田中正俊氏(予)
五、丁史と文学 石母田正氏(予)
六、座談会 日本の労仂者

会員諸君も多数御出席をのぞみます。尚会計部は二ヶ学習会の勝別予算を組むことになった。

九、運営委員会内規

内規が今度決定された。これによって運営委員会を統一する。運営内容を知りたい方は運営委員におたずねください。

十、次期総会の件

本来ならば九月に総会が開かれなければならないのだが会の発展は実質的に三月総会の前に遡ってみた六ケ月間討議にくらべ六ケ月おくれている。前とちがって運営委員会も発展してほぼそれぞれのサークルをふまえて選出されて来ているし以前にくらべてずい分発展している。しかし会の運動方針そのものはきわめて不十分であり討論も全く行なわれていない状態もある。運営委員会はこの現状を認識し総会を十一月初旬に延期し第三回臨時総会をかねて第三回総会を開くこと、運営委員はそれまでに運動方針案を出すこと、サークルはそれぞれ運動方針のための討論を発展させることに決定した。尚機関紙部はこの総会にはあるように大特集号を三週間前に記念号として出すこと。それには各サークルが必ず一つ作品を出すことが決定された。

組織部より　会のピクニックを十月六日(日)にすることが報告された(場所未定)

運営委員会は次の日取りを九月二七日(金)午後六時三十分と決定し散会した。

以上

運営委員会ニュース No.4

職場の歴史をつくる会
運営委員会

九月二十七日、午後七時半ー九時半、事務所に於て運営委員会が開かれた。岩淵、岡島、門、和田、竹村、菊地、官友以上委員）、館林、本條（会員）の八名が出席した。尚、秋山、清水、田中各委員は無届け欠席であった。国民文化全国集会の件と、次期総会の事が中心に論議されたが、詳細は左の通りである。

〔一〕理論の勉強会を終えて、

去る九月二十日ー二十三日の四日間予定通り第一回勉強会が開かれた。

(1) 第一に反省することは、会のこれまでやってきたことを整理し、学ぶ、という会員の基本的な要求を十分に認識し得なかったことである。

(2) 従って、事ム局側の不準備、講師と内容の点で十分連絡出来なかった、といったような準備不足の点が多々、一方の人に負担をかけてしまった。

(3) 講師として来られた　達、高瀬両氏は今後も協力を約された。それぞれ賛助会員、或は会員となった。

(4) 次のべんきょう会には以上の点を十分生かして、より充実したものにすることを確認する。

尚、参加人員は十六名である。

〔二〕第二回国民文化全国集会について、

前回の運営委員会以後、竹村委員、岡島委員、本條会員等並組織部で準備がすすめられてきたが、その中で次の点が明かになった。

(1) 運動の成果、経験を発表する場が欲しいという要求が強い。ここに基礎を置く。

(2) 歴史も、その一員として、これまで三年間の経験、運動内容をまとめ、そこから発言する。

以上のことを確認し、更に準備者動員を集めるために、本條、竹村、清水、秋田、岡島の五名を国民文化集会推進委員として選び、全力を傾ってあたることになっ

た。　全会員廿五人の人を助け、準備を進めてくれるようお願いします。二・八いに向

尚、参加正の関係する第二分科会へ組合史・職場の歴史）の連絡会が
かれた。今後、分科会としての運営は、この連絡会が行なうことになる。次の運営
会は十月七日(月)六時半、恩給局労組会議室、

(三) 次期総会　並に　機関誌9号の内容について、

次の総会を三周年記念(十一月)とし、9号をその特集号(十月末)とすることは、前回の運営委員会で決定したが、その後の状態、準備の進行について討議し、次のことを決めた。

(1) 記念の内容となるべき、これまでの会活動をあらゆる面から総括し、一般方針を発すること。

(2) それを9号の内容とすること、具体的には、①会全体の総括、(四)各サークルの経験の整理。

尚、現在、機関誌部に編集委員会も確立していない状態なので、内容を豊富にするのは困難である。そこで9号に限り機関誌部と運営委員会が合同して編集し、その内容を検討することにした。

(3) 11月総会に於て、各部方針が出されている。それらには実行されているものもそうでないものもある。各部は直ちに会議し、確実に実践出来る方針を作成することと、

(四) 会の財政活動について、

前の総会の、予算活動という決定を守って、会計部は毎月予算案を提出してきた。しかし、現在の財政状態は"集っただけ支出する""支出は緊急、収入はガタ落ち"といった面もある。予算案は有って無きが如きものである。そこで当面予算案を確立し、財政活動正常化の条件づくりとして次のことを決めた。

(1) サークル化の定期化しているところの会費納入は確実であること、この実を生かして、全会員の納入の確実化を計ること、

(2) 前納制に切り替えること。現在、その月の末日までに納入することになっているが、それを前納制にし、活動のうらづけとする。これは、機械的に直ぐというわけに

いかないので、今年一杯を目標にする。各サークル（職場）や、ボーナス期など

(三) 適当な時期をえらんで切りかえてください。

三ケ月滞納者は会員の資格を失う（七月総会）。組織部は会計部と連絡の上、この点について配慮し、会員の義務をキチンと果たすようにすること。

五 Aサークルの発展について、

さきの運営委員会の決定通り、Aサークルは九月二十八日に第一回の集りが開かれるはこびになった。秋山、菊地、岩淵各委員と組織部の努力によるものである。いろいろな事情で職場にサークルを持てぬ会員の集りなので、夫々の職場から寄って来るという特色を十分生かしてほしい。同時に、運営委員、他サークル所属会員は協力をおしまず援助すること。今後の内容等については当日決まることになっている。

(六) 国際電々サークルについて

に、K.Dには数人の会員がいる。サークル結成の話しがあったのは大分以前のことであるが、現在にいたるもはっきりしていない。その職場の特質をはっきりとつかんで援助出来なかった点もあるが、K.D.Dの会員の方にも問題があると思われる。至急解決しなければならない。組織部は十月中に必ずこの問題を解決するように決定する。

以上、

× × × ×

(七) 七月総会以後の会員の出入について

運営委員会は、次の諸兄姉を会員として承認した。いろいろの事情で会をやめられた方々には十分期待にそえなかったことをお詫びすると同時に、これまでの御協力に感謝いたします。

新会員、清水(交)(K.D.D)、伊東(〃)、山田(交通)、高橋(陶芸)、竹村(ハム)、

新賛助会員、加藤

やめた方、石森、佐藤、石丸、小泉、斎藤(道)

(秋林 堅)

〈カンパ

野実豊氏（教育大）より三〇〇〇円のカンパがありました。

○次の運営委員会は十月十一日（金）、七時　事務所

運営委員会ニュース

No 5
1957/10/15

職場の歴史をつくる会
運営委員会発行

秋のせわしい行事が行なわれている中に、我々職場の歴史をつくる会も、今年の十一日で三周年を迎える事になった。職場の歴史をつくる会は、この意義ある時に今までの三年間の活動の総括を行い、より理論的に、より実践的に、職場の歴史運動推し進めていくために運営委員会が十月十一日（七時二十分）事務所において今後の活動について討論された。

その夜の議題は、一、総会準備について、一、国民文化集会について、一、各部の総会準備についての報告、一、会計報告、等の重要な議題を討論し九時半終了した。その詳細は次の通り、

尚出席者と欠席者は次の通りである。（順序不順）

出席者、七名（竹村　清水、宮沢、菊地、和田　岩浪　内）

欠席者　三名（田中、岡島　秋山）

一、総会準備について

十一月総会は十一月十七日（日曜日）に決定、午後一時～九時まで行うことが明らかにされた。又場所は現在のところ確定はしないが、候補として国際電々本社又は新宿会堂に予定しております。

一、各部は総会準備のためにどのような活動をするか

各部は総会準備のために今月三十一日までに七月総会以来の活動方針に沿いその成果と欠陥、一般方針事務上の総括等を一口にプリントにして運営委員会に提出することが決定された。

2.職場サークルは総会準備にいかに活動すべきか

職場にサークルを持つ（国鉄、N.S百貨店、恩給、国際電々）サークルは各部と同じく過去三年間の職場の歴史運動の総括を行い今月三十一日までに運営委員会に提出する。

尚、竹村委員からN工場の歴史の総括について話がなされた。その中で竹村委員は〃私達が過去三年間職場の歴史運動をまじめに続けて来た。しかし私達の会が但単なるまじめなサークルであってはならないのである。私達の会は科学を求め、科学なるが故に、私達労仂者が自から職場の情勢を分折し今後の組合運動を進めていくべきである。そのために職歴の会員は過去三年間の職場の歴史運動の総括を行い「職場の歴史」として生活記録といかに違うのかを新に再認識するが上にも三年間の総括は必要である。〃

3.機関紙九号（三周年特集）について、

機関誌九号を発行するに当っては総会準備と平行して行い今月一杯を準備期間とすることを明にされた。

4.三年会員は指導性を発揮してもらいたい。

会が三周年を迎えるに当り三年会員は過去の総括を行い、会から遠ざかって行った（東証、地下鉄、N労組等々）職場の歴史の総括をおこない、十分に三年間の活動から指導性を発揮してもらいたい。そのために十月二十八日三年会員をまじえた拡大運営委員会を開くことが決定されました。

三年会員は、秋山（運）竹（運）竹村（運）宮沢（運）田中（運）藤本、菊地（運）岡島（運）の八名である。

二、国民文化集会準備について

運営委員会ニュース四号に掲載されたように十月七日恩給局会議室において開かれ、第二回の会合は十月二十一日（日）に開くことになった。場所交渉中。

三、会計報告

前月繰越	−23.−
収入の部	7445.−
会費	4660.−
カンパ	285.−
賛助会費	500.−
借入金	2000.−
支出の部	6440.−
交通費	613.−
通信費	805.−
事務所費	2005.−
返済金	1700.−
運営費	35.−
事務費	470.−
その他	758.−
繰越金	1025.−

次回拡大運営委員日取りについて

日時　十月二十八日　午後六時半

場所　事務所

㊟　時間厳守　尚欠席する場合は連絡すること。

運営委員会ニュース

No 6
1957 10.

職場の厂史を作る会
運営委員会発行

国民文化全国集会も終り、我々の職場の厂史を作る会も今年の十一月で三周年を迎える事になりました、今までの三年間の私達の行動を十一月の総会で話し合う事になりました
総会の準備運営委員会が十月二十八日、午後七時四十分ー十時二十分まで事務所で開かれました。

参加者 清水 宮沢 田中 菊地 巾 秋山 竹村 岩波 太田(代理)
欠席者 岡島(委任状)

その夜の議題は
一、総会の準備について 一、会の運営について 一、オルグ会議について

一、総会の準備について

十一月総会は十一月十七日(日曜日)に決定しておりましたが会の運営及び機関誌の発行が後れた為に総会が十一月二十四日(日曜日)午後一時〜九時に延期になりました。又場所は確定してないが予定として国際電々本社又は新宿分室になっています。

各部とも今月中に各部の方針を作る事に決定しておりましたが各部とも方針案が未提出であったので運営委員会では十一月五日まで各サークルの三年間の歩みと共に必ず提出する事に決定いたしました。

尚　組織部は提出ずみですが内容がとぼしいので運営委員会より再度検討の上提出する事

一、各部の総会準備の報告について、

(1)　機関誌部

(一)部は総会準備のため会議を持ったが参加者少く延びたとの報告でしたが運営委員会は一応認め十一月五日までに必ず提出することを機関誌部に再度申込みました。

(二)機関誌を発行する場合毎号赤字になるようなので次号より運営委員会で次のように決定いたしました。

(A)　編集までを機関誌部でやる

(B)　ガリ切りは会員の中で特殊技術を持っている人達が中心になってやる

(C)　刷ってから製本までを各サークルで持ちまわりをする。

尚　Aサークルについては Aサークルを開いて考えてみる。

(2)　会計部

(一)部としては総会の準備がおくれているが今月中に方針案を作成して十一月五日まで提出

する。

(ロ)財政会計部として毎月会費の納入が少く赤字財政でありその赤字をなくす為に次の事が

[illegible]された

(イ)会費前納制にする事

(ロ)出来る人は協力する(運営委員中心)

(ハ)会費の数回の前納

[illegible]

(ハ)については方針案を提出ずみですが内容がとぼしく運営委員会より再度検討の上提出する様に要請があり再度検討の上十一月五日まで提出する。

(ニ)部としては新年会及び忘年会を行いたいと思っていますが全会員の希望を組織部まで知して下さい。

一、会の運営について

会計部の報告にもありましたが、会の運営上資金が少く、今以上の収入の道がありませんので運営委員会としては会員の増大、機関誌の増大を中心に話し合い全員の協力のもとに増大する事に決定いたしました。その中で次の点を確認

㈠八号の機関誌の再度発売（十一月二十日まで）

㈡八号の機関誌代を集金する（十一月十日まで）

㈢、[illegible]クルの会員が機関誌を中心に職場で話を広げて行きながら[illegible]まで[illegible]

[illegible]読みこみる事

[illegible]いて

[illegible]の増大について、（全サークル）[illegible]

[illegible]

[illegible]松崎　黒崎　秋山　渡辺　飯塚　岡島　川[illegible]

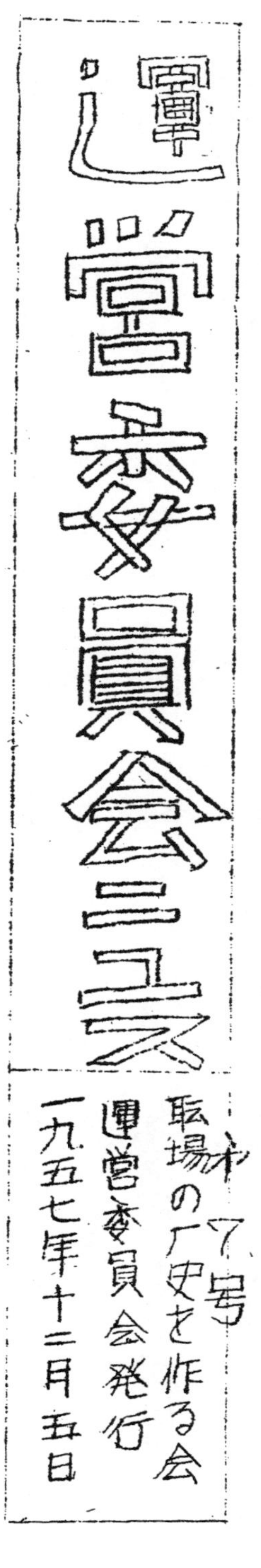

運営委員会ニュース
第7号
職場の歴史を作る会
運営委員会発行
一九五七年十二月五日

総会以後、第一回目の運営委員会を十二月二日に事務所に於いて開きましたが、風邪や、他の用事のため出来ない人が多く重なりましたので、一応緊急を要する議題等その他は次期にやることになりました。

出席者　田中　竹村　岩浪　岡島

欠席者　宮沢　菊地　藤本　川　和田　清水（全員連絡あり）

議題

① 機関誌第9号について

機関誌第9号代金を十二月十五日までに先方に納めることになっていますが、現在各職場に渡してある機関誌を全部さばいたとしても、一五〇〇円程たりません。残り分については次期運営委員会で対策をたてていくことにしましたが、渡してある機関誌を責任もってさばくよう努力して下さい。

② 総会討論のまとめ

総会討論のまとめを読んで各サークルで検討した結果を運営委員会にもってくる事になっていたが国鉄サークルだけでした。

(一)職場の協力してくれる人達に再度話しかける。

(二)分会機関誌に意見をのせてもらい、原稿を出すようにする

(三)P号の機関誌報告を地方本部機関誌にのせてもらう。

(四)地方、支部などにも職場の運動を広める為連絡する。

(五)組合史などのサークルのある所にも連絡する。

(六)職場のサークル員は現在職場内の問題をまとめて提出する。

以上を次回サークルまで各人が分担して提出する、

(3)忘年会の件

十二月は、口鉄サークルで職場交流の責任ですが、忘年会の計画を替りに担当したいとのことで諒承、場所わ第一案口際電マクラブ、第二案田中さんの家ときめ、早速連絡をとることにきめ他の点については次期運営委員会できめる。一つの意見として各サークルでかくし芸をやったらという意見が出された。

④出版について

或る書店より職場の発刊の話があったと竹村事務局長より報告あり

運営委員会ニュース

No8
発行32.12.27

職場の厂史をつくる会
運営委員会

運営委員の質の向上で会員指導

職厂五八年度組織運動方針案決る

記念総会後の急速な会活動に対応した組織活動方針の詳細な立案が急がれていたが、二十七日の臨時運営委員でその原案が決定、発表された。この方針案の中でとくに強調しているのは職厂全国組織を実現するためには現委員会の強化が必要だとする立場から当面、二月中旬 委員を中心に "職厂運動の指導のあり方"についての専門講座を開き、委員の能力を高めること、委員指導のもとに明年よりサークル誌の発行、職厂組織活動の委員会への集中等、従来手うすだった方向に活動の重点をおくことにしていることである。

また、明春、都内某書店より職厂編集の単行本発行の計画が発表されたが、この仕事は時機をえたものとして今後成行きが注目されている。

とくに従来の方針と違う点は会員のかくとくなど組織の拡張にばかり重点を置いたやり方を改め、会員へとくに委員への質的向上をはかることとし、このようにして養成された精鋭の職厂専門活動家が職厂運動の先頭に立って指導するとの方針を明らかにしたことである。来年度組織活動方針案の要点は次の通り

◇組織活動の現状

都内会員約四十名、地方会員約十名、計五十名、三週年記念総会以降急速に新会員が増加しているが未だその指導は行われていない現状である。明春六月迄には現在会員数の約六倍の新会員をかくとくする予定である。

◇会活動の重点

一、職場サークル運動の展開

①、サークル紙を充実させ、その技術的な成果を通じて職場に協力態勢を確立していく。

②、委員が職場会員を実質的に指導しうるために適時、職厂講習会を開催（第一回明年二月予定）し、職場の厂史を書くための技術指導をもふくめた研究をすすめる。

③、サークル員の組織的な協力（編隊をくんで行動する）を何事の実施にも行い、委員を中心に規律ある実践団体を確立する。

二、行動的組織体制の確立

①　三週年記念総会で満場一致確認された民主々義的中央集权制を組織の原則とする。

この為委員は、毎月運営委員会の五日前迄に委員会議長にサークルの報告を文書で行い、とくに会活動の具体的な実践の前後にはサークル員の意見をよく聞き、委員会に報告しなければならない。

又、委員会で決定された事項は必ずサークルで討論し、各サークルはその決定にもとづいた具体的な行動をすゝめること

②　委員会、サークルの機構を簡単化する委員会は来年度より月一回とする。

③　会の中核として精鋭な職業専门活動家を養成し、これを職業活動の基礎的推進力とする。将来の会の構造はこれら活動家を中核としてその周りに一般会員、賛助会員、会の協力者を組織する。

このため、とくに職業専门活動家には物心両面の具体的な援助を情況に応じて実施する。

会の新しい第一歩は　新年宴会から

新しい年を祝い、会の新しい第一歩をふみだすために新年会にお集り下さい。一夜を愉快に過ごす中でお互いの親睦をまし、職ア運動のスタートをきりましょう。

また、これまで会のためにけん身的に働いて来てくれた会員竹村千代さんにも感謝の意をさゝげたいと思っています。

くわしいことは改めて招待状をさしあげる時に発表しますが、予定は大略、次の通りです。

日時

一月十四日　午後六時から（翌日休みですからどうぞごゆっくり）

場所

品川食堂（予定、地図は招待状に書きます。）

会費　二五〇円（予　定）

運営委員会ニュース

No.9 発行 33.2.1.

職場の歴史をつくる会 運営委員会

機関紙五〇〇部発行へ

職歴専門活動家を中核に会体制指導

既に発表された職歴五八年度組織運動方針案の詳細な具体化が急がれていたが、三十一日の運営委員会でその原案が決定発表された。同案の中でとくに強調されているのは旧来の委員制度による指導の弱体を克服するために職歴専門活動家を中核とする会指導への移行の問題である。この原案の主な内容は次の通りである。

本年度は運動推進の具体的な指標となる機関誌の質の向上と定期発行を保証するために ①五月末迄に五百枚以上の充実した作品を製作し、②発行冊数は本年度九冊とし ③定価を三十円にする ④また発行部数は制限し赤字を出さない ⑤漸進的に販売部数を増加させ、年内に五〇〇部（目標）発行を実施する。

またこの機関紙中心の組織体制を保証するために従来手うすであった職歴運動の基礎的推進力である、職歴専門活動家の大切な養成を実施することになっている。

その対策としては (1) 職歴専門活動家の資格を次の四クラスとする。

ディレクター、アシスタント1、アシスタント2、アシスタント3、

※ 各クラスの選考基準は追て発表する

(2) 二月中旬以降 アシスタント1、2を中心に〃職歴運動の指導のあり方〃についての専門講座を実施する。

(3) 三月中旬に　アシスタント3を中心に専門講座を行う。

また本年度内に約四回程度職歴専門活動家養成のための講座を実施する予定である。

(4) 職歴専門活動家の指導により各サークルに於ては

(一) 個人の歴史　(二) 職場の歴史（参考　岩波文庫版　細井和喜蔵著「女工哀史」）の製作を進める。

又、活動家の指導によりサークル誌を発行し、会員の優秀な作品を順次発表する場をつくる。

(5) 精鋭な専門活動家を先頭に夫々の職場及び新しい職場、地方等に働きかけ本年度内に三〇〇～五〇〇名の新会員を増加する。

(6) 精鋭な職歴専門活動家の実践の重要性に基き、会は状況に応じて適時活動家に物心両面の援助を実施する。年内には最低常任有給制＝五千円程度を実現するが、この実施も亦状況（毎月）に応じて具体的に行うこととする。

(7) 月一回、製作会議を行い、職歴専門活動家の協議により会活動の円滑な発展を保証する。

(8) 現在、職歴専門活動家を中心に新会員の協力を得て、今春、都内某書店から出版予定の単行本編集の仕事が進められているが、本年度はこの様な出版計画をも事情の許す限り適時推進し、専門活動家を中核とする会体制を維持する財政的な基礎を援助する予定である。

一月会日誌

日日	主な行事	記
一月一日	国鉄サークル祝賀	事務所
四日	出版計画打合せの為 某書店編集長宅訪問	竹村、両島 宮沢
十日	国鉄サークル	大井工機部クラス
十二日	スタッフ会議	岩波組
十三日	運営委員会	事務所
十四日	新年宴会	品川食堂
十六日	某書店訪問	竹村、村、岩波、両島
十七日	アンケート集める	
十八日	スタッフ会議	宮沢組
十九日	スタッフ会議	両島組
二十日	スタッフ会議 某書店編集部事務所訪問 出版計画を検討す	岩波組

二十六日	スタッフ会議	内組
二十七日	スタッフ会議	岩波組
二十八日	スタッフ会議	宮沢組
	Sサークル	
二十九日	スタッフ会議	清水組
三十日	スタッフ会議	岡島組
三十一日	観察会議	内組

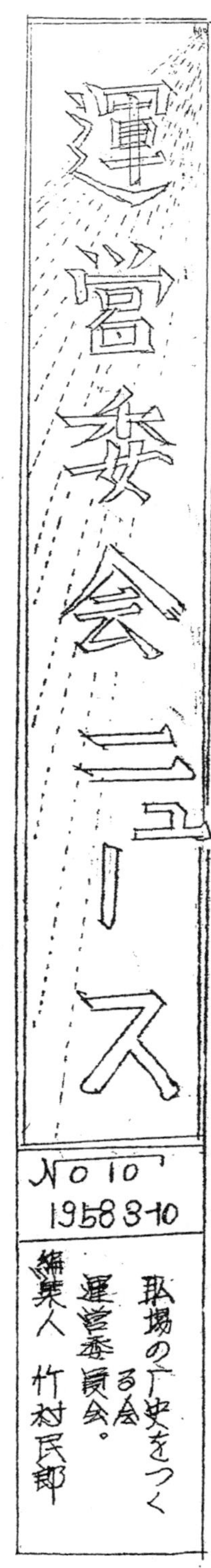

運営委会ニュース
No10
1958 3-10
職場の歴史をつくる会
運営委員会。
編集人 竹村民郎

二、会の出版事業に全員でとり組むこと

今年度の初めから運営委員会は都内の某書店より最近の作品と会の仕事の手引きをまとめた本を出版する計画を進めてきました。現在までに多くの会員の努力によってすぐれた作品が続々生まれています。又、毎週三回以上、事務所で、その書店の編集長と共に作品の批判や、書き直し等を行っています。

現在、次の人達が作品を書いています。清水澄夫君、土田教助君、宮沢武人君、岡崎博君、飯塚節子さん、松本由起子さん、太田千江さん、菊地一徳君、門義一君（年表）。

三月二十七日の運営委員会では、個人の歴史を中心とする今度の出版計画は、最近、日本の若い人々が求めてきている「日本という国の本当の姿を知りたい」「自分の見方、考え方、でものごとを考えたい」という要求にぴったり合ったものなので、しっかり取り組めば必ず売れるという見とうしを確任しました。又出す以上はベストセラーにと云った望みで、大体六月ごろを出版期日とし、原稿の仕上げは、今月一ぱいとして全会員でこの計画に取りくみ、最後の追い込みにかゝることに決まりました。

最近の会の運動はこのように各職場で実際に書く仕事が進み、作品をつくることを中心に会員どうしの新しい結びつきがつくられつゝあります。対外的にも全電通の機関誌の座談会に招待されたり「全逓文化」に会のことが取り上げられたり「国民文化会議」から職正講座を申し込まれたり有利な条件ができて来ています。しかし反面最近に入った多くの会員はまだ会の仕事を通じて会の意義をつかんでもらうという指導が不充分のため、その人達に会の仕事に協力して頂けないこともあると思います。今度の出版は今までの私たちの貴重な経験を全国の人たちに訴えるためのものともいえるチャンスなので、運営委員会のたてた計画によって、全会員がこの出版事業に協力下さることを要望します。

二、個人の歴史を書く運動を全サークルで進めよう。

今度の出版計画が進む中で多くの会員は個人の歴史を書いた　経験をつみ、その創作と共に会の意義もその人達は今までになくはっきりとつかみました。

委員会は三月から新しい会員にも個人の歴史を書いてもらう運動を始め全会員が私たちの会の中で書くことを実際に経験する中で高め合うということを決めました。尚、今度の機関誌は四月の初め皆さん手もとにとどくよう編集を急いでおりますが発表する作品は国鉄の土田君の〃個人の歴史〃です。本年度のベストワン候補の力作ですから御期待下さい。

三、運営委員会の定期化

最近会の仕事の急速な進み方に応じて会合もなるべく合理的にし、又会費の納入も定期的にする必要がありますので月一回の委員会を各月共定期的の二十五日とし定期化することになりました。（運営委員の諸兄姉は毎月お忘れなく所属のサークルの会費をまとめ、二十五日に事務所におさめて下さい。

四、サークルの確立

現在、国鉄、Sサークルの二つは共同研究も地につき始めましたが、恩給局、国際電々、Aサークル等は一部の会員をのぞき、作る仕事が進んでいません。それで四月から経験のある委員を中心にして、これらのサークルの確立を援助することが決定されました。

五、総会の件

（個人の下史）をどう書いたかをテーマにして四月中旬総会（研究発表会）を開く予定です。くわしい計画は三月二十五日号のニュースに発表します。

Aサークルの打合わせ
日時 三月二十七日 午後六時半、
場所 事務所
議題 菊地基の個人の下史の合評会

六、事庄花見の会

今度左の計画で夜ざくらを見に行くことになりました。なるべくたくさん参加して下さい。

記

日時 四月六日（日）六時から九時

場所 上野公園（西郷さんの下に五時半まで集合）

会費 二百円、

七、会員の動向

土田敬助君　副(助)手に決定

梅田富子さん　新入会員(五年度)

小松洋一君　退会

遠藤昇君　退会

吉崎蔦雄君　退会

運営委員会ニュース

NO 11
1958 3 25

発行人 職場の正史をつくる会
編集人 竹村民郎

一、"職場と生活"（会機関誌）四月中旬に発行

口鉄サークル　土田教助

さかゆめ・

☆「これを読んだ人は、そこに自分の姿をも発見するに違いない」「素直な魂の告白」各会員激賞!!

☆書き下し　一五〇枚の力作

☆近日中に某書店から発行予定

☆定価（一部三〇円）

☆但し、会員には無料贈呈

"職場と生活"一〇号

二、"職場の正史"（Sサークル機関誌）四月中旬に発行

春蚕（はるご）　—Sサークル—

飯塚　[illegible]・子

☆人を愛すること・知ることを求めて、ひたすら歩んできた過ぎし日の想出

☆ 書き下ろし 五〇枚

☆ 定価（一部 二〇円の予定） 限定版

（☆ 但し、会員には無料贈呈

三、"職場の歴史"（国鉄サークル機関誌）四月中旬に発行

座標 ―国鉄サークル― 岡島博

☆ 家を支へひたすら生きる青年に押し寄せる時代の激流、生活と時代とが互に直交する其処に立つ青年が生ひたちの記。

☆ 書き下ろし 五〇枚、 ☆ 定価（一部 二〇円の予定） 限定版

☆ 但し、会員には無料贈呈、

四、事務所を守って下さい

一月から現在までに読んで、新しい充実した作品が生まれているが、作品がつくられるまでの創造的な活動（作品の読み合せ、検討、批判等）はすべて会事務所で行なわれている。事務所はこのように重要な[illegible]る。しかし、会員が毎月頭をいためるのは、この事務所の維持費（二、〇〇〇円）である。

会費納入率・六〇%の現在では毎月の事務所費支払は必ず赤字となる。今までこの赤字は特定[illegible]（会費前納、又はカンパ）でおぎなわれて来たし、三月分事務所費も左記の者の[illegible]（会費前納[illegible]）となっている。

岡島博 三〇〇円 宮沢武人 二〇〇円 大田千枝 五〇〇円

土田教助 三〇〇円 菊地一徳 二〇〇円 （但し、Sサークル[illegible]）

委員会はこれまで度々、会ニュース※、直接請求等様々な形で会員の皆様に会費の納入をお願いしてきたが、残念ながら会の一部の方々にはこの特殊な事情を理解する運動に誠意を以て協力して頂けなかった[illegible]、共に進む方々を責めようとは思っていない。私共の[illegible]の不足さになって会員全部の[illegible]をくみだせないところにこの問題の本質があると思っている。その反省に立ち、委員会は、あくまで、[illegible]しい会、となる様に精一ぱいの努力を続けている。間もなく、その善意の輝が少しづつ[illegible]いてきた。

これまで長い間、会の運営を支えて下さった会員諸氏に感謝すると共に現在の[illegible]御協力下さることをお願いする。

五、会の出版活動について。

三月二十九日夕 委員会員と出版社々長とで出版についての相談会を開く。[illegible]活動についての配慮しなければならず注すものと思われるが、話し合いの結果次の[illegible]

① 今回の出版の期限は六月下旬（前後）とすること。

② 会は編集権をもち、出版社は出版事務を遂行すること。但し営業については[illegible]

③ 印税は規定通りとすること。

六、お花見について。

☆ お花見までに会旗をつくること、 会長 [illegible] [illegible]

☆ 当夜は、男子会員 お酒 女子会員はビールを用意する。

☆ [illegible]のある方は持参してほしいこと

☆日時：四月六日（八日）夜、大雨の時決議

☆場所　上野公園（西郷さんの下に五時半集合）

☆会費、二〇〇円

☆5サークル毎の会費は前回の部会上七時半に西郷さんの下に集めること。

七、総会について

1、総会は五月中旬にすること

2、総会は研究発表会の形をとる。

3、総会テーマ　〃個人の主体をつきくる方法〃

4、総会準備計画をたてるために四月中上旬、諸班の委員会を開くこと。

5、総会は広く会の内外に宣伝すること。

—以上—

運營委員會ニュース
—総会特集号—
NO.12
1958.5.12
発行人 職場の歴史運営委員会
編集人 竹村民郎

總會報告資料

（一九五七年一一月総会〜一九五八年五月總会迄）

(一) 職歴運動の発展

その(一) 作品をつくる仕事の発展の中での成果

イ、各職場支部および会員の中から新しい作品（個人の歴史）が作りだされること

作品を書いている会員名（敬称略）五月一〇日現在）

飯塚節子　松本田紀子　岩浪忠夫　清水澄夫　菊地一徳　土田敏助
宮沢武人　山口秀雄　島村光一　岡島博

ロ、会職場支部で職場の歴史をつくる仕事が始まつたこと。

作品を集団で書きだした職場名（五月一〇日現在）

S店支部（指導責任者飯塚節子）国鉄品川客車区支部（指導責任者岡島博）

詳細は各支部で発行している会報を参照のこと

ハ、一部の会員が組合史をつくる仕事をすゝめていること。

本條嘉久雄　全建労史草稿（全建労機関紙〝全建労〟所収）

竹村民郎　全日通労仂組合史（完成本文9ポ全四〇〇頁発行六月初旬予定）

二、職場の歴史、個人の歴史をつくる仕事の中から生れた新しい経験を整理する仕事や書く技術を整理する仕事（運動の理論をつくる仕事）の企画がすゝめられていること

※ 既に運営委員会主催の勉強会（定期月二回第二第四金曜日夜）で運動の経験を整理する仕事が

急速に進んでいる。

ホ、前項の様な実践の進む中で会員の中から優秀な作品を書く能力をもった活動家がそだって来ていること。

ヘ、S右支部が同支部所属の学生会員の卒業論文を書く仕事を組織的に援助したこと。

※ S支部主催で岩浪全員の卒論を聞く会"文学と私たちの生き方"の集りが二回開催されている。亦現在竹村委員は学生会員、松崎（教育大）京念屋（お茶大）の卒業論文の研究の援助を進めている。

ト、会内部で生れつゝある新しい作品を比較する計画が進められていること。

その(二) 組織の発展について

(イ) 職歴運動の三年の経験を整理する仕事と個人の歴史をつくる運動の発展の中で会員は自分と職場の事実を素直に見つめることが出来る様になりその結果夫々の立場を認め合い協力して会の運動をすゝめ様とする会風が会の中に生れて来たこと。

※ 何事も編隊を組んで実行し実績をつくり出す会風である。

(ロ) 経験を大切にしようと云ふ会風が生れてきたこと。

(ハ) 会のすべての組織を会員の個人的関心のうえにつくろうとする会風が生れてきたこと。

※ とくになる楽しい大衆団体の建設ということである。

(ニ) 前項(イ)(ロ)(ハ)の会風の拡りと三年間の実績の中から会の運動の意義が明らかになってきたので会員全体の運動についての自覚が高まったこと。

(ホ) 会運動を発展さす上で運営委員会と機関誌の占める役割の重要さがあきらかになってきたこと。

(ヘ) 会運動の土台としての職場支部の建設と云ふ運動の中心課題の実践が進みそれに伴う実績があがってきたこと。

(ト) 良い作品をつくる能力と新しいセンスを持った活動家が運動を具体的にすゝめ出していること。

※ 会員の一部の人々は職歴運動に積極的に取くむと共に夫々の職場での活動にも活発であり職場

の人々に注目されているがこの様な実践こそ会員の第一の資格である。

(チ) 会員の実践と実績を通じて会の運動が職場の人々に注目されている。又恐らく人々の種々の団体や国民文化会議、文化人等も会の運動を高く評価していること。

その(三) 会財政の発展

(イ) 運動の見返しに応じて予算を組む習慣が生れつゝあること

(ロ) 会収入が会員の自覚の発展に与えられて安定してきていること。

(ハ) 運動と財政問題を結びつけることが委員会の活動のスタイルとなってきたこと

項目／月	収入	支出	収支合計
一九五八年度 一月	四四二〇	四二六六	一五四
二月度	三、八七八	三、八二四	五四
三月度	四、三一七	四一〇六	二一一
四月度	四一七一	四一二一	五〇

(単位円)

その(二) 職歴運動の反省

その(一) 作品をつくる仕事についての反省

イ、個人の歴史をつくる運動 職場の歴史をつくる運動の中で生れた大切な経験の整理が不充分であること。

※ 職歴、個人の歴史を書く過程で職場生活や個人の成長にとってどんな利益があるのか至急明らかにする必要がある。

ロ、既に書かれた作品を更に良いものとする努力がやゝ停滞していること。

ハ、作品をつくるのにはらわれた努力(実践)とつくられた作品(実績)を大切にしない習慣が会に根強く存在していること。

ニ、実践と実績をもたず会や会員の作品を批判するという独りよがりの傾向が会に存在していること。

ホ、職歴運動を職場に拡げてゆく為の最も大切な条件となる職歴委員の指導性が弱いこと。

ヘ、組合史をつくる仕事の意義(なぜ組合史をつくることが要求されるのか)についての研究が不充分であること。

ト、委員会主催の勉強会は至急に職歴運動から生れた経験の整理(理論づくり)をすゝめること。

チ、委員会は学生会員の要求や関心を充分汲み上げていないしその指導も不充分であること。

リ、出版計画の意義とその実行状況が全会員に正しく知られていない為に委員会だけが出版計画及び出版社との交渉に取組まなければならなかったこと。

その(二)組織の反省について

イ、会員の会に対する個人的な関心を委員会は充分発展させていない

ロ、会の運動の進む中で生れて来る成果が一部の会員や委員会内だけにとどまり会員個々のものにならない傾向がある。

※この傾向が生れるのは会の成果の整理が組織的にやられない傾向があるために運動の成果を得られるのが一部の人々だけに止るからである。

ハ、運営委員会の機能としては会が置かれている条件の新らしい動き（国際国内の情勢）の把握に敏感であり、その条件に応じた会活動の上手な指導を必要とするが、運営委員会の現状は視野が狭くなりがちであり、仕事の進め方も非能率的である。

ニ、国民文化会議その他の団体の会の運動を援助しようとする積極性を上手に発展させる運営委員会の努力は不充分である。

ホ、会内部にはまだ編隊を組み（組織的に）仕事をすると云ふ能力が身につかず、個人の気分本位で会活動に参加する傾向がある。この様な傾向は会を不安定にするだけではなく、その人自身をも不安定にするものである。

ヘ、良い機関誌は最良の組織者であり、機関誌は会の顔である（実績の中でもとくに目立つもの）と云ふ自覚が会全体に不足している。

その(三)会財政についての反省

イ、毎月の会収支状況は必ず所要経費に比して会費収入の不安定さ（期限迄に収まらないこと）から収入の不足となっている。

昨年から一貫して現在まで続いているこの傾向を克服するには

(1)会員が会費納入期限を守ること。

(2)委員は所属する支部の会員の会費を期限迄に集めること。

の二点が守られること以外にはない

ロ、会費の納入率は四月末現在で五二％である。

ハ、現状では会財政の弱さは依然として一部の会員の犠牲によって背負われている。

会委員制度について

<table>
<tr><td rowspan="4">委員</td><td>2ヶ月</td><td>会の運動の実践に寄与した会員
1、立派な作品を書いた会員
2、職場に自前で職歴運動を幅広くすすめ会支部をつくりだした会員
3、その他
上記の会員中より委員会がその実績を承認した会員（サークルのすい選による）</td></tr>
<tr><td>4ヶ月</td><td>所定の会費を完納し、入会後職場サークルに3回以上（通算）出席し、委員会の主催する勉強会にも2回以上出席し、委員会がその実績を承認した会員（サークルのすい選による）</td></tr>
<tr><td>6ヶ月</td><td>所定の会費を完納し、入会後職場サークル（会支部）に12回以上（通算）出席しサークル委員が、その実績を承認した会員（サークルのすい選による）</td></tr>
<tr><td>10ヶ月</td><td>所定の会費を完納し、入会後10ヶ月を経て会活動に寄与した実績を委員会が承認した会員（サークルのすい選による）</td></tr>
<tr><td>地方委員</td><td colspan="2">地方会員が労力と実践により、その地域に会支部（3名以上）を設立した時には会地方委員となることができる。但し委員会の承認を得るものとする。（サークルのすい選による）</td></tr>
</table>

会機関誌について

1、自前で出版します

※　毎回の出版の経験を整理して内容を良くし確実に部数を増加してゆきます

2、原則として季刊（年４冊）とします。

※　現在会には４冊分の原稿が準備されています。

3、経費

①収支について

　　　1回発行経費　6,500円
支出　4回　〃　　26,000円
　　　6500×4＝26,000円

　　　会内部の寄附　　　　　10,000円
収入　会外からの寄附　　　　15,000円
　　　売上（発売部数100部としその中の60%程度売れるものとする）　10,000円
　　　　　　　　　　　　計　35,000円

収支総計　35,000－26,000＝9,000円
　　　　　9,000円が来年度経費に繰越しとなる。

②寄附について

A、募金期間　1958年　5.25～8.1

B、〃方法　会内部　ボーナス期に実施

　　　　　　会外　　奉願帳形式（1口　500円）

C、寄附した方々は賛助員とし、氏名を会機関誌に公表し、各季機会誌及びサークル誌を贈呈し、会の主催する催し会合に招待します。

運營委員會ニュース

NO.13
1958. 5.25

發行人 編集人 職場の歴史をつくる會 運營委員会 竹村民郎

一、"職場の歴史理論"の完成

全会員の強い要請であった"職場の歴史"の意義がこのほど委員会主催の研究会で明確にされた。委員会は既に本年二月以降"職場の歴史理論"の完成を目標に研究をすすめていたが五月廿三日(金)の研究会でこれまでの研究活動の結論として竹村委員より"職場の歴史の理論"が発表されたのである。

この新しい理論によりこれまでの会の運動の経験が正しく総結されるばかりでなく、理論と実践、職歴運動と労働運動、職歴運動と個人生活の問題等をも正しく位置づけることが可能となったのである。

委員会は新しい理論を更に発展させる為に①委員会主催の研究会の一層の充実、②研究班の設立(竹村、秋山、岩浪、門各委員を研究員とする)を実行し、またこの新しい理論を全会員に普及するために①新理論の発表を中心とする総会を七月上旬に開催②各会支部で六月中旬以降研究講座を一回以上実施③七月総会迄に新しい理論をパンフレットにして全会員に配布する等の計画を決定した。

二、もうかって楽しい会風の実践

"会員の個人的な関心のうえに会の組織をつくろう"という委員会の提案は七月総会で満場一致の賛成をみた。

委員会は当面もうかって楽しく運動を進めるプランとして次の諸事項の実施を計画しその準備を進めている(行事係 宮沢)。

①奥むさし高原を歩く会　五月廿九日(木)　当会　国労品川客車区分会青年部　共催

②キャンプファイヤーの夕　七月下旬(予定)　当会　各労組山岳部　共催(予定)

③海浜の集い　八月中旬(予定)　当会　各団体　共催(予定)

④職場訪問　六月中旬（予定）　電気通信研究所　当会主催
　　　　　七月中旬（予定）　場所未定　〃
⑤公開職歴講座　八月中旬（予定）　場所未定　当会
　　　　　　　　　　　　　　　　国民文化会議共催（予定）
⑥公開理論講座　未定　場所未定　当会
⑦国民文化集会
職場の歴史分科会　九月中旬（予定）　場所未定　国民文化会議主催（予定）

三、機関誌について

1、機関誌十号について

A　販売計画
　国鉄品川支部　十部
　田町支部　十部
　S　支部　十部
　委員会関係　二十部
　その他　二十部

B　十号所要経費　約五〇〇〇円
　カンパ報告（四月、五月度）
　一〇〇〇円寄附　竹村民郎　四月受付
　一〇〇〇円寄附　岩浪忠夫　五月受付
　一〇〇〇円貸付　菊地一徳　四月受付
　二〇〇〇円貸付　松本由紀子　四月受付

C　上田教助氏をかこむ合評会
　期日　六月一五日（日）夜　場所未定

2、編集委員会の設置

。目的　会機関誌の編集及び出版活動

。構成　編集委員会は運営委員会に所属し、その援助をうけて自主的に機関誌活動を推進する。

役員は運営委員会より編集長（正副）二名（飯塚、秋山委員）を出し編集長は会員中より数名の委員を指命する

3、十一号は八月中旬発行に決定

4、夏季カンパ活動（機関誌財政の安定案）を五月廿五日〜八月一日迄委員会が推進する

目標総額　二六、〇〇〇円

四、委員会について

当面運動は急速に高揚しようとする傾向にあるがこの発展を促進するのに決定的なものは委員会の規律ある機能の発揮である。委員会は現在、委員会の規律ある機能の発揮にブレーキをかけているものは委員会内部の一人よがりの思想（個人主義思想）である。

。一日和尚をすれば一日だけ鐘をつく（たのまれたことだけはするが自発的に実践しない傾向や実績をつくらずに人を批判する傾向）

。早いとこ畠に出るが勝ち（自分一個人の利益を闘争にも強硬に主張し、自分の顔形に合せて運動をつくろうとする傾向や、気まぐれ本位で組織活動をする傾向）

この様な委員会内部にある個人主義思想は、集団批判によって一掃しなければならない。亦、今後種々の事情から委員活動に支障のある委員は一応委員を辞退し、会員として今後活動することにする。

※この五月委員会の決定の線に沿い内委員は今後会員となり、新たに新設される研究班の仕事に専心することとなった。

五、出版活動と原稿募集について

1、至誠堂との交渉の打切りに伴い第二候補として予定している基書店との交渉を六月上旬以降開始することとなっている。

2、委員会は全会員よりの第二次原稿募集を次の要領で行うので振って応募してほしい。

①締切り　七月下旬

②枚数　五〇枚以上

③テーマ　個人の歴史、職場の歴史

書き方は委員に相談してほしい。

参考に機関誌十号を読まれる事を望む

④作品審査、委員会

⑤優秀作品は機関誌に発表

最優秀作品は出版する。

運営委員会ニュース

1958 7.5 No.14
発行人 職場の歴史運営委員会
編集人 竹村民郎

合評会活動(集団創作)を前進させよう

―会活動の土台―

☆

会の行事の一つ職場訪問(品川客車区、中央電報局、電気通信研究所)の中で、会員同志はお互の職場(生活)について良く知ることができ、お互の生活についての話しあいも深まった。

一方〝武蔵高原を歩く会〟にみられるような愉快でもうかるという明るい気分も会に拡がり、会員は〝若さ〟と〝やれば出来る〟という自分の精神でどしどし会活動を実践している。職場訪問とフェスティバルの二つの実践に支えられ六月十五日機関誌一〇号の合評会が開かれたがこの合評会の成功も亦会に新しい大きな贈物をしてくれたのである。

即ちそこでは会活動の最重要の課題〝作品の質を向上さすための方法(=集団創作)がはっきりと確立されたのである。合評会では作者とその読者が、広く人々の立場に立ち自由に作品の検討をしている。その討論は準備不足にもかかわらず可成高度なものを含んでいる。(合評会の内容は近日発行の〝つぼみ〟にのせる予定である)集団によって作品をたんねんに批判し、つくり上げてゆこうとするこの方向こそ会発足当時のふんいき――N労組の歴史をつくる会の実践――と同じものである。

合評会活動(集団創作)を継続的にがっちりと進める中から自分の歴史、職場の歴史をどしどし書いて行こう。

☆ボーナスカンパ目標額（一万五千円）の突破

ー七月三日現在ー

四十年の歴史の中で今年ほどカンパ活動の実績があがった時期はない。（昨年のボーナスカンパ実績と比較し、ロ鉄サークル、Sサークルの本年度実績（七月三日現在）は夫々十倍を越えている）

ここにもはっきりと会員の会を守ろうとする熱意と本年初頭以来がっちりと編隊をくんで運動を進めて来た成果が現れているのである。ボーナスカンパに協力下さった方に心から感謝すると共に七月二〇日の締切り日迄二週間を目標額達成を目ざして頑張ろう。

☆会賛助会員継続を求る（七月二〇日締切り）

七月三日現在で次の一五名の方が賛助会員を承諾下さった（順不同）

鳥居　宏（あさか探菁園々長）
鶴見和子（評論家、思想の科学会員）
鶴見俊輔（工大助教授　〃　）
武田清子（評論家　〃　）
木下順二（劇作家）
✓川西五郎（会社員）
中嶋三益（元歴史評論編集委員）
佐藤弘一（河出書房編集部）
✓玉城　素（歴史評論編集委員）
山口啓二（東大資料編纂所員）
南　博（日民文化会議事務局長、一橋大助教授）
倉橋文雄（法大教授）
石母田正（〃）
岩森安昭（技師）
至　誠堂（出版）

☆ワルシャワ大学日本文化研究所長ドクトル・W・コターニスキ氏
職場運動を激励

以前から文通していたコターニスキ氏の来日を知った運営委員会は早速同氏と連絡し、六月一二日夜銀座に於てコターニスキ氏をかこんで座談会を開くことが出来た。

席上同氏は職場運動は世界で始めての極めて有意義な運動であると評価し、この運動の経験を世界の各国に伝える必要のあることを強調、又、コターニスキ氏は帰国後ポーランドの労働組合文化団体と会との交流についての便をはかることを約束された。

なお、会から河出書房"職場の歴史"、会機関誌"職場と生活"その他をコターニスキ氏に贈呈した。

☆事務所サークルの発足

事務所サークルの第一回研究会は"歴史における個人の役割"(岩波委員報告)をテーマに六月二二日夜事務所で開催、指導と大衆の問題に焦点がしぼられ、活発に討論が進められた。次回は七月一〇日(午後八時三〇分)事務所に於て"大衆の思想―生活記録運動について"(中央公論七月号参照)の研究発表を行う。報告者高橋秀夫会員。

☆"キャンプファイアを囲む夕"の準備は準備委員会で強力に進められているが締切日(十二日)迄に予定人数を突破すべく現在各職場毎に熱心にオルグを進めつゝある。

☆機関誌十一号 八月一五日発行

清水澄夫委員の力作(題未定 一〇〇枚)他現在がり切りを始めているので期日迄には必ず会員の手

元にとどく予定である。

☆総会延期
今秋新しい職場にもよびかけて開催

総会準備委員会は委員会と協力してすでに五月下旬から総会についての対策を進めて来たが、七月は会の事業である夏のフェスティバルがあるために総会開催は事実上困難であるとの見通しをたて一応七月総会を秋に延期することとした。

なお秋の総会は充分討論を組み、新しい職場にもよびかけて行うため可成大規模な総会とする予定である。

☆"父母の歴史を語る会"八月中旬に決定

会は昨年九月故竹村民治郎氏追悼"父の歴史を語る会"を一つの出発点として今日迄進んで来たが、今夏も職歴運動発展の尊い犠牲者の一人故竹村民治郎氏を記念し、又我ら会の伝統を再確認するために八月初旬"父母の歴史を語る会"を開くこととなった。

家族の問題と職場活動との矛盾の中でゴーインにおし編隊を組んで進んで来た我々もこの会に集る中で一夜充分腹の底につもるなやみや、父母のことなどを、語り合いお互いのことをよく知ることによってお互いのすき間をなくし、がっちりと編隊を組んで更に前進しようではないか！

運営委員会ニュース

1958 8.6 原水爆禁止 No.15　編集人 職場の歴史運営委員会　発行人 竹村民郎

――新しい会風の提案――

☆いっしょに考え(学習し)いっしょに実践しよう

さいきんの新聞紙上には生活と働く者の権利を守る斗いが全国各地のいろいろな職場ですすめられていること。またその斗いが大きな壁にぶつかっていることが連日報道されている。

それらのニュースや色々な資料を読んで私共は色々なことを教えられるがその中で職歴運動にとって大へん参考になる二つのことがある。

その一つは、全国的にみて勤務評定反対運動が最も進んでいるといわれる和歌山県の先生方の斗いや、昨年国鉄の兄弟が斗った新潟斗争に典型的にみられることができる様な〃いっしょになって考え、いっしょになって実践する〃という新しい集団生活のスタイルである。

その二として、職場の人々が〃いっしょに考え〃る時には必ず同時に正しく考える(判断する)基礎をつけるために自発的に学習を集団ですゝめているという事実である。

〃流れに学んで己を正しくする〃とは古人の言葉であるが、私共はこれまで己を正しくする一つの方法として(無我夢中で生きて来た過去を整理する中から自分の思想を確立するために)自分の歴史をつくる運動をすゝめて来た。

今 私共はさらに高く より若く生きるために〃もうかって楽しい〃という会風と共に〃いっしょに考え(共に学習し)いっしょに実践する〃スタイルをこゝに提案したいと思うのである。

☆ボーナスカンパ実績 一二、九五〇円

――昨年度実績の二〇倍に躍進――

ボーナスカンパ感謝(会員氏名はABC順とする)

秋山　ヨリ　一、〇〇〇円
青山　崇　七〇〇円
平尾　三郎　二〇〇円
飯塚　節子　一、〇〇〇円
伊東喜美子　一、〇〇〇円
岩浪　忠夫　一、〇〇〇円
金田富美子　二〇〇円

小林　弘　一、〇〇〇円
黒部　一夫　二〇〇円
菊地　一徳　六〇〇円
松本由紀子　一、〇〇〇円
松崎幸八郎　五〇円
宮沢　武人　一、〇〇〇円
太田　千江　一、〇〇〇円

岡島　博　一、〇〇〇円
清水　潔夫　一〇〇円
土田　教助　一、〇〇〇円
竹村　民郎　二〇〇円
梅田　富子　二〇〇円
植村　照美　二〇〇円

☆夏山フェスティバルの教訓

―ゴーインにわが道へ―

若者同志がいっしょに行動し夏山フェスティバルをもり上げることができた。これは会の歴史の新しい伝統であり、又その中で十数名の明るい仲間を迎えることができたことも大きな喜びである。

委員会はフェスティバルの成果を[illegible]反面、不充分だった面を長い時間をかけて慎重に検討した結果、今後の会活動の基本的な指針の一つとして本ニュースの巻頭にかかげた様な新しい会風を提案することとしたのである

〃もうかって楽しい〃〃いっしょに考え（学習し）いっしょに実行しよう〃

即ち、個人の喜びと共に生きる喜びとの正しい組合せの中からのみ[illegible]運動も会員個人も成長するという確信をつかんだのである。会は今後この基本コースの上を going my way（ゴーインに[illegible]す）するだろう。

カンパ実績から見ても会の実勢は昨年度の二〇倍となっている。財政面だけではなく会のあらゆる活動状況から判断するならば会の現在の実勢（実績）は昨年度の二〇倍以上である。

（註）現在、会実力白書を作成することを考えている。

会活動が盛んな例の一つとしては、事務所（本部）をたずねる会員の延人員の増加をあげることができる。五八年度一週〈七曜〉を平均一日四名以上の会員が本部をたずねている。

委員会は会員諸兄姉が委員会を中心に団結し、お互に激励で支えられながら、ゴーインにわが会風を実践しながら進むことを希望する。

☆職場講座九月から実施

—会新委員養成を目標に—

委員会ではこれまで二年計画で着々と学習会を開き勉強してきたが、この学習会は委員の質を高めるのに大へん役立ったのである。委員会は十数回実施したこの学習会の実績から判断して九月より全会員に公開で新たに職場講座〈学習〉を開くこととした。今後新委員は、職場講座に参加し積極的に学習する優秀な会員の中から選ばれることになるだろう。

講座のくわしい事柄は八月末の運営委員会ニュースに報告する予定である。

☆組合機関誌（国鉄労組品川分会誌〃はとが〃）に宮沢委員の作品発表

国鉄職場サークルでは職場運動を幅広く職場に拡げるためにこれまで分会の文教宣伝委員と連絡を進めて来たが、このほどその具体化の一として宮沢委員の作品を分会機関誌にのせることに決定した。

〃はとが〃発行後分会の協力を得て職場国鉄サークルでは合評会を職場で開く予定であるが、品川客車区の人々は職場運動に対する関心が強いだけに〃はとが〃発行が反映する影響と合評会の成行きが注目される。

☆勤評反対民主教育を守る国民大会へ会代表の参加を要請す

八月一五、一六の両日、和歌山県下六ヶ所に於て開かれる勤評反対民主教育を守る国民大会の事務局長より当会に代表派けんとメッセージの要請がとどいた。

委員会としては代表派けんは今回ひかえ、メッセージのみを送ることに決定し、直ちに同事務局長宛にメッセージを送った。

☆第三回国民文化集会への参加中止

口民文化会議より本年度も文化集会参加（第一分科会の指導）を要請してきたが委員会は過去二回の口民文化集会の圣験と現在の会の実力から判断し、今回は同大会への参加を辞退することにした。

なお、南博口民文化会議事務局長からは　①口民文化集会に対する批判をまとめて欲しい。②来年度はぜひ参加してほしいという要請があった。

運営委員会ニュース

1958 9.5

勤ム評定は教室を暗くする

No16

編集人　職場の歴史運営委員会
発行人　竹村民郎

くさいものにふたをするな

徳川三百年の封建時代の間にいつしか私共日本人は、くさいものにはふたをする（困難な事実に目をつぶる）習慣がついてしまった様である。私共の会活動をみても、これまでとかく困難な課題、それは又、お金と密接に関係している問題である!!（常任問題、事ム所維持、機関誌製作、フェスティバルの後始末等をさけようとする傾向が強かったと思う）

〃もうかって楽しい〃〃いっしょに考え、いっしょに実践しよう〃という会風が本当に会全体のものとなるためにはウェットな批判（現実をよく見ない傾向）や生活や自分のことをムードですまそうとするやり方とはキッパリ手を切らねばならないだろう。

〃くさいものにふたをするな〃

私たち職場の歴史をつくる会の会員は〃ウェット〃、ではなく〃ドライ〃に、〃ムード〃ではなく〃ヌード〃で、〃エレガント〃ではなく〃エレファント〃にくさいものに（困難だが切実な問題）全力をあげてぶつかりながらゴーインに前へ進もうではないか。

職場の歴史講座計画進む

既報の通り新鮮なファイトにもえる新会員のための職歴講座開催の計画は委員会で着々と進められているが、一日の臨時委員会でほゞその大綱が決定し、目下最終的な検討が進められている。講師は運営委員があたり、講座の内容として〃職場の歴史とは何か〃〃職場の歴史をつくる会の歴史〃〃自分の歴史のつくり方〃〃実習――（機関誌製作）――〃等が予定され、実施予定期日は十月初旬である。又講座終了者には職場の歴史をつくる会委員候補の資格が与えられる予定である。なお詳細は九月一五日発行の臨時ニュース（つぼみ）に発表する。

機関誌自前で完成す!

夏の暑い盛り十日を要してカタ〱とガリ切り、印刷、製本等の仕事が委員有志の奉仕で進められ、八月一〇日予定通りに機関誌が完成した。自前で仕事をすゝめたため市価の1/2の製作費ですみ、共同作業をする中で委員同志の親しさもぐっと増していったのである。今私たちは一刻も早く会の大切な新しい財産である機関誌をまじめな明るい職場の人々に読んでもらいたいという気持でいっぱいである。

会員のみなさんがこの私共の願いに共感して一冊でも多くの機関誌を販売して頂きたいと思う。

機関誌の割当ては次の通り。各販売責任者は九月二五日迄に金額をまとめて事務所へ(土田教助委員)までとゞけてほしい。

職場名	部数	責任者	職場名	部数	責任者
国鉄品川客車区	一八部	田島 樽	事務所	二〇部	高橋 秀夫
大井工場	五〃	土田 教助	町の歴史をつくる会	一〇〃	市村 毅一
田町電車区	五〃	小林 弘	電気通信研究所	二〃	金井 清治
恩給局	二〇〃	清水 澄之	全建設省労組	三〃	森藤 泰雄
Sサークル	二四〃	飯塚 節子	東京ガス	三〃	田畑 健
オリジン電気	六〃	丸岡 要	山形支部	三〃	青山 崇
合計	二一九部	総責任者 土田教助委員			

機関誌11号合評会九月二〇日に決る

11号合評会は九月二〇日(土)PM六・三〇〜九・三〇高田馬場駅附近のやぶ重(父の歴史を語る会々場)離れで開かれることとなった。

会の各支部では九月一〇日頃までに夫々合評会を開いて充分討論をふかめておいてほしい。又夫々の合評会の経験は、委員が整理し、中央合評会の準備責任者(宮沢、伊東委員)迄報告すること。

九月七日会事務所移転す

八月中旬 家主の都合により事務所立退き要求をうけた委員会は、家主と交渉し①九月中旬迄に立退く②家主は緊急立退きのため五〇〇〇円を支払う、の二点で之を承認、九月七日（日）に事務所移転を実施することとなった。新事務所は高田馬場駅五分（小滝橋寄り貸家四畳半一戸建）である。

事務所移転に伴う経費明細は次の通り

明細表（A）

支出の部	9月分室代	4,500,-
	敷金（4500-×3）	13,500,-
	手数料（周旋やへ）	4,500,-
	計	22,500,-
会財産	旧事務ム所敷金	12,000,-
	九月分室代残金	2,500,-
	借金（土田委員ヨリ）	8,000,-
	計	22,500,-

明細書の通り土田救助委員より八〇〇〇円の借金を会がすることとなるが、これは十二月末迄に返却せねばならない。返却責任は委員会とし一応岡島、小林委員を実行責任者と決定したが返却金の処置についてはこれまでの様に一部会員の犠牲（旧事ム所敷金は竹村、岩浅、門名委員他の方々の長期貸付金である）によるのではなく会全体の問題として、会員各位と御相談して合理的に解決することとした。この決定に基き委員会は事ム所経費白書を出して全会員各位に事ム所問題を考えて頂き併せて御援助をお願いする次第である。

明細表（B）

旧事務所室代	4,000,-
新事務所室代	4,500,-

~~4,500,- − 4,000,- = 500,-~~

∴ 500円増額

能率ある会活動のため、委員会機能の改善

最近とくに委員会内部の団結が強まってきたがこの気運を一層すゝめるために九月より各委員の仕事の分担を決め夫々の委員が各パートに責任をもって会活動を指導することとなった。

その詳細は次の通り

① 総　　務　竹村民郎
② フェスティバル対策・ハイキング　小林　弘
③ 新人対策　飯塚節子
④ 委員会ニュース編集　高橋秀夫
⑤ 機関誌編集　◎土田敏助
　清水澄夫
　✓太田千江
⑥ 総会・合評会対策　◎宮沢武人
　✓伊東喜美子
⑦ 会費対策　松本由紀子
⑧ 学習（講座）対策　岩崎忠夫
　岡島　博

◎印は各係責任者
※狭山より委員は職場の都合により今回はフリーとする

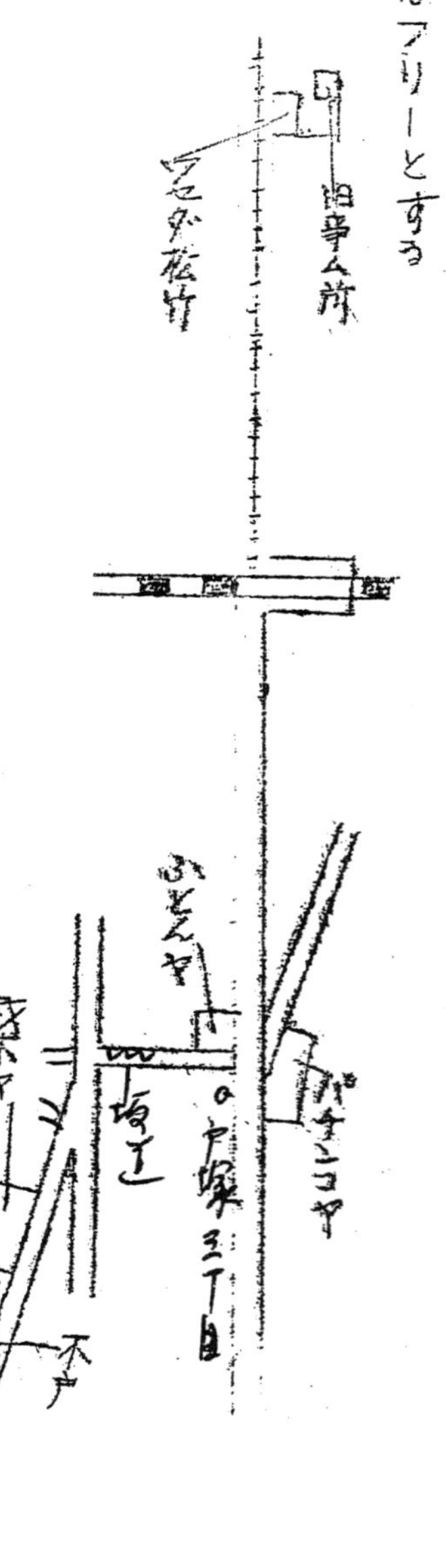

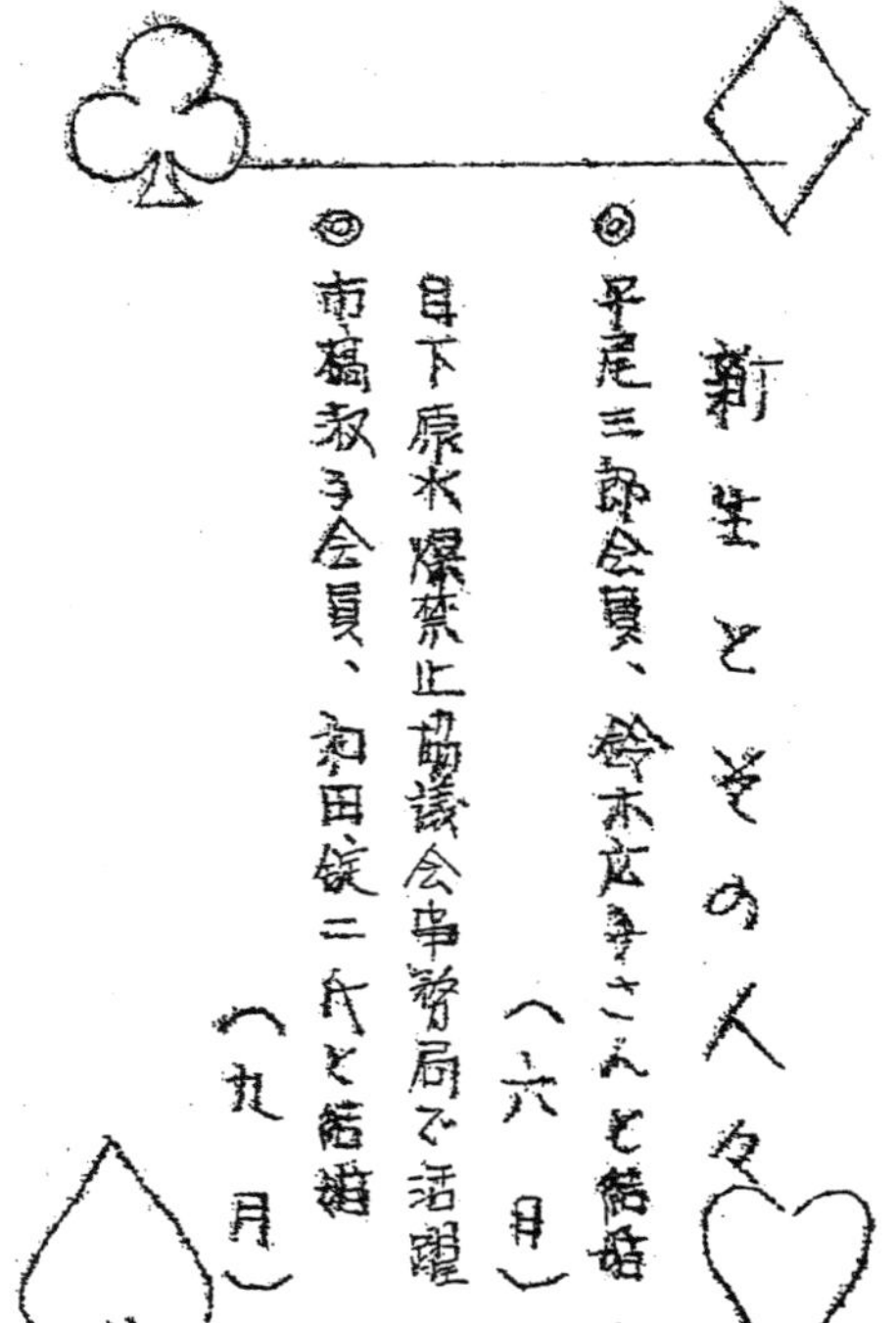

新生とその人々

◎平尾三郎会員、鈴木広子さんと結婚（六月）
目下原水爆禁止協議会事務局で活躍
◎市橋叔子会員、和田鉄二氏と結婚（九月）

運営委員会ニュース

1958
10.15
No 17
編集人
発行人 私場の厂史運営委員会 竹村民郎

会のメモ

○九月

九月 一日 臨時運営委員会
十二日 運営委員会学習会
二十日 机関誌十一号合評会
二十一〜二十三 国民文化集会（会員参加）
二十五〜二十七 運営委員会
二十六日 事務所床上浸水！

○十月

十月九、十日 総会準備臨時運営委員会
二十五日 総会予定

○臨時運営委員会（九月一日）

八月の定例委員会が、竹村氏が関西旅行中で不在だったりした関係で一日に開かれた。この日は、会と会員との結びつきを強めるためにはどうすればよいかということが話の中心となり講座を開くことが検討された。

○会の一年間の運動まとめ（草案）完成

九月十二日の運営委員会学習会で、竹村氏より提案され、その草案を竹村氏がまとめることにきまった。二十五日から委員会では、竹村氏の作った草案を中心に連続三日間討論をおこなった。そのさい、現在の委員会は、各会員一人一人の持っている問題を充分たつかんでいないのではないかということがあきらかにされ、次の十月二十五日に開かれる総会を成功させるためにも、各会員が会をどのように考えているか、どのような希望を会に持っているかを委員会が地方会員を除く全会員にあたって話し合うことに決った。 十月二十五日の総会は、会のこの一ヶ年の実践の総括と、それぞれの会員の希望、要

— 1 —

来をもとにした今後の会の進め方についての原案を出して討論する予定になっている。なお、総会の日時、時間は追って総会報告書などと共にお知らせ致します。

○　機関誌十一号合評会開かる。

七月二十日夜、高田馬場駅近くのそば屋さん―やぶ新―で会員二十人が出席して持たれた。席上話し合われたことについては次の機関誌にのせる予定になっている。なほ、らサークル、国鉄サークルではそれぞれの小合評会を持った。

○　国民文化全国集会開かる。

私たちの会も加盟している国民文化会議の本年度集会が二十一日から三日間、東京（専修大千代田公会堂）で開かれた。今年は会としては、全国集会の運営といった直接的な仕事にはたずさわらず委員の太田氏と数名の会員が大会参加という形で出席したにとどまった。

○　台風の被害―事ム所床上浸水―

今度の台風は全国各地に大きな被害をあたえましたが皆さんのところは大丈夫でしたか。二十六日の夜、台風の雨を聞きながら、だんこ開かれた運営委員会のたけなわの八時頃、あふれた下水のたまり水のために低い所にある事ム所はとうとう床上浸水のうきめに会ってしまった。さいわい人手に不足はなかったためにぬらしたりしたものはすくなかったが、なにせ四畳半一間というせまさのため、一時はてんてこまいをした。水は一時間程でひいたので助かったが事ム所に近い所に住んでいる会員の岩波氏、松本氏にはいろいろ御迷惑をおかけした。

○ 岩波、平尾両会員より図書いただく。

このほど、事務所に岩波、平尾両氏より若干の図書をおくられた。会の運営のためには、どうしてもいろんな資料や、参考図書が必要であるが、現在の会々計ーとくにお金の点でこうした事は行き悩んでいます。したがって、いまのところまだはっきり「私達の歴史文庫」といった形のものは出来上って居りませんが、将来なんとかして実現させたいと思います。皆さんの家でも寄付してもよい本がありましたら事務所または各委員までよろしくお願いします。

○ 宮沢氏運営委員をやめる

〃六さん〃〃六さん〃とこの会が出来て間もない頃から活躍されてきた国鉄の宮沢氏が、このほど、国鉄労組秩父支部青年部長に立候補することになり、委員をやめることになった。なお後任はこゝしばらくおかないでやっていくことに決った。

○ 〃講座〃中止に決定

先月の「ニュース」で予告し、後でプリントでお知らせした講座は締切まで申込んだ希望者が三人だけだったので中止する事にしました。

○ 機関誌販売に協力ください。

八月に出た機関誌は会員外の人には、九月二十五日現在四十五部程であまりかんばしい売行きではありません。定価は十円だが係で取扱っていますが、本年中に売り尽す事に全会員の協力をお願いいたします。

会計 1958年度中間報告

月	収入		支出	
1月	会費	4320—	事務所費	[illegible]—
	カンパ(宮沢)	100—	運営費	2331—
			通信費	175—
			交通費	160—
	計	4420—	計	[illegible]66—
2月	前月分繰越	154—	事務所費	3500—
	会費	3670—	運営費	24—
	その他	54—	通信	300—
	計	3878—	計	3824—
3月	前月分繰越	54—	事務所費	1700—
	会費	4220—	運営費	585—
	借金	43—	通信費	621—
			研究費	1200—
	計	4317—	計	4106—
4月	前月分繰越	211—	事務所費	1800—
	会費	2960—	運営費	1076—
	カンパ	1000—	通信費	430—
			交通費	135—
			研究費	600—
	計	4171—	計	4121—
5月	前月分繰越	50—	事務所費	2500—
	会費	3330—	運営費	1000—
	カンパ	1000—	通信費	752—
	総会収入	770—	交通費	245—
	出版活動	680—	代表派遣へ貸し	300—
	計	5830—	計	4797—
6月	前月分繰越	1033—	事務所費	2000—
	会費	3080—	運営費	2433—
	カンパ	3160—	通信費	840—
	その他	50—	交通費	135—
	賛助会費	2413—	研究費	430—
			その他	1284—
	計	9676—	計	7122—

月	収入		支出	
7月	前月分繰越	2554—	事務所費	2000—
	会費	8600—	運営費	2636—
	カンパ	2750—	通信費	577—
	その他	270—	交通費	530—
			研究費	588—
			その他	95—
			借金返済	2010—
			代表派遣費	1700—
			[illegible]	1150—
	計	14174—	計	11270—
8月	前月分繰越	2904—	事務所費	2100—
		1382—	運営費	2565—
	会費	4600—	通信費	400—
	カンパ	1250—	交通費	10—
	賛助会費	1000—	研究費	960—
	機関誌売上	200—	その他	130—
			借金返済	2000—
			機関誌費	1000—
	計	11836—	計	[illegible]—
9月	前月分繰越	2745—	事務所費	4230—
		905—	運営費	685—
	会費	6750—	交通費	250—
	カンパ	1000—	通信費	577—
	合宿会計	500—	[illegible]	485—
	機関誌売上	1710—	研究費	330—
			雑費	766—
			借金返済	2000—
	計	13610—	計	9270—

○ 十月総会資料

[illegible]

運営委員会ニュース

1958 11.20

NO18

編集人　職場の中央運営委員会
発行人　竹村民郎

―会のメモ―

○九月

九、十日　総会準備臨時運営委員会（於事務所）
十五日　総会のしおり送付
二十日　ニュース十七号発行
二十五日　㊊総会（於口縦電気栄宿分室）

註　㊊は十七号の記事に有ります。

○十一月

二日　㊐臨時運営委員会（於事務所）
六日　㊍職関誌十二号完成
九日　職関誌発送
二四日　会議（予定）
二五日　運営委員会（予定）

◎十一月二六日　総会

開催いたしこの日程が決まりました。運営委員会では、準備に万全を期したつもりでおりましたが、未だ動きにぶく

かなかったところがあるとみえて出席者は非常に少なく、書記、日程及び各委員会の報告は予定通り、みなさんに

配布致しました議案にもとずき報告と話し合いが行われました。話し合われたことについては、今後各団研究

会などきにみなさんが集まってもらって、討論あるいは研究をしていただくことにして、更に是非知って

もらいたい事を二、三書き添えます。

イ　我職場をみんなのものにしよう。会員で、業務を一つ一つ分担し、責任をもとう。

ロ　会費は[illegible]　[illegible]

八、幸松さん　ハウス出席者　なかまスタッフが協力して下さいました。

何日も日曜日にはたすけていただきました。お礼をのべます。

②十一月十日　総括委員会

会の役員と会員の関係について話し合われました。具体的には、役員ばかり負担だけ会員が参加しにくい、お知らせの手紙の出し方、返信はがきを入れても何の為に来ないのだろう、一期は言うとおり話し合われましたが、外部の対策、(基金　日程)や会員名簿の問題に、たらしすぎないか協力しましたが、大切な会員同士がお互いに会って知り合った友達が一番大きな問題ではないだろうか。ではそのためにはどうすることが討論されました。

一、成るべく会員同士が会う機会を話し合える機会を作ろう。

一、集団講座会は続けて行く会にしよう。

一、運営委員会は続けるためにもっと話し合いを持とう。

一、会報をもっと充実しよう。みんなが自由に病気を語り合い書いたものを早く一緒に発表していこう。

これらの内容について具体的な案がだされました。

○ 手をふる人、泣く人

仙台ー東京間四三六キロ松川事件への関心を深めるためにさる十一月十三日仙台を出発した被告団、其の家族各代表団からなる大行進は十一月五日に東京に入りました。戸田橋から日比谷まで二十数キロ。会員の一人が参加して非常に意義して足並を揃えて来ました。殊に沿道の人々は男も女もみんな手を振って行進団を迎えて呉れた中には、[illegible]姿を見て、作業衣を着たオバさんが赤間被告の父親と泣きながら握手をしていた。[illegible]行進の代表にかけよってきて手をかけてみんなと一緒に手をして[illegible]。実際の行動に出る事は何よりも大切だと感激した。

○ 十二月十日[illegible]

[illegible]二人を弁護人に一人ずつつけてもらい。[illegible]は[illegible]されました。[illegible]弁護士は、岡林、岩沢、金井、[illegible]に[illegible]でもらい。[illegible]工田両氏にかついで来…

[illegible]やっと十一月[illegible]。

イ　[illegible]二人[illegible]ました。

ロ　[illegible]でも[illegible]でおりますがよくよく読んでもらって

[illegible]

ハ、[illegible]（乗…円まで）

○ [illegible]十一月五日に電車の運行が一時みだれまし[illegible]。電車がとまったぐらいでつぶせるなら[illegible]。[illegible]。あんなものが[illegible]

[illegible]ません。無関心[illegible]ものはないでしょう」

◎ 地方の会員にお願いです

最近になってもやっと機関誌発行前後も順調に行くようになりました。東京に住む人達は例会・別冊もありますが、一を主とする集会等を盛んに催す事が出来ますが地方の人は一寸そんな機会にも恵まれないのが残念です。いいアイデア私案「会報一」と思いますが機関誌かんたんなお便りをお寄せ下さいませんか。

運営委員会ニュース

1958
12.3

No.18

職場の歴史をつくる会発行

（高橋秀夫）

―会のメモ―

○十月

六・十日　総会準備運営委員会

十五日　総会のしおり発行

二十日　ニュース17号発行

二十五日⊛総会（於国際電々新宿分室）

（⊛印はこの号の記事にあります）

○十一月

二日　運営委員会

六日⊛機関誌12号できる！

九日　機関誌発送

二十日⊛丸田夫妻、和田夫妻をかこんでの座談会（於事務所）

二十四日⊛合評会（於事務所）

二十五日　運営委員会

◎十月の総会

運営委員会ではできるだけの準備をしたつもりでしたが、まだ行きとどかなかったところが多く、出席者はとても少なく、昼夜合わせて十・四五名でしたが予定通り、さきにみなさんにおくばりした「しおり」にもとずき報告と話し合いがおこなわれ

※本資料の号数表記No.1[illegible]はNo.1[illegible]の誤植と見られる（不二出版編集部）

その内容は今後の研究会の中で具体的に取上げていくことにしました。

また次のことが確認されましたので御協力ください。
イ、機関誌をみんなのものにしよう。会員でできることを分担して協力しよう。
ロ、会費の滞納をなくそう。無理な月は、事務所に必ず相談しよう。
ハ、事務所移転料八千円の借金の件。ボーナスカンパに協力していただきぜひ年内にきまりをつけよう。
尚当日出席された方には雨のため会場が冷えくとして寒かったことをおわびいたします。

◎丸田さん、和田さん夫妻をかこんで

「結婚したらなんだかあせらなくなったような気がする」

「それではおれたちまだ結婚していない連中が落着いた生活をおくるにはどうすればよいのかな？」

十一月二十日の夜、今年結婚された二組の会員をかこんで家庭と職場のいろいろのことを話しありました。九時半にはざんねんながら会を終りにしなければなりませんでしたが当日出席できなかった人や地方の会員には一寸(？)おしいと思われるような会合でした。（出席者十五人）

◉機関誌12号合評会開く

十一月二十四日、十二号にのった国鉄の六さんこと宮沢さんの「まけちゃなんねえぞ」をめぐって合評会を事務所でもちました。

いろんな話がでましたが、ここでも個人の歴史を書くことがどんな意味をもつのかと新しい会員の疑問を中心に話は進みました。この合評会の様子は次の一月末発行の機関誌にのる予定です。（参会者十二人）

◎過ぎ去った歴史は現実と未来のためにある！

このような題で「全電通文化」（三十三号）のトップに聴歴運動の意義や、本会の様子が会員の金井さんの紹介でのりました。

一部会に贈っていただきました。事務所に備付けてありますからごらんください。

▽―お知らせ―△

(1)先にもお知らせした機関紙の売行は十一月廿五日現在、次のようになっております。まだかなり残っていますから販売に力をかしてください。

（機関誌係土ヨノ）

(2) 会にたいしてのおくりもの

イ。松本さん本二冊。

ロ。岡島さん本一冊。

ハ。金井さん「全電通文化」(23号)と原紙。

ニ。宮沢さん五百円。

どうもありがとうございます。

(3) 十二月の会の予定

今年も年末のいそがしいさいご月にはいりました。会としては各職場の条件を考えて、中旬から下旬にかけて忘年会をもとうと目下計画をすすめています。近くおしらせいたします。

(以上)

	販売	残部
10号	90	売切
11号	80	60
12号	40	100

(11月25日現在)

備考、会員分を除きます。

運営委員会ニュース

1959 1.1 発行

職場の歴史を作る会

＊本資料の号数はNo.20と思われる（六花出版編集部）

◎新しい年と会

一九五八年は会にとっては、会が作られて以来これまでになかったたくさんの経験をつみかさねた年であつ本年でありました。

五七年秋、常任体制を決めて、それを実行に移し、ともかくもその最初の一ヶ年の実積をもった年でありました。またきわめて数すくないながらも会合が、六月頃からは予定通りに挙行されてきた機関誌の合評会を中心にしてもたれ、春のピクニック、夏の白樺湖行き、母を語る会なども会員の組織的な取組みによってもたれてきました。

このように、おたがいに行動し、話す中でよく知り合い、経験をつみかさねてきたことは会の目に見えない大きな財産として五九年に引きついでどしどし伸ばしてゆきたいと思います。

だがその反面では、この一年あまり会員が増加し成りために会の財政確立にはほど遠いこと、会と会員の結びつきの点にまだまだ改善され、考えられなければならないことが多いこともあるように感じます。そうした欠陥も、正しい方針を作り出し、そのもとに各会員一人一人の手工と行動によって少しずつ解決していく以外に妙手はないのではないでしょうか。新しい年、一九五九年をより一歩会を前に進めたいものだと思います。（三郎）

㊂会員の転場火事にあう

秋山さんの転場、印刷出版研究所が十二月初旬火事の難におあいました。紙上でお見舞申上げます。

㊃出版計画について

先の十月総会でお知らせした会の出版計画は、その後係が中心となって計画を進めておりますが、まだ具体的なところにまではいっておりません。

◎機関誌月刊に〜十二月の委員会〜

十二月の運営委員会は、十一日に開かれ、出版、財政、機関誌の販売及び十二月一月の会の日程などについて相談した。

だが沢山の問題をかかえていたため、一夜では全部処理できず、翌十一日夜もう一度集ってチエを出しあった。その結果、機関誌については、より会員に親しみやすい形をとることに決めた。

つぎの十三号は新しいスタイルで一月上旬に発行の予定だから御期待ください。

〈寸評〉

過ぎさった歴史は現史と未来のためにある”について

――『全電通文化』23号――

この論文は次のような章にわかれている。

。職場の歴史づくり

。東京大阪両中電のちがい

ロ”東証の歴史”はなまの歴史

○歴史とは人間生活の足跡

くわしくは書けないが、職場の歴史を作る会の成果を中心に、東京電信支部の組合の十年史を作るまでの足あとと、大阪中電支部の五七年にできた正史研究グループの経験をのべている。

この一文では具体的には電通の中にどうやって職正運動をどう組織していくかの計画は積極的には示されていない。ふたたび機関誌にのる時は、職場に職正の運動がどう展開されたかといった記録であることを期待したい。この23号には「全電通詩人集団が二回全国大会の記録に「サークル協議会あらべすく」「全電通歌人集団結成迄る」など組合内部のサークルの問題をとりあげた記事はとても多い。

職場の正史を進めていくためには、職場の中の兄貴分のサークルの歩みや経験を充分学んでいく必要があるのではなかろうか。（高橋）

◎おわび

ニュース係が二十日以来東京を留守にしたため、十二月下旬の会の動きをもれなかったことをおわびいたします。

運営委員会ニュース No.21

1959 4.25

職場の歴史をつくる会 発行

3月

五日　運営委員会
一〇日　〃　ニュース二〇号発行
二〇日　村岡誌十四号発行
二九日　運営委員会
二六日　合評会（三月の集会）

4月

一二日　ハイキング

◎三月と四月の例会から　―まず小さな道徳から―

三月は合評会を中心に、四月はお花見とフォークダンスの会を開きました。その中から――

合評会でも話題になりましたが最近サークル運動組合運動が低調だということはよく云われます。村岡誌十四号の中でもとりあげられていますが、自分のことだけに一生懸命になって他人との大きいつながりの中で生きているという事を忘れがちになることがあります。

例えば私たちが日常の生活の中で約束をします。それが少ない人数の時例えば二人三人の時は約束がはたせなければ必ず事前に連絡をとります。それができなければ事後にあやまるという事でも。ところがそれが五人十人となり、サークル、団体とまとまると約束をおろそかにしがちなのはどういうわけでしょう。それの当事者たちー相手の立場に立って考えたらどうしてもそんな事はできないはずなのに。相手に与えるショックがどんなに大きいか考えもしないのかも知れません。それはある意味では道徳を無視した相手を裏切る行為でさえあるというそれに気がつかれないようです。社会があり、組織があり、それをスムースに動かして行くにはルールがあるのは当然です。民主的な集りをもって任じ、それに参加している私たちの間でも、この根本的なルールが守られていないように思います。一人と一人あるいはみなが倫理性と道徳を政治経済を論じ組合運動[illegible]と同時に[illegible]から大切にして行きたいものです。

[illegible]書かれて来た個人の歴史の中で〃都会に生きる〃が大変好評でした。それというのも作者が自分のことを書きながらそれが決して自分本位なものにとゞまらず自分と同じ立場にある多くの人達の立場にたって見て来たからでしょう。こういう一人一人の歴史こそが職場を動かして来たものであり、個人の歴史から出発して組合員全体の歴史にもなるのではないでしょうか。自分の立場をはっきり自覚して書かれているこの作品の中からは職場の人達とのつながり、組しきへの問題がいろいろな出来事を通じてえがかれています。この作品がよく読まれてきたというのもこの点が強く打ち出されているからではないでしょうか。今後個人の歴史を発展させる上に考えていかなければならない点だと思います。

「組しき」への考え方というのは私達の日頃の生活の中でいくらでもぶつかる問題です。職区ではこの二ヶ月、合評会、ハイキングスの行事を行いましたがこの準備を受持ってみてそれをつくづく感じました。「○○日までに返事を下さい」と約束して来たはずなの　いくら待っても返事がこない。とうとうそれっきり――。こういう事があまりにも多かったのです。

これは家庭だけにかぎらず組合でもサークルでもある事なのです。いいえむしろ約束が全員ピッタリ守れているところはないといっても過言ではないでしょう。たしかに私たちは「組しき」「団体」というものになれていません。学校、職場とすでに出来上った機構の中にスッポリおさまって生活してきています。しかしその中でも私達は労務時間を守る事とか金銭上の事だのその他多くの約束事を持っています。これらの事は特別取り上げるまでもなく私たちの常識です。そしてこの事は組合、サークル等でも云えると思うのです。私たち働いているものの生活をよくして行くための団体、組合を強くしていく事はまずこの約束からしていきたいと思います。オートメーション、合理化政策を押しつけて来る攻げきに対して私たちは小さな約束を守ることからガッチリとつながって行きたいものです。

◎会計報告（一九五九・一〜三月）

摘要	収入	支出	残高
くりこし	2,045		
会費	3,050		
カンパ	1,100		
借金	2,200		
機関誌	180		
その他	1,270		
通信交通費		1,045	
光熱費		1,000	
事務所費		2,250	
常任費		1,040	
研究費		330	
雑費		775	
運営費		2,125	
集会費		1,020	260
くりこし	260		
会費	3,700		
事業費	2,700		
機関誌	400		
その他（河出からの返金）	544		
借金	1,000		
立替	225		
未請求分	648		
常任費		2,000	
[illegible]金		1,905	
[illegible]交通費		485	
運営費		320	
事業費		1,457	
雑費		1,055	2,255
事ム所費未納のまゝ翌月へ持ち越す			
くりこし	2,255		
会費	3,300		
合評会収入	300		
機関誌	90		
借金	3,000		
立替	593		
事務所費（二ヶ月分）		4,500	
光熱費		950	
常任費		2,000	
運営費		200	
通信交通費		190	
機関誌		448	
返金		678	
雑費		549	23

運営委員会ニュース

NO22
1959
6.20
職場の歴史をつくる会

会のメモ

四月

十二日　隅田公園ハイキング
二十五日　ニュース21号　発行
〃　運営委員会

五月

二十日　機関誌15号発行
二十五日　総会
六月四日　運営委員会

○会のことば

五月二十五日の総会では集った人は余り多くはありませんでしたが、そこで主に話されたことは今まで会員によって書かれ発表されてきた作品が、自分の生活やまわりの人々、職場との関連で問題になったということです。このことは従来はあまりみられなかったところで非常にたいせつな内容をふくんでいると考えます。

今後とも各会員が、これまでの機関誌に発表された作品を日本の大きな社会的背景の中に位置ずけながら竹村民郎氏が機関誌九号にまとめた会の方向をより発展させて会の今後の創造活動をすゝめてゆきたいと思う。

六月の例会では年表などの資料を作製して、自分の歴史が職場、更に大きくは日本の労働運動の中で、どのように位置づけられるかといったことを研究したいと思います。

このような会の最近の動向に対して会の外から寄せられる声　たとえば　鶴見和子氏　「用かもの」　五月十九日号

井上清氏「現代史の課題」（歴史学研究）一九五九年七月号…　直接的な形での東大教授大河内一男氏、横浜市立大の遠山茂樹氏（昭和史の著者）などが会の意義役割について高く評価され今後の発展に大きな期待をよせられております。

これまでの会の活動から得られた、いろいろな経験をもとにして全国的なサークル運動の後退の原因をあきらかにすること、職場の歴史の意義と戦後の歴史学の全体のひろがりの中から再確認し、それをより広く世に問うこと、この様な目的にもとずいて　会の出版係を中心に計画されてきた出版計画が、いよいよ井上清、石母田正、奈良本辰也、竹村民郎各氏の編で今秋出版されることになりました。　こうした大きな動きのなかでの整理とともに、会内部でも一つ一つ各会員の疑問や問題を充分に交流しながらこれまでの自分の歴史の諸作品を完成し来年度出版活動をふくめた様な形で発表してゆく予定です。

○岩浪安昭氏福島に転勤

右の名前だけではハテナ？と首をかしげる人も多いかと思いますが、会の中心的なメンバーとしてやってきた岩浪氏のお兄さんです。　仕事の都合で会の集りには仲々顔を出せませんでしたけれど、今までも会員として、カンパなどには率先してやっていただいたりして会の陰の力となって会をささえてくれた一人です。五月下旬、急に福島の方に行かれることになり、廿五日総会の日、あいさつに見えられました。今後も地方で会員としてやってくださるとのことでした。　会からはささやかな贈物をおくり、アルコール党は総会のあと夜半まで送別の宴を開いた由。

○大河内一男氏との会談

五月下旬に出た「労働運動史研究」十五号（青木書店発行）にのった座談会の中で田沼肇氏が職圧運動について述べている部分には会の歴史に対するいくらかの誤解があります。この雑誌は広く多くの人の目に触れる雑誌でもあるので、田沼報告を検討した結果、竹村、高橋の二人が五月二四日 日曜日早朝、雨の強い中を労働運動史研究会の会長である東大の大河内一男氏宅を訪問、この件について同氏といろいろ相談しました。大河内氏はこの申出を納得され、適当な処置をとることを確め、なお今後とも、此の二つの会ができるだけ交流してゆきたいこと、又会の一層の発展を期待することを希望されました。

運営委員会ニュース

NO 23

1959 7.10

職場の歴史をつくる会

会のメモ

七月
十二日 月例会
二十二日 例会
（詳しくは後にあります）

六月
四日 運営委員会
二十五日 月例会
二十六日 運営委員会

◎会のことば

暑中御見舞申上げます。ここ一ケ年の会の動きをふり返ってみて、最近とくに強く会員の間に強まってきていることは、職場の歴史をつくる運動が職場と密着がつきを強くもたなければ特がでていかないということです。

しかし、一口に職場と結びつくといっても実際になるとなかなか思うようにかんたんにはまいりません。だがいままでの経験を通して得られたことは、各職場の具体的な状態をよくつかんでそこの人たちの持っているもんだい、要求をもとにしながら内容を打出していくこと。それと同時にそれをうらずける実践が大切だということです。

それも一人一人ばらばらの力だけでは不充分で、そこにはやはり団結、いわば行動的な団結とでも云ったものの斗う力が必要だということです。

秋からはそうした形をとってみなが編隊を組んで進んでいきたいと思います。

（ウラにつづきます）

○七月例会について

うだるような暑い最中ですが、今月の例会を次のようにおこないます。

(一) 七月十二日(日) 六時～九時半

「私の中にある地主思想」　岩浅忠夫

別に竹村の報告があります。

(二) 七月二十二日(水) 七時半～十時

「私のあゆみ」　田畑健

問題提出　岡島博

いずれも事務所でやります。御参加ください。

○カンパ中間報告

先月お願いした会のカンパについては、各職場のボーナスの時期のかんけいもあって現在進行中ですが今まで約半数の会員から申込みがあり、係の者としては御協力をありがたく思っております。

尚おでも現在小さな工場で臨時工として働いている藤本さんが会社のボーナス五百円（実際手取四百五十円）の中から三百円を寄附していただいたのにはすっかり恐縮しました。

まだ都合で申込んでおられない方でも、できましたらなにぶんよろしくお願いいたします。

運営委員会ニュース No.24 59.8.22
職場の歴史をつくる会発行

目次

最近会員と話し合い　会員のたまりを読んでみて感じることは、その人間を感じさせるような言葉を容易に見出せないことです　つまりその人の生活がないと云うことでしょうが　私自身仕事に失敗する夢しかみないと云うことです。例えば働く程機械のようになり、他人との共通の地盤を失い自分を見失いがちです　職場の急激な変化をしっかりみつめて、人間性をそう失させるその真の原因を見定めて行く必要があります

T・I

九月　行事予定

三日　合評会（事務所）
夕方六時半〜九時

二五日　例会（予定）
於事務所

おわび

ニュース前号に八月行事予定として機関誌の発行　同合評会開催をお知らせしました　私の不注意により編集がおくれ　従って発行日が

延期し（九月一日予定）、合評会も二十六日に出来なくなりました。

この連絡も、おくれました。"会は生きている"を念願している私ですが、今度のミスは大きな誤りです　会員の皆さんに御迷惑をかけたことを深くおわびします。

竹村長郎

○夏季カンパについて
このミスをカヴァーするのに努力した藤本飯塚委員に感謝します

募金總額約一万一阡圓
但し現在　飯塚さんに約五阡圓の借金をしております。
飯塚さんに返済金四阡圓
松本さん　〃　〃　五百圓
残り　会運営費

右の通りです　予定目標を達成できましたことを厚く御礼申上げます。
会計明細表は次号に報告致します。

○会委員　飯塚さんの妹さんが胃病で入院中です。御見舞申上げます。

運営委員会ニュース

NO25
59・9・30
職場の厂史をつくる会発行

思想の問題

二十三号ニュースに会の運動の成果と課題のあらましについて書いて来た。

本号でとくに強調したいことは会の成果の土台は会員の統一行動の結果によると云うことである。これは多くの会員の協力によって機関誌の定期発行が続けられていることからもよくわかるであろう。

しかしこの大切な統一行動をはばむものがある。それは"職場の厂史"についての不充分な理解である。職場の厂史であれ自分の厂史であれそれを書くためには一方において現在の斗いの一番新しい問題をふまえる。

委員相互に批判と反省をした。そして委員会はこの八悪を会員と協力して掃除することを決議したのである。

又この様な誤った思想を組織的に、大衆的に公開的克服し"もうかって楽しい"会にするために次の様な活動をも決定した。

(一)、理論研究会の設定(十月第四週から開始予定

A　近く出版公表予定の竹村論文を中心とする勉強会と口民的厂史学の失敗経験の実際的研究

B、哲学教程(合同出版社刊四冊)の勉強

(二)　機関誌活動の飛躍

A　現在の口民の問題労働運動の最先端の問題を会の立場でこなして(作品に反映させる)とりあげる

B、一九六〇年五月まで機関誌の月刊態勢を確立すること。

と同時に多くの時間と多くの努力と多くの資料を必要とする。職場大衆の様々なバックアップも大切であるこのことが充分理解されないと〃職場の厂史〃の研究は今日の斗いにナベ カマの様に直ちに役立たないといった性急な実用主義的な考え方が生れてくる。
井上清氏も指摘している様に（厂史学研究二三一号）過去の厂史を書く運動は実用主義的な指導によって失敗したのである。この他に統一行動を阻げている悪い会風はつぎの通りである。
㈠、運動の厂史的評価とその役割について研究しないこと
㈡、職場での活動方針をたてず日を暮らすやり方（半インテリ思想であり・うけおい主義の思想である）
㈢、大衆団体としての会規律を尊重しないこと
㈣、会の條件の悪さからくる敗北感や無力感
㈤、職場でのHRやPR等の圣営イデオロギーと斗っていないこと（資本攻勢を自覚していないこと）
㈥ 会員としての権利と義務を自ら軽視していること
九月十日の委員会はこの様な八悪についてきびしく

C 一九六〇年度七月より年間二回一万円の予算で作品集、論文集を出すこと。
D、当面会員各自の機関紙の販売割当を二倍に増加すること。
㈢ 職場での活動方針をたてること（職場えの進出）当面各会員の職場毎に厂史サークル（例えば昭和史を読む会等）を組織すること その場合原則として会員が講師となること。
(四) 会員の作品を水準以上のものに高め公表すること
A 当面まず清水委員の〃魂ありふれて〃を改作し近く出版公表する。
B 運動の中でつくられた諸作品及び諸論文を改作しすぐれた作品はまとめて一九六〇年度は出版する。

会員だより

長谷川加代子さんから会によせられたお手紙を紹介します。

〃職歴が続く限り私を会員にとどめておいて下さいませんか、本当は何も活動しないくせに過去の絆から職歴の会員にさせてもらっているようで心苦しかったの

ですが現在の私にはやっぱり必要です。実際の活動はできませんが職場ニュースや機関誌をよんだりして職場を身に感じている限り私は誤った方向にそれない気がします……〃

長谷川さん　若し出来れば職場の方と会の機関誌を読む会でもつくったらどうでしょうか、地方の先生がたからの批評を頂ければ、会もぐんと大衆的になると思ります（ニュース係）

会計報告について

前号で予告しました会計報告（四月末迄）（八月末迄）は臨時ニュース紙をつくって発表します。

（会計係）

以上

運営委員会ニュース

1959 10 4 臨時号

職場の正史をつくる会 会計係

会計報告

四月以降の会計報告が遅くなってしまいました事をお詫びいたします。四月から八月までの五ケ月の収支を次の表のように整理いたしましたから、検討していただきたいと思います。

収入	支出
23	
4750	
420	
1000	
1010	
186	
100	
7489	
	2000
	2250
	360
	33
	626
	406
	110
	490
	876
	7448
	41

収入	支出
41	
3000	
540	
2000	
54	
140	
7115	
	1000
	2250
	1000
	635
	623
	217
	690
	7115
	0

収入	支出
2150	
3500	
600	
2000	
8250	
	2250
	3000
	200
	968
	900
	689
	8007
	243

7月	収入	支出
繰越	243	
会ヒ	3750	
カンパ	5070	
機関誌売上	100	
図書ヒ	30	
計	8950	
事務所ヒ		2250
常任ヒ		2000
光熱ヒ		730
運営ヒ		130
事務用品代		395
新聞代		330
通信ヒ		152
雑ヒ		122
返金		1076
計		7185
残高		2008

8月	収入	支出
繰越	2008	
会ヒ	2850	
カンパ	2000	
機関誌売上	90	
計	6948	
事務所ヒ		1000
新聞代	(6・7月の値上げ分含)	590
ガス代		100
運営ヒ		250
通信ヒ		210
雑ヒ		251
返金		4500
計		6901
残高		47

4月

繰越、会ヒ、機関誌売上金、借金、ハイキング会ヒ、立替分、貸本、計
常任ヒ、事務所ヒ、光熱ヒ、新聞代、機関誌ヒ、通信ヒ、運営ヒ、雑ヒ、ハイキング支出、計、残高

5月

繰越、会ヒ、機関誌売上金、借入、総会収入、立替分、計
常任ヒ、事務所ヒ、機関誌製作ヒ、運営ヒ、通信ヒ、雑ヒ、返金、計、残高

6月

会ヒ、カンパ、機関誌売上金、借[illegible]、計
事務所ヒ、常任ヒ、光熱ヒ、通信ヒ、運営ヒ、雑ヒ、計、残高

[illegible]月からみなさまにしていただいたボーナスカンパは、表にある通り 八月末現在で一万五七〇円集まりました。[illegible]方の会員をはじめ広範囲の会員から寄せられた結果であると思います。ありがとうございました。この紙上で改めてお礼を申上げます。

月末の収支を見ますと一応黒字が保たれてはおりますが内訳を見て頂けば解ります通り月々の収入が非常に不安定な状態です。月々の一定収入である会ヒは平均収入の五〇パーセント以下の状態です。後の不足分はカンパ、借金その他でまかなわれています。

会ヒの集り状態が月々一定していないのですが、前納制で月末まで納入する事になっておりますから、事務所まで来られない方は送金をお願いしたいと思います。

八月の支出は四千五百円の返金ができた代りに事務所ヒ、常任ヒが納められない状態でした。又機関誌発行の際清水会員の負担になるところが多く機関誌部の独立採算制を早くつくらなければいけないのですが五〇パーセント以上の不足という事が基本的な問題なのです。

※尚 現金の出入れ の時は整理 の都合上 かならず伝票をきって下さい。

運営委員会ニュース

NO 26
59.11.1
職場の歴史をつくる会[illegible]

・会のことば——会の人工衛星あがる——
・会版についてのお知らせ
——・岡島さん文化の日に〃結婚〃
・職歴研究会

会のことば ——会の人工衛星あがる——

[illegible]が石炭産業の将来をめぐって非常な注目をあびた旧鉄道西部総局の問題がはっきりと示している[illegible]の技術発展にともなう職場や、労働者の変化、および今後の問題といったことは私たちにあらためて[illegible]とをはっきりと示した。

[illegible]おり、会員清水さんは、自分の職場において今後の会の一つの単位にしてどの[illegible]う計画をまとめて一つの小冊子を作った。

それは、「組合結成五周年記念に向って私たちの手で私たちの歴史を書きましょう」という[illegible]労働者階級の歴史に対する要求はどう発展したか、職場の歴史をつくる運動とはどの[illegible]の歴史に生活記録とはどう違うか、といった小節を中心にこれまでの職場の歴史をつくる会の[illegible]ふりかえり、そして最後に、私たちが職場の歴史を書く運動を進めてゆくためにどう[illegible]時間の職場における今後の運動をおこなう具体的な計画をたてている。

この清水さんの計画は、最近比較的新しく動きかけることの弱かった会員の職場における新しい[illegible]を示したものとして大いに注目してよいことである。

この計画が実行に移され、その中で得られる種々の経験は会にとってもかならずや貴重な[illegible]ことは疑いない。

これが清水さんによって語られる話で[illegible]があったことについてもあわせ[illegible]
て今一度会の立場から述べてみる必要もあろう。
それと同時に、これからの清水さんの生活に関する家庭についても会が深い関心をもって一緒に[illegible]
いうことが大切であろう。

会報についてのおしらせ

先にお知らせしておいた会報の発刊計画について、若干の執筆者の都合もあって遅れております。

おそくはなりますがいずれお知らせいたします。

岡島さん文化の日に〃結婚式〃

秋のシーズンにふさわしい話題です。先にもお伝えしておいたように会員であり[illegible]
若々しくて素敵な岡島讓さんが十一月三日に高輪会館で結婚式をあげられます。おめでとうございます。
今後ともよろしく。

弘正研究会

先日の運営委員会で検討された会の提案に添って月一度の研究会を開くことになりました。そう[illegible]
しようとしますが第一回は十一月十三日(金)に事務所で時間は六時三十分からはじめます。
テキストは「哲学教程」第一分冊(合同出版社)を使用いたします。

運営委員会ニュース

No.27

1959
12.1

職場の歴史をつくる会発行

十一月の運営委員会は、通常の会務処理のほかには、主として事務所・常任問題と財政問題が主な討題となりました。

☆常任問題について

— 十一月の運営委員会から —

事務所・常任問題については竹村会代表より㈠常任問題の歴史的な変遷、㈡常任問題の根本的解決の方向、㈢それが解決するまでの間の補償の問題　といった三点について説明がありました。

委員会は今日まで運動の今後と関連して"常任問題"については真剣にとりくんでまいりました。とくにこの一年、高橋委員の創意的な活動や飯塚委員の努力によって、六〇年度には"常任問題"の合理的な解決への見通しを一歩すすめることができました。

この実績をふまえた討論の結果、常任問題は会の基本的問題であるにもかかわらず、委員会だけでとりあげてきた従来のやり方をあらため全会員の皆さんと御相談してその正しい発展をはかることと致しました。

十二月一日から二〇日迄実施することになりました冬期ボーナスカンパ運動（別紙参照）の中でも今年はとくにこの問題をはっきりとおりこんでゆくことになっています。

ところで日本の労働運動のなかにおけるイデオロギー斗争の意義や役割やサークル運動、さらに広く国民文化運動の創造の諸問題といったことが最近労働組合内部に限らず新聞・雑誌などにさかんにとりあげられてきております。このような一連の動きの中に職場の歴史をつくる運動がますます脚光をあびてきたことは注目すべき事です。

たとえば現在刊行中の『近代日本思想史講座』第一巻（筑摩書房）の中で荒瀬豊氏は職場の歴史のことを取上げ日本の思想をつくる運動として積極的に論じております。又プラグマチズムの立場に立つ思想の科学の人々も"職場の群像"を書いていることでもわかるように生活記録運動の行きづまりの打開を歴史づくりに求め始めているようです。この問題は別に評論する予定です。

また中国でも社会主義国家建設の大躍進の過程で、現代の労働者の状態を描く仕事が重視され、生産労働に参加している教師、学生と労働者が一緒になって職場の歴史を書く運動が進められてきていることは注目してよいことでしょう。（小林文男氏「中国歴史学界の動向」歴史評論十一月号参照）

こうした時期であるだけに、会のこれまでの経験を生かしながら、さらに創作活動を展開し条件を公表していくことはより会の立場を強くしていくことになります。

それだけにこれは日本の労働者階級に対する会の責任でもあります。会の組織的な体制をより強固に、しかも無理のない形で着実に地固めしていくことは重大な課題となってくるのです。

☆今月の本棚

日本の新興宗教（岩波新書）　大衆思想運動の歴史と論理

思想の科学十二月号（中央公論社）　プラグマチズム型の思想運動の概観に便利

☆十一月度会研究会の動き

十一月一三日　"哲学教程"第一分冊　於事務所　講師竹村民郎氏　七名

十一月二二日　"職場の群像"合評会　高橋秀夫氏報告　七名

哲学教程の研究会の討論内容は毎回プリントして配布します。

☆藤本委員の実家への水害見舞会計報告（下表）

カンパ総額	1,210.－
送金額	1,100.－
送料雑費	110.－

会員各位の御協力を感謝します。

会員の心が生かす職場の歴史

冬季ボーナスカンパ（12月1日～20日）に御協力下さい。

運営委員会ニュース　No.28　1960　2.1

職場の歴史をつくる会発行

会のことば

ある小さな一つの事実

世界の大きな潮の流れは〃平和の方向に向っているさなか、日本はアメリカとの安全保障条約改訂をめぐる国内の激しい対立の中に一九六〇年をむかえました。

ふりかえってみれば、去年は会にとって　外にむかってはそう大きく躍進したとはかならずしもいえないかも知れませんが、今春の会で企画した出版などを基礎に、今年はそうした面でも各会員の創意性、自発性を生かして一層の努力をつみ重ねていきたいと思います。

会の運営についても、まだまだ意に満たないことも多いのですが去年秋以来、月一回の理論の学習会を中心に、あるいはまだ十分とはいえませんが、世話役を中心に個々の会員を相互にたづねたりしながら会員の交流にも及ばずながら力をつくしてきたと思います。

そうした中にあって、かなり古くからの会員ですが、ある床屋さんにつとめているAさんの場合など、普通は十時から夜九時すぎまでのおつとめ、休日が月旺なのと、病気でここしばらく床についておられるお父さんの世話などで、当人もすごく残念がっているのですが殆んど会の催しに出ていただけないのです。

かゝる例は某映画劇場に働く会員の場合も同様です。Bさんの場合も夜仕事の終るのがおそく、しかもほとんど休日がとれないといった状態です。

私たちはそれぞれにいそがしいのですが、こうした中にあって会を支持し、支えてくれている会員の一人一人にその時どきの会の動きといったことを十分に伝えるといった配慮をこれまで十分にやってきたでしょうか。

十分どころか　これまではそうしたことではまったく不十分だったといってもよさそうです。

今年は一見小さなことのようにみえるそうしたことにも深く心をくばっていき、大きな会の前進を皆ではかっていきたいと思います。

おもな目次

職場の歴史と人間像

—志免炭鉱の斗争に寄せて—

岩浪忠夫

一九六〇年一月二十八日の毎日新聞余録らんに次のようなことがのっていました。

「調査団の入坑拒否斗争など血まで流した国鉄志免鉱業所の紛争は、二十六日の団交であっさり妥結した。あっさりといっては当事者は大いに不満だろう。だがわきからみていると、こういった解決方法があるのに、なぜあんな大さわぎをしなければならなかったのかと思う」

私たちは直接の当事者ではありませんがこの記事には大いに不満を覚えるものです。しかしまた多くの人達は全くこのように思って、人員整理、配置転換をなぜ組合が早く認めなかったのかと批判しているかも知れません。

それにしても組合が血を流して斗って後、このようにふみ切るまで、組合員の一人一人の胸の中で、またその家族たちとの間でどのような不安と動揺とそして決意があったか、想像に余りあります。

このように考えて来ますと、私たちは一つの斗争を記録する場合、ただ単に資本の攻撃と組合の斗争の経過をつぶさに書きしるすだけではたりない。組合員一人一人が一つの決断の瀬戸ぎわに立たされいかに動揺し、そしていかに斗い決意して行ったかを広く国民に知らせなければならないのではないでしょうか。

そこに「職場の歴史」を書いて行く場合の人間像の問題が出て来ます。それはただ単に生活記録的に事実を選択することなく、個人の生活の経過を書くことではなく、一つの決断をせまられる事件にそうぐうした人間がどのように行動したかということが、この問題のかぎではないかと思います。

会員からの便り

前略　おはがきで大変失礼に存じますが、一寸おたずね致したく思うことがございますのでよろしく御配慮のほどお願いいたします。

①会のニュースのこと。間もなく一月もおわりになりますが、今までの例ですと毎月十日前には手元に届いておりましたので、今月（一月）の分はまだ発行されていないのか、或いはぼくだけに未着なのか、一寸不明ですので。

②読書会（哲学教程）のまとめの件。十一月十三日（第一回）十二月九日（第二回）一月十三日（第三回）と三回行なわれたと記憶しますが、第二回には小生も参加させていただいたのですが、その際、カテゴリーの問題等いろいろ問題があったことをまとめて、第一回の分と一緒に印刷するというお話だったと思うのですが、どうなっているのでしょうか。第三回には出席しませんでしたので、その際なにか別の決定がなされていたのだとすれば、そ

れて残念に思いますが、せっかくそのつもりでいたのに連絡がないと多少満たされないような感じがしなくもありません。ぼく自身のことはかえりみないで勝手なことを記したようで、恐縮に思いますが、解らないことをそのままにしておいてはかえってまずいのではないかと思われましたので一筆致しました。

寒波のしゅう来で連日寒さがきびしくなっていますが、末尾ながら御健康お祈り致します。

岩浪　健

岩浪　健さんへ

おはがき拝見致しました。研究会のニュースの遅れについて御指摘を受けましたが、報告責任者として誠に申訳ありません。報告の遅れた原因については、田畑君への住所の間違い等諸々のこともありますが、基本的にはなんといっても、会の組織の発展ということに対する軽視からきたことで、個人のこのような原因が会全体におよぼす悪影きょうを深く反省します。

なお、現在の会の中にも、このようなルーズな面があり、逆に会員個々のみなさんに迷惑をかけています。今までもこういった問題は討議されてきましたが、会全体の問題として努力したいと思います。一刻も早くニュースを会員のみなさんにお送りすることにより反省にかえたいと思っております。

会の発展のためこのような問題について今後ともご協力をお願い致します。

岡島委員

一月運営委員会ニュース

六〇年最初の委員会は一月二五日午后六時半から開かれた。(於事務所)　参会者　六名。

安保改訂の問題を中心とする国内情勢の下に資本の合理化攻勢が急ピッチで進むと共に、思想統制も露骨となり、"自由主義"的なムードも勤労大衆の中にしみこんできている。

会は過去五年の経験から"自由主義"に反対することをあきらかにし、今年は会の体質改善のためにつぎのような諸問題を実行することにした。

(1) 会活動の専門化　(清水委員の実践に学んで会員夫々が職場の(自分の切実な)課題にとりくんだ作品の創造を進めること)

(2) 出版のスピードアップ　(現在四月六日発行予定だが井上清氏のソビエトからの帰国がおくれているので若干おくれる予定)

(3) 常任問題の合理的発展

(4) 会規律の確立　(昨年の反省に立ち今年度は、委員の責任の所在をあきらかにし、これをニュースに発表することとする)

(5) 会と職場との結合　(職場毎の座談会をひらき、その活動を通じて、委員会は会に関心をもつ労働者諸君の動向と要求を調査し、その資料に基づいて会員を増加する運動をすゝめること)

(6) 機関誌・紙活動の充実　(とくに従来のニュースの紙面を増

如し、会員の様々な要求を積極的にとりこんで行くこととする。また失敗の経験も漸次発表し、会の運営について全会員の協力を得ることにする）

第３回学習会　一九六〇　一一　三

（テキスト　四六頁〜五七頁）

および……（第一回　二回学習会の記事は、次回の分とまとめて三月のニュースにのせます）

１．まず、実証主義とは何かという問題が出されたが、これは、「マルクス主義者は、良心的に現実を研究しているブルジョア歴史家たちがしばしばあたえるところの、きわめて価値ある事実の知識と、かれらのまちがった、理論的・哲学的な結論との間に区別をひくことができる」（テキスト五五頁）という態度をいかに学ぶかという問題と共に話合われた。

２．実証主義とは（テキスト　四二頁参照）

（例）　秀吉は

埴輪のみを調べている学者（実証主義者）

（具体的）埴輪についての具体的知識は豊富である。

（一般的）埴輪の研究を通して、古代国家の構造とか権力の内容にはわからない。

事実のみに学問をとじこめてしまい、法則性を発見できない。

例）　津田左右吉氏（歴史学者）

彼は、戦時中の誤った歴史観（日本神国説）に対し批判的に斗ったが、戦後、戦争責任の問題から天皇制に反対するマルクス主義歴史家に対しては、天皇制は古代から存在したという事実をもって天皇制には反対しなかった。

マルクス主義の立場で実証主義を批判する場合、――　古代史に例をとると、史料操作の中にまで立入って古代史をかき、その成果をもって批判する。

しかし、具体的史料の中では実証主義者は研究が深いので、マルクス主義の歴史家はこの段階で負けてしまう場合が多い。

職場の実証主義者　――　職制とのつながりや親分子分の関係、派閥等の職場の中の人間関係をよく知っている人。

私たち活動家は国内国際情勢を知ると共に、職場の人間関係もよく調べておくこと。

ブルジョア学者から何を学ぶかということは、実証主義者の技術を学ぶということもその一つである。

学問の世界でも、職場の活動家の中にも、実証主義者は多くを占めており、マルクス主義の立場にたつ人が少なくなってきている。

（転向）　――　マルクス主義を捨てた人は、宗教のみでなく、実存主義、ニヒリズム等に転向する。これが戦後の思想的特ちょうである。（テキスト四四頁参照）　――

「哲学は、これを見すてた自然科学者たちに復しゅうする……

4

エンゲルスは、理論をいやしむ平板な経験は自然科学から神秘主義へみちびくものだということをしめしたのである」

実証主義（岩波小辞典「哲学」より）

1．もとの意味ではコントの実証哲学。彼の有名な知識進歩に関する神学的・形而上学的、実証的という〈三段階の法則〉にもとづいて、知識の最高の形態を実証科学とし、これを現象法則の記述とみなす。現象の根底にある実在は不可知であるが存在を認められる。

2．より一般的には、一切の超越的な思弁を排して、確実な認識方法の典型を実証科学のそれとし、認識を経験的事実に限る立場。コントの知識進歩の法則、実在の容認から離れてゆくのが特色。

2．実践的態度　（テキスト　四六頁参照

「哲学者たちは、従来、世界を解釈したにすぎないが、肝要なことはそれを変革することにある」と指摘した。

（自己批判の態度）

「それを変革することにある」がまた失敗することもある

マルクス主義者には失敗から学ぶ態度が不充分である。

自然科学者が、実験においてそれが成功するまで、失敗を検討し　何度も実験をくりかえすように、私たちも失敗に学ぶ必要性がある。

3．学習の方法

労仂者の現在の問題と常に結びつけてやるという方法がある。これは一面において正しいがそのテキストの中の用語とかその説明を一つ一つ丹念に学ぶことが必要である。理論を武器として使うためには、それを使えるように論理的に学ぶ必要がある。

一月二五日の研究会報告

岩浪忠夫

一、テーマ　高田佳利氏の論文（思想の科学同人）（銀行労仂研究会会員）

「変革の理念にどう近づくのか」――組合史づくりの過程とその問題――（文学　一九五九年十月号）

二、論文の紹介

(一)　組合史づくりの目的

①通史ではなく問題史であるべきこと、

②組合史の中心的流れと共に人間中心であること（生活哀歓を通して組合の歴史をつかむ・組織の分裂と人間関係の問題）

(二)　具体的なつくり方

(a)目的をどこにおくか、人間の意識や行動の変化――斗争の成果や組織の変遷の両方をつかむことから、これからどう生きて行くかという未来に生きる立場を持つ。

(b)具体的な作業の進め方　日銀の場合六本立のプランを立て

た。（1．サラリーマンの生態追求．　2．日銀マン意識の心理的条件．　3．中央銀行としての機能　4．戦前と戦後の生活のちがい　5．運動の中で人間関係がどう成長するか．　6．時代区分の問題．）

ⓒ本部の歴史部門――組合全体のあゆみの総括．

(三)　組合史づくりから学んだもの

小数派の意見や主張をくりこむ場を与え、団結をさまたげているものを個人の私的生活と公けの生活とのかゝりあいと価値の中からつかむし、自分の一生を後もどりしないための自分の生き方についての〃人間のしるし〃をきざみつけてゆく仕事とする。

三、批判

(一)　学ぶべきこと

職場の中での組織的な調査と、座談の集団的討議　組合史づくりを一つの組合活動として実践していること、

(二)　疑問

(1)人間と生活のみ重視する余りも、現在　資本がどのように攻撃して来ており、それにどのような斗争を組むかという問題がでないのではないか。

(2)職場のみに頭をつゝこみ、世界情勢や労働運動全体の歩みから労働者階級全体の未来をみきわめることができなくなるのではないか。

(三)　結論

高田の意図する方向は　組合員個人の日々の生活に多少役立つ――趣味的に教養的に――かも知れないが、労働者の将来に真に科学的な見とおしを与える組合史にはなり得ない。

四、質疑

(1)　プラグマチズムとはどんなものか．

(2)　問題史と通史のちがい

(3)　組合史における真の人間像とはいかなるものか．

以　上

あとがき

これは当日の報告者の要旨をまとめたもので、紙面の都合上詳しい内容にふれられない点を御了承ください。

"冬の夜のつどい"について

一夜こたつをかこんで、会員同志の和をはかり、あわせて今年の会の在り方も相談するために、会では二月二五日、八王子の東京都青年の家に参ります。

二月一五日までに、次の案内を参考にして、会費と共に、幹事又は委員まで申込んで下さい。申込み者は会員に限ります。

御案内

一、日　時　二月二五日（木）午后六時〜翌朝迄

一、場　所　八王子市打越町一、一二二
　　"東京都青年の家" TEL(0426) 一九四

一　集合場所　京王線新宿駅六時集合
　　おくれた人はあとから来て下さい、京王線の北野駅下車です。駅から青年の家に電話すれば迎えに出ます。

一、会　費　三五〇円
　　宿泊料、朝食、交通費、風呂代、その他を一切含む

一、持参するもの　筆記用具、ノート、洗面具

一、"青年の家"について
　　北野駅の左手の小高い丘の上に白いきれいな建物がみえます。これが青年の家です。大きな暖炉をそなえた五〇坪のリクリエーションホールを中心に、集会室、男女宿舎等があります。フォークダンス、室内キャンプファイヤー、テニス、卓球、バドミントン、映画会、楽焼、ETC で一日をゆっくり楽しむことができるようになっているのです。

一月の本棚

文芸春秋　六〇年一月号
　松本清張"日本の黒い霧"
　下山事件を推理して、米軍謀略機関のいんぼうであると断定している。

歴史評論　五九年十二月号
　太田秀道"方法規定としての思想史"
　思想を広く考え、未発の思想をも思想史研究の対象としてひき出すことが力説されている。この視角から職場の歴史運動のもつ意味も積極的に評価されている。

二月会行事予定

二月六日　委員会とSデパート会員との相談会
二月第二週　恩給局職員と"魂あいふれて"をめぐる座談会（第二回）
〃　〃　東京ガスS営業所職員と、会との座談会、

7

二月二五日　委員会と会員有志の座談会（一泊）

於　東京都青年の家

会計報告

一九五九年九、十、十一月の会計を左の様に報告致しますから御検討下さい。

尚　会計報告がこの様におくれてしまいました事を深くおわびいたします。

この表を見ますと一応月末が赤字にはなっておりますが収入の部には必らず借金があるのを見落さないで頂きたいと思います。先月の残が二千円から残っておりますのは、九月の収入が月末に押しつまって入ったからで、十月のまを見て頂けば解ると思います。十、十一月の常任費は二千円のところ一銭も入れられず、竹村さんに大分御迷惑をかけてしまいました。

尚、みなさんにお願いした年末のボーナスカンパは十二月で一、五〇〇円、一月で一、七〇〇円合計三、二〇〇円が集りました。ありがとうございました。予定額よりも突破して集りました。

会ではこのようにしてみなさまの寄せられた御意旨を活かしてよりよい活動をしていきたいと考えております。

	収入		支出	
9月	くりこし	47	常任ヒ	1,500
	会費	4,200	事ム所ヒ	1,300
	機関シ	550	新聞代	390
	借金	1,500	通信ヒ	323
	計	6,297	事ム用品ヒ	109
			運営ヒ	147
			雑ヒ	140
			計	3,909
			残	2,388
10月	くりこし	2,388	事ム所ヒ	2,800
	会ヒ	3,350	新聞代	390
	借金	2,500	機関シ	780
	機関シ	750	文房具	240
	計	8,988	運営ヒ	615
			通信ヒ	528
			返金	3,000
			計	8,353
			残	635
11月	くりこし	635	事ム所光熱ヒ	4,650
	会ヒ	4,400	文具	100
	機関シ	210	運営ヒ	500
	借金	1,000	返金	785
	計	6,245	通信ヒ	148
			雑ヒ	50
			計	6,233
			残	12

職場の
歴史会報
No.29
1960 3.15

島田君の失敗

前号でお知らせした通り二月二五日"冬の夜のつどい"を持ったが、島田君は日をまちがえて一日おくれて行ってしまった。以下は彼からの便りです。

――編集係

前略
二十五日大変失礼しました。

ノートに二十六日のところに誤って書いていたため、二十六日に宿題の報告のためのレジュメ（珍しく印刷した）を持って、京王線のホームに行くと、六時を五分過ぎていました。

既に顔が見当らない上、六時発の急行が時刻表にありましたので、それで皆出発したのだろうと思い込み、云われた通りに北野へ行き、迎えを頼むのは悪いと思い、青年の家まで行きますと、「その人たちは今朝帰りました」

シャクにさわってノートを見ると、二十六日の所に書いてあります。

全く憤がいして、八王子まで頭を冷やしつつ歩きまし、渋谷でヤケ酒（？）を飲んで帰るという小説より珍奇な喜劇を演じました。見せたかったなあ！です。

結局、通知を見ますと、二十五日と書いてありました。


（島田 泉）


出席予定者に島田君が入っていましたので、当日ホームや入口でずい分さがしましたが、見当らないので出かけました。

期日の連絡などについて十分徹底しなかった点についてはふかくおわびいたします。

係より

編集・印[illegible]高橋、竹村千代（印刷）
がかり、松本

北から南から ——会員からの便り——

前略 お変りない由なによりに存じます。ニュー大変興味深く読ませていただきました。「会のことば」には、まったく同感です。機械文化の中で、その一部分を担当させられている運命にある人々の、機械化され、虚無的な空気に支配されて行く過程で、統一化させるもの、一つは、共通の目的意識で行動しているという実感であろうかと思われます。

しかし、現在は、単なる仲間的なあつまりでなく、守る会での運動であるという意識が必要だと考えられました。「疎外をさせられた人間像」というものを考えなければ易く行うは難しいことと思いますが、実感として感じられました。

「理論を[illegible]しない平板な経験は自然独断から[illegible]主義へおちいりやすいのだ」ぼくはこのことを[illegible]と[illegible]時々考えさせられるのですが、実際の[illegible]、[illegible]あるこのことが問題となるまでは至っていないとも考えられ、この点きっといろいろな面から学んでいきたいと思います。

「会報」の件ですが請求書によれば二、三月分として二百円と記されておりますが、二月分は一月二十日に納入済と思います。これはぼくの会員証に記入してありますので間違いありません。三月分として百円を同封致しました。なお、これはぼくの考えですが会から着き次第受領した旨の書面（領収書みたいなもの）を出してもらえたら良いのではないかと思います。小さいことでも、こうしたことから良くない結果の生じないことを願っております。いずれ三月中には上京の運びになりますが（その時にはぼくの進退も決まっていることと思います）。その際雑誌の分（二十円）はお持ち致します。田舎の家庭の中ではいろいろな問題があるので走り書きのような手紙になってしまいますが御了承下さることをお願い致します。

二月二十六日　　岩淵 [illegible]

日増しに春の訪れの近いことを思わせる候となりました。

皆さまにはお変りなく御活躍のことと存じます。会ニュースどうもありがとうございました。[illegible]さんにおくれないよう、十分[illegible]を改めるよう励みたいと思っています。とりあえず会費三[illegible]をお送り致します。

簡単な[illegible]で失礼ですが皆さま方のご健斗をおいのりしています。

二月二十一日

伊勢市■■ 長谷川 加代

× × × ×

前略 ごめん下さい。

みなさまお変りなくお過しですか。

大変おそくなって申訳ありませんでしたが 機関誌代（[illegible]部）を同封します。硬貨は入れられませんので二百円送りますが四〇円はカンパに入れておいて下さい。

簡単ですがとり急ぎ失礼致します。

[illegible]お体を大切になさって下さい。

松 本

× × × × × ×

〃[illegible]ニュースについての雑感 「自由主義的なムードが大衆の中にしみこんで来ている」ということですが、確かにそうだと思います。それを変革して行く基盤は何か？先月の我々の集まりでも、例の日教組と日高教の統一問題について話し合った際、民社党の分離等国民の側の運動が分裂の傾向にあるとき、教育労働戦線の統一は政治的に重要であるとの観点から、全員が職場でこの説得活動を活発化しようということになり、会も教育研究の集まりよりは実践者＝活動家としての性格を強く打出して、〃職場の表面的な泰平現象〃を打破して行こうということになったのですが……

この点について何か討論がありましたらお伝え下さい。

。会計報告について
借金は収入の部に入れないで欲しい。これでは会計の面から会の運営についてつかめないし、借金は決して収入ではない。
又会費は十月に納入されても（九月分）九月の収入に入れるべきではないですか。月間報告であれば……

。学習会には私も今後紙上参加させて頂きたいと思います。

会費百円同封致します。ではお元気で

山形 青山 崇

（3）

会の動き

"冬の夜のつどい"について

二月二五日の会で討論した。"冬の夜のつどい"は、会の歴史にとっても一寸これまでに見られなかった形のものでした。

これまでも白樺湖に行ったりということはありましたけど、会員だけで一夜ゆっくり話しあうという一寸した合宿形式の試みははじめてなので、どんな話がでくりひろげられるだろうという期待で新宿にいそぎました。

予定よりおくれ、六時四十分の京王線急行八王子行きにのる。

この時間は、丁度通勤者の帰りのラッシュ。多摩川をこえる頃まではすわることができませんでした。

なにもこの沿線だけに限ったことではありませんが、毎日朝夕もまれながら往復二時間ほどの時間が、いったい何万人、いや何十万人によってついやされているのだろうかということがふと頭をかすめる。

マンモス都市"東京"。これからも日本の人口は増大し、東京もまだまだ大きくなるとすればどうなるのだろうといったことを考えました。（H）

× × × ×

終点八王子の一つ手前、北野でおりて、歩いて約十分。小高い丘の上にある「東京都青年の家」につく。去年の十一月にできたとかで、まだ新しい建物。さっそく集会室で会をはじめる。

この日集ったのは八人。（島田氏は出席の予定だったが、新宿でいくらさがしても見当らず、最初にある便りのような次第で欠席）

この日は、特にテーマをきめて行ったのではなく、まったく自由に、会についての問題を皆で心ゆくばかり出しあって話そうということにあった。

しかし、何かのキッカケがあったらということで、竹（千）村氏が会のこれまでの歴史について話した。

竹村氏によれば、会のこれまでの時期区分といったものは大きく次の五つにわかれるという。

I　五四年秋〜五五年四月
II　五五年五月〜五六年九月
III　五六年十月〜五七年八月
IV　五七年九月〜五八年八月
V　五八年九月以降

そしてこのそれぞれの時期の問題点といったことを述べた。

この報告は、かなり詳細なもので、かんたんにまとめることはできないが、ここに示したものは一つの試みであり会員も、これからの歴史運動の広い展望を持つためにも、これまで会の歩んできた道についてそれぞれが研究することを要望された。

その後自由討論に入り、おくれて参加した岩波、樋口氏もまじえて夜おそくまで続けられた。

そこでの話しの焦点は、清水氏のこれまでの立場でおこなってきたいろいろな努力にあつまった。そしてその中から作られてきた機関誌にのった諸作品、絵画物にたいして、会全体がそれを正しくうけとめ、積極的な援助協力体制が、それにともなわなかったのではなかったかという点の反省がだされてきた。
（A）

×　×　×　×

合宿には、日曜日もつとめの人、またほとんど休みがないといった、きわめて悪い条件の人もいる。

ふだん、仕事が終ってから、九時にし、せいぜいおそくなっても十時が限度という制約を持つ会にとっては、なかなか落着いて話しにくい。静かなこんな場所で、ふだんのそうした制約を脱して、ささやかでも、かかる合宿形式で話し合えたことは、よかったと思う。

この最初の試みをより工夫して、たとえば、会員の休日の最大公約数をとり、その前後の日を使うとか、夜だけでなく、じっくりとプランを作るといった試みは、これからもまたされてよいのではないかと思う。（S）

出版について

先にお知らせしておいた、会が中心となり、歴史関係の研究者と協力して採られる本が、いよいよ四月下旬に出されることになりました。くわしくは次の号だけでも"予告"したいと思います。

（出版係より）

"今月の本だな"

○前田「一経営者を眺る」（文芸春秋　三月号）
書いた前田氏は日経連専務理事、その眼からみた経営者の問題点はどこにあったか？
（E）

○土門拳写真集
『筑豊のこどもたち』（パトリア書店刊、百円）
志免の問題について前の号に岩波氏の一文をのせましたが、問題となっている日本の石炭産業、そしてそこにすむ人々の生活の実際をカメラでとらえたもの。値段も手頃です。
一つ一つ挙げませんが、安保改訂をめぐって、いろいろ新聞、雑誌またいくつかの単行本もあります。

岡島さんへの手紙

三月の第二水曜日は定例の勉強会です。責任者の貴方は来ませんでした。私は日本のマルクス、レーニン主義の学び方の根本的欠かんを指摘し新しい研究の方向を暗示してみました。しかし いくら創造の芽をくるしい努力の末からとりだしてみても、報告で職場が組織されていない現状ではざるに水です。たとえ善意にもせよ、創造の芽をからすことに反対です。善意が人を傷つけることもあるのが現実です。お互に注意しようではありませんか。

（竹村）

"あとがき"

前の号から、会の動きをなまなましく伝える試みとして、これまでのニュース的形式をすこしかえてみました。

いかがでしょうか。

係としてもまだ確定できない性格のものですが、すこしずつでもよくしていきたいと思っています。

こうした一つの脱皮をよりのばしていく意味でも職場のこと、短い言葉、映画評など、なんでも自由なので、よせてくださることをお願いしておきます。

前号もそうでしたが、今度もカッティングなど、もっとも"メンドウ"な仕事を松本さんにお願いいたしました。まったく縁の下の力持ち的なこの仕事を引受けてくださった松本さんに皆と一緒に"ありがとう"といいたいと思います。

× × ×

活版の、紙も上等でアート、おまけに写真もたくさん入っているP・Rの社内報といった類のものを見るといささかがっくんですが、大きな夢は持っているつもりです。

（三郎）

（6）

東京都新宿区戸塚町三ノ二〇〇
（竹村方）
職場の歴史をつくる会

職場の歴史を作る会

運営委員会ニュース

No 30
1960.4.15 発行

感謝のことば

清水澄夫

「魂あいふれて」の感想、御批判ありがとうございました。私はこの作品を書くためにこの四年間とり組んでまいりました。

しかし現在に至ってもまだ〳〵完全な個人の歴史を書くまでに至っておりません。

この四年間、私は作品を書くにたえずむつかしい多くの問題にぶつかりました。

ある時は、作品を職場の人、会員から痛烈な批判を受けるのをおそれ自分だけで苦しんできました。しかし、本当に皆に読まれ喜ばれる作品は何といっても、作品を職場の人、会の援助がなければ個人の歴史といえども書くことができないものと思っております。

此の度の合評会によせられました皆さんの御批判をありがたく受けとめ、今後の「職場の歴史」運動のよい芽として育てゝいきたいと思います。最後に会にまだ多くの作品が眠っておりますので、私の作品同様よいものに育て頂きたいと思います。

"魂あいふれて"によせて

案内をお知らせしたように、三月二十日(日)夜、於関読18号の合評会を開きました。

次の二つは、出席できない遠くの会員からよせられたものです。

(その一)

前略「職場の歴史」臨時増刊18号「魂あいふれて」着手いたしました。少しおそくなりましたが読後の感想というか、そうしたものを以下記したいと思います。ピントはずれと思われるところがあると思いますが、お役にたてば幸甚です。

一、全体の感想

第一章から第三章まで読んでみて、一人の男性の生活の過程で、まず「働くこと」へのあせりと、「職場」を得た喜び、そして職場内部の実態、矛盾の認識から組合結成の動きに対する不安、生活と運動とのつながり、組合の動き、孤立していたと考えていた自己を、組織の中に発見するに至るまでの月並な言葉でいえば成長の段階が浮き出ていると思います。個人の歴史を通じて職場の歴史を画こうという意欲は十分にくみとれます。たゞ一九五三年から一九五四年に至る日本反が世界の動きの中に、自己と職場をとらえるということまでは至っていないように思われます。それから部分的にことばの足りないと思われるところ、意味の判然としないところなども散見されるように感じます。具体的な記述がもう少しほり下げた形でなされたらもっと解りよくなったのではなかったかと思われます。

二、部分的に、

以下、気づいたところを、こまかくなりますが記したいと思います。

○「はじめに」の部分　八行目「朝鮮戦争を契機として資本のたてなおりは、云々」この「資本のたてなおり」という意味は具体的にいうとどういうことなのでしょうか。この点もう少し明確であった方がよいと考えます。「資本のたてなおり」と「労働者を職場からくちく」することとの関係をもっとくわしく述べてほしいと思います。

○第一章　一、田舎から東京へ　1頁下段「私の上京直前……大急で脳天をなぐられた思いがした」までの部分は、その前に「叔父の紹介もあり」とあるところを補足するように考えられます。更に、2頁の上段、中程の、「ある印刷会社の植字工しあるいはパン屋の見習い」というところは、S出版社以下の職場のように感じるので、この部分も少し不自然に感じられます。へ一たん取り消させたもの、実際さがしくみるとなかなかS出版社以上の条件のところはなかったということなのだと思いますが……)

○3頁上段中程「告知書用紙を示にすると云々」のところは、もう少し実感のこもった具体的な表現にした方がよいのではないかと思います。

○9頁に　スパイを拒否したことが記されてあります。これは大変貴重な記録と思いますが、それで特にもう一筆、スパイを拒否したことによる情況の変化(身辺のまたは職場の)はなかったのか、あったとすればどういうことだったかを記してほしいと思います。これは多くの人々がなんらかの形でこうした立場にたたされることが多いと考える時、一層重要さをもつと思います。

○11頁上段に、女性も男性も一緒に、くみをやることにしたと記されております。また、下段に「……が係の出荷状況を把握するのにどうしても……順次その方向へと進めるのである」までの部分があります。こうしたことが当局側から何の抵抗も受けずに認められたのでしょうか。うけたとすればどのような形の抵抗だったのでしょうか。そういうことも記してほしいと思います。

○ 同じところで、「文書や三係」というのがどういう係なのか、何故「地獄」と呼ばれたのかも判然としません。

○ 12頁や三章、「五月二十日、朝から皆仕事をしないで……作業をしていた者も出来かけのプラカードをかついで出て行く」までの記述の情況で、その間係長はどうしていたか、一寸記したらどうでしょう。

○13頁上段「時間がたつに従い仕事のことが」の仕事と「俺たちは保安要員も同然だ」というところ。なぜ保安要員と同じなのか、どういう仕事をしていたのか、そういう点具体的に記してほしいと思います。

以上、部分的に気づいたところ記してみました。

それからこれは校正的な問題と思われますが、カナヅかい、助詞の使い方などに多少気になるところもありました。なお「しかしながら」という接続詞が多く使われておりましたがこれも強すぎるように思います。他のいい方もあるのではないかと思います。

5頁の「組合結成は恐しかった」以後は、全体の中では非常に迫力があり、中でも「8頁の二、スパイすれば社員になれる」の項と、10頁の一、有給休暇がほしいけれど……の項は特にすぐれていると思います。

最後に、一九五五年七月以降、現在に至る間のことは、この内容にはもり込まれてありませんが、その間のことを展望のような形で、あとがき風につけ加えたらどうでしょうか。読者はやはり現在のことまで知りたいのではないかと思われますから。

雑然とした感想で恐縮ですが、以上参考の一助ともなればさいわいと思います。

三月十六日

山形　岩渕　健

（その二）

遅ればせながら、"魂あいふれて"の感想を送ります。

拙速な意見も出ることと思いますが悪しからず……

1、「受給者と恩給局間の問題」を「国民的課題」の観点にたって、そこから「職場の歴史」をとらえる。その出発点として「恩給局と職員の関係」を背景として「個人の歴史」（魂あいふれて）を書いたという著者の立場、賛成です。

しかし、その立場が貫徹（とはいかないまでも）されたか？

私は不充分のように思う。何故か。

①「受給者と恩給局（現政府行政の一環）の問題」に

ついて概括的でもいいから、("はじめに"で簡単にふれられているようだが)読者に知らせてほしい。でないと何故にそれが国民的課題なのか分らないのだ。

更に大事なことは、この問題の中に現在の社会の諸矛盾があり、それが幾重にも投影して、あるときは「受給者と恩給局」の影が現われ、又ある時は「恩給局とそこの職員」の影が現われ、それらの影がおりなす腐敗の中に「田舎から東京に」出てきた著者が投げこまれて「魂あいふれて」の歴史がはじまり、私たちはこの著者とともにその歴史を歩むのだ。そして社会の諸矛盾を概括的な認識からよりキメコマカイ科学的認識へたどりつきたいのだ。そして実践的、主体的に矛盾を解決していきたいのだから……

(私の「平松さんの歴史」の一つの失敗は「彼は斗ったという彼を顕彰するにとどまったことだと思う。)
② しかし、この問題に入っていく一つの糸口は示されていると思う。著者はすでに知っていると思う。「定員法」と「恩給の復活」こゝから「臨時職員の問題」「職員を物と扱う問題」がでてきて、著者が一臨時職員として採用され、職場の生活の中で矛盾につきあたり「映画的幻想」を払拭して行く。そして矛盾を解決していく主体的、組織的人間(=自己の発見)へと成長していったのではないか
○2、著者の胸の中にはたくさんあると思うが、はしがきでのべた立場から充分記述せんがため、在京職員はサンバ役をはたしてほしい。それで以下具体的にのべてほしいいくつかのポイントを書きたいと思う。(障碍もあると思うが可能なだけ)
① 恩給とは、又局の業務内容について、要するにどんなふうに仕事がすすめられているのか
② 配転について、(二枚目下段)「チミツ」ということばが何故でてくるか、
③ 日計表廃止をめぐる職懇の状態(六枚目下段)
④ 「日計表を書けるだけの準備を整え広場に出たい(六枚目うら下段)より「保安要員……」の問答があり、月給袋をさくというところがあるが、こゝは「自己の発見」の重要なところと思うが、つづき具合や説明不足のところがあって理解するのにとまどった。
⑤ 「第三章、三 職場の動き」の部分では著者もこの動きに積極的に参加したと思われるが、著者の動き、はほとんどでていないし、著者の「自己の発見」は「一人で悩み苦しまなくとも、良いんだ」という認識で終ったのだろうか?
⑥ 総じて、組合活動と著者の関係が説明不足で 又

二つの所の文章が生きてこないのはどうしたわけかな？

③、記述上の問題

㋑、小説とか文書とか証人に実名（ママ）らしいものが出てくるが、読者を出した意図が分らない。KとかSとかでもいいようだ。積極的な意図があるなら、歴史的人物（ちがうだが）として説明を加えるべきではないか。

㋺ 誤字、文脈の不明確な所は訂正してほしい。

例 為政者→為政者　繊維→繊維

二の班も江戸の下を越し時間的になっていると聞いている。そんな関係もあって……好みもあったし……（八二枚目下段）

文句ばかりつけたようだし、私の報告自体意味のとりにくい点もあるかと思う。報告の遅れたこと多謝。

三月二十一日

山形　青山崇

＊ページの数字は原本において誤植となっています（六花出版編集部）

〝会の動き〟

合評会

三月二十日におこないました。ちょうど祭日と日曜が重なった日でしたが、集まりはよくせまい事務所がいっぱいになりました。

この日は、皆が自分の感想をはっきりまとめる意味で、文章にしてくることになっておりましたので、その書いてきたものにもとづき進められました。

そこでは内容のことから、句読点のまちがいといった文法上の細かな問題にいたるまで一章ごとに区切って討論しました。

問題がたくさん出されたので、十時すぎてもまだ続くといった盛況さでした。

この号にのせた山形の岩渕氏の手紙を紙上で参加という形で読まれました。

従来の合評会の形式を破り、各人が書いてきたものを中心に話し合っていくということが、最近ではもっとも充実した内容をもつことができた大きな原因ではなかったかと思います。

ただ、いく人かが書いてこなかったということは、どうしても残念なことでした。（O）

（6）

山形の青山さんへ

―会財政の問題―

前回の会報でお手紙を拝見いたしました。

会計報告について二つの御指摘を頂きましたがありがとうございました。

それについて私は次のように考えましたのでお知らせしたいと思います。

一つ、借金は収入の部に入れないでほしい……という点ですが、これはたしかにそうだと思います。以前ある会員からも指摘された事があったのですがどうすべきかはっきりしないまま今のような方法で今日までつゞけて来てしまいました。

青山さんのおっしゃる通り会計面から会の運営を知るためには、借金は赤字で計上されなければならないと思います。そして一目で会の財政状態が解るように記帳するのが本当だと思います。現在の記帳の方法では会の赤字がいくらあるか累計として表されておりません。財政がくるしいくるしいといっても会員の皆様にはどの位苦しいのか見当がつかなかったのではないかと思います。

借金を収入に入れないと、勿論、各月で赤字の残になりますし、前々からの借金がくりこされて大桁の赤字が計上されることになります。この様な財政面での会の本当の姿を、これから毎月々々みなさまに報告していきたいと考えています。

三月から、新しい方法でやりたいと思いますので御承知おき下さい。

もう一つの問題は、会費は十月に納入されても九月分であったら九月の収入として計上されるべきではないのかという点でしたが、結論からいうとその方法は事実上出来ないという事です。

原則として会の会費納入は前納制になっています。九月中に十月分が納められていると言う事なのですが、どうしても次の月までにまたがってしまいますし、都合によっては、三ヶ月、四ヶ月とのびる場合もあります。

青山さんの方法によるとそのようにバラバラに入ってくる会費を時によると何ヶ月か待たなければ月末の帳簿の締めが出来ないという事になります。そして収入面をそのように考えるとしたら、支出の面でも同じ事がいえると思います。九月分の支出は九月に計上されるべきだと。しかし九月の支出の中には、八月分もあれば十月分もあります。このような収支を日附り通りに記帳したのでは実際の現金の残高と合わせることができないのではないでしょうか。月の始めから、…日までの実際の現金の収支通りに計上するのが事務も簡単ですし、正確性があると思います。尚、ご質問の点がありましたら、お手紙をくださるようお待ちしております。

（会計係）

	収入		支出		残高
1959 12月	くりこし金額、	12	事ム所費	2,250	
	会ヒ	4,450	光熱費	340	
	カンパ	12,200	常任費（54時間）	6,300	
	機関誌	260	新聞代（24部分）	780	
	その他	500	運営費	1,625	
	計	17,422	出版費	600	
			機関誌	495	
			返　金	880	
			事ム用品	465	
			通信ヒ	1,909	
			雑ピ	55	
			計	16,199	1,223
1960 1月	くりこし	1,223	事ム所ヒ	800	
	会ヒ	950	常任ヒ	900	
	カンパ	1,700	通信ヒ	370	
	計	3,873	運営ヒ	620	
			事ム用品	140	
			計	2,830	1,043
2月	くりこし	1,043	事ム所ヒ	2,750	
	会ヒ	2,150	常任ヒ	1,500	
	機関誌	870	通信ヒ	605	
	詩の家カンパ	850	事ム用品	205	
	借金	1,000	詩の家費用	350	
	計	5,913	雑ピ、	100	
			新聞代	370	
			計	5,880	33

第四回学習会報告（二月十日）

哲学教程　一、四三頁　三、

この日は教科書にそいながら、職場の問題などを出して、学習組しきということも含めて討論した。そのため各々の職場の具体的な問題がでたが、結果的には問題を提起する程度で終った。

一、経済的な斗争だけでは組しきは出来ない。職場にはどのような問題があるか。

二、観念論者は、道徳的な問題で解決できるとみている。

三、私有財産とはなにか。

四、先進的な労働者に教える

A 一般の勤労大衆には直接理論学習ということは無理があるのではないか。

B 先進的労働者の中にも理論と生活が別々になっている人が多い。

五、学習会が組織されないのはどのような欠陥があるのか。

六、学習会が組しきされるということはどういうことか。

（7）

三月の研究会

三月の会は、九日に持ちましたが、この日はどうしたことか、わずか二人より集まりませんでした。

この日は第一巻七九頁からの「第二章、マルクス主義以前の哲学史における唯物論と観念論」の「第二十七、八世紀の唯物論と、宗教および観念論にたいするそのたたかい。形而上学的方法」をやりました。

竹村講師より出された問題は

(一)ここの内容が述べている時期の"思想"の研究は日本ではまだまだたちおくれていること

(二)　その原因はどこにあるか、

(三)　またそのことは、どういった影きょうをおよぼしているか

といったことでした。

内容としては面白かったが、なにしろ人数が二人だったので一対談という次第。

毎月第二水曜日に集る訳で、"哲学教程"（合同新書）を竹村氏を講師として、ゆっくり時間をかけて読んでいっています。

できるだけ、日常の問題、身近かな具体的なことにたふれて話していくようにつとめています。

これまで、出席されてなかった人でもわかりますし、飛入りかんげいいたします。

竹村喜一郎、石母田正、井上清、奈良本辰也編『現代史の方法』

いよいよ出る！

──四月二二日発刊（予定）──

前にお知らせしていたように、会が中心となって企画していた本がいよいよ春たけなわの四月二二日、三一新書として出ます。

現代史の必要なことは、私たち会員にとってはとても大切なことだということはこれまでの運動の経験を通して理解していましたが、そうした声が最近では広くいわれるようになってきました。

これにはいろんな意味があると思います。

だが、それにしても、この面で努力してきた先人の成果を私たちが正しくうけとめ、これを消化し、今後より創造的な仕事を進めていかなければならないと思います。

この「現代史の方法」上下二巻は、そうした意味で、文字通り現代史の方法をめぐってどのような問題があるかを会の経験や、またそれぞれの一流の専門家が書き下したものです。

労働運動の分析や、歴史学界にささやかながら、一つの指針の役割をはたすと思います。

上巻の内容は次のようになっています。

一、国民の歴史に対する要求　竹村民郎

一、国民的歴史学の理論的意義　石母田正

一、歴史教育—戦前の世界史教育を中心に—　太田秀通

一、学校教育における歴史—主に戦後の問題—　家永三郎

四月二二日発売予定ですが、印刷の都合などで若干おくれるかも知れません。

下巻は一ヶ月一サおくれてでます。

会では、でたあとで出版記念会をもち、ここで十分この内容について話したいと目下計画しています。

今月の本だな

"工場史編纂についての問題"

秋石（歴史評論60年3月号）

これは中国の工場史を作った経験をまとめたものである。

中国においては、職歴運動がどのような形をとって現在進んできているかを知ることは私たちにとっても必要なことと思われるので、是非一読することをおすすめしたい。

（歴評は一冊百円。事務所にも一冊あります）

この論文は、「工場史の二形式」「工場史はどのような内容を含むのか」「工場史はどのように書くか」「資料はどのように編纂するか」「正しい観点はどのようにして形成されるか」「工場史を書くのは何のためか」などについて、短かいながら要領よくまとめています。

またこの論文のあとがきで中国の工場史に照応するものとして会の職場の歴史をつくる運動が紹介されていることは注目すべきことでしょう。

会でもこれまでの経験から、皆の成果にもとづいて「日本における現代史の問題」「戦後労働運動史をど

うかった「個人の歴史をめぐる問題」「労働者階級全体の運動と個々の経営の動きをどう関連してとらえたらよいのか」「会社史と組合史の問題」「労働運動の貴重な経験は正しく整理されているか」といったようなことが、研究会や運営委員会の席上で討議されてきています。

三月の運営委員会

三月二十日開かれました。

一般経過のあと、討論をおこないました。

四月には出版がいよいよ実現するので、その後の見とおしや、出版記念会のプランといったふだんの委員会の話しにはなかった問題がでました。

また係の問題、会計の問題、総会のプランといったことが討議されました。

松本さん結婚す

会員 松本和紀子さんは 三月十七日に結婚されました。

会からはささやかな贈物をいたしました。

皆で"新生活のスタートを祝い幸多かれ"と心から喜びたいと思います。

あとがき

"運営委員会ニュース"も今度で30号になりました。

× × × ×

四月。そして春！出版もいよいよ実現。

会もなにかといそがしくなってきました。

× × × ×

この30号は、のせるものが多くなり、とうとう十頁になってしまいましたが、まだのせたいものがありました。

岩淵忠夫氏、笠原氏、田畑氏のものなど……。係としてはとても残念でしたが割愛させていただきました。

（係）

(10)

職場の厂史をつくる会

運営委員会ニュース

No 31

1960 4.25 発行

会のことば

炭労の大会は「徹底した討論で組織の欠陥を克服しよう」のスローガンをかゝげて、もみぬき十七日ようやく藤林あっせん案を拒否することとした。四月から五月にかけて安保改悪阻止のたゝかいが高揚し、三池のたゝかいも又今後どのような事態の展開をもたらすかも予断をゆるさない。

この時にあたり、わたくしたちの会が、一流の理論家、科学者とゝもに〃現代史の方法〃を出版し、労仂運動や思想のたたかいについての一つの社会的発言をすることの意ギはきわめて大きいといわなければならないだろう。それは文字どおり現代の厂史に生き、そのなかでたゝかうものがみずからの方法をとぐための砥石の役割をすることになる。

わたくしたちの会は、かつて日本資本主ギの合理化の序曲であるといわれた日鋼室蘭のたゝかいに密着し、それにまなぶなかゝらつくられたのである。

職場の厂史をあきらかにするためには今日の階級斗争のいちばんあたらしい段階の人間としてたつことが必須の前提であることを会の厂史はおしえている。

今日の出版を契機として、わたくしたちの仕事は各方面から注目のまととなるだろうが、このあたらしい事態にのぞんで、わたくしたちはほこるべき会の統にたつとゝもに、あらためて内部にひそむ欠陥についてもあきらかにしておく必要がある。たしかにこれまで、会の厂史についての反省はしばしばこころみられている。しかし〃まるはだかになって語り合う〃ほどてっていした反省はなされてはいない。

会の活動のなかで、早がけ、一番槍の行動がたえずくりかえされてはいないだろうか。編隊をくまない〃白虎隊〃のようなたゝかいがどれほど多くの犠牲を強いてきたであろうか。

風かおる五月、みずからつくった実績のうえにたって社会的発言をすゝめるにあたり、以上のべたことの総括としてわたくしたちは、つぎのように主張する。

〃もはや　一番槍の時代ではない〃と

出版の案内

一、現代史の方法　上・下

国民と厂史　竹村民郎

戦後さまざまな厂史的経験のなかで人民大衆こそ厂史をつくる者であることがあきらかになりつつある。今日までにどのようなあたらしい厂史意識が国民のあいだに成長してきたのであろうか　国民運動の中核は当然労働者階級であり、それは国民の大部分をしめ、もっとも階級斗争の経験が蓄積され、本質的に買弁的要素をもたない。

日本の労働者階級は厂史にたいしてどのような高い見識と要求をもっているだろうか、

本章では国民のための厂史学運動、職場の厂史をつくる運動の諸経験の総括のなかから前述の課題についていくつかの問題を提起する。

二、国民のための厂史学の理論的意義　石母田正

民主主義科学者協会の提唱による科学運動は厂史学の分野では〃国民のための厂史学〃運動として展開した。この運動は日本の学問全体に通じる主体性の欠除とマルクス主義厂史学の抽象的側面に大きな疑問をなげかけたものであった。[illegible]厂史学の科学性の樹立への探究のなかに展開され[illegible]国民のための厂史学運動の理論的意義の解明のために[illegible]それはどういう情況の下で、どんな意図で提唱されたのか、どこに積極的意味があったのか、これらの問題のなかでその理論的な欠陥を明確にし、情勢分析に誤りはなかったか、等々について学ぶべき教訓を検討しようとするものである。

三、戦前の厂史教育―世界史教育を中心に―　太田秀通

戦後の民主化運動の高揚のなかで、皇室中心主義による厂史教育は全面的に否定され、その誤りはあらゆる角度から批判された、しかしこれらの批判は主として旧来の日本史教育にむけられ、戦前の世界教育がもった誤りについては殆んど否定もされず批判もみられなかった。本章では戦前における世界史教育のもっていた内容的検討を通して、その役割を批判し、かつ戦後世界史教育の正しい発展の足がかりを提供するものである。

四　今日の厂史教育　家永三郎

安保改訂をめぐる政府の動向は厂史の進歩に逆行し国民運動のはげしい抵抗にぶつかっている。政治に現

れたこのような矛盾は教育にも反映し、勤評問題道徳教育の両建などの動きとなって現れている。
今日歴史教育の分野におけるこのような傾向はどのように現れているのか　また真実にもとづく歴史教育をまもる道とは何であるのか、この問題意識に従って、ここでは教科書改悪などの諸問題を論考する。

以上　上巻

五、戦前の歴史学の果した役割　遠山　茂樹

六、戦後における歴史学の役割（五〇年を境として前段　奈良本辰也　後段　岩井　忠熊）

七、歴史学の現況と課題　井上　清

八、サークルの組織と運営の問題
ー職場の歴史をつくる会についてー　職場の歴史をつくる会

九、労働者の意識の成長について
ー座談会ー　司会　竹村　民郎
遠山　茂樹
職場の歴史をつくる会々員

〇発売日　上巻　五月六日　下巻六月六日予定

〇定　価　一五〇〜一七〇円程度

出版記念会のおしらせ

会員のみなさん、出版についてなにかと御心配をいただき有難うございました。今日の勝利はくるしい条件のなかで、自前で道をきりひらき、理論的な勉強を蓄積するなかからかちとったものであります。たとえば自分の歴史をつくる運動のなかで会員がどんな創造への苦労をしたかを考えてみてもそのことはよくわかるはずです。わたくしどもは着実な創造へのつみあげを目立たない日々の会活動の意味をただしく理解する必要があります。量の積み重ねが質の転化をもたらす。という弁証はここにもつらぬいていることを確認しよう。会の土台ずくりといえば前時代的で非能率的出版といえば苦労のいらない安易なコースとうけとる考え方に反対します。わたくしたちはその前途になお土台づくりの苦痛があることをしっています。しかしその苦痛にたえぬくことを誓います。それはわたくしたちがいもうな土台づくりによる質的変化の必然性を信念として自覚しているからです。このたびの出版が教えるそのような教訓を確認し、団結をかためてさらに前進しようではありませんか。会では一夜出版記念会をひらき、これまでの苦労を語りあい会員の努力を激励するとともに、お祝のコンパを盛大にしたいと思

います。詳しいことについては後日みなさ[illegible]上招待状にゆずります。日時は五月一四日（土）・一五日（日）のいずれかに致します。

運営委員会

現代史の方法を職場に一冊!!

わたくしたちはこれまでに、思想（理論）のたゝかいがどんなに日本の労働運動、民主的な運動におくれているかを指摘してきました。いわゆる斗士的な職人的な実践ではH.R.　P.R.のあみに対抗することはもはやできないのが職場の現実では[illegible]しょうか。"現代史の方法"は職場の思想のた[illegible]にあたらしい問題を提供し見とうしを示すものです。それぞれの職場やしりあいの人たちの職場に宣伝し討論をひろげてください。出版係はポスター（五〇〇枚）をつくることを書店に交渉中です。また事務所に直接申しこみのあった分は定価の二割引であつかう予定です。

運営委員会　出版係

東の櫻　南の風

―会員だより―

前略 [illegible]ありがとうございました。たび北区の[illegible]協同組合の就職しましたことを皆さんによろしく伝えて下さい。会の出版記念の合宿のための会場ですが箱根湯本方面をしらべてみましたがこゝの生活協同組合の関係しているところはありません。従って独自に交渉する必要があります。

四月八日　松本幸八郎（氷川下）

前略、北国の福島も櫻がほころび始めようやく春[illegible]ぐって来た感じです。先日はお葉書有難うございました。僕の最近はまったく多忙の連続です。あまり忙がしいので会からの会報等も読むひまもなくみみあげて置くような仕末で失敬しています。健君は教員の検定試験が失敗だったとかで残念なことでした。この上は採用を祈るのみです。僕は五月三日挙式の予定です。尚、会費五〇〇円同封しますからお受納下さい。

四月十一日　岩浪　安昭（福島）

お便り拝読いたしました。着いてすぐ風邪でやられ、すごく熱を出しとうとう一週間もねてしまいました。ひどい三日ほどは熱のせいか〃かゆ〃をたべても吐いたりでなにもたべずにすごすなどひどい目にあいました。今日（一四日）やゝよいようですが、

（出版費の対策）これは民科でもT研でもなく、会が[illegible]ねばならぬこと。もうすこし情勢を見てと思っていましたが四月中の〝運営〟でこれについて十分やったら（やる必要がある）と思います。そこで当然(6)のどう宣伝していくかといったことについてもその際簡単にでも皆でチエを出しあったらと思います。（出版の宣伝）帰る前、話しておいた如くできたら編集などに知ってる人のいるところなどをたぐっていくのがよくはないかと思います。（なおポスターできたら一枚送って下さい）

十三日の新聞（朝日）に戦中の農村出身戦没者の手紙云々とありましたけれど、うまいことに着眼したものと思います。秋田の方でも文学団体が中心となって一つのその動きを支えるような形になっているようです。常任問題の件はどうでしょうか。

四月十四日　高橋　秀夫（秋田）

〝農民出身兵士の手記〟の編集（新しい創造活動の

右の高橋委員の手紙のなかに書いてある農民出身兵士の手記のことは同封してあった秋田魁新報（60年四月四日朝刊）のつぎの記事を参照のこと

「……戦没した県内の農民出身兵士の手記を出版しようという計画が、県内のサークル誌によって結ばれた若い人たちによって進められており、その第一回編集準備会が二九日午後一時から秋田市の県労働会館で開かれることになった。計画を進めているのは青年サークル〝山脈〟〝IDEAグループ〟〝緑の会〟〝展開グループ〟〝若葉〟〝第三群〟〝秋田のこだま〟の七グループの会員で結成した〝戦没農民兵士の手記出版センター〟で、できれば今年中に実現させたいと語っている……また岩手県の〝農村文化懇談会〟でも昨年十一月から〝戦没農民兵士の手記〟の編集にとりかかっている。

なお、この出版は県内の戦没農民兵士の手紙や日記を集めて行なわれるもので、同センターで広く県民に戦没兵士の手紙や日記を寄せてくれるよう呼びかけている。

①戦没農民、労働者、商人兵士の手紙、日記写真遺書など。満蒙開拓義勇軍、従軍看護婦も含む

②生きて帰った農民、労働者、商人兵士の手紙、日記写真など。」

体験記録と工場・公社史

中国　盛んな厂史への参加

（一九六〇年三月二十一日　日本読書新聞記事より転載）

革命史の体験を記録する運動がおしすゝめられて来た結果、こゝ数年来、大規模な大河小説が続々と書かれ始めている。しかし体験記録の運動はそこで終ったのではなかった。それはこ、二、三年の間に工場史、人民公社史、部隊史編纂の運動に生れかわつたと見られるのだ。〃麦田人民公社史〃（昨年の〃収穫〃二号）を見てみよう。これは義務労働のためその地に派遣された作家たちがまとめたものだがその地域の農民による過去の体験の記録、その地域に伝わる説話、農地改革の経緯、およびその地域の厂史、地理の概要等から構成されている。この構成全体から麦田人民公社の姿、その全体像が古い農村から農地改革を経て人民公社の組織へと進む時の経過をともなつて浮び上って来る……。工場史も同様である。すでに二十余点出版されているが（昨年の〃文芸報[illegible]号および今年の〃読書〃六号の石泉の報告による[illegible]いずれも同様な編集方式をとっており解放前のストの厂史を浮き出させたこの〃赤色の安源〃）解放后の新たな生活体験に照明を当てたもの（〃列車のゆりかご〃）および〃武漢鋼鉄会社建設史話〃のように全く新しいコンビナート建設をテーマとし、その工員がコンビナート史を書き綴ったものなどがあるという。

職場の歴史をつくる会

東京都新宿区戸塚町三ノ二〇五
（竹村方）

現場の歴史をつくる会

運営委員会ニュース

NO 32

1960.6.15 発行

会のことば

待望の『現代史の方法』(上)も予定通り刊行された。この書物が出来上るまでにさまざまの形で協力いたゞいた多くの人達にあらためて厚くお礼したい。

予想していたとおり、このささやかな本ではあるが多くの波紋を投じている。

これまで歴史運動、学習運動、労働運動にたづさわってきた人達からはそうした経験にそくした見解が述べられるし、また若い人達で、これまでそうした運動に加わったことのない人達からは、これまでの様子がよくわかる、といったさまざまな意見が寄せられている。

会の内部にあっても、本書によって、あらためて職場の歴史をつくる運動の重要さ、またこれまでの運動の歴史のなかにおける位置づけがよくわかったという声もきかれる。

前号の"会のことば"の中でもわたくしたちは

みずからの実践がつくりだした実績のうえにたって強行にまえへすすもう・"現代史の方法"を徹底的に討論し、職場の歴史運動の理論的意義をあきらかにし、職場のたたかいに密着した運動論(組織論)をつくりあげようではないか。研究し、宣伝し、団結するという最新鋭の会活動の実践こそ今日の勝利をさらにひろげるための必須の前提である"とのべている。

すでに会では五月廿九日、そうした方向にそって一つの集会をおこなった。

そこでは、職場の歴史の意義=原則が明らかにされ、出版ということを大きなテコとして、"この成果を急速に拡大しよう"ということをスローガンに新らたな会の団結と前進の方向が示された。

(1)

哲学教程 学習会報告（五月二十日）

今夜の出席者は六人、第二章マルクス主義以前の時代の哲学における唯物論と観念論とのたたかい、（58頁〜79頁）古代の素朴な唯物論と自然発生的な弁証法がその範囲です。参考書としては、ソビエト科学アカデミー版世界史・古代（全六巻　うち一、二巻は既刊、各四八〇円、四五〇円、商工出版社）がありますす。

我々が、古代の哲学を問題とする前に、先ず古代の人々はどのような意識をもっていたかを明かにしておく必要があります。その結論から先にいいますと、自己と他人との区別ができない意識を持っていたと簡単にいうことができます。次にその具体的な事例をあげてみましょう。

古代エジプト人はピラミッドをつくったが、それをつくった人の気持はどうであったろうか。つくろうという気持はどこから生まれてきたのかという問題が竹村講師より出されました。それに対し各人が〝直感〟をもって答えたのですが、その正しいものとしては次の通りです。エジプト人は太陽神の信仰を持っていたが、その現人神として国王は崇められていた。その国王が死んでも、ピラミッドのでミイラとなっていればまた生きかえる。その国王によって代表されている自分たちもまた来世生まれかわることができるということを古代エジプト人は本当に考えていた。そのような神への信仰、国王と自分は一つのものだという観念から、ピラミッドをつくる気持が自然に生まれてきた。だから、そこには義務とか尊敬という意識、バカラシイという気持はなかった。しかし、ピラミッドをつくる重労働という過程において、神への信仰が破られ国王に反抗するようになってくる。

このように古代人の意識は、現代の我々の意識をもってしては理解できない。それには古代人意識にたちかえって考えてみる必要がある。自己と他人とを区別する意識（私有の観念）は水田作が進んでくる中で生まれてきた。生産が人類の発展の基礎になるという唯物論の重要なカテゴリーは、このような意味をもっている。

自己と他とを区別できないというような古代人の意識の中で哲学が生まれてきたことは、人類の歴史にとって偉大な進歩であったが、その中にも貴族階級の思想を反映した観念論（プラトン、ソクラテス等）と、生産に従事した奴隷や市民の思想を反映した唯物論（デモクリスト、アリストテレス等）とがあった。古代哲学のもっとも価値ある獲得物は、素朴な唯物論と自然発生的な弁証法とであった。

（文責　前畑）

出版記念集会

先にお知らせしておいたように、会では、五月二九日（日）、「現代史の方法」の出版記念の集会を持ちました。

この会合の目的は、新らしく世に問うた「現代史の方法」、その中でもとくに竹村氏の書いた論文を中心に、その内容を皆でじゅくまで検討し、その内容を会員全体のものとして会の団結を強め、さらにそれを今後の会の発展にどう具体化してゆくかといったことを話しあい、そのあとでささやかながら祝盃をあげようということにあった。

そのため、とくに安保を中心とした大きな問題をかかえ、皆が忙しいなかにあって、とくに一日を費さき、二月の合宿の経験を生かしながら、じっくりと話そうという計画であった。

当日は、出席者の都合もあって、午前中は次の三つの報告が、竹村会長の問題提起をかねたあいさつのあとでおこなわれた。

一、歴史運動の役割について
――とくに戦後を中心に――　清水澄き氏

一、国民的歴史学運動のまとめ　島田　泉氏

一、中国の工場史をめぐる若干の問題　高橋秀荒氏

午前の報告の中心である清水氏のは、大体本の竹村氏の内容に即して述べたものであったが、清水氏が、数回読み返してみたが、読めば読むほどいろいろ重要な問題が次々とでてくるので、昨夜もおそくまでかかって今日の報告のまとめに苦労したが、なかなかうまくできなかったという感想をいわれたことは、出席した人達の共通のものであった。

報告のあと、岡島委員の司会で討論に入ったが、話の中心は、「何故歴史運動がこうも大きな問題であるのか？」「この運動は労働者とどうつなが

【3】

るのか」「その歴史運動のなかで――〝現場の歴史〟が果たしてきた役割はどんなものであったのか」といったことにあつまった。

そのあと、午后に予定されていた島田さんの「現在の日本独占資本の性格をどうみるか」という報告を、彼の都合で午前にくり上げてやっていただいた。

そこでは、最近のこの問題についての見解をわかりやすく紹介していただいた。

そうしたことも手伝って、午前は話し合う時間が十分とれなかったので、予定していた午后の報告は、討論のさいなるべく出してもらうことにして、午前に引続いて話し合いが続けられた。

そこでは、午前中の討論のまとめといった形で竹村氏から整理されて出されたことを中心に話が進められた。

「日本の独占資本をどうみるかということは、学に学者にまかせておけばよいのではないか」といったことから、会の成立をどう評価するかといつたことまで、白熱した話が三時間余りも続き、くたびれもしたがそれぞれが大いに得るところがあつた。

夜はお酒、ビールを中心に、なごやかな一時をすごしたが、会場の都合で札幌まで戻ったのが、一寸残念なような気もしたが、翌日の前途を胸に散会した。

「現代史の方法」を手にして

前略、「現代史の方法」受取りました。まだ通読しておりませんがなるべく速やかに読んで自分のものにしたいと思っております。毎日、朝六時起床で車中往復三時間の距離を通っており、その上疲れるまではなかなか仕事が思うようにいきませんので時間が無くて弱っております。

今日の新聞では、安保新条約は遂に衆院を通過して自然成立への道が開かれた旨、報じられていましたが、自民党の暴挙はもう見るにしのびぬ思いです。それにもかゝわらず、こゝ山形の農村地帯ではそうしたことよりも、大衆力の量の方が話題になっているような状態です。僕は今更ここでそれを言々しませんがたしかに"ゆるい斜面"です世界の方向は平和共存の方向にむかっているという見通しも最近の米ソ間の事件で後退したように新聞に報記されていますが、平和共存を喜ばない

（4）

努力が再び力を発揮しはじめたことは云えるような気がします、日本の労働運動は三池に見られたようなオ一、オ二組合の分裂、右翼暴力団の介入などいよ〳〵困難な事態に入っていくように思われます。そうした中で職場の歴史を作る運動が着実に前進していることは、大変心強く思います。

今、庄内地方は田植が始まろうとしていてあわただしい日々なようです、まもなく夏がまいります

皆様方の御健康を祈ります　岩浪　健

五月二十一日

二伸　領収書受取りました。いゝ事だと思っております。

くりこし	33		
会ヒ	3,600		
雑ヒ	80		
	3,713		
事務所ヒ		1,350	
通信ヒ		556	
新聞代		390	
運営ヒ		539	
雑ヒ		420	
		3,265	458
借入金			-14000
		累計	-13,542

くりこし	458		
会ヒ	4350		
借入	(4000)		
	8808		
常任ヒ		5000	
事務所ヒ		2750	
通信ヒ		780	
文具ヒ		160	
		8,690	118
借入金		-14,000	
〃追加		-4000	
		-18000	
累計		-17,882	

借入金内訳（4月末現在）合計 18,000,－

短期借入		長期借入	
土田	1,000,－	内	1,500,－
岩淡	1,000,－	岩浪	4,000,－
飯塚	2,500,－	竹村	1,500,－
田畑	6,500,－	計	7,000,－
計	11,000,－		

五月運営委員会ニュース

定例の廿五日（水）夜持たれました。

最初に竹村氏より、五月上旬発行された「現代史の方法」（上）がどのように受けとめられているかといったことを中心に話された。さいわい、とても好評であるといったうれしい報告がありましたが、同時に会であの本の内容をよく理解していくことが最も大きな問題であるということが指摘された。

そこで二九日の集会を成功させるための種々の準備のこと、守保問題をめぐる職場の動きなどについて検討されました。

また、次号特集の編集や会計についても話された。とくに会計面で、本の出版によってまとまった金が入り、会の財政も若干よくなるだろうというように受取っている人もあるようであるが、竹村氏を中心に会がバックとなって、企画を進めたとはいうものの、執筆は諸先生の手になり、一万円の編集費も井上氏などの連絡のため一度京都出張やら、連絡費でむしろ足が出ているのが実情であることをお知らせしておく。

お知らせ

「現代史の方法」(上)の書評が読売新聞五月二十六日(木)の夕刊にでています。「今日の社会と結びついた正しい歴史の意義」といったタイトルで教育大教授和歌森太郎氏が書いています。(中央紙の夕刊のない地方では若干お後しているかとも思います)また会員のまわりの人にできるだけ宣伝し、売りひろめてくださることをお願いします。――出版係――

"今日の本だな"

小野義彦　安保改訂と自由化
――政策転換への展望――(中央公論五月号)

日本の資本主義の現状をどのようにみるかは大きな問題である。この論文は、安保改訂の動きともからんでその分析をおこなっている。

岩浪安昭氏結婚す

運営委員として活やくしている岩浪氏のお兄さん。数年から福島の方に移られておりますが、このたび結婚されました。「オメデトウ!」

あとがき

「現代史の方法」が皆の協力でやっとでき上り、会の活動はとてもやりやすくなった一面では、いろいろな方面から注目されてきてもいる。「成果を急速にひろげよう」のスローガンのもとに、ニュースもよりよいものにしていきたい。

それにつけても、会の財政上からして印刷を外にたのんできれいなものにできないことはなんとしても残念。それどころかいつも特定の人にお願いしている次第。もし希望される有志がおったら、事務所まで連絡くださればとても助かりますが…

それぞれ職場で忙しいこのごろですが、会の例会(原則として毎月第二週水曜)や「哲学教程」の学習会や、会合に参加できない人からのお便り、報告などを期待しています。

カッティングがおそくなってニュースの発行がおくれたことを深くお詫びします。

職場の歴史をつくる会

運営委員会ニュース

No.33
1960 7.15発行

安保についての声明

会では、さきに安保問題についての態度を「声明」という形で表明しました。この声明は、さきたま地区関係方面などに配布いたしました。

批准書の交換を契機に終って、不当な処分がおこなわれつつある現在という新らたな時点で、「安保」の問題をじっくりと見つめていくことはきわめて大切なことだと思います。

—— 委員会

声明

職場の歴史をつくる会は、岸内閣と自民党による五月二十日未明の安保条約の強行採決に抗議します。

権力と暴力による民主主義の破かいにもかかわらず、岸首相は一身をなげだしても民主政治をまもる決意が必要だといっています。わたくしたち国民は、岸首相とその徒党が日本の民主主義についていたるなんらの権利も、資格もないことを主張します。

審判は国民がすることこそ、まさしく国民の権利であり義務であります。いまや一千万余の日本国民が岸内閣打倒と日米軍事同盟条約破棄のたたかいにたちあがりました。ただちに岸政府の退陣と国会の解散を要求する声なき声はひびきあい、巨大なうねりとなりつつあります。

職場の歴史をつくる会も、この私たちの大行進にさんかし、ファシズムの見えないあみを全国のあらゆる職場や家庭、町や村にはりめぐらそうとする陰謀をさぐっていてきびしく追及してたたかいます。

「国民は政府よりかしこい」わたくしたち日本国民はテロやリンチをともなういっさいの弾圧にその叡智と団結の力でたたかい、かならず勝利をおさめて、世界の平和を熱愛する人民と握手できる日をむかえることができるでしょう。

職場の歴史をつくる会も、そのたたかいを最後までつらぬくことをここに声明します。

職場の歴史をつくる会
代表 竹村民郎

7/30完成。

編集 村
カッティング 高橋

職場の歴史をつくる会

会のことば

安保をめぐってはげしくたたかわれた六月がすぎた。日本の歴史にかつてその比を見ない国民のいきどおりは巨大なエネルギーとなってしめされた。

この大きな国民的運動のなかでつかまれた教訓は実に大きい。

この未曽有の経験は、今后の日本の進路にかならずや貴重なものとして残るに違いない。

わが職歴の会員も、それぞれ力一杯の活躍をしてきた。

しかし、会全体としてみれば、このもりあがりの中にあって会の展望について、具体的な方向を十分に示すことができなかった。

このことは、運営委員会の責任であり、会員に深くおわびしなければならない。

会としても、六月末の委員会、さらに七月一日の全体集会といったなかで、そうしたおくれを早急に打破る体制を作りつつある。（具体的には、一日集会の記事参照）

安保斗争に示された国民の力を今后のたたかいに持続していくことが必要である。

たたかいのなかで、その記録をまとめていくことが現在大きな反響をよんでいる。

その中にあって、職場の歴史をつくる会の存在といったこともその役割が新うたに認識されてきている。れ、今新しい局面の前で、わが会の役割の重要性がより強くなっている。

会の団結をさらに強め スクラムをさらにかたく組んで前進しよう。

七月一日の全体集会

―安保阻止のたたかいと会の役割―

七月一日（金）事務所で開きました。きわめて急な計画であったにもかかわらず、十三人もの人がいそがしいなかを集まりました。

最初に、とくにこの一ヶ月半余の安保阻止のたたかいのなかで、職場においてはそれがどんなであったかといったことから口火をきりました。

この時出たいろんな話は興味もあり、かつきわめて重要な問題をふくんでいるものがたくさんありました、それ等、機関誌などに発表される予定です。

次に、竹村氏から、安保運動を中心とする最近の情勢の報告と、会の今后の展望についての総括的な報告がありました。

（２）

その主な点は次のようになります
第一に、十二月十九日以降の国民の大きな高揚を前にして、会は、発展を遂げ、一段落といった気分を与えて、日本の大きな動向を正しくつかむことができなかった。
そのために、会の拡大のための大きな有利な条件があったにもかかわらず、"会"を宣伝し、組織するといった体制が殆んどとられなかった。かかる弱さの出た原因をはっきりと見きわめ、会員会を中心に、早急に是正してゆかねばならない。そうした観点から、次のようなことを具体的に提案する。

(1) 会成立以来今日までの会の歴史をなるべくすみやかにまとめる。そしてこれを公表する。
この仕事には会員全体で集団的にとりくむ。

(2) 安保斗争の研究をおこない、会員の記録を中心に新聞紙に発表する。

(3) 新らしい人たちに積極的に呼びかけて、会に参加してもらう。

(4) 会財政は、現在"赤字"がまだ続いているが、今活動を強めていくことによって、なんとかこれを打破っていきたい。

その為にも、当面おこなっている"カンパ"を達成することをまず目的としていく。

といったことが出され、討論ののち、決まりました。

会員からの便り

（一） 青山 崇（弘前）

"現代史の方法"発刊おめでとう！

また本屋でも手にしておりませんがとりあえず10部ほどお送り願います。

講座の私の方は全く多忙で（修学旅行、対外試合の応援やら）連絡、会費ものびのびになりましたが悪しからず。

（二）
"現代史の方法"十部受取りました。代金弐百円同封致します。

今度の統一行動はこちらでも戦后最高の盛上りを示し、戸別訪問、地区共斗会議、職場討議等で毎日多忙に追われています。

この斗争の中で一番痛感しているのは個々の戦術決定についてです。

先日も六・一五には始業時より一時間の授業放棄の

指令がきて五時間も討議をしたのですが、最高の術具はストではなしに世論へのアッピールには集会への全員参加と生徒への話しだという意見がでて結局授業放棄をせずに一時間の授業をして、岸退陣・国会解散、安保阻止の線で生徒に話すということになりました。

感想文はこんな事情ですのでもう少し待って下さい。

会費も百円同封します。とりあえず送ります。

会計について

会計係としてまず問題になるのは常に会の財政が赤字であるという事です。

表をみればおわかりになると思いますが、現在会ではほぼ一万八千円の借金があります。

そして毎月月末になると事務所費その他の支払いには頭を痛めております。

もともと収入と支出のバランスがとれていないのが原因なのですが収入の最大限となる会費の集りがよくないのです。

各々、都合もおありでしょうが、なるべくその月の中に納めていただきたいと思います。

もうすでにみなさまのお手許に、お願いのパンフレットがいっていると存じますが、中元のカンパをお願いいたします。

前記の様な赤字の為、借金の一部返却、又月々会費を出来なかった方へ廻す予定ですが、どうぞよろしくお願いいたします。

5月分報告

収	入	支	出	残高
くりこし	118	事務所費	2,300	
会費	4,730	運営費	410	
記念会収入	280	通信費	638	
計	5,128	雑費	240	
		新聞	390	
		文具	220	
		書籍	600	
		計	4,798	330

借入金 17,000
残高累計 −1[illegible],670

安保とアサヒグラフ

A、アサヒグラフで六月十五日の事件を中心とする安保の写真特集号を発した のを見たかい。

B、うん、

A、運動全体のもりあがりとも関係があるのだろうが、なかなかよく売れているらしいね。

B、そう、安保のニュースは、すばやく報導されるニュースに皆関心をもっているらしいが。

それにもかかわらず、グラフがよく売れるということは、この問題についての関心が深いことをしめしているといえるだろう。

それに、地方の人にとっても、あのようななまなましい現場の空気が見られることは、なんといってもその意義が大きいな。

A、しかし、ぼくはああしたグラフが売れることについて、べつに否定するわけではないが、だけど、ああしたものがよく売れるということはすこし問題だと思うな、

B、どうしてさ？

A、こんどの安保の問題といったら、事のおこりは法律の改正ということだね。

それに、この問題はすごくむずかしい政治の問題についてなんだ。

正直いって、ぼくなどにも、新聞に出た国会の質疑応答を読んでもよくわからないところもあろう。

それが、あのような形で、国会のデモの現場写真といったものが中心で……。

もっとも、グラフで安保問題をとり上げるといったらああした形のものしかできないのかも知れないが。

B、そうした見方は、一寸変な気がするな。君は学者的に安保を固定的にとらえすぎてはいないかな。

たしかに、グラフの場合、なかなかむずかしいがね。

あれはあれで、一つの意味を持つと思うな。職場の正史の会でも、清水さんがだいぶ努力して職場で、きわめて新らしい形の絵巻物を作った経験があるんだがなあ。

ああしたものを職場の中からもっと出して行かねばならないなあ。

また、一寸問題は別になるが、グラフにはとらえられない運動の記録や参加した個人の体験をまとめていくといったことも大事ではないのかな……。

（ある日の職場の雑談から　A生）

お知らせ

○『現代史の方法』(上)への書評がでました。
「日本読書新聞」六月二七日号に東大新聞研究所の香内三郎氏が書いています。(切抜き事務所にあり)

○竹村氏が、荒瀬豊氏(東大助教授)と「安保の中の思想戦線」といった話題で、対談をおこないました。「東京大学新聞」六月十二日号です。

○会の機関誌が近くでます。係としては今月末の予定にしておりますが、会員の原稿の集まりぐあいが一寸わるいのでここ。技術部の清水さんが、暑いなか忙しい仕事のかたわら懸命にとりくんでいます。

○会計の記事にもありますが、カンパの協力をお願いします。

○労働省から今年の『労働行政要覧』が寄贈されました。七月五日発行で一冊三百五十円です。

あとがき

あわただしく安保であけくれているうちに、"夏"がやってきました。

会も新しい運動のなかで、前進していかねばと思っています。

そのためにも、最低、会できめたことは実行していくといったことは守っていきたいと思います。

暑さがきびしくなる折、各自の健康と御健斗をいのります。

正 運営委員会
誌 ニュース

No 34
1960 8.25 発行

〈会のことば〉

会では安保のたたかいの記録と、「現代史の方法」の書評を書いてもらうことを会員に要請した。

しかし、一部の会員を除いて、期日までに集ったのはごく少部であった。

このことは一体どう考えたらよいのであろうか。先日号の"会のことば"でものべていたように、たしかに会は当初安保問題についての取組みが不十分であった。

そして、その原因をさぐり、不十分さを克服するための第一歩としても、このたたかいの記録と書評を書く仕事は、これからの会の成長のためにも必要なことである。

安保の記録は、いまいろんな所で、それぞれの特色あるまとめがなされつつある。かかるとき、"作る会"が作ることを忘れて昼寝していたのでは、会がこれまで積上げてきた実績と、会の名はどこかに消えうせてしまうであろう。

こうした欠陥は一言でいえば会の団結が弱かったところにその原因があろう。今后会の仕事を進めるなかで、本当の団結を築き上げていきたいものである。

深海の胎動をも　竹村民郎

わたくしは、座談会〝安保の中の思想戦線〟（東大新聞六月二十二日）のなかで、今日こそまさに勤労大衆自らが職場の歴史、自分の歴史、町や村の歴史が書かれる必要があることを指摘しておいた。

それらは現代史の証言であるばかりでなく、当面の思想の課題である斗いの政治的評価をより根底から明瞭にするためにも重要な役割をになっているのだ。

「図書新聞」〝チックタック〟欄（七月二日）はそのような展望をもったたゝかいの記録に賛成し、東京大学新聞が国民各層から六・一五の手記を募集していることをタイムリーな企画であるという。

さらに同欄は、このような胎動を組織すべき国民文化会議、進歩的文化人、文学者の立おくれ、なかんずく職場の歴史を書くことや、生活記録をつゞることを推奨していた文化人や文学者の沈黙は了解にくるしむことであると述べ、思想の科学等による国民の文化的エネルギーを組織する活動に注目している。

斗いの指導の在り方がいたるところで問題になっている現在、思想戦線の次元での運動指導の立おくれもまたきびしく検証される必要がある。

その意味でチックタック欄の批評は有効性をもってはいるが、思想の科学の華々しい活動に目を奪われるあまり、ジャーナリズムが問題にしえない深海で、国民各層のあいだに展開しつゝある文化的エネルギーの新鮮な胎動を見落すことのないようにしてほしいものだ。

たとえば、職場の歴史を作る会に結集した勤労大衆は、すでに五四年から今日までずっと一貫して職場の歴史、自分の歴史等を積算主義的な傾向とたゝかうなかで主張し、現在その仲間たちは運動が創意性と原則性をもっと拡大することのためにがんばっている。（「現代史の方法」上参照）

階級連帯と抵抗权の思想がようやく日本にねつきはじめた今日、進歩的ジャーナリストがそのバチスカーフをさらにふかくすゝめて、深海の胎動をたゞしく表現されることをのぞむ。（図書新聞七月十六日号より転載）

（2）

一つのプラン

ー東京ガスの職場からー

田畑 健

現在、私たちの職場（東京ガス）では、生産施設につづいて、事務関係の合理化が電子計算機を中心としてどんどん進められてきています。そういう中で、単純な肉体労働に従事する検針員の仕事は、機械化することができなかったために、とても苦しくなってきています。そこで私は、検針制度を研究しはじめましたが、その時に感じたことを一つ述べてみます。

この制度の歴史を調べてみると次のようなことがわかりました。電子計算機が入る前と後では仕事のやり方が著しくちがってきていること。更に高性能な機械が入ってきたこの七月からは、増々仕事が面倒になり、次第に機械に使われるようになってきました。この相違を明らかにするには、機械の性能の変化、それに従って生じた仕事のやり方の変化を調べなければなりません。

○おれたちはどこへ行くのか

一方、このような激しい変化がおこってきたのは、この数年来のことです。その内には会社の経営方針の変化や、その元となっている需要家の拡大や生産技術の進歩（技術革新）等も調べなくてはなりません。そして、会社は約五年先の計画を具体的につくり現在の経営を行っているので、私たち検針制度がどう変化するかという事を考えれば、当然会社の計画等、更に大きくは日本の産業がどう発展するかという事を含めて研究調査してみなくては、私たちは日々の変化に追われるのみで近い将来の自分たちの仕事のことすらはっきりわからないという不安な状態に毎日をすごさねばならないということです。

また待遇の面についても、検針手当がどうなってきたか、午后の自由退社というような「特权」とひきかえにある半請負制が、自分たちの労働密度や労働時間にどう影きょうしてきたかを調べる必要もあります。

そして、検針制度の主要なものである内勤事務員への職種転換試験の弊害についても……とにかく総てのことを調査しなければならないということです。

○資料の分類

そこで、その資料を集めるわけですが、私個人としては、今まで手当り次第に職場に配布される会社や組合の印刷物は集めてきました。しかし、これをどう分類し、具体的に資料として使っていくかという段階になるとなかなかその方法が考えつきません。しかし、手をこまぬいているばかりでは検針制度の研究は進めませんので、一応次のような分類にしてみました。

一、会社の配布する印刷物
A、社報(がす、月刊誌)
B、営業部ニュース(教育ニュース)
C、PR関係パンフレット、
D、直接仕事にとって必要な書類、
E、安全衛生、健保等の印刷物、
F、外部で配布する会社の宣伝資料
G、その他、

二、組合が発行する印刷物
(1)、組合本部関係のもの
A、機関誌(ガス労働、全国ガス)
B、週報、
C、大会、中央委員会資料、
D、斗争ニュース
E、教育宣伝関係パンフレット、
F、その他
(2)、支部関係のもの、
A、機関誌(しぶや)
B、オルグ、教宣資料
C、青婦関係資料(本部も含む)

三、検友会、サークル関係、
四、組合、青婦、検友会記録ノート
五、賃金関係資料(これは多いので独立させる)
六、その他、

以上のような分類方法を考えて、その仕事をやりつゝありますが、会社関係のものには特によく目を通しておく必要性を感じました。この他に、できれば各種の統計的資料は一括しておくと、何かと便利だと考えています。また会社の資本や株主の関係も調べたいと思っています。そして資料のないところは、聞き書きもする必要がありましょうし、検針と密接な関係のある機械計算室や料金の仕事の内容、更に同じガス産業の他の企業や、電力、水道等諸外国の場合等も調べたいと夢を描いています。でもこれは夢ではなく、実際に必要なことでありましょう。

(4)

ボーナスカンパ報告

みんなに助ったことを始め、会員のみなさんの御協力を感謝します。

七月三十日現在つぎのようになっております。会員のなかには、事情によりカンパがおくれていますかたもありますが、よろしくお願いします。

現在高　一一、三五〇円
納入予定高　一、七〇〇円

運営委員会

「標示板」
―おしらせ―

○竹村委員が、別にのせておいたように「図書新聞」一七月十六日号に弘正のことを中心に一文を発表しました。

○、高橋会員が教育大新聞に、弘正の運動の三験を中心に、「思想変革をめざす帰郷運動」を発表しました。

○四年前にでた会で作った『職場の歴史』百二十円のところ、事務所で百円で売っております。"職場の歴史を作る会"をこれまで知らずにいる人もまだまだ私たち会員のまわりにもずい分おります。そうした人たちにおすすめしたいと思います。

○機関誌がやっと出来上りました。係の清水さん、竹村さんが中心になり、ずい分苦労して完成しました。
今回のは、安保のたたかいの記録と、「現代史の会」討論の要約を中心にあんだものです。
会員の職場のまわりで、どしどし売って下さい。

○次の機関誌への投稿を積極的にお願いいたします。
―機関誌係より―

○会費も忘れずに本年二月。　会計係

（5）

たたかいをどう定着させるか
—総評大会をみて—

青山　崇

〝我々としては安保を十分に斗ったつもりなのに、職場が強くならないのはどういうわけだ〟これは私の分会執行部の安保斗争の反省会での一委員の発言だが、我々は彼の疑問を十分に解明することができなかった。

勿論彼の言葉を文字通り理解して全然職場が強くならないと解釈しているのではない。

この斗争の中で定期的に職場大会、執行部会を開くことをおこなってきているのである。

さて一日二日の両日はじめて総評大会を傍聴した。

〝安保斗争の中で示された労働者のエネルギーをどう定着させるか〟が第一の問題点として出されていた。

この点の指摘は耳新しいものでもないし、我々の一委員の発言もこの点をついているのである。

私は〝どう定着させるか〟という方針の討論を期待した。私の職場の問題にも直接つながっているからである。

日教組の平垣代議員は、政党支持、学生運動の評価の問題等で執行部に喰いさがった。

政党支持の問題は労働運動にとって重要な問題であり、大会毎に論議されてきた点からみてもこのことは理解できる。

だから〝どう定着させるか〟という視点と無関係ではないと思う。

しかし、以下の点で先にのべた私の期待をみたしてはくれなかった。

我々は〝空前〟の安保斗争をくぐり抜けてきた今日の時点において革新政党とどのような関係を結んできたか、このために斗争はどう発展しどういう弱点を生んだか、特に職場や地域ではどうだったかという経験(6)を通してこの問題を追求して欲しかった。

この点がうすれて〝社会党支持〟か〝革新政党との協力〟かがこれまでの論争史にのっての一人歩きの議論のように感じられた。

これでは我々職場の者には地域共斗、職場斗争を前進させる立場から政党支持問題をみることができず、マス・コミに流されて〝今年は社会党支持にきまった〟という傍観者的立場に落入ってしまうか、また、かりに〝社会党支持〟という路線が正しいとしてもこの言葉をドグマとして職場・地域に注入するだけで、政党と正しい関係をとり結んで我々のエネルギーを蓄積させつゝ斗争を更に発展させることは不可能だと思う。〃どう定着させるか〃の解明の指針が三池の労働者と職場の歴史をつくる会との座談会でその斗争の歴史を聴くことから彼らによって与えられたことは皮肉であった。

〃私たちは労働運動の基礎を職場活動にもとめてきた。今日でも依然としてそうである。

〃職場斗争の成否はこの活動家（職場活動家）の質に大きく依存しているし、これまでの労働運動はこの活動家によってささえられてきたといってよい。（総評運動方針案）

会員便り

岩浪　健

七月十五日までの期限でありました「現代史の方法」の読後感と批評、遂に間に合いませんで今日に至っております。

私の怠慢で誠に汗顔の至りですが、あらたまって原稿用紙にむかうとなるとやはり多少の抵抗を感じて筆も思うように運びません。

「国民と歴史」は一、二、三、に分れておりますが、特に二、の部分何らの予備知識ももたない読者だったら少し簡略にすぎると感じるのではないかと思わせられました。

それにくらべると三、は迫力があり学ぶべき点が多い内容と思いました。私にはいろいろな歴史運動の段階も三、に例として取上げられた「国鉄」の問題がより深刻に思えました。

そういう矛盾を歴史的に掘り下げて考えること、そうしたことが目下の問題と思います。

私の今述べられることはこの程度のことで、なおくわしい批評になるともっともっとていねいに読みかえさなければなりません。……下略

今月の本だな

「人民中国」七月号

しばらく中絶状態にあった日中関係も中国総工会代表の訪日を期に、打開の機運がみられます。

そうした意味でも中国の動きを知ることは日本の我々にとってもきわめて大切であることと思います。

とくに、七月号には、別冊附録として、「日本国民の反米愛国斗争を断乎支持する」がついています。これにより「人民日報」社説などにのった安保問題にたいする中国の見解が系統的にわかり便利です。

（一部　三十円）

「青春の歌」（至誠堂）、「ひきさかれて」（築序書房）がそれぞれぐしの本屋さんから寄贈になりました。

・また、「現代史の方法」が竹村会員から「現代のマスコミ」が高瀬会員から会によせられました。

あとがき

○締切りまぎわの八月三日夜、総評大会に上京中の三池労組の人たちをかこんで座談会を持ちました。いそがしいなかを貴重な時間をさいてくださった三池の人たちに感謝いたします。

先方の都合もあり、急な話だったので、出席できなかった人も多く残念でしたが、二時間余にわたって貴重な"団結"の経験を話していただきました。

○しばらくぶりで上京された青山さんにいそがしいなか、総評大会の感想を書いていただきました。

○田畑さんからも、原稿をいただきました。竹村さんの一文とともに、会の仕事を各職場でおしすすめていく上での貴重な意見として読み取っていただければ幸いです。

職場の歴史をつくる会
運営委員会ニュース

No.35

1960.9.15.

あたらしいプランと行動

委員会はニュース三四号で安保斗争＝三池斗争についての会の反省として〝現代史の方法〟の書評と〝たたかいの記録―自分の歴史、職場の歴史〟を書く運動の継続を主張した。この方針の具体化の一つとして、八月二九日、機関誌一九号合評会がひらかれた。席上　清水委員は、安保斗争であらわれた職場の矛盾（対立）と発展を中心に、職場の歴史を書くことを提案した。さらに九月一四日の学習会でも、飯塚委員他の人たちから、会員がみんなで興味と喜びと誇りをもって体ごと歴史的事実を探求する方針をたてることこそ会員の団結の基礎であることが指摘された。

これらの批判と反省はじつに貴重である。わたくしたちの会のなかにのこっているふるいスタイルと方法は運動のなかから提起された要求にもとづくプランの作成と実現のなかで一掃されるだろう。おもえば五八年の夏のフェスティバルの失敗以来、会は少数精鋭主義の方針で理論水準の向上と条件の改善のためのたたかいをすすめてきた。この過程で委員会を中心に会員の実践がくまれ、いくたの犠牲がはらわれ、くるしい二年の日がすぎさった。いま、会は現代史の方法(上)にその成果を結実させただけではなく、会をめぐる情勢の好転のなかに、常任問題の発展と、現代史の方法(下)編集、さらに会員の手による作品の公表のためのたたかいをすすめている。

このコースの前進のなかにみられるいちじるしい特徴は労働運動と会のあたらしいむすびつきである。

その状況はつぎのとおりである。八月二日、三池労働組合有志と語る会、オリジン電気労働組合と、会共催〝日本労働運動史講座〟の開催（講師竹村）その発展としての戦後史サークルの結成、山形県高等学校教員組合〝組合史〟づくりへの協力と会山形支部結成の胎動（別項の青山会員の報告参照）機関誌一九号による職場への普及活動と職場会友組織の動き（青山会員六〇部、岡島委員一〇部　西田会員一〇部、清水委員九部、田畑会員三一部、岩浪会員一〇部等の活動がその一端をしめすように販売実績は一八号をはるかに上回り、五〇〇部発行に成功することができた）

ふたたび会活動は、上げ潮にのりはじめている。この時期に、会員のなかからだされたすぐれた批判や提案にまなび、会員が気軽にとりくめる共同作業のプランをつくること、さらに全員と会友の手で大衆的に組織的に、公開的に集団研究をすすめることは、たたかいの記録をつくる仕事とともに当面の運動のかなめである。この過程では会員同志の交流と団結が、共同作業のよろこびを媒介として、きわめて自然にすすめられるに違いない。

この会員みずからプランにもとづくつくる仕事の過程と成功こそ、会友組織を職場に急速にひろげ、若いすぐれた会員を会にむかえる決定的な前提である。このコースの正しさはすでに月の輪古墳発掘運動のなかで証明されている（現代史の方法四五頁参照）

会員諸君、ほなみのゆれる秋をむかえるにあたり、われわれもまた充実と収穫のためにあたらしいプランとその実践に着手しようではないか。

委員会は　十月の例会（一五日前後）にあたらしい活動方針を提案し、会員諸君の検討をお願いしたいと考えている。

哲学教程学習会 報告

今夜は、都合によりおくれてくる人が多いので七時から岡野さんと私の二人ではじめた。範囲はテキスト九五頁〜一〇八頁。

竹村講師が欠席のため、二人でテキストをよみながら進めていった。その中で感じたことを一つ。このところは、一七世紀のおわりから一八世紀のはじめにかけての唯物論と観念論とのあらそいであるが、それではこの時代とは具体的にどういう時代であったのか、そのイメージが頭の中に浮んでこなかった。世界史の知識が全く足りないということ。形而上学・物質保存の法則（一〇七頁）などの解かない言葉が幾つかあったが、とにかく、難解な語が多いので、一つ一つ正確に覚えていきたいと思う。（七月一三日）

七月の学習会は、竹村講師が欠席されたので、その学習が不充分でした。それで、今夜は前回のところを復習しました。出席者は五名。

一七世紀のおわりから一八世紀のはじめにかけてと

いう時代は、具体的にどうだったのか。それは「社会の物質的生活における本質的な変化、生産力がさらにさきへとますますすみやかに発展したことによって封建的生産様式を資本主義的生産様式に革命的にとりかえる必要性がみちびきだされた」（テキスト八二頁）という時代であり、思想的には啓蒙期、ルソーの民約論など多彩な出来事によって代表され、政治的には英国における二つの革命と仏における大革命によって、経済的には産業革命によって代表される。

(註)早熟した思想家の一人（岩波文庫版八〇円）はわかりやすく読める。

「唯物論哲学は、自然科学と密接にむすびついて発展した。まさに歴史上この時代に本来の意味での科学としての自然科学が発展しはじめたのである」（テキスト八三頁）スピノザ、デカルト、ベーコン等の唯物論哲学は、この時代の自然科学の発展にその基礎を置いていた。だが、その形而上学的性格もその中に根をもっていた。と同時にそれは「真理の規準としての社会的実践の役割を理解していなかった」（テキスト八二頁）ということに大きな原因があった。人類の認識の発展は、階級斗争（社会的実践）と生産力の発展という二つの面に基礎を置いている。第三次産業革命の時代といわれている現在、私たちは階級斗争と共に急速に進みつつある宇宙科学・原子力エネルギー・産業の自然科学に対しても大きな眼を開かねばならない。それもしないと、物事を考えるたびに公式的になり、柔軟な思考態度がとれなくなるのではないか。

(註)参考書・星野芳郎著〃技術革新〃（岩波新書一〇〇円）

八月一〇日、

九月十四日（水）学習会　テキスト一〇九頁　三　ヘーゲルの観念論的弁証法とフォイエルバッハの唯物論〃

みちのく便り

〈秋田より〉一　ハガキが届きながら、雑誌の到着がおそく、九一三日やっと届きました。完成までいろいろかごくろうさまでした。早速、二、三売りましたが学校が休み故いない学生も多く、今すぐあちこちと云う訳にもいかずにおります。追々全部さばけると思います。〃現代史〃の合評会も持たれたいものと思っていますが、なかなか皆の日時の条件がそろわず弱っています。それで当面かんたんでも感想を書いていただくことにしておりますが、それを持ち寄って出れない人はその文を

進んでといった形ででも何とかと思っています。一五日の会は如何でしたか。ニュースの方もよろしくたのみます。八月一七日、

(二) もしあまり忙がしくなかったら八月の運営委員会のこと知らせていただけたらと思います。特にどうということがなかったら別ですが、機関誌代金はまだ全部集まっておりませんし、私も一寸立替える余裕もなくたんですが、次便ででも代金送れると思います。

九月八日　高橋秀夫

〈山形市教組〉‥‥ご無沙汰ご苦労さまです。青山さんに商教組の「ＴＶ」を作ってもらうことにしました。チャンスをみて、山形にもおでかけください。

八月二四日　山形県商教組書記長　山上一郎

〈八鉄同〉(一)、前略、上京中はすっかりお世話になりました。今度の上京で学んだことは"正しい方針、計画にもとずいて実践すること"と一口に言えると思います。そのためのエネルギーを注入すなくとが出来ました。それに学習や会員との討論の中から当地での今後の活動方針について鋭い点に至るまで打ち出すことが出来たのは会の発展と私の成長にとってとても大きな成果だったと思いますが、この成果にもとずいての更に発展させるべく論議を積んで進みたいと思う。討論紙

家との連携を忘れずに一体となって教育運動を発展させるために‥‥

当地は一二号台風の影響で雨が降りつづき、それに月遅れの盆でのんびりしています。

お母さんはじめ会の皆さんに宜しく。

八月一三日

(二) 九月入り山形も秋になりました。会員諸兄も会の拡大のため奮斗されていることと思います。先日は岩浪氏をむかえ山形の活動について色々話し合いました。その時のことなどを含めて近況について報告します。岩浪君をまじえた山形の者三名を加えての話し合いで次のことをきめた。

○山形支部（仮称）の活動方針

／創造の仕事、

○運君は農村問題の研究、青山は組合史づくりを進めていく。

○岩浪氏の仕事を援助していく

２学習会、テキスト"哲学教程"十一日より始める(毎週)

３今年度中に全員十名を獲得し支部を結成する。

○このような方針にもとづいて青山は資料を借り出してアウトラインを作るため少しづつ研究を進めている。一九四九、五〇年のレッドパージが大きな山でここを

中心に進めている。
根岡訛一九寄は四五部しか売ってなく批判も聞いてない。今後のこと紙の配合、販売に努めるのも今後の課題。
清水君より紹介のあった高橋君にも未だあっていない、このように仲々仕事も進まないが若沢に八月の上京の経験を生かして進む

九月五日

国民文化会議から会への手紙

—国民文化集会への招待—

また全国文化集会が近づきましたので御相談したいと思いましてお便りする次第です。

今年は、安保斗争でずっと時間をとられて準備がおくれましたが、場所は東京にきまり、日時も十月二二、三、四日の三日間ということになりました。そして作品発表（第三回のときは千代田公会堂の舞台を借りて一日やったのですが）はとりやめて、三日間をぶっつづけ分科会ということになりました。

もっとも分野別のそれは、第一日目の午後（夜もやるところはやってもよい）だけで、二日目、三日目は問題別の分科会ですが、分野別のなかで、文学、美術、音楽、学習者やとともに歴史の分科会を設けたらどうかということになりました。これは第一回、第二回と職場の歴史でやりましたから、貴方の方で計画された意見がありましたら分科会として設けようということなのです。

分野別の分科会の方は、共通の基本テーマとしては「安保斗争と文化運動」といったものをうけ、それ以外に個別に分野別の個別テーマを立てるところはたててすゝめたいということになりました。そういうことを会議においてお考え下さいませんか。

国民文化会議

◎この件については、国民文化会議会長の上原専禄先生よりぜひ出席してほしいという依頼がありました。

会員だより

—サマーホリデーを中心に—

○青山会員は休暇を利用して上京、七月二一日—八月一一日まで事務所に滞在、山形の状況の報告と運動方針の検討、総評大会見学、三池炭鉱と語る会などにも参加。

○高橋会員　八月六日—十月帰郷、現地にて〃現代民

[illegible]合評会などのつどい、会友組織をつくるなどの会活動をすすめる予定。

〇上田会員　九月第二週　帰郷・結婚式、おめでとう

〇濱下会員　八月帰郷中八ツ岳にて偶然田畑会員と出合う、家永三郎先生宅訪問し激励をうけた。

〇[illegible]会員　八月第三週帰郷　青山、[illegible]会員と山形支部をつくる準備に参加・庄内農高の学生有志と座談会開催、自分の研究のための資料採訪

〇[illegible]会員　八月第一週房州に数日遊ぶ。

〇竹村会員　仕事兼休暇（ヨット）たてやまに遊ぶ

八月一六日～二三日。

〇[illegible]会員　八月第四週・国鉄労働組合大会（東京）に出席八月二九日合評会にて大会参加報告、

〇[illegible]会員　[illegible]、北区王子　[illegible]

〇志村会員　八月第二週より九州[illegible]資料採訪

〇[illegible]会員　八月帰郷。

「伝言板」

—会からの連絡—

(1) 秋の活動の第一歩として会では[illegible]一斉運動をおこしました。すでに会員のもとに[illegible]の[illegible]をおとどけしていると思います。九月三〇日までに会計まで支払い頂ければ幸いです。三ヶ月以上滞納の会員は九月一日現在で五名です。その内三名の方はすでに分割支払いのお約束を頂きました。残りの方も事情御連絡下さい。

——会計係——

(2) [illegible]会員の[illegible]、次に[illegible]できる方は[illegible]（へメテメヨコ）で原稿を[illegible]下さい。[illegible]のほどよろしくお願いします。

(3) 機関誌一九号の代金未払会員は九月末日までになるべく支払ってください。九月一五日現在で[illegible]一〇〇〇円研究会へ支払いです。　機関誌係

(4) [illegible]の記録、写真集の批評をしてくれる人を[illegible]、参考文献の一部を載せておきます。機関誌二〇号にのせたいと考えております。

〆切　十一月十五日、投稿自由。　機関誌係

参考文献

写真集「許せない日からの記録」　[illegible]　一〇〇円

写真集「[illegible]の怒り」　日本ジャーナリスト協会編　五〇円

写真集「こうして作られた[illegible]の[illegible]」　[illegible]会　五〇円

「[illegible]」　[illegible]　一〇〇円

[illegible]写真集「怒りと悲しみの記録」　河出書房新社　[illegible]円

[illegible]「[illegible]日本の記録」　[illegible]　一五〇円

[illegible]「[illegible]、一[illegible]円」　五〇円

「日本の反省」東京ペン編　ユニオン社　七〇円
「経済及はいかに行われたか」會の問題社　六〇円
「たたかいの記録」東大新聞臨時増刊　二〇円
「歴史への証言―六・一五のドキュメント」　六八〇円
「安保体制とマスコミ」新聞労連編　一〇〇円
「教育並木から国会へ」東京大学教組編　一八〇円

今月の本だな

―口書評―

「続小県上田歴史年表」編者は清水利雄・教員生活二十六年　現在・長野県上田市の博物館員・四五年八月六日　原爆が広島に投下の日から五一年六月一五日までの庶民の〃敗戦日記〃身辺のこと・職場のこと　近在のことを中心に、国家的なことを背景に書いてある。さらに　かんづめが何ケ配給になった、さんま一尾いくらというようなデーターがたくさんある。自分の歴史をつくる仕事にとってよいヒントを与えるだろう。

（B6版　二〇〇ページ　送料とも実費一七〇円）
長野県上田市新参町　上田市立図書館内　上小郷土研究会）

「講座・現代反体制運動史」III　再生と発展　信夫清三郎他編

戦後民主化の過程から、安保改定までを　まとめてある。革新政党への批判をふくむ総論はなかなかするどいものがある。農民運動とくに農地改革をめぐる諸情況＝新保守勢力の有力な地盤と化す過程についての分析が欠けていること、国民の思想変革の歴史的なあとづけがないなどは反体制運動史のテーマにそぐわない記述がある。ともあれ、現代史への一つのくわ入れであり最もあたらしい戦後の通史として、その問題意識をとると否とにかかわらず会員がみずからの歴史　職場の歴史を整理するとき一読しておく必要があるのではなかろうか

民

九月十月の例会案内

○九月一七日　例会〃職場の歴史をどう書くか〃他
報告者　竹村　清水　両氏
○十月一二日　学習会　一九世紀の革命的民主主義者の唯物論と弁証法　テキスト一分冊一二九頁〜一四〇頁
○十月一五日（予定）総会、新しいプランと会活動総

告と討論・

○十月十四日（予定）会リクレーション

〈あとがき〉

△前号がかり切りの都合上、大へんおくれましたことをおわびいたします。

△本号は担当者高橋委員が所用のため、竹村委員がまとめました。高橋委員の編集の苦労に感謝します。

△近い号で、会報白書を特集したいと考えています

△会ニュースのかり切りは、松本会員がずっとやっていますが、どなたか応援して戴ける方はありませんか

△本号から会友諸君にも読んでもらうために発行部数をいくらかふやしました。会員の方は職場の会友組織をつくるため活用して下さい。

△このニュースのなかの記事を無断転載、引用することはかたくおことわりします。

今回のガリ切り担当　清水

東京都新宿区戸塚町三ノ三〇五

職場の歴史をつくる会発行

職場の歴史をつくる会
運営委員会ニュース

No.36

1960.10.19

会財政白書について

前号は好評をもってむかえられた。とくに共同作業プランの提案は、これまでの会の方針のなかで水準をぬき、今後の会の着実な発展における出発点としての役割をはたすだろう。その具体化は十月二九日の会員集会で検討されるのだが、本号ではこの集会にそなえて、予告したように財政白書を特集した。これはプランとこれからの行動についての検討を机上の空論に終らせないことと、会員諸君の会にたいする自覚と規律をよりたかめるためである。

職場の歴史をつくると云う前衛的プランの前進にはわが国の政治、経済の全面的検討を必要とするものであり、そのためにこそ会のより精密な在り方が要請される。委員会はとくに会の近代化をすゝめるにあたり、常任問題の発展もようやく見通されてきた現在とくに会の経済的土台の安定を主張しようとした。そのような点で、わたくしたちはこの号で、会員諸君に財政についての実状を公開するとともに、あわせて三帯紙の一部へ十月現在四二〇〇円」とスライド方式による会費の値上げを提案するものである。詳しくは本特集の記事と、二九日の集会のおりの質疑にゆずるが委員会は、会財政問題の総括としてのこの提案に、会員諸君の御確認と賛同をおねがいする。

声明

浅沼社会党委員長が暴徒によって、暗殺されたことにたいして、心から哀悼の意を表明します。たいはいした政治とむすんだ右翼のテロ行為にたいして、わたくしどもは、国民全体の問題としてたたかう態勢をとゝのえ、抗議に結集する全国のたたかいとともに、前進することを誓います。

十月　十二日

職場の歴史をつくる会

会活動の近代化とは
ー記録装置をわれわれの手にー

おいてなり、散在していた会員の活動をより鮮明に、より正確に伝達するための手段として、テープレコーダーの採用が会員のあいだで要望されていた。安保斗争でとくに五月・六月の時点において、オートマティックな会の目と、会の口をそなえたいと云うねがいはより一層つよまったのである。

今回、この課題の実現によせて、村京和子・岩浪忠夫両会員より、一つの提案がなされた。この提案によれば、コロンビヤの親会社の三星電気の商標の録ハ新型）が半額以下（一万二千円）で購入されたものを寄贈（購入し、会員有志が月額一〇〇円〜二〇〇円程度をつみたてて、同協会が返済しようというのである。

このプランはすでに一〇名ちかくの会員有志の賛同をえ、資金確保の見通しがついたので、直ちに機械を購入し、事務所に先日置かれた。この記録装置の採用によって会活動は一元多次元のたかまりになるわけのものである。それぞれの会員にはあらためて、会活動への趣旨の説明と協力の依頼がいくことになっているが最近会活動のなかで感性的な機能をのりこえて、みずからの理性を形成しようとする動きがいちじるしい。村京、岩浪両氏によるテープ・レコーダーの購入の話、そのような動きの一つとして、注目すべき重要な意味をもつものである。

東京ー山形
ー支部活動の強化のためにー

東京本部では、前報のようにお山形支部結成のかごきに昇級と強化の意味から、東京在住の会員有志が組織をかくって望むこととした。

〃蔵王で会おう〃〃支部結成万才〃などもりだくさんのメッセージと寄書が集められ、記念品付・ニュースと一緒に、山形に送られたのである。この記念品は青山会員からの特別に会員に贈りが添えしておくられてきたが、それによれば、山形支部の会員諸君は、友情のしかしたきこたえ、これからも大いに奮斗するとのことである。なお、山形支部の発足の動きについて近くつぎのように報告がきている。

‥‥発会式に〃現代史の方法〃の勉強の宣言ありがとなえられました。会費二〇〇円支部会員のもめにするために機関紙の発行にのせてもらえてもよかったのですが、忘れのこともあるのだと思い、次回に掲出する予定です。御指導ありがとうございます。

あたらしい会員・本村照男君を紹介します。今春私の学級を卒業し・米沢化学という会社につとめていますが、会の後輩年少者から聞けますが、まじめな方です。具体的に紹介は今後すると思いますが、次の機関紙一般号に対する感想や意見が届けられると思います。

今月（十一日）第一回の読書会を持ちました。二時半きっかりに会員へとりつくも多数ですが（新び・哲学の学習分（哲学教程一経）と支部活動についての各目の具体的課題などを話し合いました。現在は自民党の総裁選と革新政党の設置、農民政党を村の問題とともにして次回に報告することにしました。青山は弁証法教程の通りです。次回に進めて弁証法紹介用パンフレットを作成すること……

（六月十一日支部責任者　青山　保）

……最初に〃会員〃〃会費〃、さきに岩浪忠大氏が、当方に見えられた際お話いたしましたが、一名だけ会の主旨に賛意を表され〃会友〃になることを承認されたのがありましたので紹介いたします。大久保功男（廿歳大学生消費組合学部・研究クラブ所属）は大変進歩的日

は学生で考え方もしっかりしてはるようです。私も彼が大学に入学して以来の友人関係であり、農民の生活・具体的面ではあまり話し合う日も長いことがあります。今年の二月農家を離れるまで一緒に生活しました。も話合も私と同じです。農林系の職場に話し合って会友になって頂きました。私としては会員になってくれる人と思っております。会から誰かを派遣して会ってもらえないものではないかと思います。……

を説明しますと、現在、私は来年度試験のための準備をしております。次の勉強までに少しずつ時間がありますので、一日も早く正職員の地位を得たいと思っておりますが、結局農家を持たなければならないようで悩のためにも、一月の試験を突破しなければならないのであるのです。今年のようにはなりたくないと考えております。会の発展もあるかなと思うようにはいきませんが、出来るだけ協力いたしたいと思っております。……

（山形支部、岩浪　穂）

1月から8月までの収支一らん

収入 8月	7月	6月	5月	4月	3月	2月	1月	種目	支出 1月	2月	3月	4月	5月	6月	7月	8月
477	882	330	118	458	33	1044	1223	[illegible]								
1850	4900	1350	4230	[illegible]	3600	2,150	950	会費								
715	8900	2110	280		80	890	1700	カンパ								
3675						770		機関紙								
				4000		1,000		借金								
								事務所費	800	2250	1350	2750	2,300		4500	600
								[illegible]	900	1,500	949	5,000			500	
								[illegible]	1,130	[illegible]			1470	1578	2860	
								新聞代		390	390		390	390	780	
								通信費		608	556	280	438	940	565	560
								返金							5,000	
								機関誌								4500
								その他				160				1018
1717	14682	[illegible]	[illegible]	[illegible]	3,713	5913	3873		2830	4880	3355	8690	4298	2908	14205	6678

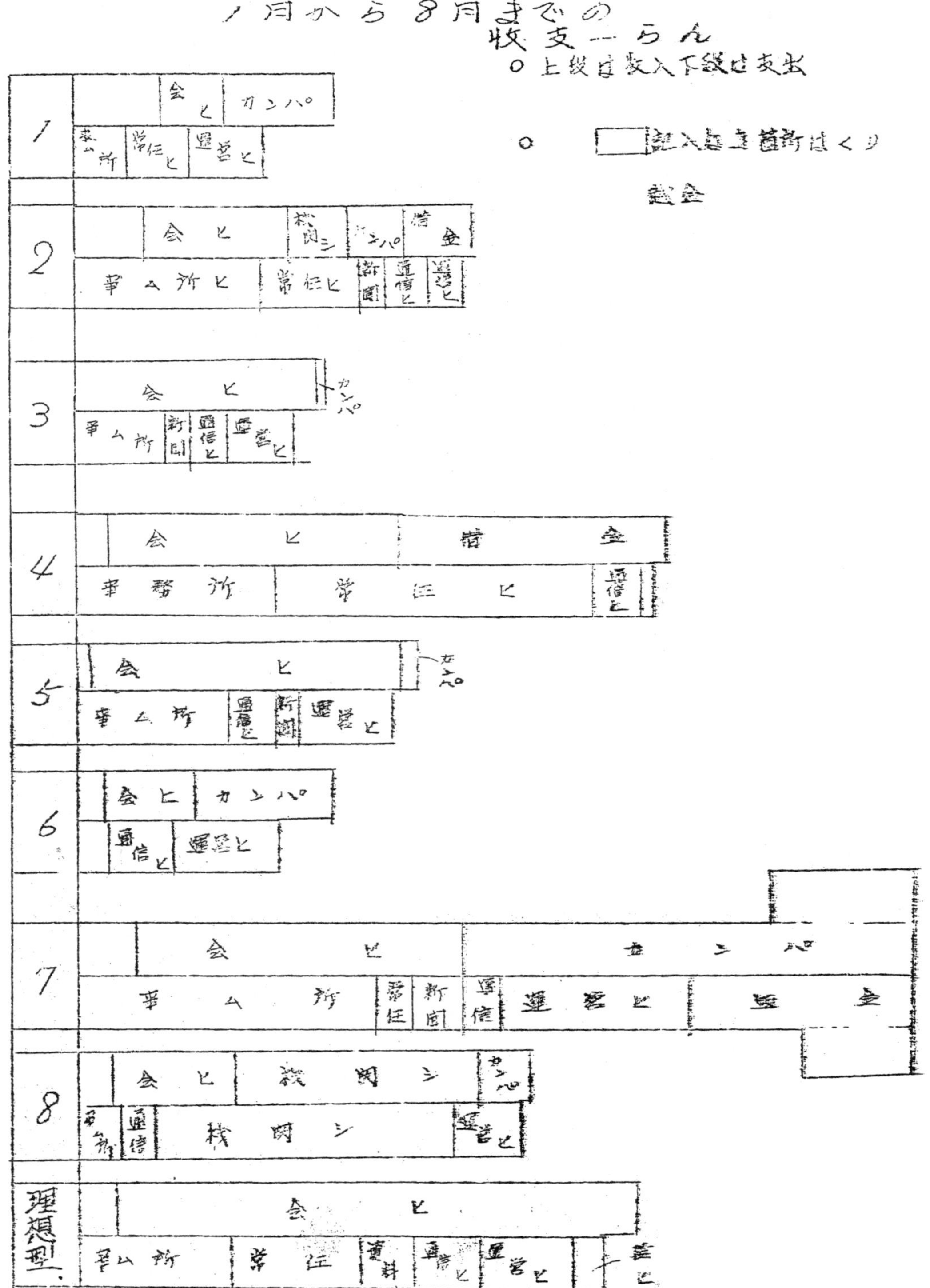
1月から8月までの
収支一らん
○上段は収入下段は支出
1
会ヒ
カンパ
事ム所
常任ヒ
運営ヒ
2
会ヒ
機関シ
カンパ
借金
事ム所ヒ
常任ヒ
新聞
通信ヒ
運営ヒ
3
会ヒ
カンパ
事ム所
新聞
通信ヒ
運営ヒ
4
会ヒ
借金
事務所
常任ヒ
通信ヒ
5
会ヒ
カンパ
事ム所
通信ヒ
新聞
運営ヒ
6
会ヒ
カンパ
通信ヒ
運営ヒ
7
会ヒ
カンパ
事ム所
常任
新聞
通信
運営ヒ
8
会ヒ
機関シ
カンパ
事ム所
通信
機関シ
運営ヒ
理想型
会ヒ
事ム所
常任
資料
通信ヒ
運営ヒ

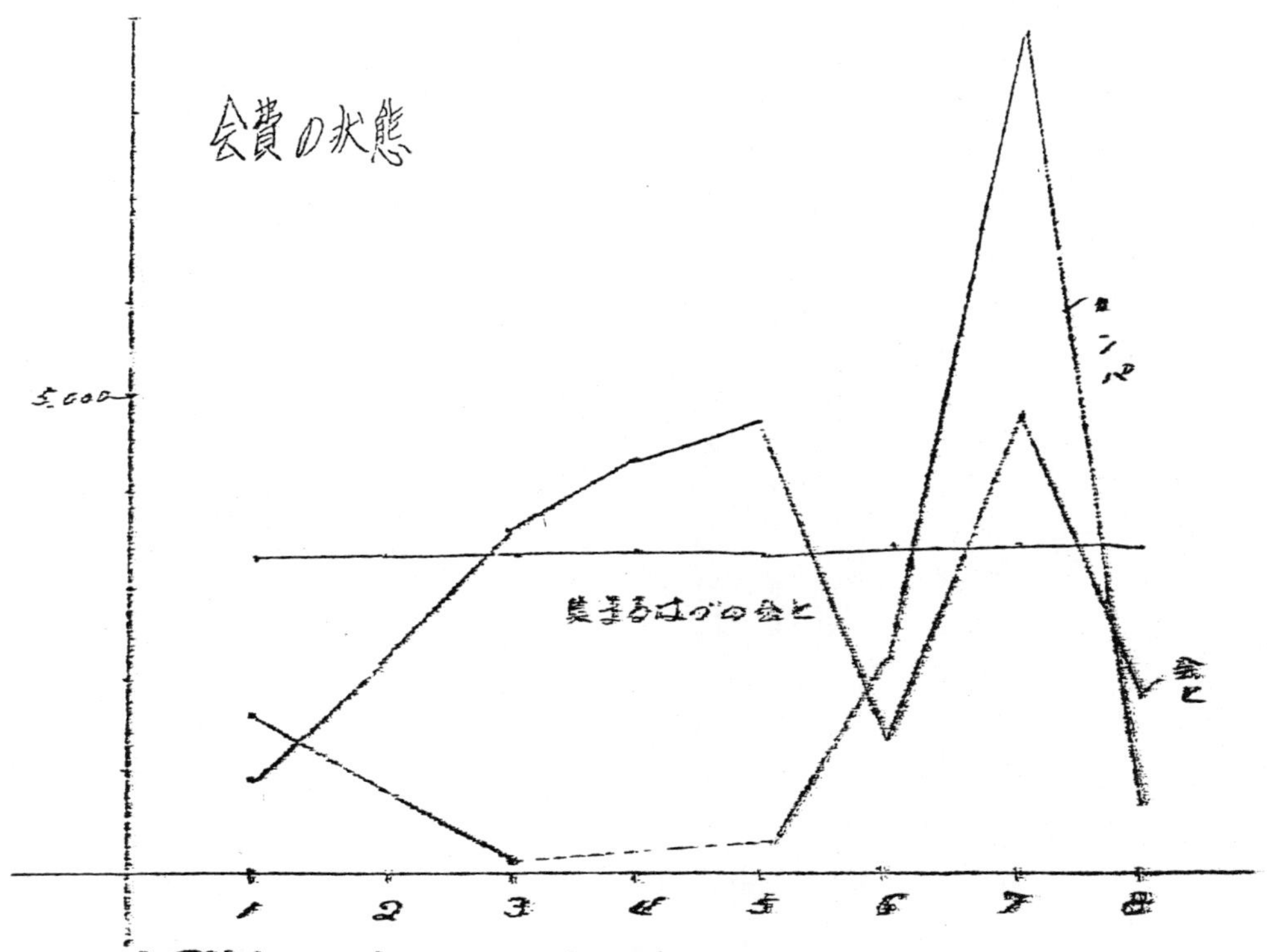

会費値上げと会費のスライド制について

※ 会員の各々の収入に応じて会費の納入額をＡＢＣの三段階に分けます。例えば[illegible]円の会員は会費月額[illegible]円を納入することになります。※ 入会金は従来の100円を改めたが、会費の一ヶ月分とします。※ 委員会費は従来の一律250円をあらため諸経費として[illegible]とします。

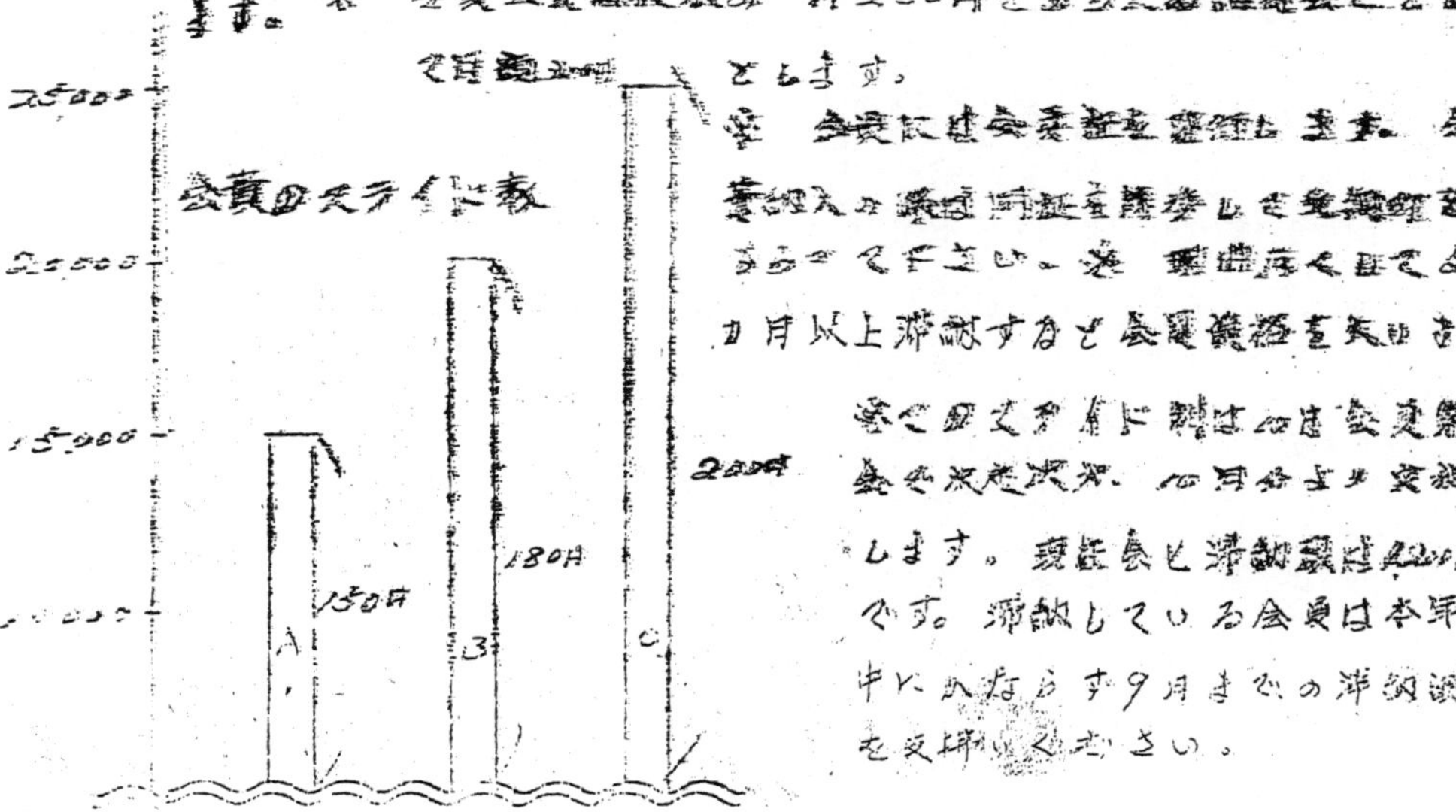

※ 会員には会員証を発行します。会費納入の際は同証を提示して領収印をおしてください。※ 理由なく三ヶ月以上滞納すると会員資格を失います。

※ このスライド制は10月の会議で決定次第、10月分より実施します。現在会費滞納額は[illegible]円です。滞納している会員は本年中にかならず9月までの滞納額を支払ってください。

農村調査をどうすすめるか

―福武直氏の論文についての疑問―

岩浪忠夫

山形支部の皆さん元気で御活躍のことと思います。皆さんもう読まれたかも知れませんが、岩波書店から出ている「思想」の十月号にはからずも山形庄内地方の農村調査の結果が発表されておりました。「農村における"声なき声"の実態」という題で、福武直氏によるる調査の結果です。全体的な批判は他日に廻すとして、特に皆さんに読んでいただいて意見を聞かせていただきたいことがありますので今日はそのことについて書きたいと思います。

この調査は庄内地方の○町（名前のわからないのははなはだ残念ですが）を中心とした安保問題の実態について行なわれたものですが「○町安保批判の会」について注目すべき実践が紹介されています。次にその部分を書いて見ます。（「思想」十月号　六八頁）

「会の活動は、ともかくも安保を町民に知らせることに力点をおいた」（前から四行目）と前置し「このより生活運動に関して、安保批判の会では安保体制の危険を身近なものとする努力、[illegible]小作農民の生活と[illegible]ものであるという形で村の人びとにうったえた。又最近[illegible]の推移とともに[illegible]八年に生活を向上させた[illegible]農が生活内容を[illegible]かめてゆくとする政策によってうったえかけるものであった」（前から十六行目～二〇行目）

私はこれを読んで感動[illegible]さくご紹介[illegible]、次にこれがはたして実際の進路を正しく伝え得たかスローガンであるのか、果して生活向上の立場を考えている農民にアッピール出来るスローガンであるかどうかを疑問に感じた。むしろこのスローガンはあやまりではないかと思いました。

まず最近出版された「経済白書」の中にも今後日本の農業は集団化すべきであり、農業労働人口を減らして、その過剰部分を都市の工業地帯で吸収して行くべきであるという政策が出ておりますし、私が最近帰省した時に見聞したことがらの中にも、農業の大型化とか集団化のモデル地区の話とか、私の父までが（十数年前まで百町歩の水田の地主だったのですが）小作時代の小農経営はだめで、農業は集団化しなければ生産力が上がらないといっていることなどの例があります。

つまり今の時代は昔の[illegible]と全然別の方向に[illegible]の構造が変って来ており、全然別の文部体系が出来ていかように[illegible]ます。この[illegible]に[illegible]と思われます。[illegible]が、[illegible]に[illegible]の[illegible]たのは[illegible]と思います。私[illegible]の[illegible]の[illegible]も、決して[illegible]と思います。[illegible]あると思います。

私のこのような意見に[illegible]お考えになるでしょうか。[illegible]。

あとがき

[illegible]が[illegible]しても、[illegible]か一日[illegible]ました。[illegible]します。[illegible]く、[illegible]しました。[illegible]したが[illegible]特集もします。[illegible]予定です。テープ・レコーダーを利用して、会員の会にの[illegible]の要望や批判をどしどしとっています。この[illegible]の記事に[illegible]しましょう。[illegible]待ちください。[illegible]ことに[illegible]。

[illegible]
[illegible]
[illegible]

1960. 10. 25

[illegible]
[illegible]の[illegible]
[illegible]

――おしらせ――

ニュース35号に予告しましたように、あたらしいプランと行動の問題を中心に、集会をひらきます。御出席ください。もし都合のわるい会員は、あらかじめ御一報ください。おねがいします。

とき　10月　29日(土)　午后六時

ところ　会事ム所

当日は、会有志によって寄贈されたテープレコーダーも使用します　又新入会員の方の紹介もする予定です.

新宿区戸塚町3の305。10月16日
職場の歴史 運営委員会

No.

駐正 運営委員会ニュース
No 37
1960.11

〃駐正〃に働く者の歩みと共に進む

安保改正に反対する国民の結びついた力は、ともかくも岸内閣、国会解散へと導いた。政府にうけいれかしめ安保…に必要な道四試はは、総選挙をたたかえさもおり、また、ぼらつ「低賃金」で国民にかけ「ムード」を作り出そうと必死である。

しかし、その中にあって、反動的な文教政策などにすでにその本質を一つきのぞかせている。

社会党の分裂、民社党の出現によって、革新政党の不幸な動きのなかにあって、労働運動、農民運動にもその影響は強く受けざるを得なかった。

しかし、そうした方途をはぐくむ諸条件の存在にもかかわらず、より強い統一と成長を望んでいる声も強くなって、それが運動にあらわれてきて、その事実も前進してはいる。

駐正の運動も一九五五年秋成立以来すでに実に五年を経過した。まだささやかな、小さな集ではあるが、その持つ内容については、会員を中心とする多くの努力によって、その存在は広く注目をあつめてきている。

これまでの会の諸経験は、広く見るならば、日本の働く人達の共通の結びつきのなかにこそ会の基礎があるのだという事を明らかにしてきている。

会の当面問題が具体的に見とおしが得た現在、そうした新しい事態に対処していくために、いろいろ考えを求めている。十一月六日におこなわれた総会もそのために会員の力を結集しようとするための試みであった。

そのことは、主体的には会の条件から出されてきた一つの大きな問題ではあるが、ある意味では広い会全体の運動がそうした点で会の成長を要求し、望んでいるということを見落してはならないと思う。

そのためにも、会の中により広く話しあっていくことがのぞまれる。

1

今日の本棚

宮川実「資本主義変革の理論」　青木新書

この書は、名前からすればなんだかすごくむずかしそう・むつかしいような感じのする本だが、内容はそうではない。「わたくしは一九五八年一月から一九五九年四月にいたる学習講座「学習の友」誌上に「資本主義変革の理論」を連載されもしたが、受取り待ち読者がいて、[illegible]ども何度もつてある熱心な問題を取扱っていたために、われわれも全国各地の学習サークルでテキストとしてもちいられた。

そこでわたくしは、この書の果す役割の重要性をこえ・学習の経験をくりかえし、その叙述の仕方や順序を改め、多くの新しい説明をつけくわえて、出版したものである」と著者自らこの「はしがき」で述べている。内容は、資本主義社会と・社会主義社会の持つ矛盾といったことの説明が特に重要でどうなるかといったことがわかりやすく説明されている。

日本の経済の今後のあり方が大きく問題となっている今日・そうした問題の基礎知識を学ぶためにも・価格もそう高くなく手頃な新書である。（六〇年六月、青木書店発行、百八十円）

〝職場の窓〟

A・Y

「現代史の方法」を読んで

「野呂介下さった「現代史の方法」を先日書店で求めました。家永先生の「歴史的真実の追求」の部分だけ一度サッと読んでみただけで、他の部分はまだ読んでおりませんし、感想を述べる段階ではないのですけど……。

真実の歴史がすべての基とならねばならない今日を考えるにつけ、歴史学の重要な地位、そしてむずかしさがあらためて強く感じさせられました。

大学に学ぶ私達でさえも何の抵抗もなく、マスコミの影きょうを強く受けていることなどを考えてみても問題の重要さがわかるような気がします。教育マスコミによって植えつけられた知識を一生持っつずけ、学術書、教養書なぞ、全く手にとることのない人が大部分であると思うのですが。果してどのように全日本人が歴史的真実を追求していったらいいのか・とっても考えさせられました。

とにかく、このような本は・一般の人々にとって、全く[illegible]ますた[illegible]ことを切に感じました」（

[illegible]）

（あとがき）

これは、会員Aさんが、京都の大学にいる一友人に「～の方法」をすすめ、それを読んでの感想を求めたのにたいしよせられた返信です。

この本は出た時にだいぶ広く読まれましたが、この頃は、こうした内容に興味を持った人が割合買わぬようです。

しかし、まわりにもまだこの書の存在を知らずにいる人も右のことからも明らかです。

"会"のことを広くわかってもらうためにも、まわりでまだ読んでいない人にも、これからもすすめていきたいと思います。

総会について

十一月六日（日）午后六時、定刻一寸すぎから開かれました。

出席者は在京会員の約半分。日曜日だと都合のよい人もいるが、日曜日かかえって仕事もおそくなり都合の悪い人も出てくるので会の持ち方がむずかしいと今更のように感じる。

はじめに、会で買ったテープレコーダーがその威力を発揮した。当日運営委員会の内容をテープで聞いて、それに基づき討論をすすめた。

当日話された主な内容は、テープの内容もそうであったが、会全体で今後進んでいく仕事をどのようなことにするのかということであった。

で、そのために、会の現在おかれている情況、会員の望む方向、会の力といったことが具体的に掘り下げられた。

テープの時間が一寸長かったせいもあって、討論を充分深めることが出来なかったことは残念であった。運営委員から出された主要な点の一つは、"会員が、共に学び合える職場の歴史をつくる会"というもの趣旨がまだよく理解されていることがうすいのではないか。そのことはつまり、会が出来て以来今日までの会の歩んだ道ということについても十分知らない。またそうしたものを十分知るような試みがこれまであまり成功しなかったという点で問題が出されていた。

一口にいって、会は性格論争とでもいおうか、今後の会の進め方、会をどう発展させたらよいかという点を中心に積極的な意見が出された。

それと同時に、こうした仕事を支えていく経済的条件、会費等について、先号（ニュース孔号）の財攻白書を中心に会計係（会議委員）から現状説明があり、そのあと、討議し［illegible］さの若干の意見がだされました。

なお、この［illegible］をまとめ［illegible］きまた内容をおいしく［illegible］

行記して頂戴けしりしとしたい。（三）

あとがき

○今年は［illegible］く、暑くおもがり［illegible］もうまく調査［illegible］ず、［illegible］

○今月から、「職場の声」という欄を設ける ことにしました。ごく限られた紙面ですが、会員［illegible］の投稿をお待ちします。

○会員三四さんが結婚されました。会から心ばかりのお祝いをいたしました。おめでとうございます。

［illegible］本格的な寒さがやってきます。

健康に気をつけ、仕事に頑張るをお願いします。

4

職場の歴史運営委員会ニュース

新春特集号
１９６１年
１月　元旦

会の旗をたかくかかげよう

―一九六一年のはじめにあたつて―

会代表　竹村民郎

新年おめでとうございます。六一年をむかえ、会員のみなさんの御活躍と御幸福をお祈り申しあげます。六〇年度は、会の達成すべき目標として、つぎの六つのことをあげておきました。(1)会活動の専門化＝創造活動の充実(2)〝現代史の方法〟の出版(3)常任問題の合理的発展(4)会規律の確立（会費滞納の一掃）(5)会と職場のむすびつき(6)機関誌（紙）活動の充実

これらは、いずれも高い課題ではありましたが、そのいくつかは、会員の団結と、ひろい勤労大衆の協力をもえて達成することができました。六〇年秋、宿願の常任問題を発展させることができたことはその典型的な例であります、委員会は六一年を飛躍と収獲の年と考え、現在その準備のために会員とともに、会の目己批判＝職場の歴史をつくる運動の理論的整理をすすめています。

この会風が会員のあいだにしみとおつていく過程で、会員の団結も一歩すゝみ十二月例会会成立の意義（日本の労働運動と合理化問題、日鋼年争を中心に）の報告と討論にしめされたような質的にすぐれた総括がうまれました、またこれまで、とかく条件の困難のために手うすになりがちだつた発表、記録保存＝機関誌、紙の問題も、会員の偉大な創意と実行により、タイプ印刷機、テープレコーダーを買うことができ、これによつて問題解決えの道も飛躍的に前進しました。

一月の委員会では、会のなかに生れつゝあるあたらしい有利な状況をふまえて、新方針を検討いたします。詳しくは次号に廻すことにしますが、六一年はとかくに重点を、成果の発表＝機関誌の季刊の実現とガリ版からタイプ印刷への道の実現におきたいと考えます。創造を中心とした会のあたらしいむすびつきのなかから、スポーツ、リクレーション活動など、若さと友情にみちた会員相互の交流も約束されるでしょう。

会員のみなさん　六一年は会の旗をたかくかかげて前進しましょう

一月元旦

会研究会について

高橋秀夫

先に案内を送りましたように、十二月二十二日十二月例会を開きました。「日本の労働運動と合理化の問題－とくに日鋼室蘭の問題を中心に－」と云う題で竹村氏の報告を聞きました。報告要旨は都合で次号にのせることにしますが、当日会員の出席はきわめて好調で盛会でした。

一九五五年会が成立して以来今日まで日本はもとより世界の動きを見てもきわめて大きな変動の連続であつたと云つてよいでしょう。　六〇年五月『現代史の方法』が出て以来会員の間から会の位置・役割をこれまでの会の歴史の中からつかんで行きたいという声が強まり、委員会で検討の結果、十二月の報告を皮切りにこれから順次五五年以降の問題についての研究会を開いていく予定です。

一月のは次の日時におこないます。

○日時、一月十二日（木）午後六時

○場所、事務所

○「労働者階級の団結とその政治的意義－とくとくにＳサークルの問題にふれて－」　飯塚節子氏

「モスクワ宣言について」　土田教助氏

また次の日に会の新年会をおこないます。

○一月八日（日曜）　午後六時半

○場所、事務所　会費二百円

年のはじめ、隠し芸などどこの日は楽しくやりたいと思います。日曜日ですが都合をつけて皆さん是非出席ください。

職歴運営委 ニュース

NO 39

1961・1

（十二月例会報告要旨）

「日本の労働運動と合理化の問題」

報告　竹村氏

まず話の前提として竹村氏は戦後の日本の政治・経済の諸特質を如何に把握するかといつたところから問題を提出した。

1アメリカの占領下にあつたこと。

2日本独占資本は戦後解体の諸問題

3主権の回復それにともなう政治路線の展望がきわめて不十分にしか打出し得なかつたこと

4サンフランシスコ講和の意義ー日本の主権回復その後の日本独占資本の復活、強化

5講和以降の世界情勢と日米関係の存在形態

6右に述べたような諸点をふまえた日本の国際的な位置（政治的、経済的）

右の点を大きく整理しつつ、次いで一九五四ー五五年の当時の社会情勢の検討に論を進めた。

この時期は朝鮮動乱の終局直後の時期にあたり、アメリカの極東政策が次第にその内容を変えつつあつた時期にあたり、それに対応して日本の平和運動も高揚しつつあつた。

労働運動におけるこの時点の特長は、それが一般的にデフレ下の斗争と称せられているが、そうした中にあつて尼鋼、日鉱室蘭の斗争の意義を高く取上げた。

1この二つの大きな斗争で鮮明にされてきた職場斗争の積極的意義が最初に指摘した如き日本の社会情勢の推移の中で出されてきたことの意味を職歴の会でもはつきりとつかむことが出来なかつた。（この問題は当時会の中からも国鉄などからも出されていたが）

2吉田政権に対する評価の欠如、岸、池田政権への展望の不十分

3石母田氏の「工場の歴史」理論に対する会の検討の不十分ーその積極面の評価と批判の弱さ

4科学の役割と労働者階級の関係についてのとらえ方がはつきりしていなかつたこと

これはその後ずつと尾を引いてきていたこと。井上清氏がこの当時出した会に対する見解についても十分な消化をなすことが全体的には出来得なかつた。

以上のような点を職歴の会成立発足当時の諸事情に触れつつ述べた。

報告は、一時間ほどの長さのもので、きわめて不十文にしかその概要を述べることが出来なかつたが、これを契期として、今後ここで述べた

問題を更に詳しく体系化していく作業を継続していくこととし、会の歴史との関連でこの五四年以降の諸問題についての総括的整理、検討を今後研究会を開いておこなつていく予定である。

× × × ×

入会にあたつて

竹村さんをはじめ職歴のみなさん、会の運営御苦労様です
今年の八月岩波忠夫さんがこちらにおいでになり職歴会のことを話してくれたとき私は非常に好奇心をかきたてられたのです
それは当時私は高校を卒業して働きはじめたばかりで、特に精神的な面でトラブルを抱いていました。そこで、そのとき、即座に私もみなさんと一緒にやつてゆこうと思つたのです
しかしその好奇心がやつと静まつたとき私には入会の資格がないことを知つてガク然としたのです。
青山先生は大学で歴史の勉強を専問にやつた人であり岩波忠夫さん健さんも大学を出た人なのですから私みたいな無学な特に歴史の専問的な知識の無い者はとても一緒にやつてゆけないと考えたからです
そうしているうちにも青山先生から御借りした色々な文献に目を通していたのです。そこから私はいわゆる歴史（何年にどこで何が起きた式のそれ）の知識だけが現代史をあるいは現代を理解する絶対的なものではないことに気づいたのです
このことを青山先生に話したところ私の考えがまるきり見当ちがいではないことを認めてくれましたのでそれまでの不安から解放され早速入会させてもらうことにしたのです。
そして今こういう活動を始めてみて気がつくことは今までの私達の学習の方法が極めて陳腐であつたということです。つまり目標のないバク然としたそれから私達は何を得たかということなのです
その点職歴会の活動が我々のもつとも現実的でしかも切実な問題である職場をテーマにしていることが我々の運動を空転させないだろうという自信と期待があるような気がします。
そこから現在山積みしてある労働問題に対処する態度と勇気をくみとり我々の生活が一歩でも前進するよう斗つていくべきであると考えていますそんなわけで私もみなさんと一緒にやつてゆきたいと思いますから、どうぞよろしく御願いします。

十一月十三日

職場の歴史をつくる会のみなさんへ

山形県鶴岡市山形支物　木村照男

× × ×

職場の歴史山形支部に今日始めて参加致しました
十一月十三日第三回集会に出席し支部長の青山さんに紹介してもらい会の目的について話してもらい現代史の方法について学習しました。
ここに最近の職場の状況を書いて自己紹介とします
組合員百名の小企業で組合意識はあまり高い方ではありませんが今年の五月に青年婦人部が結成されその中で若い情熱をかたむけ明るい意識の高い組合に育成しようと努力しております

しかし地域的にも市内から離れた農村地帯であるため他のサークルとの交流も少く同心円をぐるぐる回転している様な活動しか出来ない現状です。会員諸氏は現状よりも少しでも成長したい事実は認めてもその具体的な方法すらつかめないのです

それらの原因がどこにあるのかいろいろの角度から分析する必要があると思われます

一番の困難な事は会員が一同に集る機会を作る事です。職性のちがいや時間外労働に時間をとられる事等、中小企業の悲哀を身にしみています。しかしこれ等の困難も会員がもろもろの活動に積極的に参加してゆく事に依り会が成長するのだと云う考え方に向つています

今后は職場の歴史を作る会の意義を理解し進んで私達の歴史的事実の探求努力して行きます

十一月十三日　職場の会を作るみなさんえ

山形県鶴岡市　　五十嵐　八十八

×　×　×　×

会員便り

大変御無少汰致しました。

六日には楽しい夜をお過ごしになつたのでしようね。私も当日迄出席出来る予定でした。

でもこの所長くお店に務めていた方がおやめになつたので気分が落付かず記録もまだ出来上りませんしこれでもずい分努力はして見たのですが、うまくまとまりが付きません。我乍ら情なく恥かしくなりました。でも皆さんに直して頂けるものと思つて間もなく送るつもりです。

何一つ出来なくて、だらだらとだらしなく致し方ない会員ですね。会員であるからには何んでもして見たいとは思つているのです。でも思う様に行きません。

ほんとうに済まないと思つています

会費も遅れまして済みません。

ここに三百円同封致しました。

では寒さに向う折から会員の皆様方にはお身体をお体切に遊ばします様。

乱筆乱文にて失礼をお許し下さい

職歴の会の皆様　　小口千枝子

カンパ内訳

飯塚	1000
梅村	500
伊東	500
岡島	1,000
土田	1,000
清水	250
西田	100
竹村	1,000
岩波	1,000
秋山	500
高橋	50
田畑	1,000
長谷川	50
江崎	250
河原	300
保坂	100

中間報告（一月十五日現在）

テープレコーダーカンパ中間報告は次号に致します

（除くテープレコーダーカンパ）

総　額　壱萬壱千円也

×　×　×

支　出　七千円　タイプ印刷機と机購入費用の足し

千六百円　運　営　費

タイプ印刷機は事務所に設置されてありますのでごらん下さい

伊　東

×　×　×

農地改革の基本構造　石渡貞雄著

1都市における安保斗争の昂揚と対象的な農村の沈潜
2農村人口六割削減論ー池田内閣の農業政策
3革新政党の農業政策への模さく

前述のような理由から今日農村問題の探求は深まりつつあるようだ。そのような問題意識にたつとき解明の手がかりとなるものは、戦後の農地改革の評価だ、職場の歴史を書くためにも、この問題を整理しておくことは必要である。

私自身、自分を地主階級出身という身分をさまざまな封建的なきずなや習慣からときはなす少くとも以前よりは自由なしかしそれなりに苦労も多い一個の人間として生れかわらせた農地改革のことを勉強勉強することは自分の個人の歴史を書く上に何よりも必要だと考え農地改革の勉強をはじめた。

この本は、このような問題意識にたつ勉強の中で大変役にたち、且つ面白く読んだものの一つである。

（一九五四年東大出版会刊　一四〇円）

岩　波　忠　夫

あたらしい仲間たち（六〇年度ー六一年度）

当麻伊巧代　明治生命
木村照男　水沢化学（山形支部）
五十嵐八十八　同上
河原恵美子　桑野電機
保坂博　オリジン電気
門田節治　同上
阿部有紀子　神戸銀行
宮沢武人　国鉄品川客車区
宮沢悦子　国鉄新橋支部

耺厂運営委ニュース

NO40
1961.3

会の新らしい動きについて

先にニュース三八号で、会の成立以来の厂史を研究していくことについてお知らせした。

十二月、一月とその計画にしたがって研究会をもってきたが、その運営のなかからきわめて注目すべき意見が出されてきた。それは、ごくかんたんに云えば会の厂史を検討することはよいと思うのだが、そこでの内容が一寸むずかしいという声が一部の会員の中から出てきたことである。

こうした声がやっていくなかで出されてきたことは、やはり会の一つの前進であるといってよいであろう。

そこで運営委員会ではこの問題について慎重に検討した。

そして大体次のような方向をとってやっていくことにした。

現在の会員は、ほぼ大きくわけて二つの基盤からなっているように思われる。

第一は職場に組合が存在し、そこでの活動との関連で耺厂の運動に参加している人たちである。

第二は、職場の中に組合といったものの無く、耺厂運動に「仲間と一緒に何か活動したい」、「その中で皆と一緒に厂史を書いてみたい・・・・」といった人達である。

そこで今後の会活動（東京での）の運営を、二つにわけて会員はどちらかの一つに入って仕事を進めていくことにした。

一つは去冬の決定の線に従ってこれまで全体でやってきた厂史の検討・研究する会を継続することであり、他の一つはある仕事（当面は一応年表の作製を計画している）をおこないながら勉強しあった、話しあったりしていこうという会である。

二つとも世話人をきめて、それぞれ準備を進めている。

去年の反省として、会の仕事がかならずしも満足すべき形のものでなかったことがあげられるが、会員の要望に即した形のなかから新らしく仕事を一歩でも前進させていきたいものである。

（1）

〈一月研究会〉

モスクワ宣言
—中・ソの見解に関連して—

報告　島田　泉氏

一月十二日（木）開きました。
島田氏は、去年の秋世界の大きな注目をあつめたモスクワ宣言の問題については口とソ連の対立ということが世上一般にいわれているが、これについてどう考えたらよいのかといった視点から報告した。

〔I〕A、世界の現状把握—評価—を中ソはそれぞれどうとらえているか。
B、現代の帝口主義の本質とどうみるか。
C、そこから打出される社会主義口の政策の問題。
D、体制移行の条件をどうみているか。
E、総括的評価。

〔II〕A、こうしたことを我々はどのように考えればよいのか—具体的に日本のことに関連して—。
以上のような諸点について相当詳しく説明がなされた。（事ム所にテープ録音あり）

討論は、竹村氏の司会によって進められたが、ざんねんながら出席した人にて、あまり内容をよく調べてのぞんだ人が多くなかったので十分つくされなかった。なおこの日は別の報告者予定されていたのであったが都合で取止めになった。

二月は会場の都合や、流感、さきにのべたような会の再編成にともなう準備といったことで残念ながら休会したことをおわびします。

〈紹介〉

総評教育宣伝部編『総評とは何か—改訂版—』

日本の労働運動のなかにあっては、きわめて大きな地位を占める“総評”についてはこれまでもいろんな角度から論じられてきているが、この書は総評自身があらわしたものです。
「総評はどうしてできたか」「これまでなにをしてきたか、これからなにをしようとするか」「労働戦線をどう統一しようとするか」などといった七項目について自からが説明しています。（一九六十年十一月発行、東京都港区芝公園8号地ノ二、労働者教育宣伝センター、新書版七九頁二十円、送料四円）

〈会計報告〉

	収入	支出	残高
9月	3,724	3,543	181
10〃	2,931	2,450	481
11〃	4,201	3,944	257
12〃	31,772（含カンパ）	31,575	197
1〃	4,347	4,116	231

○残高は翌月の収入に整理の便宜上入れてあります。

○係の都合で報告がおそくなったことをおわびします。

○各月の収入は会費が主で、若干の機関誌売上代を扱ってあります。

○収支の明細原稿を用意したのですが、紙面の都合で合計だけをのせました。事務所に会計簿の整理したのがありますから会員の皆様も折があったらごらんください。

○会計面ではまだく　解決されておらない問題があります。最初にのべたような会の新らしい運営の中で、こうした条件の問題も早く解決していきたいものだと思います。

○この表では一見毎月の収入が一定であるかのように見えますが、数ケ月の滞納が係のとくそくでやっと――といった状態です。

○それにしても少数ですがそうした会の財政を承知して前納している会員もおります。特別事情のある人はなんですが、なるべくおくれないようにお願いします。

会計係

(3)

書評

「史への証言」

ー六・一五のドキュメントー

山形　木村照男

本書はサブタイトルでも知られるように、一九六〇年六月十五日を中心として全国的に展開された安保斗争の記録である。

事件の経過といったことを詳細に述べており、いわゆる大新聞がとかくあいまいな報道をしているのに対して、本書はあくまでもゆるがすことのできない明白な事実を書き記している点に大きな意義があるように思われる。

「……六・一五事件を知ることは、単に過去の事実をふりかえるという点に意味があるだけでなく、将来の安保体制の本質＝これからの日本の進み方＝を理解する糸口となる、という点にこそ意味があるのである」とあるように、六・一五事件は現代史における一つの岐点であることはまちがいなさそうである。

私がこの本をとじたとき、次の二つのことを考えたのである。

一、より確立されたイデオロギーによって書かれた、主観にとらわれないより客観的な記録を労働者一般が書く必要があること。

二、戦後十数年を経た今日に至っても民主国家とは名ばかりの国民一人々々の基本的人権確保のために、国民全体が手をとりあって斗いを進めていかなければならないのだということを……。

（二八十四・）

あとがき

○ニュースの発行がおそくなったことをまずおわびいたします。

○筆者の方で一月からタイプになりましたが、現在のところただ一人のタイプを打てる会員阿部さんが病気になり無理出来ないといったために残念ながら前に逆もどりしてしまいました。

○したがって予定していた原稿も短かくしたり、はぶいたりしたので係としてもとても残念です。できるだけ豊富なものをのせたかったのですが……。

○山形の木村さん、原稿ありがとう！雪国の春はまだ一寸まがあると思いますが元気に御活躍ください。

○〝ニュース〟に原稿をお願いします。事務所まで送ってください。

職場の歴史をつくる会　運営委員会ニュース　NO.41　1961.4

広い視野と独自活動

竹村民郎

会は、[illegible]家の常任問題を発展させることができ、今、会の創立期の仕事の検討をすすめている。その中で、創立期の飛躍とした発展の土台は、自然発生的ではあるけれど、会員が職場の歴史をつくる会の役割（全日的な組織のかなめとしての）を考えて頑張ったことにあることがあきらかになった。

事実、この五年間の会の歴史は、そのような視野に立とうとする流れと、会をサークルにとどめようとする立場との斗いの連続であったといえるだろう。

サークル主義の基礎は、会員の企業中心主義の視野の狭さであり、同時に専門家中心思想でもあった。

会員諸君、会はなによりも全日的な視野に立って職場の歴史をつくる運動を日本の職場大衆に拡げる中軸であることを確認しようではないか。

会員諸君、そのような自覚に立ってはじめて、最近とかくゆるみがちな（常任問題の発展をこの新しい条件におくれさすところから生じるのであるが）会の独自活動の軽視も反省されるのである。

会の独自活動とは何んであるか。その主要な内容は会の組織を維持していく諸活動である。

創立期の会の活動には、大きな弱点があったことも現在の我々はよく自覚もしている。

それは、会の視野の拡大を強調することと並んで、会の独自活動の軽視があったことである。当時、会員の中で定期的に会費を払っていたものは数名に過ぎなかった。

会員諸君、会の運動は諸君の運動に対する自覚にかかっている。

広い視野と独自活動のゆるぎない結びつきこそ、会の安定した路線を保証するものであることを、会の歴史の研究は教えている。

この立場を堅く守るのが、自らの職場の歴史をかけることとなるだろう。

二 報告 第一回作品研究会 〈N労組の歴史〉

三月二五日、会事ム所にて開かれた第一回研究会には、竹村、国領、宮沢、島田、飯塚阿部の六氏が参加した。この日の報告者は国畑であるが、その内容については別紙報告要旨を参照されたい。ここではその討論をまとめて報告することにしよう。

先ず、報告内容について竹村氏より次の三点が要約として述べられた。
一、歴史をかく運動が労仂運動にどういう問題を提起したのか。
二、作品そのものの問題
三、作品をかく条件の問題
この三項にしぼって討論を進めていったわけであるが、その中心は〝一、〟に集中したようだった。従って作品そのものについての具体的な討論や、それをつくった当時の諸条件（会やN工場グループの状況）即ち会の歴史についての検討が時間的制約もあり不充分にしかおこなえなかった。それにしても、当時入会してはじめて出席した会合がN工場の二階でやったときだったので非常になつかしく、今夜の研究会にはどうしても参加したいといって、春斗の最中、事ム所にかけつけてくれた国鉄の宮沢氏をはじめとして参加者は少なかったが広い視野に立っての充実した討論がおこなわれた。

〈歴史的にとらえること〉　当時、日鋼室蘭、近江絹糸、東京証券といったレッドパージ以降五四——五五年にかけてはじめて斗われた斗いとしてN労組の斗いがあった。五九——六〇年にかけて中小企業の斗いが相当あったが、それは苦しく長くはあってもほとんどが勝利している。しかし、当時の斗いは表面的にみればほとんどが敗北に近くまた組織が分裂したりつぶれていった。当時はほとんどの斗いが負けていったので、その中の一つの斗いとしてN労組の歴史をとらえる必要がある。（宮沢）

当時の中小企業の運動は入社斗争の部類に入る。が当時の高揚ラインの指導は、その基礎は経済斗争にあった運動を政治斗争に結びつけていった。その指導の影響がN労組の斗争にもあった。（竹村）

当時の中小企業の斗争の中でN労組の果した役割がよくわからない。（島田）

〈外部団体との関係〉　N労組だけでは活動家の生活の保障はできなかったと思う。地区労、政党の役割はどうだったのか。（宮沢）

発言の中では、外部団体との関係をとくにかいていないような気がする。（島田）

N労組が結成されてから、会はN工場に入り共に斗った。政党や地区労は戦術のみを教え、高い視野に立った斗いの指導（運動の方針）や思想的な問題は教えなかった。この点会の方針と対立した。（竹村）

〈労働者の意識〉　一般組合員の意識が低かったとあるが、組合役員の意識はどの程度であったのか。その差は若干あったような気がする。（宮沢）

運動の敗北は、個人の歴史ということより

（3）

を運動それ自身に問題があったのではないか（島田）

労働者は徹底的にイジメられれば立上がるかどうかという問題がある。そこには条件を必要とする。それが思想であると思う。当時ロシア語の勉強をしていたということは、ただ単に語学をやるというだけでなく、その中でまた声や労働運動についての勉強がなされ、労働者の思想を獲得していった。労働者は、外部的な条件だけでは立上がらない。それを度外視するとひきまわしになる。そこに大衆を思想的に獲得するということの重要さがある。（竹村）

労働者を思想的に組織することの意見に賛成する。経済要求をとった後にも組織を残るように思想的に獲得すべきである。（宮沢）

〈作品とそれをつくった人たち〉この作品には、自分たちの状況を客観化している。その思想がある程度リアルに描いているのだと思う。当時N工場グループの人たちは、組織者としての苦労をのりかけてきている中でこの作品を書いた。その教訓として、組織者としての意識を強めるようにすべきである。（竹村）

しかし、作品の中で、N労組の組織者自身の行動まで客観化できなかったのではないか。（島田）

N労組の展開は、作品をつくるという点では正しかったが、新しく組合をつくる人たちにとっての教訓までにはならなかった。この点、作品の内容を更にたかめていく必要がある。（竹村）

〈反省と今後の課題〉当時、日鋼室蘭の合理化斗争、N労組、東証等の人権斗争を中心とした職場運動を広げられなかったのは、企業幹部によって運動がサークル主義におって

（4）

あり、全国的視野が欠けていたからである。（竹村）職場の歴史をつくることが現代の労働運動の中でどのような意義をもっているかを意識しつつ（島田）、これからは、中小企業の組合づくり、官公労の歴史（スト権奪還の問題・国鉄労組の歴史）・合理化斗争・事務労働者の問題等についての典型を調べ二年間位でまとめてゆきたい。（竹村）

第二回の研究会は自分と岡島さんとで、特急さくらが走るまで〃を報告するが、臨時工はサクラのときからおり、今も組織されずにいる。サクラのときの要求は職員のみのもので企業意識ではなかったか。N労組当時、高野ラインには統一戦線ができていなかった。地区労では最賃制の斗いといった全国的な要求が欠けていた。大単産の要求と中小労組の要求の共通点、N労組の歴史と特急サクラが走るまでの作品の共通点は何にかということも考えてやってみたい。（宮沢）

きょうは広い視野という点で大変もうかってうれしい。今までの討論内容に加えて、作品をつくる上での技術的な面での要約と併せて方法論になってゆくと思う。時間が足りなくて残念だが次回からはそのようなことにも気をつけてやっていったらよいと思う。（田畑）

当日の討論内容の要約は以上ですが、不充分なノートからの整理なので誤っている点や不足している箇所もあると思いますので、もしそのようなことがあれば発言者より申出て下さい。なお当日は、毎日の残業で疲れているところをおくれて出席された阿部さん、飯塚さんは具体的な討論に参加できませんでした。その原因としては、広い視野という意味の内容が不充分であったためか、討論が会の歴史の具体的問題にまで充分ふれなかったこ

ども考えられます。今後とも出席者はそのような点にも配慮して発言する必要があると痛感しました。〈人文責　田畑〉

【会員便り】

春斗の中で

御無沙汰しております。今度、会社が清ノ口に移転しました。電話番号をお知らせししたいのですが、四月の人事異動で左遷されるとまた変わりますので・・・・。

目下非常に忙しいのです。春斗の組合要求は三四二〇〇円でこれに対し会社の回答は一五一一円のひどさです。青婦部として毎日、宣伝、ビラまき、うた声指導と大変です。現在は時間外勤務拒否斗争の段階ですが、今後どうなるか恐しいほどです。机上の理論より一人の人を説得する方がずっとむずかしいですね。

最近サボって申訳ありません。山ばかり行ってたせいか医者から長期療法を新たに宣言され、少々しょげています。たいしたことはありませんが当分出席できそうもありませんので、どうしようかと考えています。

私は、理論には弱いです。体当りで人を説得した方が楽です。私たちに対する会社のいやがらせもたいしたものです。その中で、少しずつ皆が意識しはじめたようで嬉しい気もしますが、つらいです。すべてこれからという気持です。春斗にはガンバルつもりですからみていて下さい。今、この賃上げのことしか頭にありません。勝手なことばかりしていて済みません。元気ですから御心配なく、皆様によろしく。

三月二五日　河原恵美子

〈資料〉職場の歴史をつくる会が生まれるまで
—青山[illegible]氏のメモによる—

1. 年表

1954年	職歴関係	国内国際情勢
		3月 ビキニ事件 尼鋼ストに入る
		4月 ジュネーブ会議始まる
		6月 近江絹糸ストに入る
		〃 尼鋼スト打切り
		7月 第5回総評大会 インドシナ休戦
		〃 黄変米問題化 日鋼室蘭ストに入る
		8月 原水爆禁止全国協議会結成
		9月 近江絹糸スト終る
		新党結成準備会結成
		中国憲法制定 SEATO結成
		久保山氏死去
		モロトフ外相対日復交の用意声明
[illegible]	[illegible]労組合結成準ビ会	
10.19	家永・和島両氏を囲む座談会	
10.[illegible]	[illegible]スト、氷川下の歴史をつくる会結成	10.28 日中・日ソ国交回復国民会議結成
		10.30 李徳全一行来日
11.1	民科歴史部会全国総会	
11.2	氷川下の歴史をつくる会第一回研究会	
11.[illegible]	〃 〃 〃 第二回 〃 〃	
	この頃[illegible]労協結成の動き	
11.[illegible]	[illegible]組合結成	11.24 民主党結成大会
		11.27 日本の歌ごえ
12.[illegible]	氷川下の歴史をつくる会を「工場の歴史、労働者の歴史、青年層の歴史をつくる会」のセンターとすると決定 —労働者を基礎に—	
12.[illegible]	東京各地の歴史を語る会	12.7 吉田内閣総辞職
12.11	[illegible]労協結成	12.10 鳩山内閣成立
12.[illegible]	[illegible] 工場の歴史、東京の地の歴史をつくろうの[illegible]	
12.[illegible]	「工場の歴史をつくる会」	
12.21	於 国鉄会館	

山形の青山さん
資料ありがとう

2. 資料

1. 家永・和島両氏を囲む座談会の反省 於 [illegible]歴研 [illegible]主催

(1) 歴史学は斗いの武器であることが明確化された。……国民の手[illegible]

9

するものである。そうでなければ発展しない。この立場をとらなければ国民は支持する。しかしまだこのような歴史学の具体的内容はうち出せないし労働者へのアピールも弱い。

(2.) 科学と国民をきりはなす科学至上主義に対する批判がでた。和島氏の月の輪の経験"一人一人が竹ベラで掘ることによって今までの発掘法ではできなかったことができ、学問の上でも量から質へと転換した。……しかし科学と国民の結合を深く追求して科学至上主義を批判することが弱かった。

(3) 教条主義を克服する方向がでた。……家永先生の発言"先生のノートを速記させるやり方ではなくて、私たちがプリントしますから一年分ためしてゼミナール式でやってくれませんか。との学生の発言に対して"私はレールを一本一本つぎたしていくように、一週毎の研究を講義に発表しているのだ。学問研究には問題を発見する力(=問題意識を解く方=技術が必要だ。問題意識の上にアグラをかいてはいけない。

(4) 国民的歴史運動の組織論から一歩進んだその内容をという方向と共同研究の方向がでた。一人研究では質的な発展は望めない。

Ⅱ. 氷川下の歴史をつくる会　於教大歴研　竹村高橋(列)青山ら

青山は1954年始めに氷川下の歴史を卒論とすることに決定。ま た「家永・和島氏を囲む座談会」の経験から、国民的歴史学の具体的内容をうちだすため、青山の仕事を援助しつつ共同研究を進めていこうとこの会が生まれた。お主な方針として ① 共同印刷の歴史を中心にする ② 共同印刷の越年闘争斗争と組合 ③ アピールをつくる。

第一回研究会　研究方法について庄司先生にきく　竹村 青山ら5名参加

第二回研究会　具体的行動 日程など決める。

Ⅲ. "たたかいの歴史を語る会　於教大歴研　氷川下の歴史をつくる会主催　約十余名参加

東証、日鋼の斗いが労働者より報告されたあと、労働者の学生に対する要望、学生から斗いの様子など話された。

- 自分自身の問題から出発しないと本当に考えない。
- 歴史を動かすもの、それは俺たちだ。
- 労働者のめざめていく過程をしりたい。
- 感情的なアクションだけでは持続的に考えない。もっと理論的に深めていきたい。
- 日鋼の斗いを自分の場に生かすにはどうするか。
- 学生の本来の任務は勉強だ。学生はもっと労働者のためになる学問を学んで下さい。そして本当のことを教えてくれ。うるおいのある、弾力のある、裏切らない)インテリになって欲しい。

来る火曜日、国鉄会館で総会、大学に呼び掛けて会合を開くこと決定("労働者の皆さん、科学者・学生の皆さん"のアピール参照)

もうかって、楽しく、基本的に(=斗いと結合して)を方針に。

8

1961.5.21

製作 [illegible]

カッティング [illegible]

職場の歴史をつくる会　運営委員会ニュース　NO.42　1961.5

集団研究に全会員の積極的参加を！

最近、会の状勢がたちおくれているという声が多くの会員から発せられている。それは会活動が大衆化してはないという点と、「つくる」という活動がぬけているということに集中的にあらわれている。

三、四月と回を重ねた作品研究会は、大きな成果をあげることができたが、その反面、出席者が少ないという欠陥があらわれてきている。このことについて、四月二三日の第二回研究会の際若干討論されたので、その結論を簡単に述べてみよう。研究を通じて、作品両会の歴史に対する自己批判がおこなわれているが、これからどう運動を発展させていくかという展望がないために、その中から会の創立期にあったような大衆性が生まれてこない。会を創立期にあったような生き生きとした運動体にするべく、全会員が参加する集団研究‼つくるという仕事、を再組しようという結論に達した。この結論は、以前に清水会員が取組んだ仕事に対し全面的な集団体制をとりえなかったという会の歴史に対する自己批判も同時に含んでいる。

具体的には、国鉄・宮沢両会員の職場の問題を中心に据えて全会員の参加する「極地法」でいこうという案ができている。五月三〇日の総会において、私たち会員の一人々々が各自のパートを自己の能力と創意に基いて提案しよう。なお作品研究会も継続していくことは勿論である。

1

報告要旨 第二回作品研究会 東証の歴史

「キミヨの手記」を中心に

日時 二三日、於 会事務所 報告者 高橋秀夫

出席者 竹村・岩渕・島田、田畑

〈報告要旨〉 予定を急に変更したので、準備が不充分で申訳ないという前置きがあって、次のような報告があった。

一、東証争議の前後……別紙レジメ参照

二、東証ストの概況

キミヨの手記は東証ストの全体をカバーしていない点に注意したい。この争議は、全銀連のストと共に官民ストとしてジャーナリズムに取り上げられた。またこれは、大阪証券のストより波及し、神戸、名古屋、東京の各取引所に労組が結成された。

七月末、組合結成、組合員六三〇余名、八月末、ユニオンショップ、十一月の争議の前に三割の賃上げ等の要求提出

十月一九日、団交まとまらずスト権確立

十月二四日 都労委あっせんとりあわず

十月二六日 二四時間スト・ロックアウト

警官出動要請、立合い強行、ピケ隊と衝突へ七名の検挙者出る。

十一月一〇日 妥結調印

三、作品の問題点

1．書いた人は二八年職場に入った人。争議を契機に入会

2、斗争の主題の分析というよりも、争議に参加した個人としての感想という立場でかいている。争議一般論にはない職場の問題等が提出されている。が反面、全般的分析に欠ける。

3、職場の人々の動きがよく描かれている。斗争の運動史と集団の中の個人という問題をどうとらえるべきか。

4、争議の時期的主題がはっきりしない。

る、不平不満を討議の会議に具体的問題を提
起した。『新労』四八号『労働組合新聞』くてき
ここに五日間「学習は日々がボンヤリすぎる」
となったし
6、賃金格差の問題は賃金体系、特に女子の
不満・不合理な問題等もっと具体的に
て、商業新聞（朝日）における・大阪経済新
トと東証スト…の記事内容の相違点

〈討論〉

竹村会員の手法に対する見解と、作品に対する指導のありかたについて。労働者のかいた感性的な作品に対し、ピケの合法性の問題や、封建的人事管理等がよく描けているかどうか。人権無視とはいわれる新しい流れの実体はどうあるべきかといった問題を提示したかどうか。

高橋：経営者側の人事管理のみをささえるだけでなくキャップもであり、他の東京新労組との斗争などを完全に無視している。サークル指導者不充分であった。

竹村：職場共通する問題ー人事管理ーなどを多くのサークルで話合うことができなかった。また、斗争の歴史を労組にまかせてしまった点は指導の弱さであろう。

豊田：何に生きようとした作品であるか不明である。こうした作品そのものの必要なことー一つの分野としてーは認められるが。会がどうした目的でかくしたか、生活記録的傾向に流れていった欠陥がある。会の指導がなかったのではないか。

高橋：こうした作品もあってよいではないだろうか。一つの形では全ての問題を把握できない。

竹村：こうした作品も一つのパターンとしては有効。その中から何を生みだしていくかという指導がなかった。

高田は一つのパターンとしても読める。[illegible]会の書評は、すばらしい一読後りの[illegible]だけだった。読んだ人に文学的感動を与える。運動との結合が具体的ではないが作品としての力は充分ある。斗争のないため今後の展望が会全体に欠けている。中は労働者は斗争のあった時その斗争を記録し、一つの革命的伝統を守る記録が必ず生まれる。職場の歴史はどういうときにつくられるか、労働者がどういうときにつくった歌という法則的なもの、争議の記録、統一行動の記録…がある。ここでは、労働者の要求を理論的にまとめられなかった。「思想の科学的」にまとめたもの…歴史、経済的条件、政場の関係等を分析的にとらえること、高田性利な作品としてきれいにまとめ、ムード的欠陥をみごとについている。田畑さんの年譜の頃、原証にアメリカから電子計算機が入ってきている。これは労務部門の合理化の最初だと思う。また経営者内部にも近代化がおこり古い考え方から脱皮もしていく。生産性向上運動・オートメ化等の分析が欠けていた。

高橋は朝鮮戦争による株式ブームで、午前中で立合いを切り上げ徹夜で清算事務をするという事務能力のあいろをどう解決するかということでオートメ化がおこなわれた。前村個人権斗争の中で合理化斗争の糸が貫いていたが、その合理化を具体的につかめなかったことは、研究課題として残されるべきだ、日鋼室蘭の斗争が前後に押しやられ、人権斗争、賃上斗争だとばかりで考えられては正しくない。

高橋は運動全体を理論的に分析すべきである

4

書評

現代反体制運動史Ⅲ

岩瀬 忠夫

いったい、反体制運動とは何を目ざす運動なのであろうか。私はまだ前の二巻を読んでいないので、このような言い方は乱暴かもしれないが、少くともこの巻ではこの運動が何を目ざしどのような人が参加しどのように行なわれるべきなのか、わかりきったことなのではっきりしなかった。この本の立場が、私たちが革新陣営とよんでいる側に立つものだということは大体わかる。しかし、その革新陣営の対立している体制とは何んなのかということははっきりしていない。このことは後に私が言いたいと思うことと大きな関係があるので特に最初においておこうと思う。

さて本書は、個々の[illegible]をおいて革新陣営の動きなどはよくとらえられ、簡単でまあまとまっていると思う。年代記的にとらえたこのような本もあっていいし参考には成ると思う。

はじめに、戦後の運動を一、帝国主義の解体と民主々義的変革の時期、二、朝鮮戦争、対日講和と続く、民族独立、占領撤廃後の国家のあり方について問題にされた時期 三、日本の資本主義の帝国主義的復活の時期の三段階に分け、それぞれの段階の主要課題について論評し具体的な事実について分析している。

各段階を通じて運動がどのように発展し様相がどのように変化したかという関連性にとぼしいように思うが、最初から年代記的なものとして見ればそれ相応のまとまりは持っていると思う。

しかしかんじんなことは、年代記では決し

て運動を発展させる役割も果せないし将来の見通しも出て来ないということである。ここで私は最初に言ったことにもどって考えて見たいのだが、運動の性格と体制側の性格の規定がはっきりせず、またその発展の関連性がはっきりしていないことは、次のような欠陥を生み出しているように思う。

それは、運動の中にある弱さや誤りの原因を党ないし革新政党の政治指導の欠陥、或いは誤りに求めがちでそのようにいうことで片づけてしまうことである。

確かにそういう面もあったし、そのような欠陥もあったであろう。しかしその指導の欠陥の背景にはそれを組織化する条件があったであろうし、またその欠陥や誤りと結びつく弱点が運動自体にもあったであろう。これを結びつけないで、革新政党の責任にすべてを帰してしまう前にまず指摘することが、このような運動論には必要なのではなかろうか。運動の性格がはっきりせず、その方向もはっきりせず、従って革新政党との関係も一方行運動にしかとらえられていない。体制側についても同様のことが言えようし、両者の矛盾対立関係の発展を正確にとらえられていない。それはこの本を平面的なものにしかなし得なかったのではないだろうか。

（一九六一・五・七）

総会のお知らせ

五月二〇日（火）午后五・三〇

於 会寺會館

テーマ

戦後史研究について

提案 岡島 博・宮沢 直人

○戦後史研究報告 中村 民部

参加

知られざる"反主流派"の流れに立つ『現代の学生運動』

安保斗争に示された学生の平和と民主々義へのつよい要求の爆発は、国民全体に学生運動に対する関心を増大させた。

一般には、共産党との抗争などとシャープな動きのゆえに、いわゆる反主流派の学生運動がよく知られているのに、反主流派の運動はよく知られていないようである。事実その系列に立つ書物は刊行されていなかったのである。

そのような意味のなかで、本書が出たことは学生運動全体の展望をとらえる上で役に立つだろう。しかも書いた学生諸君が学生運動生えぬきの人たちであることも本書の内容を活きあるものとしているのである。

また全く奇妙なことであるが、樺美智子葬をめぐる情勢の評価において自由に主流派の主張を認め、共産党本部の指導の誤りをついているのである。この特点の評価十分に学生運動の回顧にとどまらず、国民運動全体に密接する問題の一つの資料としてあとに尾をひくであろうが、たしかにこのあたりは各方面からの論議をよびそうである。

また国際的政治斗争として朝鮮、トルコ、アフリカの民族斗争が視野に入れられているが、あの時期、世界の大きな矛盾点であったキューバ革命の問題がぬけているのはどうしたことだろう。毎日新聞でさえ世界の矛盾点が西ドイツー東京からキューバに移っていると報道していたのである。

最後に、日高六郎氏も朝日ジャーナルでいっていたと記憶するが、運動の指導の在り方ここに目りにしたためか、一般学生の状態があまりに遠景にしりぞいているようだ。学生理論の前進にもかかわらず、今日の学生の大多数は泰平ムードの中でタイミングよく出世コースと革命コースをつかい分けているのである。

（新日本出版社刊　定価三二〇円　六一年三月刊）

活動予定

五月二六日　運営委員会　事務所

五月三〇日　総会　学士館

六月八日　近代国家研究会　主婦会館

六月一六日　婦人コンダン会　未定

「歴史評論」さくらが生まるまでを ます。

歴史評論六六号

報告者　副島　博

戦後史研究の発展のために

竹村　民郎

二月二一日、現代史講座第三巻の原稿をようやく脱稿しました。会員の検討と批判が得られれば戦後史研究会の仕事の一環として

（岩波）

全力をあげてとりくんでみました。

私としては、新しい職場の仕事になれないことと、短期間にまとめたこと、理論的に未整理の問題が山積しているという事情のため大変苦労しました。既刊されている同様の書の水準をいくらかこえることができたと自負しています。来たる五月三〇日の総会においてみなさんに報告し批判をえたいと思ってい

◎毎度のお願いですが、会費の納入をお願いします。

◎テープレコーダー基金未納の方もどうぞ醵

8

職・歴・運・動・委 ニュース NO43 1961.6.5

七月中に 機関誌第二〇号を発行しよう

「現在、会の運動発展のためには、当面何をなすべきか」という問題については、運営委員は勿論のこと、全会員が常に考えていなければならない。その組織全体に血がかよっており、生き生きと発展していくためにはこのような観点に立った行動が必要である。

今、私たちは、四回にわたる作品研究会と、五月三〇日の総会における新しい方向の決定という成果の上に立って、集団研究にとりかかろうとしている。会の理論水準は著しくたかまり、団結は強まった。「国鉄品川の歴史」をつくるという集団研究をはじめるに当たり、それを軌道にのせるために、私たちは安保斗争の記録以降の成果の発表を急がねばならない。

六月から七月へかけての行動目標を、機関誌第二〇号の発行において全力をあげて進もう。

〃 総ての力を機関誌第二〇号へ 〃

総会の報告 六一、五、三〇 於会事務所
集団研究ー国鉄品川の歴史をつくる活動について
（報告 竹村）

一、労働者、国民の当面する課題をあきらかにする

現在「政治的暴力行為防止法案」が国会にかけられている。これのもたらす意味は極めて重大であるにもかかわらず、国民戦線側の抵抗は、充分ではない。こうした政治的な抑圧手段の強化の軽視は一つには労働者階級の当面する課題、国家独占資本主義の本質あるいは強力な政治支配の本質をあきらかにする努力が怠られている点に求められるのではないであろうか。労働運動にとって、こうした問題点は、他の諸階層と強く結びつく契機を見失わせ、国民の抵抗を弱める作用を持っている。

日本の基幹産業の一つである国鉄の歴史を研究することは独占資本の階級支配の本質をあきらかにすることに成功するであろう。こうした課題に答える力強い手がかりを得るであろう。

二、合理化の本質をつかむ

従って、三〇年以降合理化が本格的にはじまった時期からの労働組合、職場の歴史を総括する必要がある。二一ストや定員法の問題を軽視するわけではないが、それらは合理化との関係でとらえてゆく。

三、集団研究の具体化

レーニンは綱領に対するテーゼ（人民の友とは何ぞや）で、一つの党派のみに重点をおかずすべての党派についての総括をするといっているが、そのような考え方で会が具体的問題をもって品川の労働者にそれをきいてゆく。

a 会の歴史から

つくる仕事を一つ揃えながら。会の歴史をどう学ぶかを（作品研究等で）問題としていかないと、研究のための研究になつてしまう。また、会は今までに何回も国鉄の歴史をかこうとしてできなかつたのは、理論の弱さであつた。現在、その点は克服されてきていると考える。

b 岡島、宮沢会員の立場から

国鉄品川の歴史をかかねばならないことの必要性は、新しい組合員が合理化のおそろしさを知らないということ。これからの統一行動を進める上で今までの経験を総括しておくということにある。

c「鉄鉱に生きる」から

これの国鉄版をつくるということを目標としているが、これには労働者の歴史的批判が体系化されていないこと、労働者と知識人との本当の結合がないことが欠陥となつている。この点を克服し、徹底した討論により調査大綱をつくりそれを実践して行く。

d 論のまとめ

○労働者とインテリとの結合の正しいあり方について

労働者が職場の問題を調べ、インテリがその背景状況を調べるというやり方は正しくない。インテリは、労働者が専門的な仕事ができるように訓練していくと共に、労働者は具体的な問題意識をもつて理論的なプラン等にも積極的に参加していく。

○資料について

現在まで残つている資料は零に等しく、これと取組むのには困難がある。だが、組合の上部機関の資料を使い、それを分析して職場の問題調査に使つていく。大切なことはしつかりした調査大綱をつくり、品川に中心をおいて、田町や有楽町の労働者や青年部の人たちにも調査を依頼し、意見をきく。

これらの資料は、すぐにでもスクラップに貼つて整理していく。

○伝統の継承について

新しい組合員に斗いの伝統をつたえておくということは国鉄全体からみても大きな問題である。そればかりではなく、国民全体にすぐれた伝統を残していくことは更に重要である。

集団研究を進めていく上でのいくつかの原則について

一、期間：一年間とし、できたものを刻々会員の共有財産としていく

二、内容：調査要綱及び任務分担を会員が積極的に参加できるように運営委員会において立案決定する。

三、人員：現在の会員をできるかぎり説得し研究に参加してもらう。その上で、どうしても足りなければ、新しい会員を募集する。なお現在の会員で、この集団研究に参加できない人も、その他のことで会への協力態勢をつくろう。

四、財政：会費は規則正しく納入する。三ケ月滞納した会員については集金にいく。六カ月以上滞納したときは、原則として会員の資格を停止する。

五、機関誌：編集は運営委員会が責任をもつ。発行は三ケ月に一回を目標とする。

タイプ・印刷、製本：タイプについては（阿部さんに）手数料を支払う。現在、会費の滞納額が約三万円あるので、それを回収して当てる。また印刷、製本については会員の労力を使わないで、金で解決し、創造にエネルギーをつかう。従って、原稿料、事業等によって利益をあげることも考える。

ロ文章をかく原則：すべての会員が、機会をつかんで文章をかいていくその訓練をするために、討論や、きき書き、整理等をやる。

ハ婦人問題：運動をやっていく上での弱点なので、女性会員が積極的に出席できるように交流をおこなっていく。

ニ参考書：〃炭鉱に生きる〃（岩波新書）会員必読書

〃追われゆく坑夫たち（岩波新書）

〃イギリスにおける労働者階級の状態〃エンゲルス（大月書店）

書評　〃炭鉱に生きる〃―欠けている合理化の問題―

島田　泉

歴史を叙述することはたやすいことではない。あまりにも多く、又からみあっている事実の山のなかから、歴史的なもの、典型を選びだすのであるから。しかも、そうした事実からはなれては、歴史はありえない。事実の山の総体から、歴史の流れは発している。しかし、その中に埋れる時、事実に埋れる時、それは歴史とは無縁となり、科学ではなくなってしまう。事実の総体を眺め、典型をえぐり出す視角を見失う時、科学は消え去る。誤解をいとわず、敢えて云おう―歴史はその視点の変化に従って無限に変容する。―歴史は現実の社会の発展にともなって発展する。―

では私たちの書き出す歴史はどのようなものであろうか。端緒の歴史とは何か。それは、労働者がどのように搾取され、その搾取に対してどのようにたたかっているか、その二点に要約される。つまり階級斗争の現実、二階級の接点を赤裸々に書き出すこと以外にはない。

〃炭鉱に生きる〃（岩波新書）は、こうした問題に、好個な材料を提供する。これは労働者の手になる初めての労働者の生活史ではないだろうか。

表題にいつわりなく、労働者の生活の具体を明らかにする努力はかなり成功しており、豊富な写真、図、資料統計その他もかなり有効に整理され、冷静な眼で労働者の生活を見、生硬な表現の少いのも好印象を与えている。ところが、一読してみると、印象が散漫である感をまぬがれないのは、何故だろうか。戦后史の部分が比較的少いこと、それぞれの段階における労働者の課題が、充分あきらかにされていない点、あるいは、三菱美唄炭鉱労働者の当面する要求が、結論まで触れあわれていないことなど不満が残る。結論を先に云えば、何故こうした生活史がつづられたのかという闘争戦略前の課題が軽視され、労働者の要求を意識的に引き出す方向を見失っていることによるのではないだろうか。

労働者の生活の重要な部分を占める、労働運動の問題は、従来の「組合史」に見られる斗争万能主義を抑えるあまり、敗戦に眼をふさいでいる感がある。つまり、戦前の組合を欠除した段階においては、不満あるいは要求の爆発が、「ひけつかり」という消極的な抵抗としてしか現われないのは当然のことであり、要求が大衆的なもの、組織的なものに結集しえなかった欠陥を単に、会社側の労務政策や、社会一般の労働運動の問題に解消することは正しくない。指導部の欠除は、致命的な弱点となるが、そうした問題を労働者の意識の問題を通じえぐりだすことが必要である。合理化の問題についても、それが労働強化をもたらすという公式を一歩も出ず、わずかに、戦后のカッペ採用、経営の近代化の問題で、労働条件改善と労働者の意識変革に触れられているにすぎない。

とくに重要なのは、戦後の組合活動に関する変遷が、敗戦直后の一時期を除いて、きわめて一般的、抽象的であり、労働者の要求なり、意識なりが、組合にどう結集されていくかという点が欠除していることである。それは、最后の章である「解放への展望と斗い」が、経営合理化の経営者側の動きなり攻勢なりと、下請けの労働者の封建的労働環境の問題に終っていることは、それを強く感じさせる。しかし、いずれにしても、こうした試みが社会的な評価を受けるにいたっていることを考える時、当会の果すべき役割の大きさを結論とするのは、身びいきであろうか。

有意義だった懇談会

婦人会員の団結のために今後もつづけましょう

阿部有紀子

六月十六日午后六時三〇分より、新橋松の吊ずしで、初の婦人懇談会が開かれました。出席者は竹村、岡島の両氏と、飯塚、伊東、小口さん、それに小口さんの友人の黒川さんと私の七名で自分の職場のことを中心にダベりあいました。私としては、ほとんど初対面のようなものでしたが、お互が戦歴の会員であり、その友人だという気持からか、くつろいで話すことが出来たわけです。

デパートで働く飯塚、伊東さん、運送店で働く小口、黒川さん（黒川さんは経営者の娘さん）、銀行の私。デパート、銀行という大企業での資本家のやり口、それ統計を出せ、それ何々の報告をいつ日迄にしろと目をきりり、何のかんのと理窟をさせ、労働者を追い使うやり方等よく似ていると感じました。

むしろ、小企業で小人数で働く小口さんの方が世間にはいいように見える大企業の中で働く私たちよりもややもすると、心迄ゆがめられ、神経のすりきれるようなことのないこと（勿論中小企業が、らくだということでなく今の資本主義社会全体の中での大企業特有の労務による）だけでも明るく幸せと云えるのではないかと思いました。そして、これは私の常々考えていることですが、小口さん達のいっていたハサミと、クシさえもてば無銭旅行が出来るという腕のある気強さということで考えさせられました。

最後に会として、ひと月に一度ぐらいこういう会をもち、黒川さんにも出席してもらいたいということで終りました。

職場の歴史Sサークル「六稜物語」について

岩 淵 忠 夫

一、まえがき

「六稜物語」は一九五七年四月末にS百貨店サークル員によって書かれ、サークル誌「よせなべ」五二号（五月二十五日）にのせられました。その後多くの職場会員、同じ職場の労働者、また職場の歴史をつくる会運営委員会からもこの作品に対する批判がよせられたが、私たちの作品を書く仕事に参加した者はこれらを正しく受けとめ、自らの反省に立ってこの作品とサークルを発展させることが出来なかった。四年後の現在になって、やっとこのような反省を私が書くということは、おそすぎるという感じがするが、しかし私達の組織は会の貴重な財産であるし、今会が取り組んでいる会の歴史を書く運動の一つとしてやはり一日も早くまとめなければならないものと思う。

これから書くのは昨年五月二十一日の研究会で私が報告したものをまとめたものでまだ問題提起の域を出ず。当日も多くの疑問や批判が出されたものであるが、不充分を承知でそのまま出すことにする。会員の皆さんの批判をもとにして、当時Sサークルに集った人達と一緒に集団的に書き改めて行くことにする。

二、作品のアウトライン

ガリ版刷で二頁半の短いものなのできわめて断片的にしか書かれていないが、内容を要約すると次の様になる。

①まえがき―作品を書く動機として一職場のプロフィル、二他の会社の人から自分の職場のことを聞かれた場合の説明のつもり。三しかも皆のものに一貫して見られたことは、会社に対する不満や組合に対する批判であったということ。

②一万坪の店舗で一画期的大デパートだが店員のための施設は汚くすみっこに押しやられていること。

③天隣すサラリー―給与の話題。一概に言われているよりは、はるかに低額である。

④おりま大将の自殺―労働条件。立ち通しでむくんで来る足、手当のつかぬ残業、中元年末の時間延長、売上競争、管理者の売場動員、商店労働者としての特殊職場の実態が描かれている。

⑤そ部長依頼甚さん―ホワイトカラーであることを誇りにしている弱い組合。待遇も改善させ得ぬ組合員。賃上の交渉も弱腰で。組織が弱いからという理由で納得出来ない線で妥結。組合員には組合に不信の意を持っているものが多い。

⑥縁故と職業安定所―女子も男子も厳重な身元調査の上家庭の良い人を採用するので、組織的だったり無気力だったりする。但し最近は共かせぎがふえ前借りのことが個人部で問題になっている。

⑦古ら行くおりま大将―このようなSにも小さなサークルが非合法的にではあるが生まれた。

⑧あとがき―新歴サークルのその後の方針。作品から引き出した問題中、「時間延長時間」としても取上げがきまったから、賃銀問題を取りあげる。方法として出来るだけ多くの事実をひろいあげて行くことが大切、

印刷　島田

タイプ　阿部

割付け　田畑

職場の歴史をつくる会
運営委員会ニュース

NO．44

1961．8

「国鉄の集団研究」は成功する

ー発見された新しい資料の持つ意義について ー

会の欠かんの一つに活動のスピードのおくれをこくふくする道がようやくわかつた。一口で言うならばそれは職場の歴史の「資料」の発掘」の実践を組織することである。

これまで会の歴史を整理する討論に参加し会の意義を確認したつもりでも、もう一歩確認を持つことが出来ない会員が多かつたのが会の正直な姿であつた。会に来れば元気になるが、職場や家で一人になると何をすればよいかわからず、動ようしてしまうという声をしばしば聞いたが、それも前述のような会の在り方に原因があつたといえよう。

会は、六十一年度の運動方針を、国鉄の歴史研究にしぼり半年間準備を続けてきたがその過程で、国鉄の会員諸兄の手によつて、二・一ストや松川事件の時期、さらには職場斗争に移る時期の貴重な資料が発掘されるに至つた。これらの資料は発掘されたロゼッタストーンが古代エジプトの歴史を解く鍵となつたと同時に、従来からスローガンとしていわれていたが実績として結実できなかつた「国鉄品川の歴史」を書く上で、決定的な役割を果すものである。

この資料の獲得によつて、会員の自発性は一歩すゝみ、会活動に新しい局面をひらくことができた。

委員会はこの経験を土台として、九月以降国鉄の歴史を集団的に研究する方針をさらにすゝめるとともに、会活動における「資料」の問題を充分検討したいと考えている。

会活動における「技術」の問題の提起は、会のスピードアップを保証する環の役割を果すだろう。

（竹村民郎）

（三行手前に入る）[illegible]会員諸兄姉が今日まで、会の団結を守つて会活動を進めてきた実践を、飛躍的に発展させるために資料の問題だけに限らず、調査方法の近代化の方針をも検討し近く発表したいと考えている。

書評　ーその一ー

「炭鉱に生きる」

高橋　秀秀

会が所蔵しているスクラップブックには会の主要な動向を伝えるところの会当初以来の主な諸記録が収められてきているが、その中に今度出たこの書を作つた人達と会が交流があつたことを示す文書を見出すことが出来るのも、私達にとつてはこの書が一種の親しみを感じさせるように思えるのである。

×　×　×　×

この書は　主に明治以降の炭鉱労働者の状態に焦点をあわせて筆を進めているが。これを一読しただけでも、炭鉱に働く人達の「力」――団結が、第二次大戦後飛躍的に高まつたことがはつきりと示していることに注目したい。

この背後にはさらに炭鉱以外の全労働者階級の「力」の増大ということがあるのは勿論であるが、炭鉱の場合明治以前の封建時代にあつては武士によつて半奴隷的な状態を強いられてただ黙々として働くことを余儀なくされていたことを考えあわせたとき、そこには何物によつても抑えつけられることの出来ない働く民衆のエネルギーをまざまざと見せつけられる思いがする。

具体的に炭鉱に働く人の明治以降の状態を考察することに[illegible]新書版の小冊子といつた限られた紙数ではあるがその論点を明確にしている点で本書の持つ説得力は大きくそこに本書の生命がある。

×　×　×　×

日本の労働運動の歴史は明治以降国家権力の非道な抑圧のなかにあつて激しくたたかい幾多の尊い犠牲をはらいながら前進をとげて今日に至つていることは良く知られているところである。

しかしその間にあつて、その内部に持つ弱さといつたことについても我々は真剣に学ぶ必要があろう。

そこには広い大衆の要求に真に立脚した運動といつた路線を踏みはずしたセクト的な形での不幸な分裂といつたことを容易に見出すことが出来るのであり、戦後の労働運動においてもそのマイナス面は完全にぬぐいさられていない。

日本における働く民衆やその職場の歴史が単なる抽象的な形においてでなく、科学的な方法に立つてもつともつと作られていかねばならないことは我々の会が成立以来たえず一貫して呼びかけ努力してきたところである。そうした意味でも本書の刊行はうれしいことである。

×　×　×　×

しかし職歴ニュースの前号で島田氏も述べているように、その内容については不満な点もあるが、その多くは次のようなことにも原因しているのではないかと思える。

それはまだまだかかる書物が書かれた経験がきわめて乏しく、そのために有効な「方法」が理論的に整理出来るほどにまだなつていないこと。このことはこれ迄の日本の労働運動のありかたとも関連のあることであると思うが・・。。。。

この書の冒頭の部分で本書成立までの「いきさつ」とでも云うべきことがごくかんたんに述べたようなことを考察に入れるならば、当然巻末かに独立した一項目を入れて、具体的に成立までの諸経験を整理した形ででもその問題点を出して欲しかつたように思うのである。

書評　―その二―

「炭鉱に生きる」　三菱美唄炭鉱労働組合
「追われゆく坑夫たち」　上野英信
を読んで感じたこと

田畑健

前者は、労働者自からが6年の年月を要してかいた集団創作の「炭鉱労働者の生活史」である。内容は北海道における炭鉱の成立から現代の合理化までの問題をかいている。それは、従業員六千人を持つ大炭鉱の労働者の生活の歴史であり、その資本家との斗いの歴史となつている。一方後者は、一炭鉱労働者が、九州の飢　地帯といわれる中小炭鉱に働く人達の合理化によつて生き地獄へと落ちてゆく様子をルポルタージュとしてかいたものである。それは、その悲惨な状態をこれでもか、これでもかというように読む者に突きつけてくる。何枚もの写真がそれを一層リアルなものにしている。この二つの書は同じ炭鉱の記録でありながら一見全く異つた印象を読む者に与える。だがそこに描かれているものはこの日本の炭鉱に働く人達の姿であり、目下それと火花を散らして斗つている炭鉱合理化の実態なのである。以下私の感じたことを二、三述べてみよう。

現在問題となつている中小炭鉱の「黒い谷間の悲劇」といわれている状態は、大炭鉱においても労働組合の組織がなかつた敗戦前の状態と大差がないということがわかる。勿論、大炭鉱においては生産用具等はその必要性から次第に発達していつたが、労働者を人間と思わない資本家のやり方について何ら変わりはない。だから、労働者が斗わない限り、労働者は馬のように働かされ搾取されるということがこの二つの本よりはつきりとわかる。「絶対的窮乏化」に関する論議が一時盛んであつたがその内容についても以上のように理解できるのではないだろうか。

労働者が奴隷のように働かされ地獄のような生活を強いられていながら何故斗いになかなか立上がれないのだろうか。戦前においては、一般実的監視と徹底な威嚇による労務管理」をその理由としている。それは戦後の中小炭鉱においても「圧制山」という形でひきつがれている。だが戦前において各大炭鉱では組織をもつて斗う条件はあつたし、戦後中小炭鉱では斗争閉山という極めて困難な条件があるにしても戦前とは比較にならない程労働運動は質量共に前進しているのだから、やはり斗えなかつた、なかなか斗えないということの原因を労働者階級の内部の問題として一層追求していく必要があるのではないか。特に、現在の合理化が、大炭鉱を追われた人たちが中小炭鉱に奴隷のような条件で働き、今らにそこでも失業した人たちが、親子五人で五五〇〇円という「生活保護」によって生きているのだから。この合理化の実態を全体としてあきらかにしていくと共に、斗えないということの原因を、このような関係であきらかにしていくことが、この二つの書には欠けているような気がする。即ち中小炭鉱の比較的少ない北海道においてはそのような関係が切実な問題とならないのかもしれないが、「やま労働者間に多くの断層を作り、上へ登りたいという人間の欲望を利用して、従順な労働者に仕立てること、さらに労炭者間の反目によって統一斗争を分断するという」（炭鉱に生きる一九五頁）資本主義機構の支配態勢の実態を労働者の意識の面からも迫っていくこと。

一方、適当な職を与えてやりさえすればそれで片づくという段階ではないといわれる中小炭鉱失業者の状態の中からどうやって反失業斗争を組織するのか。そのような典型が「追われゆく坑夫たち」にはみられない。また「炭鉱の悪口をいおうとは思いませんが。「小ヤマの組合はできてもすぐまたつぶれてしまうから加入させない」というのは間ちがってはいないでしょうか。」（追われゆく坑夫たち二二八頁）という声に代表されている中小炭鉱労働者の問題を、労働運動の指導の問題としてもあきらかにすること。

以上、感じたことを述べてみたが、この二つの書は、方法のちがいはあれ労働者の状態を刻明に描いている点は大いに学ばねばならない。が、資本家の搾取といかに斗っているかという問題が双方ともかなり抜けているのではないだろうか。職場の歴史をかくということはこの両者の関係がダイナミックにとらえられてこそ成功するものだと思う。

職場の歴史　運営委員会ニュース　No 45　'61年9月
―総会特集号―

職場で研究発表会をひらくことに決定（9月総会）

9.22の総会で、秋の運動のポイントを七周年記念事業＝国鉄品川における（労働者の前での）研究発表会におくことに決定し　ただちに委員会を先頭にその実践にとりくむこととなった。。予定は11月第1週である。

作品研究の内容は（No.44・ニュース）でおしらせした国鉄の資料の批判とそれに基づく研究である

委員会では、記念事業を推進するのに、多くの会員の協力を要請するために近日中に研究会・合宿などの予定表（日時・場所）を発表する。（9.24臨時委員会で発表する。）

☆四国より　長谷川加代会員　上京する。

去る8月26日、突然長谷川さんが上京した。都内会員で連絡がつく人々に知らせ27日に歓迎会がひらかれた。

“今、どこの職場に行っていますか”という長谷川さんの言葉は、集った人たちに強いショックをあたえた。

会初期の姿勢を失わずに辺境で頑張る長谷川さんに心から敬意を表明する。

☆台風のため、松崎幸八郎会員の実家が（新潟）被害をうけた

☆会員　岩崎英昭氏（福島）会員　梅村由紀子さん祝出産

会では、寄せ書きをして同志の喜びをプレゼントする。

☆9.22の総会でつぎの会員の退会をみとめた。これまでの協力に感謝する。――和田淑子（Sデパート）志村誠一（教員）岩淵健（稲沢）当麻伊加代（明治生命）河原恵美子（工場）

―ボーナスカンパ　8月末現在　1万800円　目標の85％

準備のため未だ払込んでいない会員は至急お願いします!!
ボーナスカンパでひきだし付整理箱を買入れた。

職場の歴史運営委員会ニュース
ー創立七年目をむかえて会の
現状をさぐるー

NO.46

1961年10月

目　次

「会の六衆化をいそげ」

会は運動体であつて研究団体ではないはずである。もちろん運動の結果として研究が要請されることはいうまでもないが……

会はこの秋で七年目をむかえることになる。野球でもラッキーセブンというが、会の歴史にとつても六一年秋は昨秋、常任問題が発展して以来、運営委員会を中軸とする着実な研究の積上げ既に公表した資料の発見につづく巨大な資料の発掘をへて新たに飛躍を準備するときに来ているのである。この会発展の岐路に立つて、わたくしたちはホームランを打つ必要がある。ホームランとはなにか、それこそ、何よりもまず会の大衆化であり、六二年の会の見通しは明るく健全であることを事実で示すことである。

話を一歩前進させよう。会の大衆化のために運営委員会はこれまで研究をつゞけてきた「国鉄品川の歴史」の発表会をひらくことにした。そしてその発表会につゞいて、七年を祝う祝賀会をひらくこともきまつた。これは会員を中心にした行事であるが、その準備をすすめる一方、運営委員は、品川客車区にも足をはこんで、国鉄の兄弟たちと気軽に話せるようになりたいと思つている。なぜならば国鉄労働者の明るく若々しいエネルギーにふれること＝会の大衆化（会員の団結の前進）であるからだ。古語にいう「事の成就するは天の時にあり、事を為すは、人にあり」と、これまで書いたことは決して筆者一人の決意ではない、見よ、委員の一人岡島君は「自分で資料をみつめ、国鉄労働者の歴史を判断したい。これまで自分はあまりに他力本願であつた」と研究会の席上のべている。

伊藤会員も委員会の真険な討論の最中たまたまその場に来て「感激しました。会は信頼できる」と語つている。

思えば五四年に会がたん生したとき、前途はくらくいばらの道であり、同行の志は何人いたゞろうか、しかし見よ、七年目の今日会はよく組織され日本の人民によつて一貫して激励されその波動の上に乗つて前進している。会の見通しが決して誤りではなかつたことは今日、続々自然発生的に労働者の記録が雨後の筍のように芽ばえていることでもわかるだろう。そして又それらの動きは指導をまつているのである。時は次第に熟さんとしている。人はどうか、新気運をすすめようとする。人材は少くとも七年の困難と排斥の中で育つてきた。委員会の中にそしてそれに支援を決しておしまなかつた会員の中に育つている。

会員諸君、不断のファイト、不断の前進をつゞける会を信頼し、七周年の記念日に結集しようではないか。

詳細は続いて発行する「記念集会特集号」参照して下さい。

時評

大十月社会主義革命によせて

ーその一ー

十一月七日は十月社会主義革命の記念の日です。人類のための夜明けというべきこの日を私たちもお祝いしましよう。

行楽のシ！ズン、柿の色の美しさと同時に真紅の旗の色の意味をお忘れになりませんように！

完全軍縮への道水爆実験問題にふれて

ーその二ー

ソ同盟による水爆実験が一刻も早く停止することを要求します。「共産主義は世界の青春」と云われますように今日誠実に世界を見つめる人々の中ではソ同盟が人類の歴史の推進に果している巨大な役割を疑うものはいないでしよう。それゆえに、人類の運命を方向づける力をもつソ同盟の人民が、慎重に平和への路線を推進してほしいと思います。

プラウダには世界の与論、水爆実験反対の声がのせられていると聞いています。

私共日本人民は賢明なソビエトの政府と人民が軍縮への道を、着実に前進してきたことに敬意を表明するからこそ、貴国の水爆実験が止むをえなかつたことであると思います。しかし春雨と共に死の灰が降るような状況はやはり中止すべきであると考えます。

ベルリンで戦争が起れば一秒後に東京に核兵器が襲来してくることを私共は知つています。又、核兵器をもつたアメリカの飛行機がうろうろ極東の上空をとんでいることも知つています。私共は決して抽象的に絶対平和論を叫んでいいのではありません。ソ同盟に原水爆実験の禁止を要求することは同時にアメリカ帝国主義に対する斗争とくに私共の国で平和運動を一層強く進める事の決意の表明であります。両刃のかみそりを扱うのにもにたむづかしい問題を回避するようなムードがないわけでもない現状なのでとくに今月はこの問題をとりあげてみました。

「国鉄品川での研究集会を目指して」

－運営委員会による研究集会レポート－

九月総会で決定された職場での研究集会開催の方針にもとずいて運営委員会を中心に、現在迄四回の研究会及び研究合宿が行われました。それらの研究会を通じて、過日発見された資料の検討が主となつていましたが、更に、岡島、宮沢氏らの努力によつて多量の資料が発見され、借用することができ、研究体制は一段と整備されてきました。その間、参加者の間に研究の進展と共に、研究方針上の若干の食い違いも生じ、各研究会とも激しい討論がみられ、多くの貴重な成果を生み出しました。しかし、残念なことに、準備や会場などの理由から「品川」での研究集会は十一月四日に行うことができず、延期されることになりました。そのために、今後も数回の研究会を行う計画であり、職場での研究集会も続けていくことに決定しました。

研究会の概容

第一回　十月十日（火）事務所

二日の研究会が都合で中止されたゝめ、資料そのものの検討が行われ、その年代及び性格による分類が報告され、更に竹村氏によつて二・一スト前後の「分会日誌」を中心に報告が行われた。

第二回　十月十八日（水）事務所

竹村報告の続き、その討論、岡島補足等が行われた。

第三回　十月二三日（月）事務所

「品川の歴史」研究の方向について竹村氏より提案、①戦後労働者の民主主義国際感覚の定着の状況・松川事件などと関連し、②労働運動の実体・政治・経済。思想斗争のからみあい、③労働者状態史、④現代における労働者の思考方法の検討・思想斗争と関連し、⑤職場の歴史研究法の確立等の五項目に及び討論が行われた。更に宮沢氏より「宮沢メモ」に関する報告及び研究方向に対する異論の提出あつて激しい討論の後、高橋氏より会と品川との関連の研究報告が発表された。

第四回（合宿）十一月三日（金）東鉄高輪荘

新に発見された尨大な資料群の整理を行い研究の見通しを樹てる。この発見によつて今後多くの資料を得る可能性が増したといえる。延期された研究集会の開催時期及び研究方法の問題等について激論がかわされた。

今後の研究会の予定は十一月十三日、　日、　日と計画されている。この間、会運営に生じた問題点として、委員会が殆んど完全に研究会に力を集中し、一般会員の参加が少ないことゝあいまつて、会員との間の交流のチャンスが少なくなり、会が「運動体」としての機能を失いはじめ、「研究団体」化しはじめているという危険を感じ、その危険の除去のため会の大衆化の方向が重視されている。又、この研究成果の会員への発表と、会員の研究会参加の呼びかけを含めて、記念集会を持つべきであるとの見解も委員会内部に生じている。

（文責　島田）

労働者と共に職場の歴史運動を進めよう
―国鉄品客資料研究会に参加して―

私は参加といつてもテープ録音されたものを、おくれて来て聞いたもので直接討論のふんいきにふれたのではないので、研究会の内容を完全につかみ取れたとは言えないと思う。そのかわり第三者的に討論の様子から会の状態を知ることが出来たかも知れない。それで気づいた点を二三上げると、①具体的な資料の発見は、討論を本当の興味にうらずけられた活気あるものにしていること。②その反面このような資料を会としてどのように処理しどのように研究を組織して行くかという点についてはまだまとまらずそうした問題の討論に時間を多く取られているようである。

どちらも重要な点で発展と底滞の両方の面を含んでいるわけであるが、とまどいを早くなくし会本来の仕事を進めるためには、今迄の成果だけでもまとめて、資料の出どころである品川客車区の人たちと共に検討すること、そして職場の歴史をつくる運動を労働者自らのものとして職場に展開することが大切だろうと思う。

（岩　波）

会員だより

労働者クラブ生協「十五年史」の計画について

松崎幸八郎会員の新潟県の実家が台風で屋根が飛ばされました。松崎君がかけつけたとき、両親とも意外に元気だつたそうです。ところで会が彼に依頼した会計整理の仕事は今後協力したいということです。又、来年度彼の職場で作られる予定の「十五年史」にも会の協力を得て、取り組みたいとの希望をのべています。
ある会員は松崎会員はこれまで沈黙していたがモスラが海から来るようにまた現れてくると評しています。「モスラヤ、モスラヤ」のザピーナッツではないが好男子松崎会員の実績と前進を期待しています。

「紹　介」

歴史学研究会編
戦後日本史　全五巻　青木書店発行

職場の歴史をつくる会も、一つの大切な仕事として協力をおしまなかつた歴史学研究会篇戦後日本史全五巻の中の第一巻が発売された。全巻の内容はカタログにゆずるが内容は面白いの一言につきる。アメリカ帝国主義と日本独占との具体的なからみあいが実によくわかるという意味で面白く、時に推理小説をよむようでさえある。
なお竹村民郎氏の書いた第二巻は十一月第三週に発売される予定である。
この仕事の検討は、八月奥むさしの合宿で岡島、大田、田畑三会員によつてすゝめられた。又、とくに島田会員はこの仕事の構成に協力をおしまなかつた。島田会員の助力と激励が会の仕事の新しい領域をきりひらいたことを伝えておく。

Ⓡ

職場の歴史をつくる会　参考文献集（その一）

職場の歴史（斗いの記録）篇

○ 1. 英雄なき一一三日の斗い
三鉱連編　労働法律旬報社刊　二五〇円　一九五四

○ 2. 幹部斗争から大衆斗争え
—北陸鉄道労組の経験を中心として—
労働法律旬報社　二八〇円　一九五四

○△ 3. 敵よりも一日ながく
—統一と団結の九十六日—
杵島炭鉱労組編刊　非売品

○△ 4. 第三回世界労働組合大会議事録
五月書房　二二〇円　一九五四

○△ 5. 日産自動車自己批判書
日産自動車分会編　非売品　一九五四

○ 6. 産別会議小史
産別会議史料整理委員会編
非売品　一九五八

理論篇

○ 1. イギリスにおける労働者階級の状態

マルエン選集 補巻2 大月書店四二〇円 一九五六

2. 現代日本資本主義論争
高内俊一著 三一書房 一九六一

△ 3. 職場斗争
沼田稲次郎他 日評新社 二五〇円 一九五六

通史篇

1. 戦後日本史 全五巻
歴史学研究会篇 青木書店 一九六一
内第二巻は必読のこと

2. 現代反体制運動史 Ⅲ 青木書店 一九六〇

△ 3. 労働経済四季報シリーズ
労働経済研究会編 労働経済社

4. 戦後日本労働運動史(上)(下)
斎藤一郎 三一新書 一九五六

年表篇

1. 現代政治史年表
2. 〃 労農運動史年表
3. 〃 思想史年表
4. 〃 科学技術史年表
三一書房刊各冊 三〇〇円前後 一九六一

問題別テーマ篇

1. 一九六〇年五月十九日
日高六郎編 岩波新書 一三〇円 一九六〇

(注)
〇印は必読文献
△印は手に入れるのが困難な本、古本屋をたんねんに探すこと。

この文献目録は、恩給局の江崎会員をはじめ多くの会員の強い要請にこたえるべく作成してみました。希望をどしどし編集部によせて下さい。

以上の文献は言うまでもないことですが自分で批判して読んで運動の力にして下さい。

1961年下半期会計報告

6月分

収入	くりこし	313
	会費	4,850
	カンパ	4,700
		9,863
支出	事務所費	7,650
	運営費	1,160
	通信費	661
	雑費	115
		9,586
	残高	277

7月分

収入	くりこし	277
	会費	3,900
	カンパ	1,900
		6,077
支出	事務所費	1,700
	借金返済	1,800
	通信費	605
	運営費	1,170
		5,275
	残高	802

8月分

収入	くりこし	802
	会費	4,450
	カンパ	2,400
		7,652
支出	事務所費	3,465
	運営費	360
	通信費	590
	書類箱	1,620
		6,035
	残高	1,617

9月分

収入	くりこし	1,617
	会費	4,050
	カンパ	2,305
		7,972
支出	事務所費	1,000
	テープ代	1,300
	運営費	2,795
	通信費	987
		6,082
	残高	1,890

10月分

収入	くりこし	1,890
	会費	1,950
		3,840
支出	事務所費	1,500
	運営費	940
	通信費	676
		3,116
	本月残高	724
	借金	−33,293
	累計残高	−32,569
	10月現在	

作成 1961.11.7

飯塚節子

１２月祭

１１，１９６１．No.４７　職場の歴史をつくる会　運営委員会ニュース

第一日（十二月三日・日）午后六時～

△シンポジウム

「組合と職場の歴史運動との関係について」

「会発展途上の危機はいかにのりこえられたのか」

△懇　親　会

ぶどう酒乾盃・夕食会（会費二百円）

於　事務所

第二日（十二月第一週の予定）

△「国鉄史研究」報告と討論の夕

於　事務所

目次

「十二月祭」開催にあたつて　　会代表　竹村民郎

本年もまた会の創立を祝う十二月祭を迎えるときが来た。会の七年の歴史が茨の道であつたように、これからの歩みも雪渓の道を行く人のそれにも似て緊張の連続であろう。

事実、我々は今日もまた職場にあつて歴史の重みときびしさとを体験しているのである。

この七周年を契機に職場の歴史探求を飛躍的に発展させるにあたつて、つぎのようなスイージーの言葉のもつ意味をかみしめるのも決して無駄ではないであろう。

「現代はやがて歴史になるであろうことは誰でも知つている……現在がまだ現在であるうちにそしてわれわれがまだその形と結果とを動かし得る力を持つているうちに、それを今日の歴史として把握しようと努めることである。（「歴史としての現代」）

晩秋の一夜、洋々たる人類の歴史の流れに想いをはせながらともに語りあい、十二月祭を有意義なものとして過されるように切望する。

十一月二十二日夜

「十二月祭に期待して」　　伊東喜美子

多数集つた中で、日常会についてそれぞれ思つていることを思いきり話合つて見たい。

会員が必らずしも一致した意見を持つているかどうか疑問だし、もし何か考えているとしたら大いに皆で出し合つて討論したい。

そうすれば、ふだん会に対して不活発なことでコンプレックスを感じている人でも今迄のあいまいな考えをはつきりさせることが出来る様な気がする、と同時にひよつとしたら表には遠慮していて云えなかつた事が、案外重要なことかも知れないし、又そうでないにしてももやもやしたものが皆の前ではつきり整理出来ることは気持が良いと思う。この際無駄なわずらわしさを捨てて一本はつきりした目標を求めたいと思う。

歴史の小机

―会のたん生前後―　資料……青山会員作成の〝資料集〟から

一九五四年職歴関係　　時代の動き

三月　ビキニ事件、尼鋼スト突入
四月　ジュネーブ会議始る
六月　近江絹糸スト突入
〃　尼鋼スト打切り
七月　インドシナ休戦
日鋼室らんストに入る
八月　原水爆禁止全国協議会結成
九月　近江絹糸スト終る
久保山氏死去
ソビエト対日復交の用意と声明

一〇、九　恩給局組合結成準備会
一〇、一九　家永、和島両氏を囲む

座談会
一〇、二六　東証スト、氷川下の歴史をつくる会結成
一〇、二八　日中ソ国交回復国民会議結成
一〇、三〇　李徳全一行来日
一一、一　民科歴史部会全国総会
一一、二　氷川下の歴史をつくる会第一回研究会
一一、一六　氷川下の歴史をつくる会第二回研究会
この頃N労組結成の動き
一一、一八　恩給局組合結成
一一、二四　民主党結党大会
一一、二七　日本の歌ごえ
一二、一　氷川下の歴史をつくる会を「工場の歴史、労働者の歴史・青行隊の歴史をつくる会」のセンターとすると決定
—労働者を基礎に—
一二、七　たゝかいの歴史を語る会
一二、七　吉田内閣総辞職
一二、一〇　鳩山内閣成立
一二、一一　N労組結成
一二、一三(?)　工場の歴史、たゝかいの歴史をつくろうのアピール
一二、一四又は一二、二一　"工場の歴史をつくる会"於国鉄会館

—特集—

「十二月祭を迎える会員の表情」

この特集はどのように準備されたか。

都内在住の会員には、電話や直接お会いして地方会員には速達便で連絡してこの特集記事をつくりました。おたずねしたことはつぎの三点でした。
(1)どうして会に入りましたか　(2)入会して貴方の要求は実現しましたか　(3)六二年の会活動に何を期待しますか
〆切りまでに努力して、これだけ揃えましたが、まだ訪問していない会員の声や〆切りまでに間にあわない会員の声は次号にのせますので御協力下さい。

戦後史の綜合的なカルテをもとめて
—会への手紙—

阿部有紀子

今日（十九日）ニュース及び"戦後日本史"のカタログ受けとりました。すつかりおいてきぼりをくつた気持で、思わず会に手紙を書くことにしました。

"戦後日本史"いつ出るのかと新聞の広告欄等をいつも気にして見ていたのですが、今日カタログを見てあつ出た！とすみずみまで眼を通し、ぜひ買つてじつくりと読みたいと思つています。丁度世界連載のE・H・カー「歴史とは何か」を読んだところで、自分がどんな眼で"戦後日本史"を読めるかいささか期待しているのですが。

私の職場も毎日だまつてもくもくと働いているにすぎず、仕事に追われて暮れているようなものですが、口にも出さず行動にも出さず

ですが、心にはひびいて今さらながら資本主義社会の生存競争の激しさ。それにまきこまれる我々の生活が、眼につき、感じられ、頭の中でキリキリマイをするときもあり、時々自分であゝ自分の眼、心は決してとまつてはいず激しく動いているということがわかるときがあります。映画。地下水道、灰とダイヤモンドを最近になつてみて私達日本人は絶対絶命のにつちもさつちもいかない生活を知らないので、こんなにこしぬけなのではないかと感じたり、働く我々がぼやぼやしていては、日本はくさつてくちるのではないかと思つたり、いや人間の歴史は決して1＋1は2とはいかない、日本人の生活が心がくさつてくちるものなら、一度でも二度でもすつかりくさりきつて又々出なおすことだなと強く感じています。

会にちつともいかず、会での自分のやるべきことも、おこたつているので"何をいつているか"といわれるかもしれませんが、感じたことを書いてみました。

「思想が違つても話しあえるように」　小口知枝子

自分の考え方や行動を見ていると、どうも引つ込み思案で、どんどん自分の思つたとおりにやつていくことができないように思い、何とかして、それをなくそうと考えていました。

職場の人達にさそわれて、白樺湖でのフェスティバルに参加したのも、それが原因でしよう。そこで、私は会の人たちがとてもまじめに考え、行動しようとしているのに感心し入会しました。きつと、そればかりでなく、職場の生活を描くことに興味を感じ、なかなかできないのですが自分でも書いてみようと考え、そうした中で、自分の生きがいを見つけ出そうなどと思つていたこともあるのでしよう。こんな期待も半分位は会の中で果されたでしょうか、でも会の持つている思想というか、会員の言葉に感じられる社会主義的な物の考え方にはどうもなじめず、今もちよつとひつかかります。会員の人たちと話していると、とても皆しつかりした考えを持ち、発言しているので、立派だなと思うばかりで、本当に困つてしまうことが多かつたようです。組合で活動している人たちが多いのだから、社会主義の考え方が強いのかも知れませんが、私には、わからないことが多くて困つてしまいます。今度のソヴイエトの核実験の問題にしても。会の機関紙をいつも見ていますが、恩給局の人の「友への手紙」というのは、とつても良いと思いました。自分の気持をあんなに素直に出せたらと。私は今、自分の記録をまとめたいと思つていますが、なかなか手につきません。少し会に注文を云うと、社会主義的な思想を強く表に出さず、そうした思想が一致していなくても話し合えるような会になつて欲しいと思います。会は「品川の歴史」を作ろうとしているそうですが、職場の人たちの前で発表するのは大変良いことだと思います。

「集団研究誕生」
―押し進めたいその大衆化―　島田泉

学生運動にも参加し、学生歴研に入つていた中で、私は戦后の「国民的歴史学運動」に興味を感じ、その積極面を高く評価すべきだと考えて、その検討を私なりに試みていました。その運動が当時不当に軽視され、それに参加した人々が坊主ざん悔ばかり、くりかえすのを見て、強い不満を感じたのです。そうした時、そうした運動をなお続けている会を知り、魅力を感じたのでしよう。このこと白樺湖について行き、入会してしまつたのです。しかし、会は私が想像していたものと、すごく違つていると最初感じました。それは職場での生活、その歴史を見つめて、その中から歴史の流れを特に現代の歴史を明らかにするのではなく、個人の生活感情や思想形成のみに目をむけているようなので、これでは「生活記録」と同じじゃないかと強い不満を感じました。そこで、私はその不満を言い、会活動から遠ざかりました。勿論、私の個人的事情もあつたのですが。そのため、やがて退会勧告を受ける程になつたのですが、会に残つて私の主張をしつゞける方が有効だと考え、とにかく、会活動にできる限り参加することにしました。そのころには会の方向もやゝ変つて来ていたこともあつて、次才に素直に会を続けられるようになり、又、会の傾向も職場の人々の強い要求を基礎にしていたことを感じて、私の頭の固さを笑えるようにもなり、私の考えていた会のあり方を素直に主張することができるようになつたようです。会の職場に強く根ざした活動にも心を打たれ、より柔軟な発想を身につけ、いろいろな人々と協力して、職場の歴史を作ることが自分にも大きな利益を与えるのだとやつとこさ、理解できるようになつたようです。会に対する私の期待を思いつくまゝに、粗雑かも知れませんがまとめると、会が現在続けている研究活動を推し進めその成果が常に会員の共通の財産となると共に、それが、職場の人々によつて検討されて、より正確になること、同時にそれが大衆的な共有財産となること。つまり、会活動が、大衆的な〃運動〃として、いつも進められること、職場での現実的な課題に接近すること、その要求を忠実にふくみ込むこと、もつといえば、全国的な運動として、大衆運動その科学、思想運動の一翼としての位置を固めるようにしたいと考えています。

「七年間の歩みから」

秋山ヨリ

入会した動機はどうもはつきりしませんが、会をつくろうという呼びかけのあつた時、こうした運動に強く興味を感じたようです。その頃私は、新しい職場に入つたばかりで、そこは人間関係の複雑な中小企業でもあり、職場の生活に何か不安を感じていました。組合のない小さな職場での組合作り、その中での人間像を見つめようとする会に新鮮さを感じ、自分の職場での問題を合わせて、考えたいと思つていました。又、「職人の歴史」を書こうという声も、私が関心を持つていた江戸時代の職人とも合致したようです。こうして私は多くの会員の人々と共に、仕事の手を抜いても、日比谷イン東証などいくつかの中小企業の斗争に参加し、他の職場の生活を見つめていました。こうした活動の中で、私の職場ばかりでなく、日本のあらゆる所に、複雑な矛盾が存在していることを実感し、その解決のための方向を見つけようと努力しましたが、現在までの所では、まだそうしたものがはつきりしていないような気がします。私の会活動への参加は、どう考えても不充分だつたとは思いますが、そのころの会活動が、余りにも職場生活を無視した行動であつたようですし、中心になつて活動している人々の、行動の押しつけにおびえ、それが〃正しさ〃を背景としている為に反論もできず、内心に強い抵抗を感じ会活動から次才に遠のいていきました。それなのに会にのこつているのは、会員の人たちとの接触が断たれなかつたことと、会の持つている階級性、社会性が、何か心の支えになつていたのでしょう。今、会に期待していることは、職場の歴史を作る運動の正しい方向を、現在までの実績、経験を生かし、現代社会の複雑な矛盾をしつかりとふまえて、出していつて欲しい。私の個人的な事情もあつて難かしいですが、個人生活を大切にした上で活動に参加したいと思います。又、私は、周囲にいる女の人たちと読書会やいろいろな事件を話し合うような場を作り、生活の中から、人間のあり方、特に女性の生き方を浮きぼりにして行きたいと思います。

「未発の思想を大切に」

銀座Sサークル

職場の歴史を作る会発足七年を迎えるにあたり、この会に入会した目的と動機と其の後の感想、又今後の期待等について職場の人から話を伺いました。

まづ、入会の動機については、会員に誘われて何となく入会したけれど…と云うのが、大部分の実情です。私達がこの会を知る以前にも研究会とか、サークルと云われる会の雰囲気には慣れていたところから、その中での友人同士と云う気易さで、新しく出来たこの会と云うものを具体的に知ろうとせず、ごく気軽に、余り真剣でない態度だつた、と云うのが入会当時の心境であつた様です。しかし、その中でも会を積極的に説明されて、その意見に共鳴した人達も居ります。会の有り方の一つである。一般大衆である私達や、前衛的と云われる人達が話すにしても正しいと考えられることは、あく迄も重視する、考え方（常に少数意見をも聞き逃さぬと云う）は、当然至極だと思うのですが、この当時意外にもこの種の会に於いて見逃されがちでいたところから、この会に新しい魅力を感じたと云うわけです。或いは、職場の代議員としての立場から今迄の斗争の経験を生かし、職場の歴史としての観点から成果をまとめ上げて行く場としたいと考えたのでと云う人もありました。

入会後の感想については、だいぶ批判的でした。実質的に職場と結びついていない活動ではないか。例えば、会に出席する為に組合大会を抜け出す様な状態にあつては、会そのものの有り方、目的が疑わしい。組合の中での活動と他の団体とのつながりが解せない。又、会の方針には賛成であるが行動的に不活発なのが不満だ。それから運営委員会の決定かどうかわからないものを感じる場合がある一例をあげれば、今回のニュースの中の水爆実験問題の場合等、会員の中でもつと討議して欲しかつたと云うことです。

なにぶん、私達はそれぞれ仕事に追われている状況なので自分達が結果的には会に対し消極的でしかなかつたことを残念に思うし、反省しています。

尚今後会に期待すると云うことについては、常々何かやりたいと考えている人が多く、例えば戦後史を専門的に学びたいし、又、職場と直結し、身についた活動へも進みたいと云う建設的な意見がありました。過去何年かの大なり小なりの失敗や、未完成なまゝに終つたものも含めた一さいの経験を土台として進めて行くと云う方向に目を向けることが今後の会の一層の発展をうながす一つの力となることでしよう。

「魅力ある出版活動を」

岩波　安昭

①特にはつきりした要求とか期待を持つて居たわけでもないが、唯色々な職場の様子を知つて、自分の職場と比較して見たい様な気がしていたものでしよう。比較して見ても、仕方のないことでし

ようが。
②その後田舎にひつこんだので、何ら目的も達することなし。今は、よそのことを知りたいとも思わなくなつた。
③何か面白い本でも出たら知らせて下さい。

会の座標と私の座標

岩浪忠夫

入会当時私は学生だつた。カトリックのミッションスクールに学んだ私は、宗教と信仰が文化をきずき、又現在の世界をすくうのだということを教える学問に疑問を持つた。私はマルクス主義に近ずき、労働者の力というものを知つた。自分がそのために何かの役に立つならばということから、私は職場の歴史をつくる会に入会した。

しかし入つて見て、自分がこのまゝでは役に立つている人間ではないということを、機会あるごとに気ずかせられた。それでも私はどうすれば、その場その場のつつかえ棒のようにではなく、柱としてふだに役に立つことが出来るかということはあまり考えなかつたしまたわからなかつた。

そのうちに学校を出て職場に入つて見て、今までの知識としてしか知らなかつたことが本当のことだということがわかつて来た。次第に学問をしたいという慾求が本当に湧いて来た。職場の歴史をつくる会が生きた学問をやらなければならない場所であり、又それを要求していることもわかつて来た。しかし職歴は学問のためにだけある集団ではなく、きわめて多くの課題を背おつた集団である以上、自分の慾求としてのみ、学問ということが意識されている限り、そこには対立があり、会の活動に対する気がまえも消極的にならざるを得なかつた。それに加えそ過重な労働と長時間勤務を要求される職場があつた。たしかに私はその困難の中で会員としての活動を続けては来た。しかしその困難を理由として、自分の要求を会の要求と合せて行くという積極的な努力をあまりせず、個人的な興味だけに入りこもうとしていたように思う。私の要求は会によつて発展させられ、会は私の動揺の支えになつた。しかし先に述べたような点を私が克服しない限り、会は私のその場その場のつつかえ棒でしかなく、柱とはならず、私の動揺は続くだろう。

ここに二つの問題がある。自分の要求と会自体の要求、自分の生活条件と会自体の条件。今会は国鉄品川の歴史の資料に取り組むという仕事の中で、次第に自分の興味と会の仕事に対する責任の自覚がわき出してみんなのものになりつつある。こうした発展的なものを更に速進するためには、どうすればこの研究を更に大衆的に広げ、各自がその仕事に没頭出来るようなより良い条件をつくり出すことが出来るか。という面の具体的な方針が早急に討論される必要があろう。私自身の要求も、生活条件の改善のことも、そうした会の方針の確立と活動の進展の中で考え、発展させ、解決して行かねばと思つている。

— 6 —

鼓動する会こそ、求めるもの！

田畑健

一、特効薬的役割を期待して

ぼくが現在の職場で働くようになつてからもう七年になる。世界が激しく変つたと同じ位、ぼくたちの職場も変つた。その機構、仕事のやり方、そして人間も、ぼくは西の横綱とみんなからいわれるように、最古参の一人となつてしまつた。先輩は勿論、同輩もホワイトカラーとなつて〝未来の中堅幹部〟と呼ばれるようになつた。

が、ぼくと東の横綱のY君との二人は、今だに下駄をひきづつて外廻わりの仕事をやつている。変わらないのは、職場の人たちの意識と、組合が会社の御用機関であるということと、ぼくだけが本気になつてケンカをしているということである。〝若いとき〟はやりそうだつた人も、ホワイトカラーになると会社の機構の中でのみその優秀さを発揮するようになつてゆく。汗を流して働いている現場の人たちには、安保も政暴法も素通りして、スポーツ新聞と酒とパチンコ…が入つている。インテリくさい奴は、新劇とおコーラスとダンスと朝日ジャーナル……鼻もちならない。

職場の歴史は、このような中にあつて特効薬的役割を果たすと信じぼくは入会したのであるが……。

二、長谷川さんの言葉

ぼくの職場が、著しい後進国であり、しかも大企業のヌルマ湯の中にのみ居るとしたら、ぼくも次第に順応していつただろう。中央労働学院から職歴へと育つてきてもう六年。はやく一人立になりたいと思うけどその条件がぼくにはない。職場に〝レーニン小僧〟とぼくのことをいう人はあつても、〝同志〟と呼ぶ人はない。それをつくるには理論とそれを実践する勇気に欠けている。職歴で、いろいろもうかつたことも多いが、やはり何にか足りなかつた。議論をしたりビラをつくつたりはしたが、長谷川さんの云う通り職場へは一度も行かなかつた。　　職場を知らない会員であつたわけだ。勿論、自分の職場でも何に一つやれなかつたが、会員同志でも、研究会や会費の徴収で額を合わせたことはあつても、共に遊んだり山へ行つたりデモに参加するということはなかつた。思想は同じではなくても、同じナベの飯を食い、テントに寝、ザイルで生死を結ぶといつた山の仲間の方がずつと親近感がある。でも、ぼくは山友達には心からなじめない。それは思想が同じでないからか……。

三、会に行動性を

もつと会員同志が顔を合わせる時間を多くすること。あれこれと議論のみに熱中することなく、行動をおこすこと。遊ぶことも学ぶことも常に会員と共に……と望みた。

職場の歴史運動の過少評価に反対する

高橋秀夫

(1)私が入つたのは、会の創立当初に会が作つた呼びかけの文書を見て、これは何かきつと面白いことになるぞと思つたからであつた。

一見そんなばくぜんとした気持であつたが、実はそのそこには、当時支配的だつた教条的、公式的見解にあきたらなく思つていた気持も手伝つていたであろうと思われる。

今でも時々読みかえしてみるのだが、最初の呼びかけの文書は会にとつては最も記念すべき文献の一つではないだろうか。若さにあふれ力強く日本の人民とともに歩むということを明らかにしたすばらしい宣言である。

去年出された竹村氏「現代史の方法」で、会を作つた当時の事情が述べられているのであとから会に入つた人にも会の成立やその辺の事情がよくわかつていただけると思う。

会が出来てから数ケ月後、一九五五年三月、当時の自由日本放送が「農民運動ではなにがいちばん大切な問題か」というテーマで放送した。

そのなかで、「いままで、農民運動に参加してきた人びととの活動

— 7 —

報告や論文がいろいろな機会にしばしば発表されましたが、そこでのべられていることで、成功した面や、いい面については、しばしば誇張に近いことがいわれていますけれども、欠点や困難な面については比較的簡単に、しかもきわめて抽象的にのべられている傾向がありました。いま私たちに一番必要なことは、農村の実情を正確にありのままに知ることです。」と述べられている。

これは、従来の主観的＝非科学的な評価が大きな打撃を運動に与えてきたことをすみやかに除去し、農民の実情を具体的に研究し、その上に立つた情況判断の必要性を強く主張したものであつた。

当時のことを良く知らない人にはこうしたことは一見全く奇妙なことのように見えるかもしれない。

ここでは農民運動のことが取上げられているのであるが、こうしたドグマ＝教条が支配していたのは後にも農民運動の面にもその影響はやはりきわめて強かつたことは戦後の日本の歴史をひもとくならば今日では明らかである。

サンフランシスコ対日講和条約、日米安保条約締結を一つの大きな転機として日本の政治・経済は大きく転換していつた。

そうした状況下にあつて、教条的、主観的な態度ではなくして、具体的に日本の労働者階級を中心とある日本の人民がどのような状態におかれているのか、日本人民が持つ課題はなにかを明らかにしようという主張のもとに職場の歴史を作つていこうということを打出したのは、既成の歴史の老大家でも大学教授でもない。若手の歴史研究家であつたことの意味を私は高く評価したいと思う。

それは何故であつたか。

それは、常に日本人民の課題を人民とともに追求していこうとする原則的観点の正しさが、現実に生起する日本の情況や、これまでの日本の学問が積み上げてきた蓄積ーー研究史の欠陥を正しく、鋭敏に看取し、それを日本の人民と共に打破つていくことの正当性を声高らかに主張し宣言したことにほかならなかつたのである。

あたえられた主題からいささか横にそれた感がないでもないが、アンケートの主旨が、会の創立記念の意味＝会の基本点の共通の確認と今後の発展への共通の志向＝にあるとするならば、そうした会創立の人々の主張をごく身近かに、浅薄にしか当初受けとめ得なかつた自分自身への反省をこめてしるすことにしたい。

(2)当初以来会にとつてはあらかじめ定められた一定の順序にしたがつてオートメーション的に手際良く事を処理していけばよいといつたことは一つとしてなかつたように思う。

あたかも、おぼろげな山の見取図だけあつて、高さも、地形もまつたくわからないといつた山をアツタツクしようというようなのが正直な会のこれまでの実情ではなかつただろうか。

したがつて、卒直にみれば成功した面よりも失敗した面の方が強かつたとも云えるのではないかと思う。

しかし、それにもかかわらず、会のスクラップ帖をみればよくわかるのだが、常にベースキャンプを着実にきづいていこうとする努力だけはーー無論完全には出来得なかつた点もあるがーー常にしてきたのではないかと考える。

(3)よかれあしかれこれまでの会の実積の上に立つて、会を名実ともに充実していくこと以外にはあり得ない。

これもいささか横にそれることだが、会の困難な時期に、会のことを心配しながら、経済的にも苦労されつつ亡くなられた会員竹村民治郎氏にまだ貧しいとはいえ会の今日の姿を、そして一応土台が出来た今日、会の今後の発展の見とおしを共に語ることの出来得ないことを、生前お世話になりつぱなしであつた私はとりわけ残念に思つている。

そんな意味では、あと三ケ年後の十週年目には会とともに歩まれた氏の墓を会の力で立てることが出来ればということが、会員の末につらなる一人としてのささやかな願いでもある。

運動の原型を尊重して

滑水澄夫
（渡辺・江崎）

私の職場で前にやつていた人達（これは職歴編『職場の歴史』所収の恩給の歴史を参照）の話を見聞し、それについて自分なりの経験を持つていたので一つやつてみようかということになり会に参加しました。

滑水が入つてから後、中で一諸に仕事をしていた渡辺が恩給の中で職歴運動をひろめるにはどうしても多くの人の参加がなければ出来得ないということで会にも相談して加入しもらつた。二人がやつていく過程で江崎も話をきいて会に入るようになつたという次第である。

㈡入つてみてどうであつたかということにかんたんに答えるのは実際一口では一寸言えないむずかしい問題だ。

で、私の場合、実際に作る仕事をやつたわけですけれども、それをとおして自分のもの見方や考え方といつたものが、ある程度それ以前とはことなつてはつきりとしてきたように思います。

そうした点ではとてもよかつたのではないかと思います。

現在、自分が考えてみると、一寸うまく整理出来ないので一口に表現できませんが、いろいろな問題があるように思います。かんたんにそう云うのは無責任すぎるという気持がしないでもないが……。

㈢いまのところ、すこしく会の仕事の方に直接タツチしていないので、現状が実際どのようになつているのかといつた点など、前ほどにはわからないといつたことも手伝つてかんたんにどうということは特にないようにも思います。

そうした中でも云えることは、会はやはりこれまで七ケ年という年月のなかで得てきたさまざまな経験もあることだし、現在、特に会の外部でいろいろな試みや動きがあるようですが、やはり会のこれまでやつてきたことに照しあわせて着実に自巳のペースで進むといつたことが一番のぞましいのではないでしようか。どうもうまくまとまりませんが、そんなことを感じています。

体系への情熱

竹村民郎

わたくしが会の設立に参加するまでのいきさつについては既に現代史の方法所収の論文にまとめておいたのでこゝでは省略する。

わたくしが今一番会でやりたいことは、会創立にあたつて書いたアピールの主旨といささかも変つていない。

アピールは云う。

「一つの工場の生き生きした確信を、隣りの工場にひろげ伝え、さらに中国・ドイツ・イタリア・フランス等の世界の働く仲間の確信にまで高めていくことは、日本の労働者の統一行動の拡大にとつて現在とくに大切なこと」である。その確信はしかし一朝一夕に生れるものでは」なく、「労働者階級の幾多の敗北にもめげない地道な斗いのつみかさねの歴史」に負っている。その歴史を「私たちが正しく学びとることが労働者の当面する統一戦線の強化にとって重要」なのだ。（一九五四年工場の歴史をつくる会アピール参照）

今日、職場の労働者に接すれば接するほど五四年段階より一層「統一戦線」への強い要求に出会わざるをえない。（もとより統一への展望とは世界労運が来るべき大会で示すであろうような一般的危機の新しい段階でのより積極的なより柔軟なそれと合応じるものであることは云うまでもない。

わたくしはこの要求を自己の専門の領域ー現代史研究ーの立場で受けとめて、体系化したいという情熱をおさえることはできない。

幸い会の七年間の蓄積と最近の会の動向は、わたくしの前途に希望をあたえてくれるものであると。

事実そのような歴史をふまえてはじめてーおそいといえばおそいがーわたくしは歴史科学の系統的な発展と、労働者階級の要求とを素直に学び立場に近づけるようになつたと思う。

わたくしの歩む道は決してこりつしてはいない。充実してわたくしは会と自分の前にある仕事を早くたくさんまとめねばならぬ。一九六二年はそういう年にしたい。

参考文献集（その二）

職場の歴史

○1 京浜の高炉から
ー鉄鋼労働者のたたかいー 五月書房

2 戦後十年間の歩み
ーある労働組合の歴史からー 永井正義 五月書房

3日本の労働者
天達忠夫・坂寄俊雄編 東大出版会

理論篇

○1現代史の方法（上）
井上清・竹村民郎・石母田正・奈良本辰也編
三一新書 一五〇円 一九六〇年

○2職場の歴史
職場の歴史をつくる会編 河出新書 一二〇円 一九五六年

3国民と歴史 講座歴史（1） 大月書店 二五〇円 一九五六年

年表編
日本資本主義講座 別巻 岩波書店

問題別テーマ編

1民話を生む人々 山代巴 岩波新書

2戦没農民兵士の手紙
岩手県農村文化懇談会編 岩波新書 一〇〇円 一九六一年

3我が国に於ける労働者サークルの歴史的発展過程
竹内真一 碓井正久 東大教育学部紀要四 一九五九年

4日本陥没期 上野英信 未来社 三八〇円 一九六一年

5村の記録 岩波新書 一〇〇円

「スッキリとした会計簿を」

会計委員

—ボーナス・シーズンをむかえて一つの提言—

前号のニュースで報告したように、約三万三千円の赤字があります。会がこゝ一年の間に一段とスマートになり充実しただけに、財政面の赤字は一きわ目立ます。私共は「職場の歴史運動の体系化」「常化体制の発展」など山積した難問をうまく発展してきました。六二年には会の総力をあつめて会計面の赤字ととりくみこの問題を上手に解決してどこからどこまでもスッキリした会を実現させねばなりません。

十二月のボーナスカンパではこれまでを上廻る実績をあげ、赤字克服の突破口にしたいと考えます。現在各職場ではボーナス斗争の最中でしょうが、ぜひ多く獲得して、会のボーナスカンパ運動に積極的に協力下さい。

依頼状を近日中に発送しますのでよろしく願います。

編集後記

今月号はラッキセブンをむかえた会を記念し、ぐっとデラックス版にしてみました。来月十二月号は「一九六一年度、職場の歴史運動の成果と課題」を中心のテーマとして編集する予定です。御期待下さい。

作成1961,11.24　　竹村民郎・田畑　健

収入	繰越	724
	会費	3150
	借入金	1100
		4974
支出	事務所費（10月）	2000
	運営費	1766
	通信費	308
	印刷費	900
		4974
	残高	0

職場の歴史をつくる会
運営委員会ニュース

No. 48

1961.12.

目次

「いわしの頭も信心から」という考えと手を切ろう
― 一九六一年を終えるにあたつて ―

本号は六一年度会の成果と課題と十二月祭の実りある討論報告を特集するはずであつたが、委員会の事情で新春号にまわすことにしたので御諒承を乞う次第である。この一年をふりかえつて驚くことは、職場の歴史を求める声が各方面から一斉にさし潮のようになつてきたことである。手もとにある学習の友の最近号の全国学習関係活動者会議の歴史分科会の記事をみても、職場の歴史、組合の歴史を労働者が求めていることがわかる。五四年の段階ではこのような集ではきまつて歴史の勉強（日本・世界歴史の概説）の疑問点やその勉強会の運営の問題、チユターの在り方等が中心課題となつていたのであるが……。

いわゆる生活記録運動もその発展のステップの重要な一つとして―歴史的な物のみかたの考え方の導入、もつと言うならば職場の歴史の発想に関心が集つているようだ。

この現状で、会はつぎのことを確認して新しい年のスタートをきらねばならぬ。

それは、我々の会だけが職場運動を提唱し一貫してやつてきたということにあぐらをかいて、（いわしの頭も信心からというセンスでひとりよがりにのぼせて）はならないということである。

このような考え方とハッキリ手を切らないかぎり、有利な局面をむかえても、力を拡大し運動を指導する中核体にまで会を成長させることは不可能である。

これまで会の内外で、会は新興宗教のようだといわれたことがある。こうした風評の生れるということはやはり「いわしの頭も信心」式の考え方が会に存在することの結果ではないだろうか。

会員諸君、今日の急務はなにより「これが職場の歴史だ」と自信をもつていえる典型的作品をつくりだすことにある。

見よ、かつて国民のための歴史学運動は、自ら運動の展開に有利な局面を強引につくりだしたにもかゝわらず、典型となるべき作品（持続性にとむ集団研究）をつくりだせずにかいめつしたではないか。

有利な情況におごらず、あせらず、委員会のまわりに結集して、当面の課題である「国鉄の集団研究」を着実に進め大衆化しようではないか。

十二月祭の中でも会員が一致して確認したことは会の視野のせばまり ＝ サークル主義的なものの考え方と活動スタイルのおそろしさであつた。この慣習は今日なお会に根強く息づいていると思われる。このような反省に立つて、また六一年の会活動の総括としてわれわれには、なにお六二年には実現するか、というならば、それはこうである。

「新しい有利な情勢を確認せよ」　「会の古い在り方を精算せよ」

（一九六一年　十二月一九日　記）

職場の歴史の一ケ年と今後の展望

高　橋　秀　夫

この一ケ年は、表面上をみれば、大した動きも見せなかつた年であつたと見てよいであろう。

それは、会の基本的内容をなす創造活動が十分に展開し得なかつたといつたこと ＝ それは今年度の機関誌のことを考えれば明瞭であろうか ＝ ― そのために、会員の動向に大きな変化 ― 会員の拡大 ― 会の充実 ― といつた、ここ数年来の懸案に今年も遂に持越された点が残念である。

しかし、この点については、単純な数的 ＝ 量的なもののみをもつて単純に評価するならば誤つた結論に達せざるを得ないだろう。それは、今年一年間、会が具体的にどのような事について全体的に取組んできたかということを基本線にして考えてみなければならない。

それには種々な〝取組み〟があつたが、その中で最も著しい動きの一つはなんといつても、国鉄資料群の発掘されたことであろう。

このことについては、会の運営委員会ニュースにおいてもその意義がくりかえしておることでもあるので、ここではあらためて詳述する必要もなかろう。

で、この資料の発掘はかなり偶然的要素が強かつたとはいえ、会のこれまでの研究 ― 創造活動の積上げが、会員をして今迄発掘してきたかかる種類のものについて注意を向けさせ、それをキヤツチ出来たという一連の必然性があつたといえよう。

十月総会で、これに取組む基本的態度といつたことが確認され、その作業に着手していつたことは、会の大きな創造であり、その作業の完成、乃至はその報告を品川で持つといつた集団作業が今年の延長、継続の仕事として来年に持越されているか、そのことが、当面〝会〟にとつての大きな課題となるであろう。

細かに見れば、これ迄の段階でも、その作業を会が全力をあげて

— 2 —

集中していくことに伴なう種々の矛盾が確認されてきているし、今後の作業の進行にあたつても、かならずしも、平担な道のみたどるとは、安易に考えることはよう出来ないのであるか、その都度十分かつ徹底的にその打解策を講じていくべきであろう。

そのためにも、第二の問題として、指導の充実、強化がどうしても必要となる。

去年、本年と、とくにこの二ケ年間の運営委員会は結束、強化されてきているが、その方向はなお強く今後の問題として考慮される必要がある。

与えられた紙数の都合で、くわしくのべることが出来なかつたが会員のコミニユケーションの問題、会財政、会出版物関係、外部団体の関係、会のP・Rの問題等々列挙するならば、かかる問題はなお懸案として持越されてはいるものの、十二月の会の創立記念のアンケートに寄せられた各人の文書を見ても、勿論その内容にはさまざまニユアンスの差はあれ、会の独自のユニークな、新鮮な問題提起とその内容の提示を求めているものと考えることが出来るのではないかと考えられ、そうした意味でも、会の現在当面する基本的問題を正確に把握し、その創造活動をテコとして、会活動を推進していくということが最も必要なことであろう。

職場の歴史とともに歩いた七年間

関島　博

① この会に入つた動機について、何度となくきかれたが「誘われるまゝに……」と答えてきた。しかし、そうゆう一面はあつたにしても当時から（現在起きている）職場の中の合理化社会の矛盾に対して反撥と疑問を感じたからだろう。

学校から社会に出て、だれでもが先ず感じる単純ではあるが素直な疑問を私も持つているからだ。

② 職歴に入つて感じたことは、常任問題やフエステバルの問題で多くの時間をさいてきたことである。このため運営委員会が会の力力とのなかで追われ、会員との結びつきが長い間薄くなつてしまつたきらいがあつた。

私自身、常任の問題と職場に起きている問題とのなかでなやんだ

③ しかし、これ等の経験とN労組の歴史や恩給局、S労組の歴史等にみられるような成果の上に立つて職歴は実際に品川の歴史を作り上げようとしている。

私も自分の職場の資料をもとに、今度こそしらべるつもりだ。幸い職歴の方針で会員で取組むことになつたので、四月までに全力をあげて進めようと思つている。

— 3 —

会の発展は私の成長だ

国鉄品川客区　宮沢武人

なぜ入会したのですかと聞かれた所、私が国鉄に入つた事を考えてみる必要があると思つています。私自身国鉄に対してなんとかしようと思つて入つたのですが、現実は私の思つている国鉄ではなく職場の中はくらく、職制のいいなりになつていた（当時）所なのです。私は自分の歴史にも貧いてあります様に労働組合を通じて要求なり色々の問題を解決する事以外ないと思つていたのでしたが、当

時の職場の中では昔が良かつたと話がされていました。私はこの話の中になにか解決の方法があると思つていた時、「職場の歴史を作る会」の案内状が職場に来たのでした。当時私は職場の一組合員として活動していましたので積極的に入会しようと考えていませんでしたが、当時分会の役員の人から参加してみないかと話がありました。私も前に書きました様に〃昔が良かつた〃の話になにかあると思つていましたので参加をしたのです。出席した場所は、職歴発展の一頁にもなつていますＮ工場でしたが、当時の出席者の多数は学生なりインテリが沢山いたと記憶しています。私は卒直にいつて抵抗をかんじましたが、Ｎ工場の人達の話なり活動を数回の出席の中でみている中で、やはりこの運動は必要だと思いました。

入会しての私の要求は、私のメモにもあります様に今日までの品客を歴史を、しりたい事でした。しかし私の勉強のクフウなり、私自身のドリョクがない為に今日まで実現は出来ませんでしたけど、現在全会員の協力によりこの私の要求がまさに実現しようとしております。私にこれが実現したら、私個人の物でなく、品川の全国の歴史の労働者、インテリの財産としたいと思つていますので、ぜひ全会員の御協力をお願いします。

六二年の会活動については、品川の歴史実現に努力をし労働者の手で作つた新しい歴史を作りたいと思つております。又その中で、「職場の歴史」を自分の物にする努力をしたいと思います。以上が私の気持でありますが私は会の発展の為に次の計画を考えておりますので多数会員の御賛同をお願いします。

目標を三十八年八月にします。

（内容は歴史発展の斗いの中で死亡された竹村会長の父さんの七回忌です）

第一期は二十七年一月一日―三十七年八月十三日

◎会員増加

目標　一〇〇名にします。

（特に重要産業の労働者を中心にします）

◎作る仕事

：品川客車区の歴史を作ります。

第二期三十七年八月十四日―三十七年十二月三十一日

◎会員増加

目標一五〇名にします

（重要産業労働者中心と学生、労働者の連体を呼びかける。中小企業にもよびかける）

◎作る仕事

：品川客車区の歴史の完成

：特に新入会員に対する「職歴」の学習会

：戦後の労働運動歴の研究に入ります。

第三期は三十八年一月一日―三十八年八月十三日

◎会員増加　二五〇名にします

（特にこのよびかけは農村青年にも力を入れます）

◎作る仕事

：職歴の仕事を各地方各職場で具体的に取りくみます）

：職歴のオルグを運営委員を中心に全国派遣します

六二年のプラン

松崎幸八郎

わたしは現在、いわゆる「民主的経営」といわれている職場にいます。それだけに、「普通の」職場とはちがった問題をかかえています。

例えば「何に協力し、何に妥協してはならないか」「何から独立し、何に従属してはいけないか」等。

来年は、この自分の職場の問題と取組んでいきたいと考えています。

一九六一年　十二月一九日

書評

戦後日本史 I を読んで

岩波忠夫

仕事仕事で飛び歩く電車の中で、駅のベンチで読みふけった。面白かった。あらゆる部面にわたっての通史たるべきものを意図して書かれたとまえがきにあるが、それをこのように興味深くしかも具時的な要求にこたえてくれるものを執筆された方々に敬意を表する。

特に「苦肉する天皇制」以後、一貫して影を引く天皇制についての執念深い追求には教えられるところが多かった。あれだけの戦争経験と戦後の民主化斗争の中で結局天皇の戦争責任さえもつきつめることが出来なかったということを知るだけでも、戦争直後の歴史をふりかえる意義はあると思う。欲を言えば、補論として農地改革の問題を取りあげるならば、それとならんで二・一ストの挫折とそれの労働運動に及ぼした影響についての分析をもう少しくわしくやってほしかった。しかしそれぞれの斗争の経過とそれに対する批判にはおおむね妥当な線が出ているのではないかと思われる。

しかし通史としての叙述の流れの中には、明らかに欠かんではないかと思われる個所もあった。それを指摘して私の考えが正しいかどうかを検討していただきたいと思う。

ろ　民主化のあらしの最後　人民勢力のデモのあらしの中に占領軍に支えられて、第一次吉田内閣が成立する。資本家地主と結んだ戦前以来の最も反動的な天皇制官僚による政局収拾であった。その後、財ばつ解体と農地改革、二・一スト、独占資本の再建過程に於いて片山・芦田内閣の中道政権としての役割が述べられ、その結果としての「後退をしいられる労働運動」と昭和電工事件を直接の契機とする芦田内閣の退陣と叙述が続き、第二次吉田内閣が出現する。そして四九年一月選挙を経て第三次吉田内閣が成立したところで、この戦後史の最初の部分を終っている。

この中での、四九年一月選挙の部分で、民自党の勝因のところに次のようなことが書かれている。

「民自党の勝因の主たるものは、吉田総裁の個人的みりょく、民自党が掲げた政策、無関心的浮動層へのしんとう、官僚候補の移入、中道諸派に対する批判票の反射的得票などがある」（二二五頁）

たしかにそのとおりであろう。しかしこれだけであろうか。そしてより基本的な面及びより具体的な側面についての分析に欠けているところはないであろうか。

第一次吉田内閣後、我々は農地改革がそれに続いていることを見落してはならないだろう。その間、当時の日本人口の約半分をしめる農民は一体何をしていたのか。そして農民と、かくも果敢に斗はれた労働運動とのふれあいはどうだったのか。農民運動についてはこの本では、わずかに農地改革の部分と二・一ストの部分で、主に農地改革をめぐる土地取上げ反対改革の徹底的遂行、強権供出反対等をめざしての斗争が組まれ、二・一スト以後、その斗争組織としての日農が分裂したことについて簡単に述べられているだけである改革による農村の階級関係の変化が広く政治の面と労働運動にどのような影響を及ぼしたか。また当時の農民運動と労働運動との間にどのような同盟が結ばれたのか結ばれなかつたのかという点については殆んど分析されてはいない。これの分析はやはり当時の政治史的叙述のためには欠くことの出来ない基本的なものではなかつただろうか。たしかに補論に於いてはそうとうに深い分析がなされ妥当な線が出ているように思う。しかしそれはあくまでも政治的、経済的な分析である以上、通史としての叙述のとゞこおりを救うものにはならないであろう。

その結果、次のような不徹底な分析が出て来るのは当然のように思われる。

「第一は吉田茂は本質的に民衆を軽視する貴族主義者であり、また骨の髄からの天皇主義者であつたが、その一見ごうまんな態度は（中略）なんとなく信頼感を国民にあたえたことは事実であつた」

（二二三頁）

地主勢力が大きく後退した今日の農村で、元小作、元貧農の人達の中にも天皇主義者吉田首相の熱狂的支持者が多いのはなぜか。個人的み力 ―― たしかにみ力的人物でもある。しかしそれだけであろうか。

「その実行性の有無は別として、国民感情に適合するものがあつた。『明るい自由か、暗い統制か』といつたスローガンは、当時の国民の気持に自由経済は明るさをもたらすものと映じた面もあつた

（二二四頁）

土地の確保による安定と生産の増強による蓄積という明るい希望を農村にもたらしたものは民自党であり、せめて選挙の時だけでもその義理を果さなければと思つている農民が今でも何んと多いことか。

「第三の無関心的浮動層へのしんとうは、戦後の諸改革にともなう大きな社会変化も、なお地方末端のボス支配層を徹底的にくつがえすに至らなかつたことによつて可能であつた。」　（二二四頁）

無関心的浮動層がなぜ定着したか。それは土地確保による安定とかかわりないであろうか。戦前の無関心層とその質においてちがいはないであろうか。農地改革を境にして層の移動はなかつたであろうか。その辺の分析はやつてほしかつた。農村に於ける階級関係の変化が、ボス的支配層をより一層保守勢力に近ずけ官僚機構に依存させるようにはしなかつたであろうか。

私はここで与えられている分析がまちがつているとは思わないしまた私が出したような疑問は補論の中である程度説明されていると思う。しかし農村も都市もそれぞれ半分ぐらいづつの人口をかかえ政治的、経済的なかかわりあいが常に存在し、今後の日本の変革がその統一に於いてなされなければならない以上、やはり通史としては弱い部分だつたと思われるので一言した。

以上

なえどこ

職場の歴史の旗を立てゝ　スキーに行こう

―― 私は提案する ――

ジングルベルの音と共に冬がやつてきた。寒さに負けず身体をきたえよう。ウインター・スポーツの花形、スキーに行く計画があります。二月中に休暇を一日とつて日程を組みたいと思います。予算と共に今から心掛けておいて下さい。詳細については追つて発表します。

（田短）

この号から会に対する希望や計画、思い付など会員が会への提案を気軽にして頂くため、この欄をつくりました。この「なえどこ」をそだてあげ、実りの秋がくるようにしたいものです。

ボーナスカンパの中間報告

会　計　係

十二月十九日現在　壱萬参千円也　が集つています
募金申込みの金額を総計すると、すでに　壱萬八千円也　になりました。十二月三十一日の〆切りまでに、目標弐萬円也　を突破しましよう。集つたカンパより、会の借金の中参千円也を支払ました。

若干の個人会員に借金をしている現状は、会の発展上止むをえないとは言え誠に残念です。六二年にはこの恐しき状況を会員の力でなくさねばならないでしよう。

大義名分をとき、素晴しい実践をしていたとしても、これでは会の信用は決して高まらないからです。

参考文献集（その三）

職場の歴史篇

○ 女工哀史　細井和喜蔵著　岩波文庫　一二〇円　一九五四年

○ 日本之下層社会　横山源之助著　土屋喬雄解説　中央労働学園　三〇〇円　一九四九年
（岩波文庫版あり　定価一二〇円）など

○ 職工事情　第一〜三巻　農商務省工務局　生活社　七〇〇円　一九四七年

理論篇

戦後日本の科学運動　広重徹　三五〇円　一九六〇年

問題別テーマ篇

「大衆崇拝主義批判」他「民話」　五九年二月〜四月号
「組合史への問題提起」等高田佐利「文学」　五九年十月
「集団の組み方」他「思想の科学」　五九年七月

資料篇

国鉄新聞縮刷版　一九五四年版非売品　国鉄労働組合

会員だより

△会委員　島田　泉氏の母堂が郷里の長野県で亡くなりました。謹んで御冥ふくを祈ります。会から御霊前に金一封を送りました

△会員　清水澄夫氏は恩給局をやめて来年度、大阪で新しい職業につくことになりました。
来春、早々御結婚するそうです。大阪で着実に活動して会の支部をつくりたいとのことです。

「しつかりやつてや、　たのんまつせ!!」

△会員　松崎幸八郎氏は来春早々結婚式をあげます。新婦は労働者クラブ附属医院の看護婦さんです。
同じ目標で進む人をと前からの念願としていた同君にとつては大きな幸福でありましよう。

職場の歴史をつくる会
運営委員会ニュース

No. 49

1962
1月

目次

「新しい状況と新しい行動について」

委員会

今年は、つぎのことを確認し、「下をむいて」実践をみつめあげましよう。

㈠ 会の宣伝のしごとのうえでは、出版物——雑誌、新聞、テレビ出版活動は重要な、決定的な意義をもつものであること。

㈡ サークル活動、と一般の口頭宣伝は補助的、わき役的な位置を占めること。

㈢ 出版活動は、会の伝統と主張を、一挙に国民のまえに提起し、多数の新会員を獲得できる契機となるものである。今年は、会の目的に賛同し、会を支援しようとする団体、個人と実状に応じた協力関係をむすび会の出版活動を大たんに前進させる必要があること。

㈣ 会の宣伝活動を飛躍させる前提として、一般の会員みんながさんかした、会の創造活動をより発展させることが不可欠であること

㈤ 会の蓄積を整理し、そこに現れている未発のプランや成果を今日的視点から発展させ、出版活動の面に反映させること。

「会発展途上の危機はいかにのりこえられたのか」

— シンポジウム（十二月三日）おぼえがき —

創立期

A（危機）(1)運動が感性的に流れる傾向—サークル主義への傾斜
（孤立化）
(2)政治主義的傾向—六全協（自発性がそこなわれる）

B（克服への道）

(1)歴洋六四号の企画出版－運動化への努力
(2)会常任体制の確立—国民文化会議等（文化集会—組合史づくり）への接近
(3)「ヴ、ナワード」の真面目な実践、合理化斗争の中で斗争の位置づけを求める青年労働者の強い要求—N工場の歴史、特急さくらが走るまで、日鋼青行隊記録他
(4)創造への方向—生活記録（記録する書く）との相異新しいジャンルの開拓

停滞期

A
(1)サークル主義の拡大—職場からの遊離　俗流大衆路線—白樺湖フェスティバル
(2)常任制の危機の進行
(3)創造活動の半身不髄的現象—合理化の把握の立おくれ

B
(1)自分の歴史創作の積上げ—珠あいふれて（数回書き直しの上完成）・国鉄集団研究の努力
(2)会の団結の前進—運動の中核体—委員会の形成、事務所の設立—父の歴史を語る会
(3)自然発生的ではあるが、記録運動が職歴が示す方向に傾途してくる。又歴史学界において国民との係合についての反省が始る。

回復期

A
(1)常任制の危機の増大
(2)会の孤立化傾向は頂点となる
(3)サークル主義—現代的意識の弱さ

B
(1)現代史の方法の企画実現へ懸命の努力（経験の理論化への努力）
(2)運営委員会を中心にし会員の若いエネルギー—を基礎としたレヂスタンスはピークとなる—強引に前え

発展期

A
(1)常任制の危険極めて深刻
(2)安保斗争に会活動が立ちおくれる

B
(1)現代史の方法(上)　ついに出版—会の内外との統一を急速に回復していく
(2)常任制の発展—創造活動の急速な前進
(3)会員の意識の増大

現代

A
(1)労働者会員の不足—サークル主義的遺制の残存
(2)原則的討論の不足—組合と会活動との関係・会の歴史的経験の総括に対する評価等—理論化の弱さ

B
(1)国鉄史研究会の成立—資料群の発掘—会の土台の構築
(2)会の歴史総括（集団的な）の開始
(3)会の団結の前進—持続性のもつ意味—十二月祭に集つた要求を見る自分の要求と会の要求との接近
(4)現代的関心の発展—戦後日本史講座の作成へ参加
(5)職場の歴史を求める国民大衆の要求は増大の一途をたどつていること—安保のエネルギー—は消滅していない

報告　竹村民郎

青山さんへの手紙（その一）

島田泉

山形では、たいへん御世話になり、ありがとうございました。

— 2 —

山形の一夜兄と語りあつたことを考えながら、兄の出した問題についての私の意見を書いてみたいと思います。

私が問題としたいところは、青山さんが最後に申された所の「活動の総括（組合での）の他に、特殊に職場の歴史を書くことが、何故必要なのか」という疑問に対してなのです。

この疑問を、そのまま発展させると「職歴」運動の存在の意味そのものとなり、その任務を完全に否定し去つてしまう危険が存在するように思います。つまり、この疑問に答えることができず「会」あるいは「職歴」運動が存在する意味、その役割をはつきりさせることができないならば、私が会に参加している必然性をうしなうものと云えます。

しかし、私も、未だ充分には職歴運動の意味を把んでいるとは思えませんが、現在考えている、それをまとめてみました。

「職場の歴史をつくる」という意味を青山さんは実に適確に申されました。労働者が現代の社会では歴史のにない手であり、歴史の原動力であるそのことを明確にしなければいけない、このことは、会の創設にあたつてつよく意識されていたと云われました。私は、この態度に全く賛成であり、これを出発点としたことが、会がこれまで苦しいたゝかいの中で、発展してきた理由の大きな一つだと考えます。

これを少し云い換えますと現代の労働者階級の歴史的役割を、あらゆる人々に特に労働者が確認することと、つまり歴史意識を定着させることが、会活動の目的であり、任務であると考えるのです。科学というものは、いかなる政党、政派にも追従しないと同様に、社会の変革という立場（これは政治的立場をも意味します）に立つことは、自明のことだと考えます。このことを忘れた科学は、真の科学ではないとも云えます。　（次号につづく）

雪の夜の語らい
―創立期の思い出・今日のことなど―

青山　崇

随分永い事、会活動に参加しなかつたことを申し訳なく思います現在高等学校教員組合活動を中心に活動しております。常任中央委員です。

あらゆる職場に共通すると思いますが、職場に統一戦線をつくることが、当面の重要な課題です。こゝでも高教組と県教組との合体が現実の日程にのぼつているのです。統一は、多く場合、職場でのしめつけの強化で妨害され、特に赤攻撃はしばしば利用されています。こうした中で統一戦線をつくり強化していくために、たたかいの総括を充分行う。過去の運動の経験から学ぶこと、たくさんの人に伝えるためにその記録をつくることは重要だと思います。

私たちが会をつくつた時のことを思いかえしてみますと、当時の情勢、とくに日鋼室蘭の斗争などの中で、労働者が歴史の原動力であり、歴史を作り出しているものだと実感していました。又職場斗争が重視されはじめた時であり、幹部のたたかいから大衆斗争への結節点として、主産点――たたかいの場としての「職場」が注目されていましたで、こうしたことをはつきりさせていきたいと感じていました。

しかし、個人の思想成長の経過を、たたかいの中で追求した作業も現在ふりかえつて見ると、歴史の構造的な把握が不充分であり生活記録に流れて、いつていたようです。つまり、歴史叙述は以外に難しいのです。会運営の問題では常任問題が、財政問題がと苦しい課題を背負つていました。又、この運動は高度の政治性がないとなかなか理解ができず、大衆化しにくいように思われます。同時に会長への依存が強く、私たちの理論的な把握も不充分でした。ですから、支部を作つて活動をはじめると、歴史を書く困難をさけて、学習活動を始めたとえば「哲学教程」を読もうということになりますその学習活動が会の活動とどうつながるか、あるいはそれが自己の活動とどう関連するのかが不明確なままで進むことになります。

地方に来て活動してみますと、活動家の手の少いことを痛感します。労働運動でも、文化運動でも同様です。山形県などでは文化運動の盛んな地域ですが、そこには労働者の指導性が不充分で、農民的な性格が強く、このことは同時に、農民に対するものも含めて指導が不充分なものになつています。こうした中で会の活動をしようとして、まず支部を作ることに努力しました。中央の活動を支えるために金も沢山送ろうと。でも職場の関係や地理的に遠いこともあつて、集会は以外に困難でした。又、前述したように「職場の歴史」だけでは活動を進めることができず、学習活動に重点が置かれることになり、そうなると何故、会と結びついていなければならないのかという疑問が起る程、中央と結びつかねばならないという切実感はなくなります。

他の職場と交流しようと、結局地域的なサークル協議会へ眼を向けることになります。そうした問題をかゝえて、私が山形へ出て、高教組の常任になると、そのまゝ支部は崩かいしてしまいました。

会員の人たちに、何か会を裏切つたようで自分の責任を痛感したり、あるいは、止むをえないことだと自分に弁解してみたりしていましたが、大変つらく、会を止めようと何度も思いました。でも、会に行けば暖かく迎えられるし、又、何時までも頼つていず、自前でしつかりした活動をしたいとも考えるし、つい足が遠のき、手紙も書かずにいる間に、自分の気持を話すチャンスを失うとますます苦しくなるばつかりで、大変申し訳なく思つています。

私の廻りだけを見まわしても、歴史を書く素材は沢山あります。多くの人々に伝えたいたたかいの記録が埋もれています。こうしたこうした素材を無視している責任感も強くなります。でも組合での活動が、現在の私の生活の中心をなしており、この仕事を無視して会活動に重心を移すことは、会の生命でもある職場を無視することになります。この問題を充分検討しないとサークル活動を前面に出すことは出来ないのではないでしようか。

現在私が会に期待していることは、一つは職場の歴史を作るための方法論を学びたいということです。これは同時に私がいま行つている組合での「総括」その上に立つての活動方針の決定という作業と別に、特殊に「職場の歴史」を書くことの意味をはつきりさせて欲しいと思います。又、現在までの労働運動の経験、たとえば四九年からレッドパージ、朝鮮戦争の時期、安保斗争などを歴史的に解明し、統一戦線の問題に接近して欲しいと思います。
、これは同時に私の課題でもありますが、

（この文は、昨年暮山形をたづねた竹村氏と島田が青山氏と一夜話をした時のメモによつて、島田が書いたもの。できるかぎり、忠実に再現しようと思いましたが、誤解した点、不充分な点もあるかもしれません従つて、その責任は島田にあります。）

＃　＃　＃　＃

機関紙のあり方を変えよう
—— 私は提案する ——

高橋秀夫

これまで会の主張、会の運営の問題など、機関紙の大部分を示めるいわゆる柱になる部分は、委員や常連の人たちが書くことが多かつた。十二月祭特集号が大変面白く好評だつた経験から学んで本年度は機関紙の紙面の多くをさいて、会にあまり来ない会員の意見の交流をしたいものだ。だいたい記事をどうように集めるかに困難な問題もあるようなので、他の会員の意見をよせてほしい

東の年賀状

会によせられた（竹村宛）年賀状の一部を紹介しておきます。その一枚一枚には友情と期待がこめられていましたが、ただ残念なことに一枚もお年玉くじの当選はありませんでした。（順不同）

江口朴郎（東大教授・歴史学研究会会長）
地学団体研究会
川崎新三郎（歴史評論編集委員）
高橋慎一（歴史教育者協議会常任委員）
松本新八郎（明大講師）　藤間生大（歴評編集委員）
野原四郎（右同）林基（同上）
荒瀬豊（思想の科学会員・東大助教授）
拓植秀臣（法大教授）　北山茂夫（立命大教授）
岩井忠熊（同右）松尾たかよし（京大人文研究所員）
藤田至則（教育大地学教室）大島藤太郎（中大教授）
山口啓二（東大資料）太田秀通（都立大助教授）
庄司吉之助（福島大教授）鶴見和子（思想の科学）
遠山茂キ（横浜市大教授）武田清子（思想の科学）

職場の歴史をつくる会参考文献集（その四）

問題別テーマ篇

(1)人間の記録双書　平凡社（その一部）
谷間の教師　水野茂一　百七十円
広島商人　久保辰雄　二百二十円
ふだん着のデザイナー　桑沢洋子　二百円
日本中が私の職場　真山美保
靴みがき　和田梅子
開拓農民　か野誠　百九十円
ゆりかごの学級　岸本英男　二百二十円

(2)雑誌論文　—サークル、学習活動関係—
労働者の学習と公教育　五十嵐顕「教育」五—七
労働者の学習活動（座談会）勝田守一他「教育」五—八
労働者のサークル活動について　北川隆吉「教育」五—七
労働者の学習活動（座談会）右に同じ
農村の学習運動　大田堯「教育」五—八・九
農村の生活構造と学習運動　王城肇「教育」五—九

	12月			1月	
収入	繰越	0	収入	繰越	5990
	カンパ	17850		会ヒ	1550
	会ヒ	5700		カンパ	1400
	その他	2225			
		25775			8940
支出	事ム所ヒ	3750	支出	事ム所ヒ	6510
	返金	8500		通信ヒ	292
	テープ代	800		ニュース	1200
	通信ヒ	830		運営ヒ	895
	運営セ	5905			
		19785			8897
	残高	5990		本月分残高	43
				累計残高	26536

職場の歴史をつくる会
運営委員会ニュース

No.50

1962
2 月

東京都新宿区
戸塚町3丁目
305番地

「職場の歴史をつくる会の現状」について

ー委員会からのお願いー

梅の花が弥生の風に散るこの頃、皆様いかがお暮しでしょうか、四月に迫る国鉄品川の研究報告の準備に委員会はいま全力を投入しています。人工衛星の打上げ準備にもにた慎重さと細心の計画で進めていますが、その過程は困難の連続です。委員会の現状は、たしかに会運営とくに会員と会との結合に若干の犠牲を強いる結果をまねいているようです。たとへば本号は五十号なので記念号を出すところですが、委員会の現状はそこまで手が廻らずあえてこれを見おくらねばならないのであります。

こうした会運営に当然「会はなにをしているのだろう」という疑問や不満を会員各位はおもちになるだろうと思います。たしかに会運行の現状はびつこをひいた虎のようで正しくないし、この点委員会の努力の不足を卒直におわびいたします。たゞ私共は従来からのスローガンとして強調されてはいたが実行できずにまた、会と労働運動、会と職場との結合に一つのあたらしい段階をもたらす努力を委員会は懸命に進めていることを、会員各位に、大局的な立場から理解して頂きたいのであります。委員会はこうした現状を会員各位に訴えるために本号ではとくに委員一人一人が末尾にお便りを書くこととしました。またこの際、最近の物価値上りに伴う会財政の赤字の問題についてを、従来会員に迷惑をかけたくないと云う趣旨から委員会内部のやりくりで解決してきた状況を一歩進めて会員各位にその打開策を共に考えて頂くこととしました。

次号ニュースや総会を利用して詳細な資料と問題点を提示しますので新鮮で具体的な打開策をおよせ下されば幸です。

以上、簡単に会の現状について書いておきました。国鉄における研究発表会の実現のためにくれぐれもよろしくお願いします。

運営委員会一同

会員だより

「さようなら清水君」

一月三十日夜六時から事務所に会員有志十二名が参集し、大阪へ去る清水君の送別会を開催した。席上、同君の会に対する功労が各会員から述べられたが、とくに機関誌の発行や自分の歴史の創造に示された積極性は別れの今あらためて参加者の胸を打った。

会を代表して竹村氏より感謝の辞と今後も会活動に協力してほしいという趣旨の送別の言葉がおくられ、また結婚記念品と「戦後史第二巻」及び会員の寄せ書きの色紙がおくられた。

清水君からも、東京を去る決意として、大阪支部職場の歴史をつくる会をつくるよう努力する旨のあいさつが行なわれた。九時半、岡島氏持参の祝酒で祝盃をあげ、会は和やかな雰囲気のうちに閉会した。

会員短信

伊東喜美子会員
京都奈良旅行、法隆寺巡礼　三月初旬

飯塚　節子会員
苗場スキー場　三月初旬

岩浪　忠夫会員
鶴岡へ帰郷　三月初旬

松崎幸八郎君結婚祝賀会

三月の会の集り

三月二十七日（火曜日）
午後六時～九時半まで

場　所　会事務所

会　費　弐百円

運営委員会ニュース
No. 51
1962
3，4月合併号
東京都
新宿区戸塚町
3－305

国鉄研究報告会

ついに実現する。

四月十六日午后四時から約二時間半にわたり、品川客車区分会で研究報告会が行われた。この会はきわめて満足すべき成果をおさめ、今後の会の実践と理論的総括に大きな展望をおさめた。：　予想以上の成果をおさめたことに委員会は自信を強めるとともにこれまでの会員各位の支援に感謝するものである。詳細は次号にのせたいと思っているし、五月に予定している総会でも発表したい。

本号では既報のように会の財政状況一覧を発表しました。早急な結論をもとめるわけではありませんが物価値上りに伴う赤字の克服を解決したいので適切な御助言をはやくよせて下さい。

なお昨年度末の定例カンパは全会員の御協力で二月現在で一九五五〇円となり納入予定額を加算すると二万円を突破することとなります心より感謝します。

表(1)　支出の部

項目（平均）	金額
年間事務所費	2875
通信費　（交通費）	1000
ニュース費（現行）	300
運営費	1000
雑	300
合計	5475

表(2)　収入の部

項目	金額
会費　17人分	1700
（委員）	1750
合計	3450

表(3)　収支合計

収入ー支出＝赤字
3450－5475＝2025
：赤金額（毎月）約2000円

表(4)

借金合計	25500
1962　1月現在 借金は総て会員の貸付金となつています	

戦後史の合評会をみんなの力でやろう。

・四月例会のおしらせ・

戦後史第2巻（青木書店刊）の合評会をつぎの要領でひらきますので御参加下さい

日時　四月二十六日　午后六時ー九時

場所　事務所

報告者　岡島博　伊東喜美子　阿部有紀子

（注意）
次の頁のところは洩らさずお読み下さい。
一八六頁 ― 二〇二頁
二〇七頁 ― 二一二頁
二二五頁 ― 二三五頁

青山会員をかこんで

三月十七日、山形県の青山会員をかこんでこんだん会を持った。

青山さんは周知のように、現在教員組合の仕事をしており、その用事で上京してきた。

多忙な身体ではあったが、一夜話しあう機会が作られた。

当日はまず、青山より山形県の労働運動・農民運動の最近の動き、とくにその中からたい動してきている文化運動について報告があった。

その内容を概括すれば、山形県にあってはとくに文化運動（サークルを中心とする）がこれまでになく広汎に拡がりその交流も活溌になってきていること。

その顕著なものとして、各種サークルのいわば連合体といったものが形成されてきていること。

こうした条件をふまえて、職歴に望みたいことは、今後の労働運動のなかで、文化運動がどのような位置を占めるのかといった点についての明確な展望を提起して欲しいということであった。

この要請をめぐって、現在の会のとろうとしている方向が、日本の中でどのような意味を持っているのかという点を中心にそれぞれから意見が出され、活溌な討論がなされ、有意義な一夜を過した。

なにせ所用での急な上京の際のこととて、十分会員への連絡も果せなかったが、こうした交流の機会を地方会員と持ち得たことは大変うれしいことであった。（高橋）

「青山氏のその日の印象」

汽車旅のせいか、その日の彼は、ひどく疲れているようだった。始終体を横たえたり、起したりしていた。

彼は肥った、といううわさであったが、そうは見えない。ただ身ごなしの中に、例えば挨拶する時などの中に、造作の大きいものが感じられただけである。

顔いろは在学当時（S二九年頃）の方が、ずっと脂ぎって黒かった。たぶん酒量と関係があるのだろう。当日は、ウイスキーをお湯で割っており、量も少なくなっていた。

しかし、顔つきは今も変っていない。小じわはまだなかったように思えたし、笑うと殊に目・鼻・口・眉・えくぼ―それらがみんな丸くクリクリしてきて親しみがこもる。そういうところなんぞまるで変ってない。〝ジヤガイモ先生〟といわれた所以である。得な人だ。

声いろも、妙に響きのある浪曲調の奴で変ってない。

そして、話し方といえば、全体にリズムがあって、しかも新鮮である。これも変っていない。その顔、その声、その話―これが彼の切札だ。

山形にまかれた職歴の種も、きっと必ず芽を出す時が来るはずであるし、そう期待しつゝ。　四・二（まつざき）

◇　◇　◇

一月五日、十日、十四日、二十二日、二十九日、二月五日、十二日、十九日、二十六日、三月十二日、二十三日、二十七日、四月二日、八日、十四日、十五日

行進の中で考えたこと
—メーデーに参加して—

流れきたり去つていく行進の中は、核実験反対のプラカードが圧倒的に多いのが本年のメーデーの特徴だ。

こゝには人民広場の激突が物語るようなかつての緊迫し悲壮なふんいきは全くみられない。抗議と要求を示すプラカードと赤旗とがなかつたならばそれは華やかなパレードであるときさえいえるだろう。

みかたによつては今年のメーデーは日本の労働者階級の自信と成長を示すとも考えられるが卒直に云うて、太平洋上における核爆発がつゞき「死の球」といわれている放射能のかたまりが落下し始めているときだけにもつと直線的に鋭くこの問題に対する日本人民の怒りをメーデーにおいて表明する必要があつたのではなかろうか。

さらに云うならば「労働時間短縮」「大巾賃上げ」「池田内閣打倒」「憲法ヨウ護」等々のスローガンと並列して「核実験反対」をとりあげるのではなくこの一点に重点をしぼって統一メーデーをもり上げるぐらいの姿勢が実行委員会には欠けていたようである。

年々増加の一途をたどるメーデー参加のぼう大な労働者大衆の整理と編成する諸団体相互の複雑な内部事情の調整に追われていたのが実行委員会の楽屋裏かもしれない。しかしせつかく春斗で職場の労働者大衆がいわゆるスケジユール斗争の枠を破つて斗う方向を示したのであるからその面からでも、スケジユールメーデーへ傾斜する傾向はもうこの辺で終止符をうたねばならない。

安保斗争以降とみに労働者側の問題に冷淡になつたと云われるマスコミが本年のメーデーについては一斉にお行儀よく大人になつたと讃美していることを併せて考えるならば、筆者の指摘も単なる杞憂ではないと云いたい。（Q生）

書評

東京瓦斯労働組合史

田畑健

この書は、戦前篇（大正八年—昭和十五年）（一—一四八頁）と戦後篇（昭和二〇—三〇年）（一五一—五〇〇頁）から成り組合史年表（五〇二—五四四頁）が附いている部厚いものである。通読すると戦後の十年に多くの頁をとりながらも戦前篇の方が面白く表現も生々していることがわかる。

戦后篇は、昭和二九年の総評加盟否決、三十年の賃上げ零回答の完敗、そして労働協約の改悪で終つている。独占資本の再建とそれにつづく三次にわたる五ケ年合理化計画の推進は、生産、技術等々すべての面で職場をかえていつた。職階制賃銀体系が確立され、PR、HRと近代的労務管理制度が徹底し組合は五年間賃上げ斗争に立つことができなかつた。そして、就業規則改悪がなされ組合の権利は無意識のうちに大きく制限されるに到つた。三五年の賃上げについで、今組合では五〇〇〇円の要求をもつて斗争に入ろうとしている。が、度重なる不満足な結果に青年層を中心とした企業内協調組合に対する不満が強まつてきている。合理化の問題と共に、この五ケ年間の組合史をかく必要性が生まれてきている。これから戦后篇をどう充実するかそれは困難な課題だがみんなで考えたい。

運営委員会ニュース

No. 52, No. 53.

1962メーデー記念号

東京都
新宿区戸塚町
3－305

”目のさめる勝利”

ふたたび会発展の新しい段階の意義について

「枠を破った国鉄研究発表会を持続し蓄積する方向」

別項にみられるような国鉄研究発表会は全日本のあらゆる職場に向って会が科学（職場の歴史）の道を切り開きネツトワークを実現する最初の偉大な試みであるだけでなく、会のこれまでの見通しが完全に正しかったという意味で、会の新しい段階における目のさめる勝利である

こんどの研究発表会の成功が示した会の新しい段階はきわめて大きいものとしてつぎの諸点をあげることができよう。

第一は新しい段階の主要な特長は、安保、政防法、さらに今回の春斗に支えられて国鉄労働者の間に急速にすぐれて高い歴史批判が育ちつゝあることである。

第二に労働者階級のすぐれた歴史への要求が未だ労働者の自発性（土着性）を基礎に体系化しえないでいるということの確認である。

第三には前述のような労働者階級の現状をふまえ、会は今日漸く労働者の歴史への要求を定着し発展させるだけの力量をそなえてきたということである。会の八年間にわたる忍耐と苦難の歴史がその優れた方法意識に支えられてようやく結実への方向を確実なものとしてきたのである。最近生活記録の分野でも記録から歴史への方向をみせてきつゝあるが、会はこの分野ではそれらの潮流を決定的に引き離す力をもっている。

第四には職場の歴史の引き続く勝利の前進は問題意識、方法論、資料操作技術、研究運営等のあらゆる面ですばらしい業績を前提とする。こんどの研究発表会はその方向の開発に継続的な刺激剤になったわけであるが会の水準は要求の前に未だ極めて不充分、である。とくに会、の労働者会員の量的貧困さは以上の情況をさらに不安定なものとしているのである。

第五に新しい段階の中に依然として存在し成長しつゝある古い要素（たとえばサークル主義的ルーズさ）は、今回の成功の輝かしい光の中ではっきりと浮ぼりとなってきた。会員の中に底流している溌らつとした市民感覚が組織化されえない現状は会員に会の前進を確実に把握することを困難なものとし、日常活動（ニュース、例会、地方支部との連絡会費納入状況等）はゆがみを拡大しつゝあるようである。

最後に今回の発表会を機に、研究ステーションを建設しさら研究を軌道にのせ、より高度な複雑な課題を解決していくという会のゆるぎない力を確認し、新しい段階における新しい実践に向って会が団結することが重要となる。従って委員会は絶えず小さな声を吸い上げるという正攻法で進み組織を近代化してきた会の伝統をふりかえり、新段階を確認する上からも五月末に全会員出席による総会（国鉄研究報告会）をひらくことを提案するものである。

会の勝利を知って古い会員新しい会員の多くが歓喜しているこのことは、われわれに同じ目標に向って長年苦労した者の同志的愛情をしみじみと味わしてくれるものである。

（運営委員会）

◇　◇

品川に生れた新しい思想

〜〜会活動の記念碑〜〜

○報告者岡島委員

四月十六日品川にて、岡島さんを報告者とした研究集会が開かれました。昨年の総会において国鉄品川の研究に会の重点を置いてから委員会を中心に、研究を重ねて来たその研究成果を職場の人たちによつて、批判、検討してもらおうとしたのでした。

こゝ数年間こうした経験を持たないものですから、報告者の岡島さんをはじめの皆、かなり緊張し、心配し、ためらいがちでした。かなり豊富な資料があつても、広い範囲に亘り、それぞれの時期をくわしく知ることは困難であり、又、品川には実際に長い間たゝかいに加わつていた人も沢山おり、その人たちよりもはつきり事情を知ることはなかなかむずかしいし、誤解している点も多いでしよう。ですから、皆まつたく自信を失いできることなら中止したいという弱気に走つたのも無理ないでしよう。しかし、職場で労働者に批判検討してもらえない「職場の歴史」はありえない。集会の前日、皆事務所に集まり、一生懸命、原稿の作成にあたつている様子は、きつと討ち入り前夜の赤穂義士のような珍妙な光景を提していたでしよう。

○その日の表情

四時から始められた集会は、作業服姿の岡島さんをはじめ、会から竹村、伊東、島田らが出席し、職場の人たちの中には、かつて会に参加していた橋本さんや、山口さんなども作業服姿で居りました。竹村による会活動の自己批判をふくめたあいさつの後、国鉄研究の持つ意義、資料の概要、昭和二十一、二年当時の品川の状況を岡島さんが報告し、つゞいて遅くまで討議が行われました。

会の活動と品川の職場とのこれまでの関係あるいは、その中でのいくつかの誤りを卒直に自己批判でき、新しい見通しを持つことができるようになつたと、こうしたことは会活動の大きな成果であり、まさに昨年十月の総会の方針が正しかつたことを示すものであり、だから職場の人々にも好感を持たれたのだと考えられます。

報告と討議の中から生れた結論のいくつかを紹介しますと、敗戦直後、キガ線上にあつた国民の要求を労働者階級が力強く代表していたこと、党に対して労働者の多くが強い信頼を置いていたこと、ＲＴＯに対してはかなり後に至るまで警戒しなかつたことなどが詳細に論じられ、こうしたなかから三月末の国鉄ストの問題や、組合とくに上部組織との関係なども考えあつた

会が労働者のすぐれた歴史意識を掘り出し、労働者の歴史への要求を体系化して行こうと考えていた方針が、品川の労働者によつて支持され、今後も定期的な集会を持つことが、会よりむしろ労働者側より積極的に提案されたことは、集会直前まであつた会員の弱気やためらいを吹き飛ばし、会の方針がやはり誤つていなかつたことを強く確信させられた。

○研究ステーション確立をめざして

これから、定期に集会を持つことを決定し、次回は今月末に予定していますが、資料を提供してくれたＹさんがパージで職場を去つた人々や古くから活動されていた人々に呼びかけようと乗り出すことになりました。その結果品川に残つた人や他の職場に移つた人を含めた巾広く活潑な研究ができる見通しが強まり、また研究集会に品川以外の国鉄労働者が参加できるようになるだろうと予測されます。

この研究の見通しは明るく、会活動の重点を、当品川に置くのは正しいでしよう。現在までこの資料が残されていたのはたんなる偶然ではなく、労働者の中に直感的に、歴史的総括の持

つ意味を鋭く捕える力があったのだと考えられ、現実のたゝかいのためにも欠くことのできないものだと考えていたのでしょう。云うまでもなく労働者の歴史に対する要求は現実と結びついて現れ、かつ労働者の直面している課題は極めて多様であり今後の研究集会で会に要請される歴史的、理論的な問題は極めて高度なものと予想されます。会の研究が不充分なものであれば（つまり労働者の中であぐらをかいていれば）多くの失望を与える危険もあり、かつまた過去の品川における斗争や組合活動をたんに整理・記述するだけでは、期待に応えることができません。

（島　田）

※※研究集会が開かれるまで※※

◎一九六〇年九月十五日◎

『あたらしいプランと行動』

（委員会ニュース三五）

大衆的に組織的に公開的に集団研究を進めることこそ、当面の運動のかなめ

◎一九六一年三月◎

『会の新しい動きについて』

（ニュース四〇）

六〇年度の反省から、会員の要望に即した研究を一歩でも前進させよう

◎同年　四月◎

『広い視野と独自活動』

（ニュース四一）

会の自己批判と、サークル主義の克服進む国鉄と会との関係にメスを入れる

◎同年　五月◎

『集団研究に全会員の積極的参加を!!』

（ニュース四二）

岡島、宮沢両会員の職場の問題を中心にすえて、全会員の参加する「極地法」で行うという案の出現

◎同年五月三〇日

『総会の報告』

（ニュース四三）

「集団研究―国鉄品川の歴史をつくる意義について」

合理化分析を通じて国家独占資本主義を明らかにすること

◎同年六月二十七日◎

『委員会』

国鉄研究を進めることとの確認

◎同年　八月◎

『国鉄の集団研究は成功する』

（ニュース四四）

発見された新しい資料の持つ意義について

◎同年九月十一日◎

『運営委員会報告』

岡島委員より国鉄品川の資料発掘され届けらる。この資料により国鉄の究明に会の主力を注ぐことの確認、したがつて、会の今後の一致協力体制が必要となり、総会を開くことが決議される

◎同年九月二十二日◎

『総会』

一九六一年度の反省と運動の進め方秋の運動のポイントを七周年記念事業（予定十一月第一週）＝国鉄品川における研究発表会におくことに決定

◎研究会日程◎

十月二日、十日、二十三日、二十四日、二十八日、十一月三日（合宿、於高輪荘）十一月四日予定の発表会は遂に延期す。十三日、十五日、二十二日

◎同年　十月◎

『会の大衆化を急げ』

（ニュース四六）

国鉄品川の発表会を実現させることこそ、会運動の大衆化をもたらす

◎同年　十二月◎

『会の発展は私の成長だ』

（ニュース四八宮沢論文）

六二年の会活動の中心―品川の歴史実現および六三年八月までの運動の展望

◎一九六二年一月◎

『新しい状況と新しい行動について』

（ニュース四九）

サークル主義の自己批判および創造活動の強調

◎同年　二月◎

『職場の歴史をつくる会の現状について』

（ニュース五〇）

委員会研究発表会の準備に全力投入

◎研究会日程◎

運営委員会ニュース

No. 54

1962．6

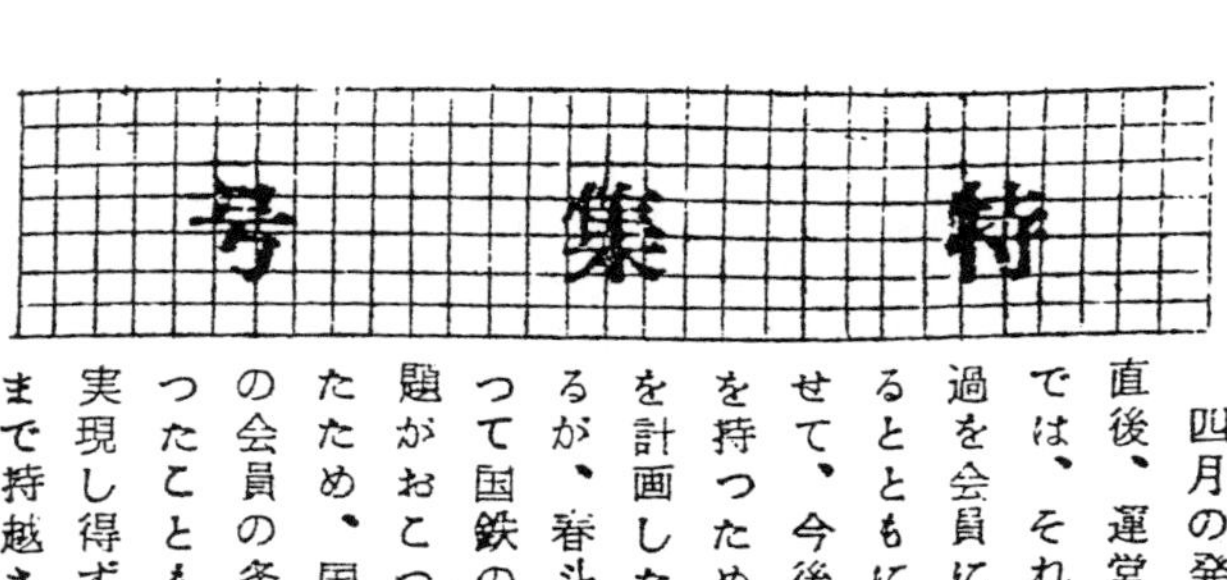

総会をむかえるにあたつて

四月の発表会の直後、運営委員会では、それ迄の経過を会員に報告するとともに、あわせて、今後の展望を持つための総会を計画したのであるが、春斗をめぐつて国鉄の処分問題がおこつたりしたため、国鉄関係の会員の条件といつたこともあつて実現し得ず、今日まで持越されてしまつた。

種々制約はあつたにせよ、今日まで総会を持ち得なかつた点については、委員会にその責任があり、そのことについて、先頃の委員会でも卒直な反省がなされた。

しかし計画の第二段階に入つた現在、これ迄の経過を報告し会の現在おかれている条件や、会員の要望等にそいながら、今後の会の方向を打出していくとともに、それを共通に確認していこうというのが今度の総会のねらいである。

なお、会の現状と、その問題点といつたことについては、先号のニュース五三号に、五つほどあげておいた。総会の席上では、その内容を掘り下げて検討し、会の今日の時点での姿勢を共通に確認し、発展させていきたい。

五三号は必ず持参のこと。

委員を辞任するにあたつて

飯塚節子

ずい分長い間運営委員としての一役を勤めさせていただきました。そう云うよりも運営委員の座に甘えてきてしまつたようです。

その運営委員を止めようと思い立つてからは勝手なもので、一刻も早く会の雑事から身が退きたく、先日、運営委員の皆さんの承認を得た時は、正直なところ、ホツトした思いを致しました。しかし時間がたつて考えてみますと余りにも子供じみた自分勝手な態度に今更ながら恥かしく思つております。

そして、やめるに際して運営委員の皆さんが一人一人真剣に私個人の生活を考えて下さつた事を思いかえしてしみじみその温かさをうれしく感じて居ります。今後は一般の会員として会を支えていきたいと考えています。

もう、二年も前になりますでしようか、会で、「哲学教程」を学習した事がありました。少数の人しか参加しませんでしたし、又長くは続かなかつたのですがあの時の学習は私にとつて本当に楽しいものでした。

勉強とはこの様にするものか……と云う事が解りかけた様な気が致しました。内容は難かしかつたのですが難かしさはともかく、タツタ一行でもその意味の深さと大きさを理解する事が出来た時は、胸のふくらむ思いでした。あの時は本もずい分読みました。「クレーヴの奥方」「町人貴族」「方法序説」として地図を開いてマルコポーロの航海の後を追つてみたりして、新大陸の目覚めゆく大きな動きを胸の湧く様な思いで抜いそみたりも致しました。

　思い出話し等を書き始めてしまいましたが、私にとつて、あの時の勉強は本当に楽しく価値あるものでした。あの様に実のある学習と、楽しい創造活動とを私はやはり会に期待し希んでいます。

　竹村さんのお母様をはじめ、運営委員の皆様にはすつかりお世話になつてしまいました。ありがとうございました。

◎飯塚さんのこと◎

ここ五ケ年も会の委員としていろいろ会のためにつくしてくれた飯塚さんが、今回運営委員を都合でやめることになつた。

　個人的な感想をいわせてもらうならば、条件が許せば、なお委員としてとどまつて、これまで同様に活躍してもらえたならばと思うし、そのことは、飯塚さんを知つている会員もみな同じように考えるのではなかろうか。

　しかし、事情とあれば、残念だがいたしかたない。

　長いあいだ御苦労様と心からいいたい。

　とくに飯塚さんは、会の運営の面で、会のなかでもいろいろやつかいな問題の多かつた――しかもこれについては、今なお好転していないが―財政面の担当者として、ささえてきた功績はとても大きかつた。

　無論、会計面ばかりではなく会の全般的な活動面でも大きな功績があつたことは、これもよく知られているところである。

　六月の運営委員会でも、長い間の苦労にささやかでもむくいるために、わずかでも記念品でもといつた案が出され検討されたが、会の財政の現状（借金がまだある）といつたことからみて、見送らざるを得なかつたのは残念だつた。

　会が国鉄問題に取組むなど、新らしい飛躍の時期をむかえようとしている現在、これからの発展には、ある意味ではこれまでの経験が、より大切に会員共通のものとされねばならないのではないかと私は思う。

　そうした意味で、どうか、これからも、会員の一人として、これ迄と同じように会をささえていつてほしいと希望したい。

（高橋秀夫）

◎会員の動き◎

山形の青山さん、東京の岩浪さんは、いずれも五月に結婚式をあげました。

　会員の皆さんとともに、「おめでとうございます」とあいさつを紙面をかりてお送りしたいと思います。

　これからも元気に御活躍ください。

会計報告

5月分		4月分		3月分	
収入		収入		収入	
繰越	173	繰越	9	繰越金	323
会費カンパ	4300	会費	2850	会費・カンパ	1930
計	4473	計	2859	計	2253
支出		支出		支出	
事務所費	3000	事務所費	2100	事務所費	1700
運営費	250	運営費	200	通信費	114
通信費	423	通信費	156	運営費	200
タイプ代	800	タイプ代	230	タイプ代	230
計	4473	計	2686	計	2244

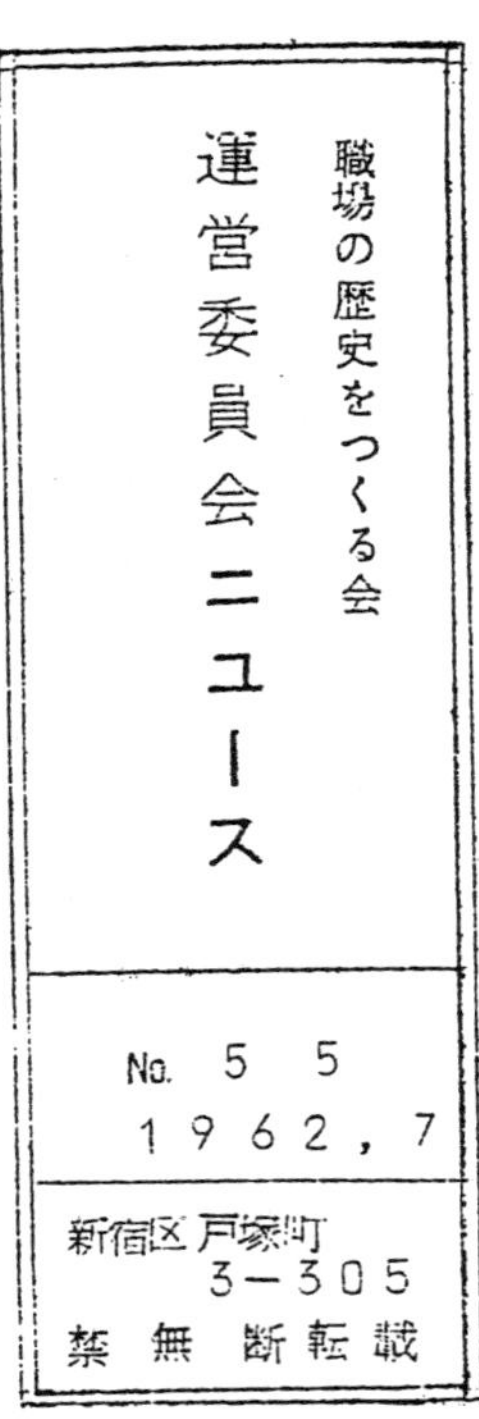
職場の歴史をつくる会

運営委員会ニュース

No. 5 5
1962，7

新宿区戸塚町
3－305

禁無断転載

「父の歴史を語る会」によせて
—六月総会で出されたこと—

六月三十日にひらかれた今年度最初の総会は、去年秋十月以来久しぶりに持たれた総会であつたということと同時に。そこで出された内容が、きわめて注目すべきものであつたことが強く印象に残つた。

「私は職歴とともに、青春を生きてきた。」という一会員の発言は、参会者全員の胸に、あたかも乾いた大地に水がすいこまれるような共感の波紋となつてつつみこまれていつた。

そして、これまで、会と会員のつながりは、古い、新らしいの差があるにせよ、それぞれが、これまで会とこれまで、どのようなものであつたのかを思いおこさせ、また、現在までの会が、本当にそれぞれの持つている会への期待をみたすものであつたかどうかをあらためて考えさせられた。

そして、討論のなかから出てきたことは、これまでの会は、成立以来の数々の貴重な経験、——歴史的伝統の上に立ちながらも、（たとへば、その成果の具体的な形のものとして「現代史の方法」の出版などがかぞえられよう）なお会員の会にたいして求めているものにたいして十分にそれをみたしていなかつたのでないかということが反省として出された。

なぜであろうか。

第一に、これまでの会が、職歴運動への理論＝方法といつた点の創造に、十分意識的な努力をはらつてこなかつたということ。

第二に、会員としてそれぞれが、自分の要求を、はつきりと会にたいして積極的にぶつけてこなかつたのではないか。

こうした二つの点が、その主要な原因としてあげられ、両者の克服が、当面の大きな課題として確認された。

第三に、これまで積上げてきた国鉄研究会については、しばしばニュースにもその経過を知らせてきたが、今後職場と強く結合し、創造活動を、着実なプランにしたがつて、フィールドワークを発展させていくことも一致して確認された。

そして、運営委員会は、会の執行機関として、そうした現状を正しくつかんで、会の運営にあたつてほしいということが、要望された。

委員会でも、会運営の責任の重要性については、わかつていたつもりではあるが、指摘された欠陥の克服に一層努力する決意が述べられた。同時に、諸物価の値上り。去年来の郵便物の値上りといつた条件にもかゝわらず、会費は、諸条件を考慮してここ五ケ年据置になつている。それで財政事情は苦しく、これまで委員は一人月二百五十円負担していたが、六月から五百円（平均）を会費として出していることが報告され、こうしたことは、けつしてこのましい形ではないのだが、会をささえているかげの条件の一つとして、会員にもこうした努力の面も知つてもらい、国鉄研究会の成功といつた新らたな会の発展のなかで、会活動へのより一層の積極的参加といつた要請があつた。

以上が、こんどの総会の素描である。

最後に委員会提案として、これまで毎年八月に持たれていた「父の歴史を語る会」の集会を、今年は一ケ月繰上げて七月に持つことが出され、決定した。

こゝでは適当な場所で、一夜心ゆくまで会員が語りあおうという趣旨で、その細目は、本号別稿関係記事を参照の上、積極的に参加を希望する。

（運営委員会）

職場の歴史
地方段階の活動とはなにか

（山形）青山　崇

三〇日に総会開催とのことですがおめでとうございます。
急ぎますので十分整理した報告はできませんが要点のみ報告致します。

「わつぱの会」について——先日上京した折ちよつと話しておいたと思いますが、その目標と性格については同封した機関紙第三号〃わつぱの会〃が結成されたと第二号の〃当面の計画目標をきめる〃を参照下さい。

で会が三ケ年ぐらいの長期のみとおしの上にたつてやろうとしていたことは、明治七年に農民一同を結集してたたかわれたという〃ワツパ騒動〃を研究し、たたかいの遺産を継承していこうということです。

中心的に研究にとりくんでいる高橋教師がおり彼を中心に研究集団をつくり本の発行まで持つていこうということです。この研究を土台にしています。まだ職歴については直接紹介しておりませんが常任委員会に提起していこうと思つています。

まずはわつぱの会についてのみ報告しておきます。

当地も選挙戦大衆運動が集中されておりますが、それぞれの性格にもとずいた大衆組織はとぎれることなく活動をつづけております。

会費六、七月分二百円同封致します。結婚生活は淑子の方が生活する地域・職場・家庭と変つたので落着かず、それに選挙戦ということもあり、じつくり研究する余裕がありません。

いささか速筆乱筆ですが総会の成功を祈ります。

わたしたちはあまり働きすぎる
―知りたいＥＥＣの影響―

（福　島）　岩　浪　安　昭

拝啓　梅雨の候毎日じめじめとした天気が続いていますが、お変りなくお過しのことと思います。東京では、水不足の解消でほつと一息の所らしいですが、こちらでは間もなく来る輝やかしい夏が待たれます。

最近は世の中が大分不景気になつて来た様で、大企業小企業を問はず、生産は昨年の二割減とか、三割減とか、今まであまり忙がしすぎたので、たまには閑になつた方が良いと思います。我々は大体今まであまり働きすぎて、神経と体をすりへらしていた様な気がします。こういふ機会に、労働時間の適性化等良く考へて見たいと思つています。

たまたま印度方面に技術指導に行つて来た人の話を聞きますとあちらの人達は、気候が暖かいためか、労働意欲が非常に低く仕事に対する責任感など全くない様な話です。低開発国の援助など日本が一生懸命にやつても、東南ア諸国が日本の水準に達するには、容易なことではなく、日本の輸出市場として期待出来る様なものではなさそうです。アメリカも景気最近下向きになつており、中共は、食料不足で困つておる様で、景気が良いのはＥＥＣ位のものらしい。

たまには不景気になるのも、一時閑が出来て良い様ですが、あまり長びくのも困るので、一体日本の経済は先行どうなるものかと、たまに考へるわけです。丁度、手紙を書いている時、そんな考へがうかんで来たのでまとまりもないことを書きました日本経済の今後の見通しについて、御意見をきかせてもらいたいと考へています。

会費千二百円を同封します。

敬　具

―◇―

会員の方で岩浪会員の要望についての意見、感想をよせて下さる方は編集部まで原稿（四〇〇字三枚）をよせて下さい。

委員会だより

○今年もあついさかりになりましたが、皆様にはいかがおすごしですか。この間の総会には、在京会員は全部出席とはまいりませんでしたが、ひさしぶりに顔をあわせ、あるいは連絡があり、有意義な一夜でした。

やはり一ケ月に一度くらいはおたがいに顔をあわせたいと思います。

○総会のためわざわざ送つて来てくれた福島の岩浪さん、山形の青山さんからのお便りが席上紹介され、うれしく拝見しました。どうか地方の人は時々かんたんでも連絡ください。

○会費のとどこうつている人がおります。あまり多額になると、つい気持もにぶりがちになります。直接事務所に足を運べない人は、近況やニュースともども遊送でもお願いします。

次回には阿部会員（K銀行）の戦後日本史2の書評がのります。御期待下さい。

○会発足のときの　スローガン

1　時間　2会会費　3　約束を守ろう

父の歴史を語る会討論によせて

A　日常性の問題

（方法論と書手の大衆的な確立）

現代史の方法・職場の歴史・機関誌にのつた作品の検討を通じた書手の養成（方法論がないと書けないこと）

B　機関誌がないということについて

（それは会の後退の重大な要素ではないだろうか）

C　会の交通の円滑の問題について

会の基本は集団政策であること交通は最低の条件である

D　会員増加の現実的プランについて

目標と現実的な必要を考へてみようもはや子供ではない会は八年経つた

◎日　時　昭和三十六年七月十四日　午後　於高輪荘

運営委員会ニュース
総会準備特集号！

No.56
1962.8,9.10.
合併号
1962,10.25

東京都小平市
喜平町1032
職場の歴史をつくる会

総会報告資料 六、三〇—一〇、三〇

(一) 職歴運動の発展

国鉄研究会の成果と課題

a 理論と職場の歴史資料つくりとの結合。

その内容がつかまれてきたこと（以前の段階ではまだ公式的な把握であつた）

b 実践（斗争）と職場の歴史運動との結合が明確になつてきたこと。

c 以上の総括として日本の労働者階級の歴史意識を体系化する仕事の見通しとをもつことができるようになつたこと。そしてその方向にそう具体的な研究成果が原稿の形で蓄積されつゝあること。

職歴運動の研究の成果と課題

a 現に「国民と歴史」の中で戦前における歴史批判を体系化する仕事について若干の問題提起がなされていた今日竹村氏によつてその仕事をさらに深かめる研究がすゝめられており、その成果は近く論文として公表される予定である。

(二) 組織の発展について

会事務所の移転問題

a 会の理論的、組織的発展は会活動家の健康にして人間らしい生活の基礎の上にのみ保証される。今回の会事務所の移転の意義はまさにそらした基本線を実践したところにある。（以前の段階において事務所問題が会の最大の困難な課題であつたことを想起せよ。）

(三) 会財政について

略　（次号掲載）

(四) 職歴運動の反省

①委員会活動家が実践面で編隊をくんだ仕事が充分できない、こゝから会の停滞の一つの要因が生れてくる。キューバ問題に典型的に現れているような国際情勢の急速な転回情勢においても自由化をめぐる資本攻勢の激化等々の前に会の機動力は貧弱である。

②委員会の活動家が力量を蓄積することの重要性を意識しながらも、なお会についての研究論文、運動論を文章として蓄積していくことが不充分である。この解決は会の今日の段階を切り開く上で決定的に重要である

③会の共同研究が進んだのに比べて会員の会活動は停滞している。

④会財政面で後退がある。委員会がさいそくしないので自発的に会費を納入するというスタイルがこわれている。

⑤機関紙、誌類の定期刊行が若干みだれたこと（八・九月休刊）

以上の総括としていえることは会活動は若干後退している。とくに委員会の実践面での編隊をくんだ活動が一九六二年後半をとりあげ

るかぎであるようだ。一点を突破し全体をもり上げていくということが重要である。

会員各位へのお願い（総会の準備のために）新会事務所へ、はがきで十一月十五日迄に必ずこの草案についての意見要求を送ること。

総会は十二月第一週に予定予定をあけておかれたい。

本草案には「情勢分析」というと大げさではあるが一九六二年度における日本の政治・経済・思想の問題が労働運動にどのような影響を与えているかについてはわざと省略してある各人の意見感想を書いてもらいたい。又自分をふくめて実現可能な今後の会の当面のプログラムを提示してほしい総会において、活潑にそうした問題を討論するために不可欠な作業として、提案する次第である。

十一月一ぱい準備のためにとり、充分意見をまとめたうえで十二月第一週（予定）にしたい。

「キューバー問題」雑感

一会員

ある程度、予想されていたとは云え、ケネディー声明は私を飛び上らせた。十月二十三日の夕刊ではじめて知り、いらだたしい気持におそわれ、生存をおびやかされるという恐怖もあつた。

中間選挙目当てのお芝居、ベルリン問題その他でのソヴイエトからのじようほをかちとるための威かしの目的もかなり含まれているにしても、アメリカの世界支配の危機を彼等なりに適切につかんだ行動であろうと考えた。

学生時代の習慣は抜けきらず又、野次馬根性もあつて、アメリカ大使館へ、友人とでかけたかならず抗議のためのデモが組織されているだろうと思つたからである。

大使館前は退社時間も過ぎて静かで薄暗くなつていた。前の交番の警官がやゝ多い以外、何の変わりもない。何か肩すかしをくらつたような気持ちだつた空白な気持のまゝ友人は総評の統一行動に参加するため神宮へ私はアルバイトに行くために別れた。

運営委員会ニュース
総会準備特集号
No. 57
1962.11.15
東京都小平市
喜平町1,032
職場の歴史をつくる会

総会報告資料 その二

会員各位にお願い—重要ですので必ず読んで前回につづいて意見を十一月二十五日までで会費と共に手紙等で事務所に送って下さい。

なおその時、八周年記念のプログラムをなにか一つ提案して下さい。

総会報告資料その三は、竹村「柳田民俗学の軌跡」抜ずりと共に十一月末までに送ります。

職場の歴史研究の反省と当面する若干の問題
—失敗に学ぶ—

竹村民郎

いま天下泰平ムードが支配している。その中でしっかりと人民と結びついて職場の歴史を書いてきた我が会は国鉄研究会の蓄積に若干の成果をみとめながらも混迷している。八年をむかえて会員の積極性は後退しその意味で会は「危機」でさえあるといえる。一方では「歴史学研究」「歴史評論」などの最近号で国民のための歴史学の復権—村の歴史・職場の歴史を要求する論文が現われてきている。これは一体どう云うことなのであろうか。これを考えるために、かつ危機の打開のために会の歴史の総括をつうじて若干の問題を提起したい。

(1) 国鉄研究会は本来会の運動の拠点＝けん引車としての意味から重視されてきた。このことは正しかったが、その研究運動化の面でいちじるしく速度がおそいの職場の広汎な労働者と結合できずにいるのが現状だ。期待する会のけん引車になっていない。会は国鉄の積極的な活動家と結合し、その人たち自らが力量をつけ歴史をかき、研究グループを組織すると云うコースを着実に追及してきた。このことは労働者に対する会の信義の高さの発現でありそれ自体なんら誤りではない。たゞ会はその仕事に没入しすぎていま一つの重要な側面をおとしてきたようだ。それは何か。会と組合（組合支部・分会）との結合の問題である。会が職場の活動家を媒介として職場に浸透していくということと同時に、会⇄組合⇄職場の労働者と云うコースが不可欠である。なぜならば、前者のコースだけでは職場の活動家の偶然性が大きく会活動に作用するために、会の運動が極めて不均等かつ自然発生的にしか発展できぬ。

念のために一言しておくと、わたくしは今日までの会の献身的な労働者活動家の実践を批難しているのではない。問題の中心は会の組織方針の弱点を反省しているのである。会と会員活動家だけの結合だけではどうしても動く情勢に即した会の役割が正しく追跡できず大衆化のスピードが極めておそくなると云う現象が生れてくるということを云っているのである。

やはり、会は会員活動家と結合すると同時に、会と組合との正式な結合の回復を考える必要があるのではなかろうか。そのために会は明確に資料を基にした年間研究のプログラムをつくる必要がある。その計画にもとづき会が（組合の後援等のもとに）職場の人たちのなかで堂々と研究活動をすゝめるようにしなければならぬ。その場合重要なことは、広い領域（大衆化の）を設定し、そのなかで会員活動家が活動し、すぐれた実績を示し、我々の研究が労働者の為に役立つことしか願つていないということを明らかにしそれによつて研究の指導権を獲得することである。

以上の総括として云えることは国鉄品川だけでなく八年間の会の全活動のなかでは、会と組合との関係の発展について貴重な努力の萌芽（このコースがなぜ挫折したのかについて会の歴史から検討しておくこと）はあつたにしても主要な傾向は会→個人会員→職場の労働者と云うコースが支配的であつたと云うことかできるそして主に会→個人会員との関係の縮小再生産であつた。今日、このコースの成果を認めながらもその不利な面・狭い会活動の面を確認し、失敗に学んでまず会員の影響の及ぶ範囲内で会と組合会と様々な団体との新しい関係を緊急に確立せねばならぬ。その仕事は慎重でなければならず困難でもあるなぜなら今日多くの組合機関が右傾化の傾向をとつているからであり会の力が弱いのに実力以上に評価されているからである。しかしそうだからといつて批難するだけでその状況を具体的に分析して働きかけようとしようとしないならば我々に対立する悪しき思想との対決をさけしたがつて敵対するものを明確にできずますます日和見の態度が拡大し会はストップするだろう。

会を軸にする新しい職場の歴史戦線戦術の展開の具体的な在り方はまだいくらも検討されるであろう。（例えば本部と山形支部との関係の発展等）従つてそこでは会員の創意の発揮される分野が大きくひらけている。今日まで挫折したとしてもこうした貴重な仕事にさゝげられた努力創意は前述したごとく正しく評価されねばならぬそれこそ会の歴史の誇りと光栄の部分である輝く伝統である。

会は失敗に学び新しい職場の歴史戦線の確立をできるかぎり広く実際につくるために全会員活動家が全力をあげなければならない。会外の情勢が示しているように客観的には会の役割は後退するどころかたえず増大しているのである

(2)　前章では　国鉄研究会の経験を一つのふみ台として、会の組織論の弱点について検討を加えてきた。本章では会の研究の内容方法について若干の問題を提起しておくこととする。

学者の研究、組合史、生活記録の仕事と異なる会の研究が現在最も力を入れているのは国鉄研究会の仕事が示すように資料の発掘新しい資料の研究である。しかした

5. 私たちの[illegible]状況 ←→ 私たち [illegible]
6. 理想主義

とえば新しい素材を必要な開書きをどのように有効に役立てるのかについての会の研究はまだ立ちおくれている。わずかに竹村の柳日論はその克服のための一つの仕事ではあるが、会全体として意識的に検討されていない。

労働者の生活斗争職場からの発見されてくる新しい資料や素材をどのように評価し、どのように研究の中にくみ入れていくのかについての会の研究が、系統的に蓄積されていないことが（部分的には会の八年の歴史の中に貴重な潜在的エネルギーとして蓄積されているが）国鉄研究会の仕事の効果を充分なものとしていない。

全国的な大きな歴史の動きの中で、職場の動きをどう追跡するか全体と個別との融合を結実させるためには、（この仕事の接近において会が秀れた方法をもつことが労働者等から注目される重要な点である。新しい資料の位置づけ、新しい資料の創造が中心的な問題とならねばならぬ。

しかし再三指摘するように、会の八年間の歴史の中で、少数の資料の発掘と聞書きの作成しかできなかったという現実、加えて職歴理論（資料の問題をふまえた）の形成への努力の不足は、今日国鉄研究会の基礎を安定したものとしていない。

今日大たんに会はその研究の中心を、資料研究中心主義にする位の決断がいるであろう。「実証」にこりかたまることは、会と労働者との間を遠くすることになる危険はたしかにある。しかし第一章で提案した新しい職場の歴史叙述が実践され、その成果が急速に拡大すればするだけ、本章で書いたような資料研究はますます重みをもたざるをえないだろう。そうでなければ、悲しき政治主義と運動が進むというムードにのっかって再び会活動が浮上ってしまう危険は充分に予想される。

一体職場の歴史はどう書けばよいのか。その典型を近い将来にりっぱに実現させるために、新しい資料の研究（それは新しい歴史叙述の問題とも密接につらなっている）を大たんに前進させる必要がある。これまでの書かれた会の記録をどう評価すればよいのかとんな素朴なことすら、自信をもって云いきることができぬのが実状ではないだろうか。そこから従来の仕事は失敗で、（たしかに結実していない。研究体系に整理されていないという点ではその通りではあるが）学ぶもの、進歩は何もないとして会の仕事に自信を失うという現象ができているのではないだろうか。

八年間の仕事に一つの終止符をうち、新しい出発にともない目的意識的にいわゆる総合史の限界、を破った職場の歴史を実現する日を近づけるために以上の総括として国鉄研究会の仕事の意義を確認し、会が最も力を入れるものとして評価すると共に「資料」を中心とする多面的な研究の必要の確認その具体的な第一歩として従来の会の達成してきた未完の思想、未発の仕事の今日的意識と評価を確立するための仕事を全会員が一致して実践することを提案する。

かつて会を英雄的に支えて斗ってきた現在会員の多くは多忙な職場の毎日と個人の生活に沈潜している。個人個人は恐らくそれだけでよしとしてはいないであろう。会員として、日本の科学労働の上に、職場の歴史をつくる運動というりっぱな仕事を通じて貢献し、自らの歴史意識を理論的に高めていこうと考えているのであろう。

それゆえに八年の時点に立ってふたたび若々しく前進するためには、これまでの失敗に学ぶことと会の職場組織の状況、研究の実状を正しく認識することからはじめる必要があるのではないだろうか。

……一九六二年
十一月十一日……

1962 11 11
作成　竹村　民郎

１　９　６　２　年　下　半　期　会　計　報　告

貴方の会費は１１月１０日現在で［　　　］円滞納です　２５日迄に必ず送って下さい

	6　月	7　月	8　月	9　月	10　月
収入	繰越 (A) 0	(A) 575	(A) 0		
	会費 (B) 4100	(B) 4950	(B) 1800	(A) 12455	(A) 7055
	カンパ (C) 3000	(C) 3200	(C) 700	(B) 1300	(B) 3500
		父の歴史会費 9500	原稿料 10000		
計	7100	18225	12500	13755	10555
支出	事務所費 (A) 5200	(A) 4100		(A) 3500	(A) 2500
	運営費 (B) 120	(B) 3770	(B) 45	(B) 2250	(B) 1000
	通信費 (C) 805	(C) 1680		(C) 950	(C) 450
	機関紙費 (D) 400	(D) 400			交通費(F) 600
	その他 (E)	(E) 8520			
計	6525	18470	45	6700	4550
残高	575	−245	12455	7055	6005

「１９６２年末迄に会の借金をなくそう」　１９６２年１０月現在　会の借金　総額　２４５００円
内訳　タイプ機械未支払金１６０００円　会員からの短期貸金　３０００円　会員からの長期貸金　５５００円

会財政の方針について

１９６２年度中に手持金　６０００円　に会員各位の御協力をもえて上述の借金を完全に返済してスツキリとした自前の会財政で１９６３年度を迎えたいと考えます。これが会財政の方針です。１９６３年度は絶対に借金をしないことを提案しておきます。

運営委員会ニュース　　総会報告号

1962年12月10日　東京都小平市喜平町1032　職場の歴史をつくる会

「月の輪古墳発掘」の経験を一九六三年の仕事の中に

その夜の集りは、十人足らずではあつたが会の沈でんしてきたものをぐつと下からえぐりだすような話しがたくさんだされた。「月の輪古墳」発掘について国鉄の六さんが云つたこともそうしたふんいきのなかからであつた。

そこでは「資料」をこれまでの研究の積上げの上にたつてどのように組みたてていくのか散在しているであろう「資料」をどのように発掘するのかについての討論が職場の日常の経験、会の八年の経験のなかから具体的にすめられた。いつてみれば、これまでのうちでもつとも会の趣旨に即した総会であつたといえよう。

クリスマスセールでつかれているのにもかかわらずかけつけた飯塚さん、伊東さんも最初は口が重かつたが、討論のすすむうちで、自分たちのように専門的な歴史の素養をうけていないものであつても、創る喜びと自分の生き方を求めて歴史をつくる仕事に具体的に――研究技術の修得の問題もふくめて――ふれあいたいことを要望された。

飯塚さんから後日の資料のためにと社内報を五〇冊余もとつておいたが、最近すててしまつたという報告があつた。直接生産の場ではない消費の殿堂、云つてみれば、大きな社会の流れからみれば小さな位置にあると考えられるデパートで、職場の歴史を書くことは意義のある仕事として結実できるか否か疑問であると云うことが飯塚さんの話を糸口として出されてきた。

その過程で、思想の科学の「職場の群像」のことが一寸話題になつたが、時間がないため充分ほりさげられずに終つてしまつたのは残念である。

こうしたBG否ホワイトカラーの人たちの職場の歴史の内容はなにを書けばよいのか。

会ではかつて自分の歴史をまとめてきた実績があるが、今後そうした点も考慮にいれて他の領域の仕事も参考として、前述のような問いに答えるための作業…職場の歴史論を一方では進める必要があることがあきらかになつてきた。今日とくに事務・管理部門で働く人たちが増大し中間層の状態が問題となつているだけにその仕事は重要な意味をもつだろう。またそうした仕事をタイムリーにまとめて公表していくことは機関の役割の一つだと思われる。

短い時間ではあつたが会員の経験に裏づけられて前号のニユースで提案されていた運動のやり方はかなり具体的にされた。　熱心な会員一人一人の技術（資料を読む方法・構成する方法等）の獲得をどのように保証していくのか等大切な問題が充分ほり下げられとにかく十二月総会で来年は「月の輪」をうけつぐ「職場の歴史」否職歴運動を一つつくりだそうと云う明るい空気が生れてきた。これはその夜の大きな成果の一つである。「もうかつて、楽しい」ということが、会の初めに合言葉になつていたが、八年たつた今日、ふたゝびその言葉が具体的な仕事の展望のなかで語り合われたことは意義深い。

財政の検討の面でも今年こそは会の借金をなくそうと呼びかけにこたえて、その夜の集りで八〇〇〇円以上のカンパが集つた。

そしてまたひろく会員の支持を集めることも確認された。

会が終つたとき、九時半過ぎていたが、会場の五階からみると四ツ谷方面の空は白つぽい光りにみちてネオンがチカチカ派手に光つていた。

なお、三名の熱心な会員はその夜は私学会館ホテルに一泊した。

追記

新しい運動方針は次号でくわしく提示します。御期待下さい。

ボーナスカンパのお願い

貴方の御支援により今年で会の借金をなくしましよう。長い年月でしたがあと一歩で会の財政は独立し明ろうになります。貴方の一押をお願いします。

恐縮ですが十二月カンパと一諸に滞納額［　　　］もお支払い下さい。

なお、こちらできめさせていただいて恐縮ですが、カンパは　A 1,000円以上　B 500円以上　尚御事情のある方は御相談下さい。

「新年宴会を盛大に」

— 八周年記念の集り —

一月十五日会の新年宴会をさゝやかな八周年記念のお祝い・事務所開きもかねて新事務所にて行う予定です。ふるつて御参加下さい追つて年賀状でお知らせします。

十一月の佳日奈良の当麻寺にて秋山会員が結婚式をあげられました。古都での式とは奥床しい試みです。御幸福を祈ります。

※※　竹村民郎「柳田民俗学の軌跡」の書評を求めます。

勇かんに読後感を書いてくれる会員はありませんか。現代史の方法上の竹村論了「国民と歴史」を読んだ会員なら、割合楽に読めると思います。　※※

職場の歴史ニュース 59

新機関誌発行きまる．

七月10．17日の総会で田町電車区はだか事件が討論の的となった。調査団のはけん．九月に出すこととした新機関誌にその問題を特集することなどが決定した．七月末迄に田町はだか問題について四百字五枚内で感想を募集する．

ボーナス・カンパ まだの会員はお早く送って下さい。新機関誌をつかって職場で侵される基本的人権の問題きびしい独占の攻勢について討論しよう．

貴方の滞納会費　　　　円

諸資料 I

日鋼室らんの労働者は、すでに百八十余日の闘いにも屈することなく正月返上どんとこいで、闘っています。

こんなに長く闘える力―確信―は、一体どこからでてくるのでしょうか、ある、日鋼室らん青行隊員ォルグの一人はこういっています。

〃俺は九州や東京にいても、現地のことが気にかかることがあった。ところが、現地からきた総評の石黒さんに会い、彼の話をきいてすっかり確信をもっきた〃　その石黒さんのはなしと言うのはつぎのようなことです。

〃デモを見送っていた四歳と五歳になる坊やが、『おれは大きくなったら青行隊になるんだ』『ぼくは、組合長になるんだ』と口々にいっていました。そばにいたその子の母親が『おまえらは、青行隊の兄ちゃんたちが、赤いはちまきやたすきをしているから、すきなんだろう』というと子供たちは口々に〃ちがうどこのお父ちゃんお母ちゃんも青行隊や組合長さんはいい人だあの人たちはすきだといっているからだよ〃と答えたのです。このように、現在各地にまきおこっている労働者の闘いのなかで、勝利えの確信がうまれています。然しあのストを闘い、カブト町をゆるがした東証の組合員のなかにも〃もうストはごめんだ〃という空気が一部に流れている事実もみのがせません。近江絹糸の女子労働者たちの中にも闘ってせっかく拡大した人権の自由を、個人的なきよう楽の自由にすりかえる人たちもでています。

一つの工場の生き生きした確信を、隣りの工場にひろげ伝え、さらに中国・ドイツ・イタリヤ・フランス等の世界の働く仲間の確信にまで高めてゆくことは、日本の労働者の統一行動の拡大にとって現在とくに大切なことてす。しかし一つの工場に生れた勝利えの確信は、一朝一夕に生れるものではありません。それまでには、親子三代にもわたる労働者階級の幾多の敗北にもめげない地道な闘いのつみかさねの歴史があるのです。この闘いの伝統を明らかにしおじいさん、おばあさん、お母さん、お父さんが闘つてきた伝統を私たちが正しく学びとることが労働者の当面する統一戦線の強化にとつて重要なことです。

今までに私たちの会では、現在はげしく闘っている日鋼室らん労働者、東証の女子事務員、国鉄の労働者をはじめ多くの組合の方々をおまねきしていろいろとお話をうかがいました。会には、労働者も都民も科学者、学生等あらゆる職業の人たちがさんかしはじめています。

労働者の皆さん。都民の皆さん。科学者・学生の皆さん。この会は皆さんのものです。**労働者の皆さん。都民の皆さん。**　からだからにじみでる闘いの確信と長い怒りの歴史を聞かせて下さい。

科学者　学生**の皆さん。**十数年かかってつくりあげた皆さんの頭と専門の智恵をぜひかして下さい。

この運動をすすめる中で、労働者も科学者　学生も、共通の敵をはっきりさせ、はだかでぶつかりあい日本の労働者階級の闘いの方向をはっきりと打出すのに役立つ工場の歴史をつくりだしましよう！　過去、そして現在労働者の闘いがつねにヂグザクな道であったようにこの工場の歴史をつくる運動もじつくりと腰をすえ事実に正しく基礎をおいて、一歩一歩日本いな世界の全労働者階級が解放され平和なくらしができる日までつづけてゆきましよう！

東京都千代田区神田神保町二の四　電話(33)八八〇二番
民主主義科学者協会　歴史部会
工場の歴史をつくる会

日　時　毎週火曜日午後六時―九時
場　所　国鉄労働会館　中会議室
国電東京駅（八重州口）下車　鍛冶橋の方え徒歩二分

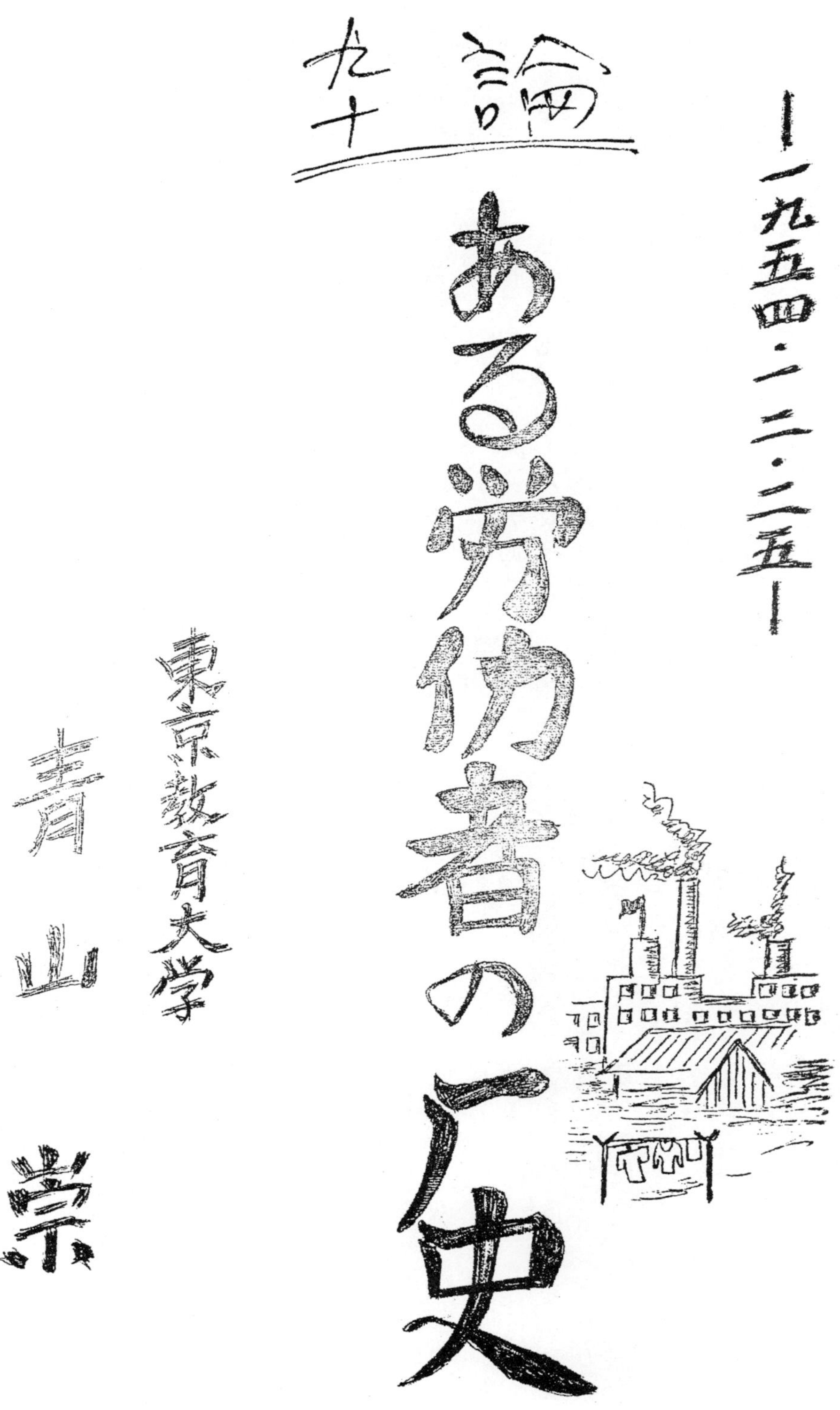
—一九五四・一二・二五—
論 九十
ある労仂者の一史
東京教育大学
青山 崇

はしがき

外見は戦災ですっかりかわった。[illegible]木ル長屋もほとんどなくなった。千川ドブもうめたてられてアスファルト道路となった。バスも通るようになった。吉出のおばあさんは「昔とくらべれば今は、[illegible]ようなもんだ」と四十年間に続けてきた「[illegible]」内職で、たたみの上の女王さまだ[illegible]いっている[illegible]やりながら[illegible]いた。でも、生活は一向に楽にならず、[illegible]さんがいうように、昔よりかえって苦しくなっているのです。

私が、ここでのセツル活動に参加し、町の人々と少しでも接触するようになったのは去年の五月からです。その年の九月には、町の人々とわたくしたちの力が一つになってセツルハウスをたてることができました。わたくしはここに、レジデント（学生は、一週一、二度しかここにはこれないので、町でのできごとを、その人たちに知らせ、ハウスを管理するものとして、今年の五月まで住んでいました。

その間、「太陽のない街」の争議（共同印刷争議、三ヶ月争議などともいっている）のこと、大震災の時のこと、昔の町の様子などをききました。こんなことから、わたくしがやっております、厂史の勉強を町の人々に少しでも役立てたい、五十余年の町の人々の喜び、悲しみ、たたかいの厂史をあきらかにしよう、そこから、わたくしたちがいつも話している「国民のための厂史学」がつくれるのではないか、そう思うようになりました。しかし、わたくし一人の力だけではできる相談ではない。それで、町の人々に話しました。

共同印刷の労働者は、「社長の大橋はほんとにあくどい奴だ。伊藤博文の名前をとって博文館（共同印刷の前身）などとつけ、しかも交通に余り便利のよくない氷川下につくった。それは、ここには貧乏人が多く、賃金が安くてすむのをねらってだ。労働者は、今も昔もいためつけられどうしだ。このことを書いてくれ」

氷川下歌う会の中小企業の労働者は、「共同の争議が終ってから、歌う会のようなものできなかったのかな」

日本女性史研究会にきているおばさんは、「わたしのお母さんは朝鮮人ですが、今は白髪でヨボヨボになっている。ほんとに苦労したらしいのよ。父に死なれて、日本の官吏の家に親子三人が食べさせてもらうだけで住みこんだんだって。賃金は一銭ももらえないので、祭の時子供に着物をかってやれない。タメ桶の肥を百姓にうって、着物をかったんだって。私に、できれば“おばあさんの厂史”を書いてください」などいろいろ話してくれました。

町の人々自身で自分たちの厂史をつくるようにしようとしたのですが、なかなか運動は進まなかった。

それで、小さなことでも実際にやれるところからやろうと思い、あることから親しくなっていた平松さんの歴史をかこうと思ったのです。

(一)

平松さんは、明治三十七年五月三日、神田錦町に生まれました。祖父の政治郎さんは、初孫ができたというので、大変喜んだそうです。

お父さんは請負業で、二三十人の若衆をつかっていたそうです。稼業が荒っぽいし、お父さんは妾をもち、家庭内はあれていたそうです、おじいさんは、「そんな所におくのはよくない」というので、二才頃、平松さんを自分の家に引きとりました。

おじいさんの家は、亀有にあって、一人で百姓し、細々と暮していました。平松さんが大きくなるのを楽しみにし、家の前の小さな庭に、記念にマツとサクラを植えてくれました。平松さんを子守に出したいらしかったのだが、それもがまんして、ただ、だまって働きつづけ、晩年には東大の小使さんをし、大正の末死んでいったそうです。

小さな時から両親からはなれて暮さなければならなかったということが、色々と平松さんの性格の上にも影響しました。たとえば、小学校一年生から四年生までは優等生だったそうですが、先生にはいつもたてついたそうです。ある時は雪の中にたたされました。

(二)

こういう不遇な生活にさらに不幸なことをおじいさんの口から聞かねばなりませんでした。ほんとのお父さんは、お母さんが、平松さんと一つ違いの妹の「こと」さんを生みに実家の亀有のおじいさんの家にいっている間に、工事中に死に、今の父親は継父だということでした。このことは小学校も四年生になり、神田に住んでいたお母さんたちも、お父さんの仕事の関係で、氷川下にくることになり、引きとられる時打明けられたそうです。(仕事というのは、江戸川橋から須田町ゆきの都電が開通するので、大塚仲町からおりて氷川下を通り丸山町にのぼる坂をきりひらいて、線路をひくことでした。)

それでもその時「東京にいくんだ」というので別段いやな気もしなかったそうです。しかし、実際にきてみると「東京」は期待はずれでした。請負の仕事は、封建的な関係がつよく、収入は悪くはなかったらしいのですが、義理のつきあいがおおく、「かかりまけ」!で家計はいつも火の車でした。そのため平松さんは質屋にやらされたり、「こと」さんは駅に木炭ひろいに、お母さんは人夫にでたりしました。

「トビッチヨ」(祈転人)がくると、お母さんはいつも玄関にでて仁義を切っていたそうです。お母さんは「こんな仕事はやめてください。米の一升買いをしてもいいから」とお父さんといいあらそっていました。こんな時にはいつも、「幸吉」とか「こと」とか、平松さんと妹さんの名前が出て、平松さんにいつもいやな思いをさせました。

(平松さん

と妹さんは、そのお父さんの子供ではないのです。」それで愛情からはなれ、反抗心もでてきて、不良の仲間に入るようになったのだそうです。このような生活は、関東大震災の五——十八才——まで続きました

どうしてなのかよくわからないのですが、お父さんは請負業をやめてひとかどの人夫になりました。それで平松さん一家も氷川下町三番地——セツルハウスの裏あたりにうつってきました。(二)にはいる前に、平松さんがもっとも記憶に残っているように話されましたのでつぎのことをかいておきたいと思います。

屋敷のアンズを盗んで、フトコロにかくしてもっていたのを父にみつかってフトコロをボンとはたかれた、するとアンズがころ〳〵と道路にころがおちた。その時の気持——はずかしいやら何やらでまっかになった。これ以来、人の前にでるとおぢけつくようになった、とのことです。

（二）

平松さん一家が、氷川下町三番地の浅恵長屋（トンネル長屋、ボロ長屋ともいう）にうつった時は、その辺一帯に長屋がぺったりならんでいました。そして共同印刷株式会社々長大橋の安い労仂力の供給源となるのをまっているようでした。このようにたくさんの長屋がいつごろから、誰の手によってつくられたかはよくきいていませんが、御殿町に、大正二年からずっとすんでいる吉田のおばあちゃんの話によると、「このあたりにはわしゃの家が一軒あったきりだよ。指ヶ谷の鈴木さんが、九十六番長屋などたてたんだ」そうです。また、中根の乾物屋のおばあさんにきくと、この町にきた大正四年ごろには、セツルハウスの裏のあたりにはたくさんボロ長屋があったそうです。大体、大正のはじめごろにはもう長屋ができていたと考えられます。「このごろから、お母さんたちのあいだで付「折り」がはじめられていました。みんな吉田のおばあちゃんのように「やっぱりここがいいよ、住めば都だよ」と不平一ついわずに、タタミのうえの女主方で、五十年間も、シュッ、シュッ、シュッと折りつづけてきました。

平松さんのお母さんも、ここにうつり住んでからは、六十一才で終戦后なくなるまで折りつづけたのでした。

一才平松さんも、家計をたすけるため十二才の時から「頭をひっぱたかれながら」の仕事にしたがわねばなりませんでした。親籍の人の経営するメリヤスの針工場でした。茗荷谷にありました。給料はわすれてしまったとのことでしたが、朝七時から夕方五時まで仂き、同じ年配のもの三人をいれて十人ほどの工場で、御殿町の小林製針所の「おやじ」の父親も一緒だったそうです。

帰ると六時にはじまる明化小学校の夜学にとんで行きました。夜学での思いで話しにつぎのようなことを話してくれました。——

桜羽先生というのがいて、その先生の講義はわたしらの境遇をよく考えてやってくれるので、ほんとうに感激した。涙を流して熱心に話してくれた。わたしも涙をぼろぼろ流してきいた。今、考えてみると左翼の人だったんだろうな」夜学にいくにゾーリがないので、弟のゾーリをもっていって、あとから弟においかけられた時もある。妹さんも、十二、三の身体で女中奉公にいっている――

学校を卒業して、他の針工場にもゆき、飾屋（ネクタイピンなどをつくる）にもはいったそうですが、大人が活版屋は金になるなどと話しているのをきいて、自分も文撰工になりたいと思い始めました。

十五才の時日給九十銭の見習工になりました。生活費をえよう。それにはまず技術だと、昼休みの時間（わずか三十分）に職人に一生懸命ならいました。

しかし、急におぼえられるわけでもないし給料もあがらない。どうしてなのだろうと疑問に思ったにちがいない。

この年――大正九年には、第一次大戦后の戦争景気ががたおちして全国的な恐慌がありました。

平松さんも、この頃から、「どうにかしなければ……」と思っていたそうです。

この年丁度第一回のメーデーが上野にあり「労働者のお祭りだ」ときいて、一人でべんとうもってでかけました。「治安警察法第十七条の撤廃」などとかいたノボリだけが印象深くのこっているそうです。でも、「どうすればいいんだ」という気持を満足させてくれなかったし、町の不良とつきあって浅草に遊びに行っては、割引映画館で、十五銭の「ジゴマ」「鉄の爪」とかいう探偵物をみ、時々おそく帰ってはお父さんからカヤの外にひきづりだされたりしました。

こうしてこの頃平松さんの労働者階級としての意識が芽ばえつゝあるのを、歪められふみにじられてもぎとられてしまったのです。ここにも反動政府の黒い手がまっていたのでした。

大正五年、工場法が施行されることになったのです。工場主は、これを逆用して、病気の職工を首にすることがありました。これに憤激した印刷工有志は「信友会」をつくりました。はじめは、五十名たらずだったのが、大正七年に会員は六百五十名を越しました。しかし労働者の力が、強大になるのをおそれた政府は、「この年日本全人口の四分の一、一千万以上の人が参加し、確かにすべての自由主義運動」（片山潜「第一時大戦后における日本革命運動の批判的総観」）の出発点となった。米騒動のさいに、「どんな小さな運動でも騒擾の萌芽と目されるものは、忽ち一掃してしまう」（前同）政策のもとに、信友会員を検束したのです。けれども、これにひるむことなく、翌年には、信友会を中心として博

（五）

文館等の東京の印刷所に八時間労働、賃金一割五分乃至二割増額等を要求してゼネストが起りました。

第三回か第四回かは記憶にないそうですが、また、メーデーに参加した時、「スクラムを組んではいけない、赤旗をふってはいけない」という警官、大勢の人が検束されていくのをみていた、平松さんは、合法的にやられることに満足出来なかった。

こういう時、ただ"労働者の組合だ"ということで、個人的に「信友会に入れ」といわれた。入会金、会費を払い、バッヂをもらいました。

しかし、アナ系の幹部は「理屈をいわないであれ！この野郎！」といった調子だし、総会はあったが一方的な決議で終り、「われわれはどうこうというのではない」「組合の本部へいったら乱脈でゴロツキ本部のような感じだった」ので自然、組合にもいかなくなりました。

平松さんの「どうにかしなければ」という気持、その中にあった労働者としての革命的なれは、信友会の方向へでは我マンしきれなかったのです。"何故なら日本の労働者を中心とするたたかいは、アナキズムを克服し、また、労資協調主義を克服する方向へ大きく転換しようとしていたからであり、それは、平松さんにとっても同じであったのです。

徳永直の「太陽のない街」につぎのような一節がある。

『井上は、まだ「ぼんやりしている」自分の正体が、考え出せなかった。〝若き代議士（瀧坂男爵の御曹子〟井上は西服印刷の社長で、彼の子会である」は木株擁に安楽椅子に身を起しながら――貴君は、赤だ、大同印刷の争議団側に援助してゐられるさうですが、左様ですか？……――こういう意味です――会社側と争議団側との中間に介在する、調停者としての貴君達が、争議団の要求を可成高度に支持して会社側を苦しめるやうな――たとへば意識的でなくとも、それが結果からしてでもですね？……井上君も、案外、古い考へを持ってゐますね――……貴君の工場には、あの争議団が所属する赤色労働組合の組合員が、どれ位ゐますか――判っていますか？……父と大川氏との会見は、むしろ、私がすゝめたんです。事業上のことは兎に角、私もこの争議の一件に就いての――……――私も一通の争議は、労働組合の性質、本能といふものを研究もしてゐるつもりですが――いま貴君の援助とか調停とかですよ、争議団は、露骨な系統は、縦の労働団体ですよ、労働団体といふよりは、寧ろ思想団体と云った方が近い!!……彼らへ争議団（筆者註）は正に「赤に属するものであり」彼の「研究」、「指導」の埒外に、容赦なく刈り捨てらるべき「毒草」であった。――御承知の如く、私の所属する政友会は、今日中にも大命を拝受するかも知れません。さすればこの大川、瀧坂の会見は或は政友会新内閣の政策の一機縁とならぬとも限らないでせう！」いづれ事業上の協定は、后日にやるという、ことに、父と大川氏の腹は、まとまってゐるようです。――― 兎に角、すぐ貴君たち印刷同業組合関係者は、あの調停者団から手を退きなさい!!――― それから至急、貴君の工場のみでなく印刷同業組合管下に属する各印刷工場にある労働組合に所属する組合員が、どれ位居るか調査して、その報告を、明日午前中までに通告して下さい。―― 私はそれに基いて、或る政治家と会見いたす手順になってゐますから――』これは小説でありますから、およそ正史的な事実に反するところがあるところがある。例えば、文中に「今日中にも大命を拝受するかも知れません。』とあるのは著者が、共同印刷争議は、大正十五年(一昭和元年)であったのを構成の都合上一年ずらして昭和二年にしてあるのです。しかし、革命的な労働組合をつぶすという政策は、当時の共同印刷社長大橋個人のものではなく、当時の反動政府のものであるという真実がひきだせると思う。

何故、反動政府は、「――出版業者(講談社々長をさしている)何でも早く解決すればよかった。――印刷業者は、交渉が決裂して長びけば有利であった。――この矛盾」をはげしくさせてまでも「組合破壊」政策をとらざるをえなかったのだろうか。(註、ここでいう印刷業者とは、共同印刷社長をのぞいた他の業者のことである)それを理解するにはどうしても世界の動きからみていかないとわかりません。

――平松さんが十二才の時――就職についた年――大正六年にロシア大十月、社会主義革命が成功しはじめて働くものの国、社会主義の国がソ同盟が生まれました。その結果、世界は、社会主義体制(現在、わたくしたちがその発展のすばらしさに驚かされているように人々の生活がたえず向上する国)と資本主義体制(資本主義の土台ががたがたになってくされていき、その土台をがっちりさせるために労働者を中心に社会主義の勝利をめざしてたたかっている国々)との、大きな二つの体制にわかれました。これは現代の歴史を理解するうえで一番大切な事件です。

その結果、世界の資本家どもにとっては、彼らの資本、商品を輸出する市場は非常にせばめられました。もう一つ、それは、世界中に革命運動が発展したということです。朝鮮では大正八年に萬才事件、中国では九年に五、四運動、七年にドイツ革命がおこり、さらに革命運動の指導者としての共産党が、イギリス、イタリア、中国に[illegible]九年アメリカに八年にそれぞれ結成されました。

特に中国の革命運動の発展は、日本の政治に非常な影響を与えました。大正十三年、国民党は中国共産党とソ同盟の助けによって、中第一回全国代表会議をひらいて、ソ同盟、中国共産党と手を結び、労働者、農民の立場にたつ政策を発表しました。これによって中国の革命運動はさらに前進することになりまし

(七)

た。大正十四年には、上海労働者の反英、反日の大ストライキがおこり「五・三〇」惨殺事件がおきました。五月十五日に、上海の日本紡績工場の資本家が、ある労働者を射殺したのです。五月三〇日に、上海の労働者と学生が上海租界で紡績労働者を応援するデモをおこない、イギリス警官から射撃をうけて、多くの死傷者をだしました。これは、全中国人民に大きないかりをよびおこし、それから後の数日間、上海の労働者も、学生も、商人も、市民も、デモ、あるいは、ゼネストをおこなったのです。この運動は、中国全体に帝国主義反対の運動をひろめ、イギリス、日本商品のボイコットがおこなわれました。このあいだに労働組合にはいった労働者は二八〇万、農民組合に入った農民は九五〇万にたっしました。

中国共産党員は「五・三〇」事件の前の九百人あまりから五万七千五百人あまりに増加したのです。

このような動きに中国の市場を、もっとも大きいもうけ口としようとしている反動政府はだまってはいれなかったわけです。

日本ではどうだったのでしょうか。

平松さんが「アナーキーな信友会では、「どうにかしなければ……」という不安をけすことができなかったように、日本のすすんだ労働者も同じことでありました。すでに大正十、十一年頃にもたたかいをつうじて協調主義とアナーキズムを克服しつつあったのでした。

（もちろん急におとろえるわけではないし、のちまでつづくのです。平松さんの中にも昭和のはじめまでのこっているのです。たとえば戸崎町の三共印刷につとめていたとき、給料がおくれるので「形のあるうちに道具を売って給料を払え！おれたちは食ってゆけねえ！」とおやじにかけあって、金の指輪迄売らせて給料をとった。ところが、工場もつぶれてしまい、おやじもよそにつとめるようになったという事件）さらにまた、一方労働組合運動のそとにあって一部のものによっておこなわれていた社会主義運動へ志賀義雄のいた新人会など）は――このなかから大正十一年に日本共産党がうまれるのであるが――今述べた、アナーキズムや協調主義を克服するのにあずかって力がありました。

すすんだ労働者は「一部のものだけがやっていたのでは、自分たちの生活を守ることはできない。反動政府の政策をかえなければいけない。もっと一般大衆の中へ！」と考えるようになったのです。

それは、大正十二年の関東大震災と普通選挙実施の運動の発展にみられました。大震災前后に、共産党員、労働者、朝鮮人が徹底的な弾圧を受け自分らの力のはかなさから広汎な大衆との結びつきが痛感させられたのでした。こゝから大正十四年五月左翼労働組合「日本労働組合評議会」が組織されたのであり、そして翌年の共同印刷のストライキを指導することになったのです。

一方農民運動は、大正十一年四月、全国的な組合、日本農民組合が結成されました。その指導のもとに、新潟県木崎村では大正十二年から三年間、三千人の農民がたたかったのです。そして木崎村無産小学校をカンパでたてるほどにまで発展したのでした。これに日本労働組合評議会も応援にたちあがり、労働者のたたかいと農民のたたかいが結びつく芽ができはじめたのです。

以上のことを簡単にまとめれば、①全世界に革命運動が発展したこと。とくに資本家どもの最大の市場である中国において、②日本では、労働者、農民のたたかいが前進して、しかも、両者が結合しつつあったこと。これを指導する日本共産党の成長によって、司法大臣、警視総監まで動員し、暴力団、警察をつかい「組合破壊」の対策をだしてきたのです。まさしく「ー決ー定ー的ー斗ー争ー」。「太陽のない街」だったのです。たんに、大橋社長対争議団ではなしに、大きく「戦争か平和か」のたたかいであり、歴史の転換点でありました。

(四)

中根乾物屋のおばあさんの話によると、米騒動のとき、「家がねらわれる」というので、この前、台風がきたときのように、家のまわりを板でかこったほど、おばあさんの家は大きかったのでしたが、共同印刷の職工を五、六人おいていて、その連中が「あんな会社は、地震でぶっつぶせ」とうたっていたそうです。

平松さんのおかみさんは、十六才（大正十三年）のとき「共同」にはいりました。「こと」さんもその年にはいっていきました。二人とも、十三年の博文館争議には参加して勝ったそうです。「太陽のない街」の著者徳永さんは、大正十年に博文館にはいり、出版従業員組合をつくっています。そのほかの「街」の人々はどんなだったのか、まだきいていないので――これからきくことにして――つぎに簡単に、「太陽のない街の争議になるまでの年表をかいてみます。

大正七年　博文館、精美堂印刷所たつ。
大正八年七月　博文館争議（この争ぎの結果）（大進会生る。）
大正十三年五月十日　博文館争議（このあと出版労働組合H・Pクラブ、またはH・P）
　このあいだ関東印刷労働組合生る。
大正十四年二月五・六日　日本労働組合評議会生る。
　関東印刷労働組合の参加
大正十四年八月廿日　H・Pクラブ、関東印刷労働組合合同して関東出版労働組合生る。
大正十四年十一月　精美堂争議
　十一社協定（関東印刷労働者の左翼的団結に対する印刷業者の挑戦）
大正十四年十二月初め　博文館、日本書籍同情スト。
大正十五年一月十九日（～三月十日）共同印刷争議

「一月八日、突如、会社は、事業不振の名目を以て、経費節減を主張し、貯品科廿七名、鋳造科百五十五名に対しては、一ヶ月中廿日間出勤、鉄工七十五名に対しては一ヶ月中十

（九）

五日出勤せよと命令して来た。」（出版労働組合新聞附録号外大15.1.21）

共同印刷労働者は「実にその日〳〵の給料で漸く生活してゐる悲惨な状態」（同前）だったので、つぎの要求書を会社側に提出したのだった。

要求書内容

一、三科は従前通りにすること。
二、会社三幹部の排斥
三、舊精美堂解雇者の復職
四、新共済会規約の実施
五、給料を月末一日前に支払ふこと
六、忌引期間中給料全額支払
七、産前産后の三週間日給支払
八、新共同印刷株式会社の工場規約改正に工員代表を参加せしめること
九、本争議中の日給全額支払
十、本争議のため犠牲者を出さざること
（前同「時代」）

二千三百名の従業員は十九日からストライキにはいりました。「こと」さんも「みんなの給料はさがってもいいから首切りはやめてもらう。正しいことはやるんだ」と彫刻部にはいってたたかっていました。年寄からは、「人のためだなんていったって、お前、そんなに遊んでいてもしようがないよ。おてんとうさまと米の飯はついてまわるよ。」といわれながらも、――説得なんかしてあれなかったそうだが――組合の出勤率がだんだんさがっていくので、ふら〳〵している人をひきつけるため、「召集令」などを上演してがんばったそうです。

平松さんのおくさん（争議が終ってから結婚した）も、「家のタンスはからっ〳〵になっていた」し、行商隊にくわわりました。神田の製本工場街にいって「争議団のもんですが」といって石ケンなどをうってあるきました。同じ仲間なのでごくろうさんといってかってくれました。争議もあとになると、普通の家にもでかけるようになったが、なかなかかってはくれなかったそうです。

その頃平松さんは、神田の共栄社におって妹さんがいるので、応援しました。こうしたたたかいのなかで、妹さんの関係で、争議団の幹部の石倉松次、松坂、斉藤虎さんなどとしりあうようになったのです。そして家にもときどき遊びにきています。

大正十一年のくれに、博文館印刷所にはいった徳永さんはつぎのようにかいています。

『久堅支部の中心になる同志もできていた。……六疊一間が十五円で三森という同じ工場の植字工と一緒にかりていたが、この二階にいつも五、六人があつまって、マルクスの「賃労働と資本」とか「賃金、価格および利潤」とかをテキストにして共同で研究したりした。こういう勉強は、私のはあい困なんをきわめる。何しろ私自身がよくわからないのだから、ほかの連中にはなおわからない。」「まあいいさ、とにかく資本家はもうけね。おれたちアしぼられる。それだけアまちがいねえんだから――」いつもこんなことをいってぶちこわ

(十)

すのが斉藤虎造であった。せっかくみんなが無い頭をしぼって討論してると、この男に御破算されてしまう。そしてそんな時一番怒るのが石倉松次であった。「だまれ、とらんべと」小男のくせにすぐ腕まくりするのが石倉のくせである。「きさまア、わからなきやア黙ってりやいい人だ」斉藤虎造は腕のいい端物植字工で、……私達はみんなまだ独身だった。石倉松次、斉藤虎造、大石正己、松野忠良、三森武などがグループの中心だったしその他に、徳永さんは「私はどういうふうにして、この仲間をつくったろう？一ばんはっきりおもいだせるのは、石倉松次のばあいであった。」といってつぎのように書いています。

「工場のゆきつけの食堂で……！何の本だか大こて読んでいた。……するとガタガタおもて戸があいて五、六人がはいってきた。……ひよいと手がのびてきて、私の本をはねとばした。「兄さんやー」と眼鏡をかけて頭髪をのばした小男が、さむいのに腹巻がのぞけるくらい胸をひらいたのが切口上でいったものだ。「ちよっとあたらしてもらうぜ」それからエヘンといって私をにらみつけた。腹巻のはしからわざとみえるように短刀らしい白鞘のはじまでのぞいている。……！こんな喧嘩師はこの界わいにたくさんいてめずらしくなかった。……またあるとき、こんどは正午やすみの時間に、私の仕事台のところえ、彼がやって来た。「いつぞやはおみそれいたしました」といって石倉松次と名のりながらていわいに頭をさげた。—勘辨なすっておくんなさい—というのまで、まだ切口上だったが、そのとき私がこの工場でだれかに売ったパンフレットを一冊手にもっていた。そしてそのパンフレットを何部だか売ってくれというのであった。「あっしアねえ、もともと社会主義者には一もくおいてたんだー」そのときだったか、その后だったか、そういったのをおぼえている。そして、それ以来急げきに私に接近してきて、自分の転場でも何人だか組合員をつくった。」

大正十三年、全口の印刷工の賃金が三割あがったという博文館争議の勝利がありました。こうしたなかで、石倉松次、斉藤虎さんたちは幹部としてそだっていったのだろう。

平松さんは、信友会などの幹部にはあきあきしていたので、こうした人々の話しは熱心にききいた。そして「資本家とはどういうものか、組合とはどういうものか」をしりはじめたのでした。

争議の年の秋頃に結婚し、太田胃散の前のタバコ屋の二階にすむことになりました。この頃は、一ばん楽しくはりがあったといいます。それは、結婚したからだけではなく、長年もちつづけてきた「どうにかしなければ……」という気持が、「こうすれば……」という労仂者としての自覚、たたかうのだという意識がはっきりしてきたためだと思います。そして、それは、自分の転場で、生活を守るためにたたかうことによってますますはっきりしてきたのです。

(土)

平松さんが、高嶺堂印刷所にはいったときは、仕事がなくて遊で半分のような状態だった。職工は、三、四十人ほどいた。その中に共同印刷争議で首になった幹部の人が四、五人いました。その人たちが指導者になって、社長に賃上げを要求したのです。社長は——近所の土地をにぎっている地主でもあった——工場を閉鎖して田舎に逃げてしまい、かけ合うべき対象がいなくなったので、全員で地域にビラをまいたり、演説会をやったり、行商にいったりしました。演説会には、毎回百人ほど集りましたが、警官がまわりをとりまき、聴衆よりおおかったほどでした。大山郁夫、布施辰治が応援演説に来ました。平松さんも、そのときやったのです。「えらい人がやると、警官はあまり"中止！"と、どならないが、わしらがのようなしたっぱがやろうものなら、憤満をぶちまけて「社長の野郎は——」などとどなりちらすもんだから、一言一言に"中止！"ときた。こいつ野郎と思った」と話してくれました。こうして争議は一ケ月ほど続き、日給十四日分の解雇手当をもらって解決しました。

このたたかいで、平松さんは、①組織的にやればかてること、たたかう組織が大切なこと。映画って太陽のない街しかなかで、運動会を「—」自然に誘発されたデモにすればいいじゃないか、絶好のチャンスだよ。」すると萩村が「駄目だ。絶対に駄目だ、今日の運動会の責任者として、俺は幹部会議に責任を負いている。第一、君たちのやり方は組織無視だよ、それが気に喰わんよ。」という場面があるのですが、平松さんはこれをみて、「この萩村の言葉は、あの頃の幹部ほとんどにいえることだ。みんな一本気だったから」と話してくれました。③それにもかかわらず、指導者が大切なことをまなんだのです。

昭和二年には長女、四年には長男が生れました。それまでは：妹さんも慶応の学生といっしょに同居していました。「有馬という文理科大学の教授かなんかの息子で社会科学なんか勉強していた。しかし、頭だけさきにすすんでいても、足が地についていなかったのですぐ、結婚しようということになったとき、妹は二人で働いて、あくまで一しょに生活していくかどうか。学生なんて、いうことだけいってて——」というわけでけってしまったそうです。

御殿町の汽車長屋にその後、戦災まで住むようになりました。昭和三、四年頃はものすごい不景気で、子供たちは、朝、学校にいく前に林町の屋敷町で、「ナットー、ナットー——」と、納豆をうって歩きました。学校に弁当をもっていくことができず、「汽車長屋の欠食児童」といわれました。

このような時、平松さん自身が幹部となって今までの経験と知識をまとめてたたかったのが、西販印刷株式会社本所工場の争議でした。

（五）

社長の井上源之丞は、「太陽のない街」の争議の時、渋沢財閥の御曹子に、「—それから、至急、貴君の工場のみでなく印刷同業組合管下に属する各印刷工場にある労働組合へ日本労働組合評議会、〔筆者註〉に所属する組合員がどれ位居るか調査」〈太陽のない街〉するよう命ぜられた男で、「首切り源之丞」とあだなされていたそうです。いわば、首切りと同時に警察とグルになってブタ箱にぶちこんでしまうのです。

昭和四年の秋頃で、その頃反動政府は、そとには第一次・第二次、第三次と山東に出兵し、中国を武力で侵略しはじめ、國内では「三・一五」「四・一六」事件と共産党員を検挙し、また、日本労働組合評議会を解散させ、治安維持法を改悪して最高刑懲役十年であったものを死刑とし、特高をつくり、弾圧を一そう強化してきたのです。

平松さんは、昭和三年のくれ頃から、つとめていました。一ヶ月ほどまえにビラが便所にはり出され、しばらく会社を休むものがおったので、「警察にもっていかれそうだ。ただごとではないぞ」と、平松さんはこう考えていたそうです。

職工は三百人ほどいました。朝七時から夕方五時まで十時間労働、昼休みは三十分でした。残業もあったそうです。昼食は食堂でたべ、十五銭のものは会社が五銭負担して十銭

整版
食堂
鋳造
事務所
脱衣場
印刷
守衛
門
バリケード
ウァナ橋一丁目
至大塚

だったが、みんな、「高い高い」とぶつくいっていました。「けれども職場では、賭事女の話が中心でした。そんな話は会社は自由にさせておきました。日給は、職人が二円五十銭、養成工が二円二十銭位でした。養成工はいちばん条件が悪かった。

だから、山形を中心とする活動家は、養成工を外部の組織につれていき組織していました。後につくられる争議団の約半数が養成工でした。

この頃に会社が賃下げと活動家の首切りを強行する、一方これをはねのけようとする、労働者のたたかいがすすんでいました。

このような時に、賃金が二割下げられる、というわさがつたわり、三人の労働者が首切られました。

(三)

「ある朝、「今日昼、食堂に集れ！」というビラが撒かれた。二階の整版の人たちには伝わらなかったらしく、その人たちをのぞいてみんな集った。ところが、外部から指導者が来るはずだったのがこない。〈屋上から外部と連絡をとる予定だったのが、敵にさえぎられてとれなかった。平松さんは「争議団を作ってからきいた。〉みんな「何だ、何だ」とさわぎだした。そのうち、「平松、やれやれ！」という声が一部からおこった。それが、みんなの声になった。平松さんは、したなしに机の上にてエイ！」とどなった。人の前でしゃべるのは子供の時からおっくうだったが、賃下げの不当なこと、待遇改善、兵役から帰ってきたものの復職の問題など十項目の要求を一つ一つ説明し、一項目づつ賛否をとり採決した。たいがいは賛成したが、賛成しないものもいた。「全くその通りだと思っても、何が何やらわからなかったのであろう、賛成しないものもいた。

　代表、四、五人で工場長に交渉にいった。「そしたらさっそく抱き込みがはじまって、「お前だけは何とかするから手をひいてくれないか」ときた。平松さんは「われわれは、みんなのためにやっているんだ。俺一人のためにやっているんじゃない」とつっぱねた。待遇改善など、四つ五つの要求は通ったが、賃下げは強行するという返答だった。交渉が終ってみんなに報告した。昼休みも終っていたが、みんな残っていた。気勢をあげたがあと、どうしても[illegible]あがらなかった。ぼつぼつ帰るものが出て来、第二回目に交渉に行く時には、二、三十人が残っただけだった。終業のベルがなって、明日またやろうということで解散してしまった。

　翌朝、会社の門の前には、バリケードがきずかれ、首切られた二十四名〈うち女性三名〉の名前が発表されていた。一人一人厳重に首実見がやられ、二十四名を会社の中に入れなかった。

　すぐ二十四名で争議団を結成し、近くの建具屋の二階を借りて本部とし、凸版印刷争議団の名入りの組合旗をたてた。〈平松さんは争議団長となった〉会社側では、全然交渉をうけつけなかった。首切り[illegible]が、「バリケードづなりで、われわれをおっぽりだした」とか、「首切り反対！」「俺たちだけじゃない。明日はみんなの問題だ！」「警察の検商はこんなたも残やヤクだ！」というビラを、仲間地域にまいた。仲間は会社をおそれ、なかなかうけとってくれなかった。四、五人で非合法にビラと同じ内容の伝単を地域にはった。東京印刷工組合へこゝの幹部は争議で一もうけしようという奴で会社から金をもらっていた。そんなやつはあてにならないとわかっていたが孤立するといけないと思ったから平松さんはいっていたし。〉に応援をたのんだら常任一名が旗をもってやって来た。またそこから争議資金をかりた。

争議団を結成してまもなくして、仲間につたえるため会社にのりこむ計画をたてた。その日の前の晩、新聞配達所の二階に五、六人があつまった。――その頃の新聞配達人はアルバイト学生もいて、左翼のものがおおかったそうです。――氷川下にいたときの友達三三村にしばらくぶりであった。地下にもぐっていたの、だった。みんな、やろうということであつまったのだが、なかなか決心がつかない。とうとう見合せたらどうかということになった。

一ケ月程たって工場長の家への襲撃事件がおこった。近くの二、三の工場で争議をやっていたがそこと合同の演説会をもった。――独自の演説会はもてなかった。―解散したあと、その流れをもっていた。道筋をきめてさんざん工場長の家にむかった。体あたりで塀をうちこわし、石を投げた。家族のものはあわてふためいて物干台のうえに逃げていた。最後になってどうにも見通しがきかなくなったからである。

その翌日、争議団本部に特高がきて、争議団員の家族が面会にきているからとだまして平松さんが外にでるなりむりやりタクシーにつれこみ検束した。獄中でのたたかいを平松さんはつぎのように話してくれました。「おどかし役とすかし役がいて調書をとろうとしたが、一言もいわなかった。しかし若い製版工の連中は、ほとんどはじめての経験なのでいってしまったらしい。たぶおれの口からもう一ぺんはっきりいわせたかったらしい。何もいわないので調書を顔にぶつけたり、母を呼んだこともある。拷問もした。そうされるとしゃべるまいと、ますます反抗心がでた。「ぶちこわしなどうでもいいんだ」ともぐっているやつをつきとめようとするやつらの本心をばくろした。獄からでたときは、何もわからず失神した状態だった。本部にきたら安心したのか倒れてしまった。」

検束後は、団員の団結がみだれた。検束をおそれて本部にこなくなったのもいました。警視庁でむりやり会社と調停させられ、十四日分の解雇手当と涙金を獲得しただけで争議団を解散せねばならなかったのです。

六、あとがき

凸版争議後、平松さんは、二、三の印刷所で「かけあった」こともあるが、消極的なたたかいにおいこめられてしまった。平松さんは、その技術さえうばわれ、失業し・焼鳥屋、牢屋をやり、また寒紅を持って花柳界を売り歩きました。しかし労働者がカンパをうったえにきたときはいつも率先してやった。凸版争議後かいた「明暗の岐路」という小説の題名は、平松さんの心境と日本の動きをしめしていると思います。

・平松さんは、たゞかいをふりかえってつぎのように話してくれました。

（半五）

①家庭をもってひた身では、家庭が組合運動がのいづれがをとらさるをえなかった

[illegible]

②自分の無力をいつも感じてきた。

③指導者がほしかった。

がきおえてつぎのような欠点を感じます。

①平松さんが、じつ、どうして、どういうふうに変ったかを追求しようとしたにもかかわらず不完全にしかできなかった。何故か、一週間ほど前、平松さんが僕に「今晩はこれと、これをきこうなんてくると、つい話せなくなる。遊びにきなさい、茶のみ話のなかで昔のことも出てくるよ」といった。この言葉のなかに根本的な原因がある。それは、平松さんのためにかくのだといいながら、平松さんから指導しようという僕の態度である。これでは平松さんの全生活をときけない、のは当然である。

②平松さんの生活を破かいする敵の政策がだされてくる。すき的、経済的・社会的諸殺の分析の不完全なこと。これは、理論的学習の不足からきている。

③一九二五、六、七年が日本の現代史にとって転換点であるという理解の不充分なこと。これは歴史のつかみかたの不充分さからきている。

以上の三点を克服して、平松さんの歴史、太陽のない街の歴史、共同労働者のたたかいのあきらかにすることが必要であると思

職場の歴史をつくる会々則

才一章　総　則

才一条　この会は職場の歴史をつくる会という。

才二条　この会の連絡先を東京都新宿区四谷一丁目十八番地国民文化会議、教育文化部会内にしている。

才三条　目的　職場の歴史を作る会は、職場の人たちと自然や社会についての科学を学ぶ人たちとをむすびつけ、これによって職場から生れてくる「働くものこそ歴史の主人公である」という確信と、未来への明るい見とおしをたゞしく発展させてゆきます。

そしてこの運動のなかから働くものがつくりだしてきた歴史の遺産をまもりそだてて日本国民の歴史をつくりだしその成果をひろめて国民の歴史にたいする希望にこ

たえていくことを目的とします。

わたくしたちは、この目的にさんかする人々のそれぞれの立場をみとめあいながら、この仕事を通じて、世界のはたらく仲間の歴史の流れとふれあい平和で健康な日本をつくりたいと思います。

オ四条　この会の目的に賛成し、会則にしたがうものは、誰でも会員となることが出来る。会員は全て総会に出席し討論議決に加わる権利を有する。

オ二章　役　員

オ五条　この会の運営をはかるために左の役員をおく

一、会長　二、書記局員　三、連絡会議員

オ六条　役員の任期は各一ケ年とする。

オ七条　書記局が必要と認める場合、常任（有給）または準常任

才六章　書　記　局

才十八条　書記局はこの会の執行機関である。執行はすべて総会及び連絡会議の意向を正しく反映して行うものとする。

才十九条　書記局は会長及び書記局員若干名でその役目を執行する会長及び書記局員は総会で選出される。

才二十条　書記局は左の三部で構成される。
一、組織　二、情宣　三、会計

才二十一条　書記局の執行する主な事項は左の通りである
㈠総会及び連絡会議で議決された事項
㈡執行上必要な具体案の作成
㈢執行上必要な規約及び改正案の作製
㈣予算及び決算報告書の作製
㈤その他

才二十二条　書記局から、会長及び書記局員一名以上、連絡会議に出

席しなければならない

才七章　会　計

才二十三条　この会の経費は会費及び臨時収入をもつてこれにあてる
会費は月額六十円とする。但し会機関誌、ニュース代を
含む

才二十四条　新入会員は会費に添えて入会費四十円を納めなければな
らない。

才二十五条　会計報告は次の場合行はれる。
㈠定期総会毎
㈡総会及び運絡会議の要求があつた場合

才八章　補　則

才二十六条　労働組合およびその他の文化団体は団体加入することが
できる。但し会費は月額五百円也とする。

才二十七条　この会則変更は総会の承認を必要とする。

No 1

〈資料〉 「職場の歴史をつくる会」が生まれるまで ― 青山のメモによる ―

1. 年表

1954.	職歴関係	国内、国際情勢
		3月 ビキニ事件、尼鋼スト に入る
		4月 ジュネーブ会議 始まる。
		6月 近江絹糸スト に入る
		〃 尼鋼スト打切り
		7月 第5回総評大会、インドシナ休戦
		〃 黄変米問題化、日鋼室蘭スト に入る
		8月 原水爆禁止全国協議会結成
		9月 近江絹糸スト終る
		新党結成準備会結成
		中日貿易協定、SEATO 結成
		久保山氏死去
		モロトフ外相 対日修交の用意声明
10.9	恩給局組合結成準備会	
10.19	家永、松島両氏を囲む座談会	
10.26	東芝スト、氷川下の歴史をつくる会 結成	
		10.28 日中ソ日国交回復国民会議結成
		10.30 李徳全一行来日
11.1	民科歴史部会全国総会	
11.2	氷川下の歴史をつくる会 第一回研究会	
11.16	〃 第二回 〃	
	この頃 N労組結成の動き	
11.18	恩給局組合結成	
		11.24 民主党結党大会
		11.27 日本の歌ごえ
12.1	氷川下の歴史をつくる会を「工場の歴史、労働者の歴史、青行隊の歴史をつくる会」のセンターとすると決定 ― 労働者を基礎に ―	
12.7	たたかいの歴史を語る会	12.7 吉田内閣総辞職
12.11	N労組結成	12.10 鳩山内閣成立
12.13(?)	工場の歴史、たたかいの歴史をつくろうのアピール	
12.14 or 12.21	"工場の歴史をつくる会" 於 京教会館	

No 2.

2. 資料.

◎ 家永・和島両氏を囲む座談会の反省　於都大歴研．学歴協準備．

①歴史学は斗いの武器であることが明確化された。…人民の斗いに奉仕するものである。そうでなければ発展しない。この立場をつらぬけば人民は支持する。しかしまだこのような歴史学の具体的内容はうちだせないし、労働者へのアピールも弱い。

② 科学と人民を切りはなす科学至上主義に対する批判がでた。和島氏の月の輪の経験"一人一人がシャベルで掘ることによって、今までの発掘法ではできなかったことができ、学問の上でも量から質へと転換した。"……しかし科学と人民の結合を深く追求して科学至上主義を批判することが弱かった。

③ 教条主義を克服する方向がでた。…家永先生の発言"先生のノートを筆記させるやり方ではなくて、私たちがプリントしますから一部分たわしてゼミナール式でやってくれませんか"との学生の発言に対して"私はレールを一本一本つぎたしていくように、一週間の研究を諸君に発表しているのだ"、学問研究には問題を発見する力(=問題意識)と解く力=技術が必要だ、問題意識の上にアグラをかいてはいけない。

④ 人民的な運動の関係論から一歩進んでその内容をという方向と共同研究の方向がでてきた。一人研究では質的な発展は望めない。

⑨ 氷川下の歴史をつくる会　於 教大歴研．竹村，高橋（秀），青山，ら．

青山は1954年始めに氷川下の歴史を卒論とすることに決定．更に「永沢，和島氏を囲む座談会」の経験から，民衆的歴史学の具体的内容をうちだすため，青山の仕事を援助しつつ共同研究を進めていこうとこの会が生まれた。なお方針として ① 共同印刷の歴史を中心とする．② 共同印刷の越年斗争と組む ③ アピールをつくる。

○ 第一回研究会　研究方法について庄司先生にきく．竹村，青山ら5名参加．

○ 第二回研究会　具体的行動，日程など決める。

⑩ "たたかいの歴史を語る会"　於 教大歴研．氷川下の歴史をつくる会主催．

20余名参加．

● 室蘭，日鋼の斗いが労働者より報告されたあと，労働者の学生に対する要望，学生から斗いの様子などきかれた。

○ 自分自身の問題から出発しないと本当に斗えない。

○ "歴史を動かすもの，それは俺たちだ"

○ 労働者のめざめていく過程をしりたい。

○ 感情的なサークルだけでは持続的に斗えない。もっと理論的に深めていきたい。

○ 日鋼の斗いを自分の場に生かすにはどうするか．

○ 学生の本来の任務は勉強だ。学生にもっと労働者のためになる学問を学んで下さい。そして本当のことを教えてくれ。うるおいのある，弾力のある，裏切らないインテリになって欲しい。

※ 来る六日土曜日，平和会館で組合，大学に呼びかけて会合を開くこと決定（"労働者の皆さん，科学者学生の皆さんのアピール参照）

もうかって，楽しく，基本的に（斗いと結合して）を方針に。

〈第一回作品研究会〉 職場の歴史をつくる会 作品研究サークル

『N労組の歴史』の研究

職場の歴史をかこうという声は、昨年 安保斗争をたたかった労働者の中から、これからの運動の発展のために大きく叫ばれています。私たちの会は、その要請にこたえ飛躍的に発展するため 会員一人々々が 会の歴史を学び その理論を身につける必要があります。

今回、作品研究サークルという名称のもとにその研究を続けていくことになりました。第一回の研究会には、河出新書「N労組の歴史」をとりあげます。これについては竹村氏が「現代史の方法」の中で分析を試みていますので、それを一応の参考として進めてゆきたいと思います。各自一読してきて下さい。

記

とき 三月三一日(土) 午后六時〜九時

ところ 事ム所

会ひ 二〇円(茶菓子代)

報告者 田畑健

資料 歴史評論六十六号(古本屋で三〇円位で買えます)

河出新書は、会員に限り一二〇円というところを一〇〇円でおわけします。事ム所まで

当日は必ず御出席下さい。

N労組の歴史

N製作所従業員

—1—

先ず始めに■製作所の神田工場を説明しよう。国電は中央線で水道橋駅かお茶の水駅で下車して歩いて約七分である。都電では三崎町神保町駿河台下三駅のちょうど中間である。電車通りから一寸入った広い通（錦華通り）に面して油のしみこんだ木材で出来ている黒々とした建物が「N製作所である。事務所はハイカラな色をした木造二階である。もし神保町附近に来て会社が判らない時はこの附近に住んでいる人に　N製作所は何処ですかと聞けば大多数の人が道を教えてくれることだろう。なぜならば　N製作所の従業員は酒を飲むとすぐ他の人と喧嘩する為非常にこゝらでは悪名が高いのである。

　ではなぜすぐ他人と喧嘩などするのであろう。会社のある人が僕に次のような事を訓えてくれた。「会社が非常に悪労働条件の為皆苦しんでいる。がしかしこれらの不満を会社に言えない為このようなことをする」今年に入り前言を裏書するような事が起った。それは今年の新年会の時に他人と喧嘩しなかったことである。この様な事は珍らしい事である。

では次に　N製作所に入ってみよう。

事務所に入ると女子事務員三人と社長、専務、取締役二人がずらりと机を並べている。社長は経済新聞を開いて株が安くなったか高くなったかを懸命に調べている。

専務は組合の事を考えたり銀行の事を考えたり株の事を考えたり非常に忙しい人間である。その為一日の半分位は会社にいない。

取締役二人は売掛帳を見たり定価表を見ていたり得意先廻り等々種々の仕事がある。がしかし一歩事務所を出て工場に入ると人足になったりトラックの運転士をやったり種々の雑用に追い廻される。こうなると取締役とは名のみで仕事は我々より雑用である。この様な事では■製作所の取締役になる事も考えものである。又ある取締役が昨年組合が会社と団交中に私に向って「君達は会社にもんくがいえていいな私はいいたくてもいえない」と言ったこの事から判る様にこの会社は専務一人の会社であり、名前だけの株式会社である。

女子従業員のうち一人は他の大きな会社で云えば、会計課長の様なものであろう。他の一人は会計補佐と種々の書類の提出及びタイピストであり、最後の一人は使やら労働者関係の色々の仕事をやっている。

この事務所を通りぬけ工場に入った時には工場の非常な高音と油の臭いになやまされる。ゴーゴーと唸るモーターの音ハンマで鉄を打つカンカンという音、機械が廻る音、機械が鉄を切る音等である。

この高音の中から我々が歌う声が聞えている。これらの歌はお富さんでもなく又流行歌でもない。それは真の労働者の団結を語る立派な歌である。我々はこれらの歌を口ずさみながら元気一杯に仕事をしている。

工場は木造で平屋一〇〇坪位の建物が二つ建っておりこれらを才一工場才二工場と言っている。才一工場は南側に高い建物があるために昼間でも電気をつけ仕事をしている。

第二工場も第一工場と同様昼間でも電気をつけなければ仕事は出来ない。

一寸見ただけで判る事だがどちらの工場も隙間が非常に多くあるため、冬になり風が吹くと寒い。

次に工場の機械の数をあげてみよう。

一、プレナー　（三台）　二、施　盤　（七台）
三、ラヂアール、（二台）　四、ボール盤　（三台）
五、パー　　（三台）　六、ホッピング（二台）
七、フエロス　（一台）　八、ベーチカル（三台）
九、ミーリング　（一台）　十、鋸　盤　（一台）

これらの機械は不良機械が多くこれらの機械で能率を上げる事は困難である。

我々は高音になやまされ、油の臭いになやまされ、不良機械になやまされ、又会社の悪労働条件になやまされながら、昨年十一月迄黙々と働いて来た。同じ職種の人はお互に労働条件の改正、賃上げの事等話しながら、がこの話は話だけに終らずついに昨年末組合結成により実現したのである。その時の喜びは筆によって表わすことは出来ない。何年間もの夢が夢でなくなったのである。この時の嬉しさの気持は一生涯忘れることは出来ないであろう。ついに我々の努力が実を結び会社の封建性低賃金悪労働条件に向って断呼斗う時が来たのであった。

昨年の末頃迄は皆んなくちを言いながら歌をうたいながら（その歌は流行歌）、仕事をいやいややっていたが今は違う。皆の顔には喜びの色があふれ、歌う歌も我々の為の歌、仕事は元気一杯にやっている。これらの事からも組合が結成した事により従業員全員が明るくなった事は確実である。

目を工場の外にするとすぐ近くに宮城がありニコライ堂があるように有名な建造物が多くあるが、それより以上に多くあるのが学校である。一寸数えただけで十二、三はある。明治大学、日本大学、中央大学、専修大学等はその中の一校である。

このため神保町附近には本屋（古本屋）、洋服屋、運道具や等学生に身近かな店が非常に多くある。丸の内ビル街、駿河台の学校街と近代的な建造物を持つ千代田区は近代的な区と云いえる事であろうが、しかし近代的なのは表通りだけである。一度裏通りへ入ると多くの中小工場を見かける。その中の大半が製本関係の工場である。製本関係（製本屋、折屋、印刷屋、印刷機械製造業）の工場にはほとんど寄宿舎がある。

これらの工場が寄宿舎を持っている　理由はこれらの工場で働いている従業員の過半数の者が地方から出て来た人達であるといっても過言ではあるまい。ではなぜこれらの従業員は地方出の人が多いのであろうか。

一、地方の人だと東京の人間より安くつかえる。
二、いやになった場合でも直ぐ辞める事が出来ないゆえに一つの会社に長くつとめる事になる。
三、地方から来た人は非常に真面目で会社側の言う事を素直に受け入れる。その為労働運動などなかなかやらない。

等三点があげられた。その内第三の項である家の組合結成は地方から出て来た人の手によって準備がなされたのであるという点である程度特殊な状況にあった。

ではどうして家の場合は地方の人が立上ったのであろうか、Nへ入って来た地方の人達は皆非常に社会労働運動に熱心だったことと給料が安いため食費を引かれると残り金が非常に少くなる為直接苦しい事が身にしみた。

皆話し好きであるために自然／＼の内に話が決まる様になった。これらの点から考えて見て皆がはなし合う事がいかに必要であるかが判る。

千代田区にある中小企業の従業員は昔からの封建制、低賃金、悪労仂条件等多くの問題で苦しみながらたゞ黙々と仂いている。これらの人々も労仂条件の改正、賃金値上等をしてもらいたいのだろう。その為に労仂組合を結成したいが結成する事により会社に知れ首になりはしないかという恐怖心からなかなか組合運動は出来ないものである。

僕自身もはじめはそうであったが今では違う、今では人一倍熱心にやっているつもりで僕自身はいる。僕がこの会社に入って来たのは今から三年前の四月であった。入社当時の労仂条件を少し書いてみると次の様になる（通勤）

一、入社年月日　昭和二十七年四月（職安紹介）
一、日　　給　一五〇円、現在　二三〇円
一、勤務時間　八時～四時四五分（昼四五分休）
（この時残業を一日四時間やっていた）
一、休　　日　毎日曜日
一、年二回位昇給（感情昇給）
一、皆勤手当　二日分
一、現物給与　二〇〇円（全従業員同額）
一、交通費　五百円迄支給

入社当時は右の条件で満足して仂いていたが学校などへ行き友達から話を聞くと給料など確実に他より三割は安い事に気づきました。又会社内の空気は非常に封建的な点がしている様な気がした。

種々の不満がつのり二十八年秋一度組合結成の話が出たが会社側の策に乗りついに失敗に終った。これは川口工場の方で起った。なかなか組合結成の話しは実現しなかった。

理由

一、先頭に立って組合結成の運動をする事により首にならないか
二、前に組合結成時上部組織が全然仂いてくれなかったため今度も前と同じではなかろうかという上部組織があてにならない。
三、前に組合を作った時会社側の工場閉鎖の手により負けた経験がある為、
四、今迄に組合運動をやった事のある人が一人もいなかった。
五、他の人を信用できなかった。工場のどこへ行っても会社の手が回っているような気がした。

右の点で組合結成が非常におくれた。

では次にどんな点で不満だったのであろうか。

一、給与ベースが他より三割方低い。
一、ボーナスが出ない。
一、封建的である為個人の意見が無にされる。
一、感情昇給である。
一、退職金制度がない。
一、有給休暇が自分の好きな時にとれない。

等種々な不満があった。この頃は不満があると工場長を通じて会社に話すのだが金銭的な問題はとり上げなかった。

又基準局に出す書類に押す印も会社が勝手に押してしまうか工場長の中で勝手に基準局へ提出してしまう。その後で工場の方へ来て話すのである。

又会社の方針は給料を出来るだけ安くして残業をやらす事にある。その為残業をやらない者は昇給率が非常に悪くなってくる。

昨年の残業時間の例を次に書いて見ると

一月、二時間　二～七月中旬　四時間　七月下旬～九月下旬　二時間　九月下旬～十二月　三時間

この様に残業を非常に奨励している。

又従業員もこれを当然の事のように考えている人が多い。例えば七月～九月間残業が二時間しかなかった為生活が苦しくなってきた。この時従業員が会社側に云った事は「残業をもっと増してくれ」という言葉である。

この様な事では組合結成など思いもよらないと私は思ったが、この時はすでに他団体との連絡がついていたと後で聞き大変おどろいた。

私はこの時まで組合結成など大変簡単に考えていたが他会社の人に組合運動というものがいかに複雑であるか又種々の問題であるかを話され非常に、組合を作り運営して行く事が難かしいかが判った。この時私はこの仕事は難かしいが又やりがいのある仕事だと思った。次に給料のことを書いてみる。

昭和二十八年四月に入ったH君など食費を引かれて手元に残った金がわずか二十円という時が二度位あったそうである。

次の表は昭和二十九年四月入社の者

学校へ行っている為残業が出来ない。寮生活。

給料明細書	
日給	160円
稼動日数	25
支払金額	
160×25=	4000.-
皆勤手当	360.-
合計	4360.-
差引金額	
食費	3,300.-
健康保険	120.-
加配米	130.-
その他	100.-
計	3,650.-
差引支払額	670.-

右の表があらわす様に手取がわずか六七〇円で一ヶ月生活が出来るものでしょうか。

まだ二十才にもならないのに遊ぶ事も出来ず、理容屋にも満足に行けず、学校の月謝は払えず、家へ出す手紙は物を買ってもらう願いの手紙ばかりである。この為　Nに入って一等始めにおぼえるのは質屋である。これは疑えぬ事実である。

又、残業と定時間との間の休みがない為残業を四時間やる時は午後から休みなしに八時間仕事をするわけである。

この種々の悪労働下で不満の募るのは当然であろう。又二十九年七月の賞与としてくれた金額がわずか平均五〇〇円という有様です。この為怒った職人が酒を飲んで事務の所へ怒鳴りこむという事件が起きた。だがこれでもまだ組合を作るという事が具体的にされなかったのです。

昭和二十九年十一月上旬会社が一方的に作った諸手当支給規定（私達はこれを懲罰規定といっている。）には完全に皆怒り急に組合結成の気運が動いて来た。これから二三日後ある人に要求書を見せられ「組合を作るのだから参加してくれないか」と

—5—

いうので私は要求書を見て直に参加した。その時の要求書を次に書いて見る。

一、賃金五割値上

二、年末手当三十日分よこせ

三、定期昇給をやれ

四、徴罰をやめよ

五．退職金制度をつくれ

この他合計十九項目からなる要求書をもって私達は組合を結成することに全力をあげた。

ついに十二月十一日全従業員参加の下に組合は結成されたのである。十二月上旬私達は毎夜休むことなく要求書の作成ビラ作り等非常に忙しかった。僕も祭に三日ばかりとまった程である。今まで書いた事でわかるように　N労組は組合結成運動が表面化してから非常に早く労組が結成されたため次のような色々の失敗があった。

一、従業員全員が組合とは如何なるものか判っていない人が多くいたため初めのうちはなかなかまとまらなかった。

二、従業員全部が真の斗争の苦しさを知らない。

三、■■労組の結成が急だった為どこか抜けている事がある為一の様な事がある。

四、従業員全体が団結の力の強さを知らない為、会社の権力に恐れていた。

五、工場が神田と川口にある為、連絡するのに不備な点があった。

六、組合結成にあたり先導者になった者も組合に関する色々の法律を知らなかった。その為あとになり色々あぶない所があった。

もし会社が組合に関する法律をよく知っておれば　N労組は今頃ないかも知れない。たとえば斗争宣言もせずに職場を放棄した。

このように、色々な不備な点はあったにしろどうやら私達の出した要求の半分位はとれた。

しかしこの勝利のかげには組合役員の種々の努力の力がある。たとえば、役員会の為徹夜したり又組合という事がまだよく判らない人達にはていねいに話して理解してもらう等大変苦しい目にあいながら現在に導いてくれたのである。

　私はよく組合役員に文句を言いにいくのである。もんくを、言いに行くのは私ばかりでないかも知れないが、いつ行ってもいやな顔一つするわけでなく、かえって喜んで私の話をきいてくれるのである。組合役員の本当の在り方はこうでなくてはいけないのだろう。

又団交の時の事を考えると今でも冷汗ものである。前にも書いたように私達は労働運動にまるっきり素人である。その為、団体交渉の二、三日前から他団体の人に来てもらい種々の話を聞いた。その中で最も必要な事は団結である。という団結さえあれば私達はいかなる権力にも恐れないのである。団体交渉の当日私達は歌（労働歌）を歌いながら団体交渉をした。その時私は何も知らない為に、会社側から数字的な事を向き出して、どの位賃金、賞与が出せるか計算しようとしましたが、外部団体の人に、「そんなことしたってしょうがない」といわれたのでやめた、ではなぜ数学的なことをやってもむだなのであろうか。それは、会社というものは帳簿を巧みに誤魔化すからである。

交渉結果から私の考えたことをいうと始め会社側が回答をのばしてくれといって来た時私達が承諾した為、その後回答を延すことが数回行われた。

現在右の毎週の如く交渉を行っておりますが会社側が工場労務者と事務所職員を別々にしようとしているがこれもはじめ組合の動き方が悪かった様な気がする。

この様にN労組は欠点ばかりでいいところはないかも知れないが最も誇れる事が一つある。それはN労組の中で若い者が一本の線のようにしっかり固っている事である。現在は若いものだけであるが近時に私はこれが従業員全員につながる様にしたいと思っている。この様な事は今後私達の努力によって固める事が出来るのである。現在なお色々の不満がある。これらを一度に取る事は大変であり不可能に近いことであろう。しかし、又不可能に近いからとあきらめるのはいけない事である。一度に取れなければ何回、何十回、何百回でも交渉する事が必要である。これ迄は組合はどうやら順調に来たが今後二重、三重の壁につき当る事だろう。その時にどの様にすれば道は切り開いて行ける事だろう。

その解決法として私は組合員全員と話す事が必要であると思う。又組合員一人一人の意見をよく聞いてみる事も必要であろう。この様な事が今後組合を発展させる為に必要であろう。

日本人は何事にも責任者が出るとその人に仕事を全部させるという傾向にある。組合にもそれが当てはまる事であろう。組合役員のみに仕事をまかして普通組合員は遊んでいるという状態である。この様な事ではだめだ全組合員が一緒になって仕事してこそ、その組合は固り団結するのである。

団結こそ勝利だ
がんばろう！

組合結成まで

N製作所は戦後株式会社と改称され、従業員六十名余の小企業の会社です。

私がここに入社したのは二十六年十月でした。採用の際専務はこんなことを言いました。「うちみたいな小さい会社ではいろいろと雑用も多いが、こういう事は家庭に入ってからも大いにプラスになる事だからしっかりやってほしい。それにうちは非常に家庭的だというよい点もある」と……

家庭的とはどんな事なのでしょうか？　私は入社してあまりに封建的なこと、基準法違反の多い事、個人的雑用の多い事におどろきました。そして特にひどいのは感情昇給です。人によると、二年位たっても一銭も昇給しないのです。専務はこの様な事を勝手に都合のよいように解釈して家庭的だと称しているのでしょう。

このような悪条件の中では私達は安心して働く事も、又働く喜び等はとうてい味わえません。毎日心の中でもや〱した不満をもちつゞけていなければならないのです。工場の人達だって私達以上に不満があったと思います。賃金は人に話せば笑って本気にしてくれない位安く、盆暮のボーナスは出ない。又退職金制度もない。この他数えあげればきりのない程の悪状態のもとにおかれていたのです。

このようなことを解決するのにはどうしても組合の組織の力が必要です。一人でいくら力んでも解決する問題ではありません。それで私は何とかして組合を作りたいと思いましたが、それを誰に話してよいか判りませんでした。その原因として

一、小さい会社にありがちな義理人情等にしばられて、自由の行動をとる事がむづかしい立場の人が相当いる事。

二、皆があまり専務を恐れていたこと。

三、私達事務職員と工場の人達とせんせん話し合う機械がなかった事。

だいたいこの三つがあげられます。そして会社側は従業員をこんなにもいためつけておきながらまだあきたらないのか一方的に懲罰制度をもうけたのです。その内容は非常にひどいもので私達をまるで動物のように使用しているのです。遅刻をするのはそれ相当の理由があるからこそするので誰もすきこのんでする人はいません。このあまりも人権を無視した懲罰制度によって今まで皆の胸深くたゝみこまれていた不満が一度に表面化して組合結成への動機となったのです。

一　従業員として

神田猿楽町にあるこの会社、株式会社　N製作所といい、神田に本社、川口に分工場を持ち製本機、製函機等諸機械の製作を営んでおります。

当株式会社組織となったのは昭和二十一年です。従業員は神田に三十三名（女子三名）川口二十五名、合せて五十八名です。

毎日ハンマーを振り旋盤と取りくみ汗と油にまみれてその機械の製作に専念しています。設計そして材料から部員の加工組立へとこうして出来た機械は都内の或は九州、大阪、北海道の業者へと出荷されて行く。

神田の工場も終戦後建てたのだそうだが、こゝに建てたのもやはり、製本業者が密集しており従って需要が多く経営が容易な為だろう。

私もここへ通い始めて足掛三年、低賃金と封建的抑制のもとにすごして来た。経営者の一人決めの就業規則、当然働らく者の意志も反映して定めるべきなのに、この規則を知っていたものは僅か二、三人のみ、大部分の者は見たこともなかったのです。こんな規則の下に働らく者がどうして明朗に安心して働く事が出来ましようか。私が入社して一番感じた事は従業員の移動の激しい事だった。毎月必らず一人は退社或は入社していた。二三日仕事をしては作業衣を紙に包んで出てゆく姿、その度に会社の悪条件たるをひしひしと感じた。

毎日朝八時から夜の八時九時迄も働いてもまだまだ低い賃金、

この賃金もなんの規定もなく専務の気持一つで決まり、二年近くも一銭も昇給しない人がある。又十二月半ばというのにストーブを取つける事もせず、手をこゞえさせふるえながらイスの上に座り冷い足を温めた事もしばしばあった。そしていつも、やがて窓越にさす陽の光を楽しみに待っていた。

でもこのストーブは組合が結成され要求したので、すぐ取付けられ、今では暖かにもえている。

それから遅刻早退に対する罰則、これらは遅刻早退として時間を引いた上に、交通費、皆勤手当を支給しないで二重、三重の罰なのです。このような現状の下に働き、二人、三人と苦しさをお互に話し合い、働く者の苦しみは働く者自身で切り開かなければならない事を悟ったのです。自分達の生活の安定を自分達の力で計ろうと皆が一つになって、こゝに私達 Nの労組は十二月十二日結成されたのです。

そして生きるに価する賃金の要求、年末手当を支給せよ。退職制度をつくれ。定期昇給をやれ等十数項目を要求した。生活の安定があってはじめて私達働く女性の解放が出来るのです。

こゝにおいて始めて女らしくとか又女の道とか云う言葉が成り立つのだと思う。

だから私達も大いに斗いに参加して働く者の生活の安定の為に又女性の解放の為に大いに努めなければならないと思う。

一九五五年二月十一日夜　以上

組合結成と今后のあり方

昔神田は本屋の町として全国に知られた所でした。其のまゝ今もこの毎日古本新本と数多くの本が書店の軒下に並べ売られて行く。それらの本を作り出す工場（印刷屋、折屋、製本屋）が数多く書店をとりまいている。それらの工場で使う機械を作ったり修理したりするのが　Nの仕事である。

製本屋が多くあるという有利な条件の下で　N製作所が設立されたのは今から約二十年前である。当初は資本（八千円）も少く小人数で仕事をしていた。現在出来た機械は北は北海道、南は九州と出て行くが、その頃は都内だけでも販路はいくらでもあった。

この製作所も　年うつり人変り幾星霜の年月を経て資本も増し、人も増え、ついに昭和二十一年製作所から名称も株式会社[illegible]製作所として発足、経営に大きな変換をなしたのである。

そして神田に本社をかまえ、川口に分工場をと大きな進歩発展をなしとげた。その陰には、多くの労働者が毎日々々汗と油にまみれながらたゞ黙々として、生活の喜こびもなければ、自由や権利もなく、朝八時から夜は九時か十時頃まで働き続けたのです。

我々労働者も低賃金の為、病気になる危険を冒してもこのような無謀な残業もやらなければならないのである。

労働者があればこそ会社も日が経つと共に大きくなって来た

のではないでしょうか。

それにもかゝわらず会社側では専務が毎日毎日工場内に入り歩きまわり、少しでも手を休めていれば昇給に重大な影響しくくる事になり、仕事のことを一から十まで専務に向かなければならない。

この様に矛盾した事が行われて来たのです。その他にも数多くの矛盾した事が当然のように行われて来たのです。それで労く一人一人は毎日〳〵考えて来た。なぜこのような事がなされているのか、それを改めてゆくにはどのようにすればよいのかこの問題は一人一人で考えたり、色々と労働者同の話しの間に話し合って来た。そして最後の結論としては組合を作り、会社側と交渉をするより他にないという事になった。それでも中には「組合とはなんだ、そんな組織がなくても良いではないか、専務だって話せば判るんだから」という人もいた。だが　Nの専務は個々で話したって判るような人間でないのである。今までに幾度か個人的に会社と交渉した人がいるが、それらは全然受け入れられないのである。

この様に組合を作る事に反対した人達も本当の組合の在り方というものを細かく説明して来た。それらの人が、そうだ！我々は労働者だ、我々は同じ旗の下に集り一人一人の生活と自由と权利を守りぬく為には団結して組合を作らねばならないと考える迄、私達はそれらの人達と討論した。

組合を結成する事により個人の生活を守り权利と自由を守り抜く事により明日への希望に力強く進む事を誓った。時は昭和二十九年十二月十一日である。

N労組は幾多の困難な条件を切り抜けてついに結成のはこびとなった。

この輝かしい才一頁をつくるまでにはたゆみなき努力あればこそ、又その陰に大きな団結の力があったればこそです。私はこの輝ける日の事を永遠に頭におさめておく事だろう。

しかし私共の組合は日なお浅く色々な困難な条件下にある。しかし私共はたゆみなき努力と団結を持って慎重に一つ一つ考え、今までの苦しみを一日でもはやくとり去り、新らしき生活の喜こびを夢みながら組合運動をつゞけている。

次に私共が今後いかにしたらこの組合を融和と団結の下に力強く一歩一歩前進さして行くかという事を考える。

この問題は非常に難かしい事であろうが、しかし組合を発展さして行く為には是非共必要なのである。今までの考え方は「長いものには巻かれろ」主義であったが現在は違う。今では何事も組合を通して事がなされるのです。今後我々には強い意志とはげしい熱情をもやして戦い進んでいかなければならない。いかなる弾圧、平和的权利をそして平和を根こそぎ奪いとろうとしている独占資本家達をいかにしたら我々労働者の苦しい事が判ってもらえるだろうか。それには先ず組合の力の強さを知らす事が一番であろう。それには先ず才一に組合員一人一人が目ざめなければならない。それには組合員全員の融和と確立こそ、それには音楽や娯楽の交流を通じて友好の度を深くして組合員の対立をさけ困難なる場かならずお互に真剣に考え、すみやかに一致点を見いだし、共に組合員としての自覚と喜びにたらなければなりません。

長い日本の労仂運動も弾圧に弾圧を受けたをかつ仂く為又生活の安定、自由と权利を勝ちとる為斗っているのです。

これも一つには下から強い盛り上った統一あればこそなのです。

結成して間もない私共の組合は団結して会社に当り、しいて言えば全国の資本家に対抗して行くのです。しかし私共の組合は他組合にくらべて、いまだ幼い子供のような感に打たれる。なぜならば大会の席上発言者があまりにも少き為です。でもこの事は日を重ねるにしたがい大きく進歩する事だろう。それには前にものべた通り、音楽を通じ娯楽を通じてお互の気分がとけ合い、話の出来る態度を作り上げる事ではないかと思います。この事は私共の組合の最大の仕事である。それには適切な指導と援助が必要である。そしてお互の融和と団結をもってたゆみない組合運動を続ける事により必らず明るい生活が出来上り又权利も自由もうち立てられて行くのであります。

ひいては日本の労仂組合が団結する事により平和と自由と权利を完全に労仂者のものに出来るのである。

まず僕達の工場の地勢からはじめよう。

川口と云えば誰しもが鋳物を想像するように鋳物だけが取柄の市である。

この町もここ数年の間にひどくさびれた。

中央の曲折した一本道の両わきには大小数いくつもの鋳物工場が目につく、煙をあげているのが全体の三割位、この様な工場に囲まれている僕達の工場も周囲におとらずオンボロだ。

従業員二十名、平均年令二十八才、平均扶養家族一、八、平均ベース八千円、大半が自転車通い、若い二十才前後の人は七名が入寮している。寮の一室が事務所。川口工場は支工場の故か工場長、監長が各一名いて神田本社より一週二回～三回専務が見廻る。

仕事はのんびりとして田舎らしい。この中で僕たちは何も文句を言わずあやつり人形の状態にあった。全てを忍従忠義だ黙々とときには愛想笑いの一つもいって夜遅くまでやれば十円位あがる事もあるがそれも極くまれで、僕達の不平不満は只ぼやくだけにしかすぎない。

十二月の中旬頃新たに就業規則が一方的に押し付けられた。

具体的に書くと

○ 無届欠勤一日すると向う六ヶ月賃上なし。
○ 無届欠勤連続三日退職とみなす。
○ 一ヶ月に四日欠勤、交通費支給せず。

等々我々を奴隷化する気だ、皆顔を上げない、専務が去ると口々に馬倒し、真赤になって怒るがこれは絶対と云っても良い位外に爆発しない「畜生、やりやがったな」「面白くねえ一杯のむんだ」せめて酒の力でも借りて工場の部分を破壊し、うっぷんを晴らしている。

気は日々に荒んで行く。もう十二月、仕事をしても金のことで一杯だ。何のあてもない正月はすぐ先、

「子供に着物の一枚も着せてやりたい」「女房にゃ下駄の一足

も」と、ぼやく声が入る。借金したくも貸す人もない。仕事なぞ手につかない。いつか組合の話になった。「あったらいいなあ」これが僕達の第一声。「つくろうか?」「駄目駄目、クビがチョンさ」あちこち皆同じだ。

組合結成の動きは今度がはじめてじゃない。過去三、四回あった。いずれも失敗、近くで作年の暮(二十八年)の暮、川口工場単独で動き、交渉に持込む段取にまで進んだが工場閉鎖をほのめかすと準備もなく団結に欠け一瞬にして崩れ去った。

「今度の場合も昨年の二の舞をするんじゃないか」これが現在共通した問題、失業はマッピラ・容易に組合結成の口を切らない、が今のまゝじゃどうにもならん、「神田もやりゃなあ」こんな声もある。

「うん川口だけじゃなあ」、誰しもが多く言わなくとも胸の内は互に知りぬいているようだ。

「万全を期してやりたい」こうも想像出来ると思うがやはりその場限りだ。こんな空気の中で永らく欠勤していた旋盤のAさんが首になった。

結核でやせ衰えるまるで幽霊さながらの姿で視界から消えて行った。皆窓越しに見つめている。苦しそうな「セキ」も耳の底にこびりついている。

気味の悪いものを見た「俺じゃなくてよかった」いつ病魔が来るか、貯えもなく自分だったことを思うとぞっとする。

餓死、親子心中が日常茶飯事になっている作今、みじめな生活にも現実を追うだけに生きがいを見つけている。俺達はなぜ苦しいんだろう。映画、パチンコ、ストリップ、これらの話も終りには生活苦に落着く、事態は去年の暮のようだ十中八九近「よし!」神田へ連絡をつけよう、善は急げ、川口・本社両方より若い人が集り身近な問題から終夜、組合結成の気運も高めて行った。要求も当初互に不平不満を出し不用な助平根性をいましめあった。

例えば年末手当最低三ヶ月分を四ヶ月、五ヶ月と(日給制)限りなく、現在必要な額三ヶ月分を最後迄斗う事に落ついた。若い人ばかりで非常に不安だった。

さあ!! これから行動だ。

一人でも多くの仲間を集める事だ。僕達は労働問題に関して全然知識がない。雑誌、新聞紙上に近江絹糸、東京証券、日鋼室蘭の各争議の状況しか知らない。僕達は互に出来る限りの力を結集し全身で当る事に決めた。

仲間は着々と序々に集って来た。僅かな時間を利用し、極く自然に話しかけ、会社側にもれる事を警戒しながら連絡をとった。

始めに大きな事を云っていた人も気運が感じられてくると尻込みなるべく人の陰になるような仕草もこの場合怒れない。再度両方より集り検討し、決行日を明十一日に決めた。この日は午後八時より十二時に至るも議論で果しなかった。「団結」「統一」を実際に自分達にあてはめるのに、宙に浮いたような団結、団結と云ったり、とにかく身近かな例からとりあげていった。

いよいよ決行日、職場の人に神田の状況を伝えた。前もって打ち合わせてあるので割に冷静だった・遂に来るべきものが来たとの恐が多分にあった。だが一部の人には寝耳に水だった。決心がすぐにはつかずうろうろしていた。これ等の人は事務の肉身関係だったり、義理にあつく洩れるおそれがあったので後まわしにした。

九時を廻るに未だ決行を渋っている一人一人あった。「やろう」「よしきた」元気な声に「うゝむ」「大丈夫かな」の消極派、チャンスは二度と来ない、十時より職場大会を予定伝えて歩く一つの声は火の塊だ。五、六人で工場長に時間をくれるよう交渉、三分ほどもたっている間にモーターのスイッチを切る不安なまなざしをむけていた数人もこれに決心がついた「神田では、正午を合図に団交に入る。そして川口の支援を待つ」と、川口でも具体的に要求をまとめた。これは先に二人三人と当った要求を土台にした。

年末手当、三ヵ月分

賃金五割引上げ、

定期昇給を行え、

退職金制度の確立

が経済要求で、この外に懲罰制度の廃止、設備の改良等数多くが出て来た。恐がっていた人も気持を引立てると話し出す。要求書には全員が署名した。（これは組合員になる事を意味しなかった。）

次にどのようにして交渉するかの問題だ。名案浮かばず「とにかく神田へ行かず」一人が云う後は異句同音「神田へ行けゃ何とかなる」「多勢ならクビにゃなるめえ」各自叫び声をあげ手洗場に走って行く。工場長に全員早退を断ると驚くまい事か夢中で電話にとりついた。本社へ緊急処置を問い合せているようだ。「電車賃がねえや」「かめえねえ自転車で行かず」と寒い道を走って行く。自転車でも一時間位はかゝるだろう。

後に残ったものも電車で一路本社へ！

時刻は十二時を少し廻った。神田工場は現場には一人もいず食堂で大会を開いている真最中、何か物足りないようだった。川口は行動で憤りを爆発したのに対し生ぬるいようだ。

全N従業員が集った。専務が来るとテーブルの前の若い連中が二、三人一度に口を切った。

「五割賃上絶対駄目だ」「何故だ」「現状では一銭でも上げる事は出来ない。」数回応答が交わされたが、らちが明かず、先に進み年末手当、定期昇給、退職金制度等の経済要求は万事「否」だ。この外懲罰制度の廃止もけられた。「俺達ゃ伊達や酔狂にやってるんぢゃねえ、もうこれ以上我慢出来ねえんだ」「おやじさん、あんたは人を使うのが下手くそだ、餌を与えずに人を釣ろうったってそう簡単にゃ行きませんぜ」と威勢のいいことをいう若い人ばかり、それも極く一部、後は下を向いてだまっている。やはり無理だったろうかと一瞬頭をかすめた。専務は立上った「じゃこれで」と途端に「つるしあげろ」「逃げるか」「逃すなあ」とけんけんごう〳〵

（注） 懲罰制度とは先の就業規則をさす）

人垣で出口をふさいだ。驚いた専務青くなったり赤くなったりまるで七面鳥だ。興奮して手がぶるぶるふるえている「そんなNぢゃないぞー、逃げるのなんのって見そこなうな」と拳をふり上げ、やりばに困って自分の頭をごつんと殴った。

全く奇妙な場面だ、写真にでもとっておけばよかった。

結局今日一日事務所を出ない、交渉には何回でも応ずる事を約束させた。すぐに皆の意見を聞き結論が出ないまゝ二回目の団交。

相変らずゆずらず収獲は組合を認めた事だ、予想外に簡単にいれた。直に組合役員の選出を行った。神田四名、川口三名、投票の結果神田は以外に若手が多く、川口は逆に年輩の人ばかり、熱と水うまく調和されると偉大な力が発揮されるだろう。

この七名を中心に才三回目、

時間は午後七時頃、全然譲歩しなかった専務もこの頃からやゝ軟化、各要求も駄目の一点ばりから、漸く「考えさせてくれ」に変った。

地域の労働組合が続々と応援に来てくれた。勇気づけられるかと思ったが、結果は反対皆黙りこくってしまった。僕達若い連中もこゝまで来てどう切り開くか判断がつかず迷っていた。外部の人は盛んに専務に対して質問を浴せている。三回目を打ち切り、これは僕達の要求だ、そうだ僕たちでやろう。外部の人には一応出て頂いた。四回目

さすがに双方に疲れが見える。一ふんばりだ。後一押し、遂に専務は年末手当は十六日、賃金値上げは一月十日にそれぞれ回答延期を申し込んで来た。突ぱねて即答を迫ったが容れられず又協議し十三日で押したが手応えなし、万策つきて延期をのんだ。

記念すべき日にこれだけの成果、成功といえるだろうか。専務が十六日をねらったのは何か策略ありとにらみ、種々検討した。

現在川口工場に製作中の製袋機がクローズアップされた。納期が同じく十六日、一台四百万円といわれる。これを出して工場閉鎖をねらう事が予想される。

当面の問題、十六日には大分日がある。明日より ボタイジュ製袋機は八分仕上りだ、後は故意に遅らせる。朝より同じ部品を何回となく動かし、くりかえしていた動作はのろ〳〵とまるで牛のように、一部の者はビラ作りやのりを加工に工場をぬけ寮に入った。古新聞に墨汁で力強く各要求完徹、賃金五割引上げよ、年末手当三〇日分よこせ、専務は投資社員は東死等紙一杯に書いている。

工場では漸く立つと工場長があわてて出した「やるんならもっと合法的にやれ」と怒鳴っている、皆にやにやしながら帰って来た。

業をにやした工場長、臨長が機械に着手したが二人じゃ出来やしない。半日が長く感じられた昼休み帰りにと、ビラ作り、ビラ貼りに熱心だ、工場のあらゆる所、塀や窓、屋根にまで余す所なく貼った我々の要求はこうして勤労者や市民の皆さんの目に止った。

特に人通りの多い所など遠く迄足をのばし夜遅く迄手が冷たく凍りそうだ。

最初のうちこそ未だ平気だったが三日、四日と経つと心が疲れる。手を動かしながら能率の低下、割にむづかしい。旋盤の方でも順序を変え、途中ではずしたりして万事順調に運んでいたが、あくびはかくせない。仕上（組立）の方は工場内の掃除

や窓、屋根の修理屋に早変り、こっちの方が面白そうだ。どうやらこうやらで回答日近持ちこした機械は九分の仕上、みんな「ほっ」とした表情だが安心はまだ早い。

午後四時より委員の人達で交渉、組合員は機械を止め結果いかんと待っている（この時の団交にしたらと思った人が大分いた）状況の連絡が来るが思わしくない。何回だったか多分七時頃だと思う、ようやく「二十日分の案が来た」大会を開いたが断然けった。絶対に三十日分で押した。会社側もなかなか折れない。待っている方も不安になって来た。専務は「これが最後の線だ」と目に涙を浮べていう。口惜し涙か不覚だったのか、この辺りまれに見る演技者だ、ブルーリボン賞候補だろう。

この涙に？組合側も折れ全員に図る、年輩の人は二十日分で良いと出たが若い連中は納得出来なかった。賛否をとると二十日案が多い、二十日分をのむ前に更にもう一度二十五日分をたゝいたが駄目だった。第一回目の経済斗争は二十日分、今迄正月や盆には給料の一日分しかくれなかった事を思うとさすがに嬉しそうだ。

「俺りゃ、おやじの事だ十日も出したら良い方だと思っていた」「おめえはいくらだ」がこれを物語っている。

みんなでやれば何でもない。これが僕達が実際に体験した偽らぬ気持だった。

こゝより神田本社の方に話が変る。

年末斗争に続く問題は早急に規約の作成だ、一日も早く正式に労働組合を認めてもらわなければ、神田・川口の連絡は離れている故になかなか不便だ。電話だけでは話が出来ない。若い人は積極的に動き、欠勤までして努力した。こゝで一番困るのは、金以外に関心を示してくれず規約の草稿を読みあげるにも居眠りしたり、馬耳東風とばかりおしゃべりが絶えずで如何にしたら皆に理解してもらえるかと、、、、、、、、

正月は例年より楽しく迎えた事でしょう。息つく暇もなく一月十日に賃金五割値上げ要求に対する回答がある。

新年早々で景気あがらず、専務もうまい時期をえらんだものだ。先般の回答では「考慮する」だけで余り期待は掛けないが結果がゼロと逃げない事を確約してあるが、それだけが望みの綱だ。大会の要求通り五割を値上を迫った。これも前より委員だけで折渉、やはり予想に違わず「現状の生産では一割も出せない」と、正月で気が緩んでいる折柄、強く出るが不可能だ、しからばと三割を押したが、「全然上げる事が出来ない。その変り報償金制度なら出そう」ときた。これには驚いた。多分二割は出るだろうと想像していたからだ。組合の方としては、会社の経理の面がタッチする事が出来ない。どこ迄が真実か見当がつかない。一切が極秘になっているので、又組合結成当時より整理したようでやはり先に情報はとるべきだと思った。こうなったら体当り戦法で「報償金制度と同時に何割か上げよ」との苦肉の策、何ら効なく結極とらざるを得なくなった。これは何こでも資本家の常習の手だという。全く薄気味が悪い。労働強化によって生産をあげ、それで気をそらすつもりだ、考えただけで腹が立つ。「実力行使で対抗しよう」と誰かゞ云う、一

笑されるだけだ「クビになるぞ」未だこの言葉が根強く残っている。それだけにまだまだ団結にかけている。

大会における一人の発言が大きな役割を果すが口にチャックをかけたように黙っているのが大分いる。三十数名の小工場なので一人一人の態度はこの目この耳で全ての動きがわかる。このようなところがやり難く又やり易くなったりする。

専務より報償金制度に入る前に、何故三割位も出せないかの説明が数字をもって示された。

細かい計算になると誰も聞いていない数字がわかりないし、専務の言葉にも信用がおけないからだ。報償金も具体的にいうと一年を上下の二半期に分け昨年より生産があがったら生産高に比率して支給すると一割前後しかならない。

専務も大した腕だ、二、三日話し合ったが決然としない。向うもこの方の足を読んでぐいぐい押して来る。押し返すことが出来ない、口惜しい事だが一歩後退した。賃上げも報償金に変られなす所なし、結成当時の勢いは全然見当らず根本からやり直す必要性がある。どこにもありがちな結成後又は要求獲得後必然的におそう虚脱感ばかりとは云えない。組合活動も執行委員に一切をまかせ後は知らぬ顔とは大いに反省される。こんな空気の中では委員の人も焦り、感情にもつれが感じられる。心ある組合員は前途に憂いを抱くが具体的に案が出て来ない。これじゃ駄目だ、何の為の組合か一人一人の夢が実現されたのにもっと皆でガッチリと腕を組み肩を抱き合ってこそ更に一つの夢が実現されるのだ。若い仲間達は大半が一つに結ばれている。

これに年輩の人が加わると一段と力が強くなるのに単に組合も大事だが家の方はまだ大事だとばかり片付けられない。組合の中にあらゆるものをたたき込んでこれを実践したらと思う。

僕達は今、歌をうたっている。明るく、そして建設的な労働歌を、組合の事で頭をなやます事もない。互に一つ一つ心が結び合い何事も忘れ去ってくれる。頽発的な流行歌より我々の歌、自分達が作った愛すべき歌へと——仕事をしながら騒音を破って歌うことが出来る。知らない歌でも歌っていると廻りの人達が覚えてしまう。

結成直後近所にある■の人に教えて頂いた。三の人のうち約半数が参加した。

真黒によごれた作業服で昼休みの一ときも左までひどけとぼかり合唱した。参加する顔ぶれはいつも同じ、これじゃ駄目だと広く呼びかけたが年輩の人達は「お可笑しくって」といった態度ともとれる。年輩向きの歌は余りない、替え歌でも節だけしか覚えない、何とか年輩の人にも面白くたのしく歌える工夫はないものか、若い人の不参加は「■は赤だ。あんな人とつき合うものか」と。僕達の欲しいのは歌と仲間達の友情だ。思想は自由だ、交際迄思想に縛られるとは哀しい事だと思う。

僕達は労働組合員として、又働く者の一員として一層の「きずな」を築きたい、自分の心のうちにも平和が欲しいと、それなのに同じ労働者でありながら労働歌を拒否する気持は理解出来ない。「いいよ、歌は無理に押し付けられるものじゃない。歌声が高まると、参加はしなくも心のうちにはとけ込んで行くものだ」と。そうだ「確にその通りだ」と。

僕は途端に腹の底から力があふれるような気がした。いまで

をいつまでも肝にめいじておこう。

教育会館の労働者の集い。体育館の世界民青観送会にも多くの人を送り出し成果をあげた。

集会には最初不安だった人も会場にて多くの仲間に接するうちにみんな俺達と同じだと勇気づけられた。この次はメーデーに、七月の民青大会に万全を期している。組合活動は低調だ。だが歌によってこれを支えよう。この間も「世界の青春」を覚えた。今度は僕達の工場の歌を企画している。

結成以来、委員や活動の活発な人に対して手をかえ品をかえて圧迫してくる。給料の前借が拒否され、抱き込み策を図ったり、家族を通じて組合からしりぞかせたり、私生活までつけ回す。嫌がらせとはいいあまりにも露骨だ。組合と家庭との両立がならず、又仕事の上からの迫害各自の組合に対する自覚が阻まれたり組合結成以後親子夫婦の間で口論が絶えないなど一つの壁を破ると又次に又と神経が参ってしまう。一度に組合のあり方を認識しなくも根気よく勝利の日が確信出来るように進んで行きたいと思う。

「団結は労働者階級の唯一の武器である」という事は増々全従業員のものになりはじめて来た。

過去数年あるいは数十年間もこの素晴らしい又〃新しい武器を見出すことが出来なかった。私達は現に未組織の職場で苦しめられている諸兄弟と同じ様に不幸だった。しかしいくらすばらしく新しい武器でも磨き鍛えないならば何の使いものにもならない事を知らねばならない。この「新らしい団結の武器」は神や仏から与えられたものでもなく、働く者が働く者の権利と生活を守る為に共通の敵との斗いに立ち上った時に得た何ものにも屈しない偉大な力」である。新らしい武器は以前から持っていたのではなく、たゞ可能性があった事は事実である。ではこの可能性について私の知っている限りお話しましょう。おことわりしておくが過去数十年の労働条件については一片の知識もないので、この度の組織されるまでの最近の動きから、私個人としての立場でどの様に皆と共に斗って来たかをいって参考にしてもらいたい。

当時労働時間は実働八時間と残業四～五時間であるが低賃金の為に毎日十時近くまで働いていた。うす暗い、そしてつめたい鉄のかげで何を考えているという事もなく、もちろん楽しみもなく、動く機械をたゞロボットのように見つめるだけだった。始業八時で終業が夜の十時ですから新聞も読めず、もちろん本等は読めない。ラジオさえもその日の疲れの為にきかれない。この状態ですから一週間に一度の日曜は鎖のゆるみを幸と行く所は映画、パチンコ、酒、ストリップ等と定まっている。これでは人間が馬鹿にならないのが不思議な位である。これらの責任は支配階級にある。この様な生活を改めていく為にも私達に求められているものが何かしら大きいものがある様に感じた。

或る本に、のんべが集って会を作り各々苦しみを話し合うこと、これらの人達は共通の敵を見出したのであろう。これらの事からパチンコ、ストリップに行く事と私達の考えている事は無関係でない事が解って来た。私の以前からの友人にX君がおるが、彼は私の相談相手として職場の色々な問題について話合つた。これは昨年（一九五四）の春頃からである。この様な二人のさゝやかな活動の中で理論と実践を統一する為にも学習が要求されその日その日の皆との話も、日々の問題から入って段々それでは私達はどうすればよいのかまで発展して行った。そういってもすべての人が無条件で具体的な問題について話してくれたとは限らず、最初のうちは集まって話そうと思ってもその集るところにさえもためらっているのが実情だった。しかしこの話し合ったと云っても、組合を作るか作らないかではなくて、当時は「私たちの生活がどんなに苦しくなっているか」又「いかにオヤジが私達の人权を無視しているか」であった。この様に毎日のんびりと活動していた。

ところが九月頃オヤジは神田全従業員を工場の二階に集め「これを認めてくれ」と就業規則の様なものを一方的に押しつけて来た。

組織されていない当時としては何一つオヤジに文句を云えなかった。たゞかげでぶつぶつ云っているのがせきの山であった。その日私達はこの会社の一方的なやり方について話し合おうと五、六人に話しても実際集ったのは三人だけだった。

三人だけではいつも話していることゝ何ら変りなくこれという名案も出て来なかった。この一方的な就業規則の為に組合をつくろうという事になった。ところがいざ作ろうとなると何をすれば良いのかも解らず又集ろうと云っても前にも云った様にたった三人にすぎなかった。こんな事が二、三回はあったがいずれも何もこれという事がなく年末が近ずいた為、年末になるとこれまでの低賃金では年は越せずどうしても年をこす為には年末手当を要求する以外にない様になった。そこで十二月五日頃であったが二三人で相談して七日に神田と川口から数名集って話す事になり神田から五名、川口から三人でいろ〳〵話し合い十八、九の要求案を作り土曜日（十一日）に要求することでそれを職場で要求案を差し示すと全員が賛成し予定通り土曜日に神田と川口一緒になり組合を作り要求したのである。

K

懲罰制度（規定）とは

昨年十一月中旬会社が一方的に決めた諸手当支給規定という内容は十一項目からなるもので、従業員をまるで奴隷の如く使用しようとしているもので組合結成はこの規定の発表で急速に進んだ。次に規定の数項目を書いてみる。

一、いかなる理由があっても欠勤する時には電話及び書面をもって郵便又は速達便で届出ること。

二、無届欠勤をするとその月を加えていかなる事情があっても昇給しない。又賃金の前貸もだめである。

三、三日以上無届欠勤したものは希望退職者とす。

四、遅刻、早退の時間は一ヶ月を通じて合計し、その月の時間外勤労時間から引く

五、一ヶ月を通じて遅刻、早退八回以上の者は、其の月を加えて如何なる事があっても昇給しない

六、遅刻早退五回以上すると皆勤手当が一日分とぶ。又無届欠勤すると（一日でも）皆勤手当が出ない。

七、一日以上無届欠勤したもの五日以上欠勤すると交通費は支給しない。

◎ 六の中の遅刻早退合計時間二時間以上

八十二回以上遅刻早退してその合計時間が四時間以内のものは皆勤手当は支給しない。

㊟ 六と八の中の合計時間というのは一回でも四時間以上になれば皆勤手当は全然支給しない。二時間→四時間までなら一日分支給する。

西岡製作所
労働組合

労働協約書案

株式会社西岡製作所（以下会社と言う）と西岡製作所労働組合（以下組合と言う）とは経営の発展と従業員の経済的地位の向上、労働条件の維持改善をはかる目的をもって左の協約を結び相互の誠実な履行を確約する

第一章　総則

第一條　会社は組合が会社の従業員を代表する唯一の交渉団体である事を認め一切の交渉を組合又は組合の委任を受けた者とのみ行いそれ以外の団体との交渉は行わない

第二條　会社の従業員として作業に従事する者は総て組合の組合員でなければならない
但し次記の者を除く　一、会社の利益代表者　二、　三、
其の他組合と協議し組合が認めた者

第三條　会社は従業員に対し国籍人種信條性別又は社会的身分などを理由として差別的取扱いをしない事を確約する

第四條　本協約の有効期間中に会社又は組合が名称又は代表者を変更し或は会社が分割合併して新会社を設立した場合に於ても此の協約は有効とする

第五條　本協約は会社の全従業員に適用される事を会社及組合は確認する

第二章　組合活動

第六條　会社は組合員の組合活動の自由を認めそれに依って賃金其の他の待遇に付て不利益な取扱をしない

第七條　組合は原則として組合活動を就業時間外に行うが会社は次の各項の場合には就業時間中に於て行う事を認める
(イ)、会社と協議し又は交渉する為に必要な時間　(ロ)、組合規約に依る執行機関の開催、
(ハ)、正規の手続きを得た上級機関の会議に出席する時間　(ニ)、其の他組合が会社側に申入れた時間
以上の場合組合は事前に会社側に通知する
右各項の賃金は失わない

第八條　会社は組合が要求した時組合業務の整理、連絡其の他に要する時間を認める

第九條　会社は従業員中より選ばれた組合役員に対し昇給其の他の待遇に不利益な取扱を行わない

第十條　会社は組合が正規の手続を得て加盟或は支援して居る團体と連絡して活動する事

第十一條　及其の会議に参加する事できゆる其の際は第七條を適用する

会社は組合が必要とする会社施設及び用度を利用する事を認める

第三章　人事

第十二條　会社は従業員の雇入れに就ては人数其の他の点に付て事前に組合の同意を得なければならない

第十三條　会社は組合の同意なしに如何なる名目に於ても従業員以外の労務供給に付ての契約を結び或は労務供給を受る事をしない
但し機械運搬等に必要な臨時人夫等の雇入は此の限りでない(第十二條も同じ)

第十四條　会社は組合の同意なくして従業員の解雇をしない

第十五條　会社は組合を脱退した者或は組合より除名された者を直に解雇しなければならない

第十六條　会社は左の各項に該当する従業員を休職にする事が出来る
一　業務外の傷病で引続き六ヶ月以上欠勤のもの　(イ)六ヶ月以上一ヶ年以内但し結核性病患者は更に一ヶ年延長する
二　自己の都合で引続き十五日以上三ヶ月以内欠勤の者
三　其の他会社組合協議の上欠勤理由を認めた者
右各項は勤続年数に加算される

第十七條　会社は左の場合の以外に従業員を解職する事が出来ない
(一)本人が死亡した場合　(二)本人が退職を願ひ出た場合　(三)停年に達した場合(但し三ヶ月前に予告をする)　(四)休職期間が満了し組合と協議し復職が不可能と認めた場合　(五)其の他業務外の理由に依り作業に従事出来なくなった者及会社と組合が協議の結果解職しなければならないと認めた者

第十八條　会社は従業員の転勤異動については本人の意志を尊重し本人の生活條件、技能などを公平に考慮して組合の同意を以て行う

第四章　労働條件

第十九條　会社は従業員の労働條件に関する服務給与其の他の諸規定の制定並に改廃については組合と協議し其の同意を得なければならない

第二十條　一日の所定就業時間は原則として実動八時間として休憩時間四十五分とする

第二十一條　会社は業務上の都合に依り組合と協議の上前條の就業時間を法令の範囲内に於て延長させる事が出来る但し早出を含む

第二十二條 会社は業務上止むを得ない場合は組合と協議の上組合員を深夜作業に従事させる事が出来る 但し女子及年少者を除く

第二十三條 右時間外労働の休憩時間は其の都度組合と協議して決定する
会社は従業員が医師の診断書をそいて労働時間の短縮休憩時間の延長を要求した場合は組合と協議して之を認める

第二十四條 会社は休日を次の通り定める 但し業務の都合に依り組合と協議の次の各項の休日を変更する事が出来る
一、日曜日 二、勤労感謝の日 三、メーデー 四、お盆（十六日） 五、年末（一日） 六、年始（三日）
前項の休日は有給休暇とする

第二十五條 会社は従業員に次の有給休暇を与える
一、年次休暇（法令に定める有給休暇に一年に付一日加算する）
二、本人が結婚する場合 五日間
三、父母（養父母も含）及配偶者並に子供の死亡した場合 七日間
四、祖父母兄弟姉妹の死亡した場合（産后一ケ月以内及死産の子供も含同じ） 二日間
五、妻の出産した場合 二日間
六、女子の生理日（就業困難又は有害のために休日を必要とする場合） 二日間
七、天災交通機関の運転停止其の他の災害に依り出勤就業不能となった場合（但し此の場合は其の期間中基準賃金の五割）

第二十六條 会社は従業員が選挙権其の他の公民権を行使する場合に其の日時を与えなければならない（但し此の日時は有給とする）

第二十七條 本章に定めた休日休暇は勤続年数に加算され昇給其の他の業務成績には影響ない

第五章 経営協議会

第二十八條 会社及組合は経営の発展と民主化のために経営協議会を設置する

第二十九條 経営協議会は会社側代表と組合側代表を以って構成し必要に応じ両者一方より開催の申入が有った場合に速に開催しなければならない

第三十條 経営協議会での協議事項は左の通り
一、経営方針生産計画に関する事項 二、福利、衛生、厚生、災害補償に関する事項
三、職制機構の制定改廃に関する事項 四、労働条件に関する事項 五、其の他会社及組合が必要と認めた事項

第三十一條　経営協議会で必要と認めた場合は専門委員会を設ける事が出来る（生産委員会其他）専門委員会で[illegible]確認を得なければ其の効力は発しない

第三十二條　会社及び組合は経営協議会並に専門委員会に於各々必要とする資料をもれなく提出しなければならない

第三十三條　経営協議会に於て協議決定した事項は文章をもって双方確認して効力は本協約と同等とする

第六章　安全衛生及災害補償

第三十四條　会社は従業員の健康診断を年二回定期的に実施し常に従業員の健康に注意しなければならない

第三十五條　会社は従業員が業務上の理由に依り負傷又は病気にかゝった時は治るまで療養させ其の間の賃金を補償する

第七章　福利厚生

第三十六條　会社は常に従業員の福利厚生のために努力し食堂及浴室の改善並に文化体育等必要に応じ厚生費として資金を支出する

第八章　争議行為

第三十七條　会社は争議中と言ども従業員に住宅及其の他の福利厚生設備の利用を認める

第三十八條　争議中に団体交渉を行う場合会社及組合は事前に交渉事項、日時、場所などを通告する　会社及組合は前項の通告を受けた場合二十四時間以内に応諾の返答其の他の回答をしなければならない

第九章　附則

第三十九條　本協約の有効期間は昭和　　年　　月　　日より　　年間有効とし有効期間満了後なお新協約が締結されない場合は自動的に　　年間延長される

第四十條　本協約の有効期間中でも会社組合双方合意により改正する事が出来る

以上

家族手当支給規定案及従業員慶弔贈与見舞金規定案は目下調査、審議中に付後日発行の予定

みなさん!! ピクニックに行きましょう。

春の一日、さくらのしたで うたったり、おどったり、フットボール、などをして すごしたら、どんなにゆかいでしょう。

やすくて、近くで、広々とした所 ―むつかしい注文です― として、井の頭公園をえらびました。

職場の友だち、クラスのなかま、みなさんのお父さん お母さん お兄さん お姉さん 妹、弟 はては、いとこ、はとこ(?)にいたるまで さそってください!!

(プログラムの一部
ソフトボール大会、スクエアダンス、合唱 ドッヂボール)

日 時 四月十日(日) 午前十時　お金 五十円(おたのしみぶくろ代として)

集まる所 国電、吉祥寺駅前(三たかに向って左の口)　※.50円は、[illegible]・杉山まで 当日[illegible]

幻灯会と懇親会のおしらせ

三月一五日の集りのときから、学生はみんな分れて、それぞれ分担した職場にゆくことになりました。それで、みんなが会う機会が少くなります。「これでは困る。ほかの職場のようすも知りたいのだが……」。

そこで、幻灯会をやることを計画しました。楽しく幻灯をみ、その感想を話し合ったり……というわけで、お互い仲良くなりましょう。職場の仲間、学校の友達をさそって下さい。

とき 三月二九日(火) ゴゴ六ジ
ところ 教育会館三階第三会議室 (国電水道橋、都電専修大学前下車)
幻灯 駅手物語、日鋼室蘭 など

※ 幻灯のあと、懇親会について話し合いましょう。懇親会のもちかたについて考えてきましょう。
※ 企画部では、ピンポン大会も考えています。
※ 会費と機関誌代(当分二〇円)を忘れずに―!

職場の歴史をつくる会
千代田区神保町2-4 民科内 (33)8802

幻燈会と総会のおしらせ

職場の歴史を作る会
千代田区神保町2−4民科内（33）8862

三月十五日の[illegible]の時なら、学生は皆分れて、それぞれ分散した職場に行くことになりました。それで、皆が会う機会が少くなります。「これでは困る。ほかの職場のようすも知りたいのだが……」。

そこで、幻燈会をやることを計画しました。楽しく幻燈を見、その感想を話し合ったり——というわけで、お互い仲よくなりましょう。

職場の仲間、学校の友達をさそって下さい。

幻燈　[illegible]物語、日鋼室蘭など。
とき　三月廿九日（火）午後六時
ところ　教育会館三階第三会議室
　、国電水道橋都電専修大学前下車。

※幻燈のあと、総会について話し合いましょう。総会のもち方について考えて行きましょう。

※企画部ではピンポン大会も考えています。

ピクニックに行こう

春の一日、さくらの下で、うたったり、おどったり、ソフトボールなどをしてすごしたら、どんなにゆかいでしょう。

やすくて、近くで、広々とした所——むつかしい注文です——として井の頭公園をえらびました。

職場の友だち、クラスのなかま、みなさんのお父さん、お母さん、お兄さん、お姉さん、妹、弟、はては、いとこ、はとこ？にいたるまでさそってください!!

プログラムの一部——ソフトボール大会、フォークダンス、合唱、ドッヂボール

日時——四月十日（日）午前十時
お金——五十円（おたのしみぶくろ代として）当日秋山まで
集る所——国電吉祥寺駅前（三たかに向って左の口）

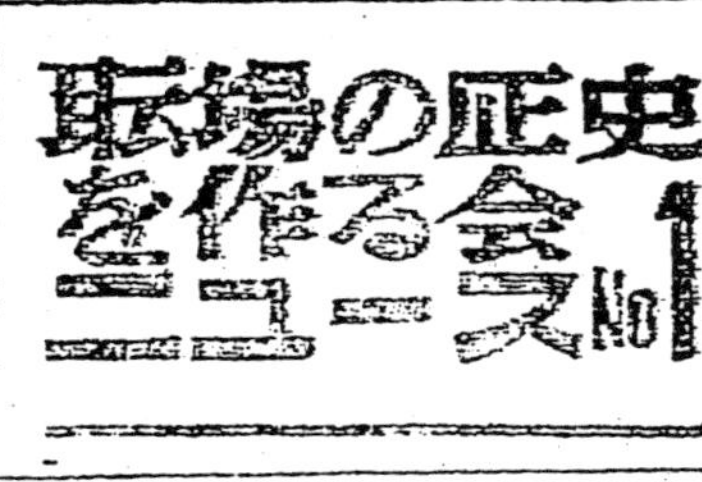

N製作所の歴史が生れるまで

「今日の会、どうだった？」 会ではだんまり屋のE君に、私は話しかけた。

「俺は、うまく言えないけどよお、新しい人がこなかったけれ、学生は多くなったようだけど、俺たちは、俺たちみたいに、組合を作ったばかりや、今、つくろうとしている人たちの話を聞きたいんだよ、そんな人たちに、うちの工場のことも話したいなあ」

E君は、ぽつり・ぽつりと話してくれた。

× × ×

前に会の性質について、皆で話し合ったとき、会では、やはりだんまり屋のS君が、思いつめたように口をきった。

「皆が笑うかも知れないがよお、この会を俺は、中小企業の労仂者の総評みたいにしてゆきたいんだ。」

S君が、何をいうかと聞き耳をたてていた一同は、そのとっぴな考えに思わず、笑ってしまった。

× × ×

この二つの話の中に、私は「N製作所の歴史」が、皆があっと驚くように早くつくり出された秘密をとく鍵があるように思うので、それを手がかりにしながら考えてみたい。

はじめのころ、よく、工場の歴史を書こうという座談会をやったが、N製作所の人たちは、〝俺たちにはとっても文章を書く暇がない、つかれてねるのがせい一ぱい。固い本なんか読んでいない〟と話すことが多かった。

それで、恥かしい話だが私は、〝この人たちが書くようになるまでには、大変な時間がかかるかも知れない。文章の書き方などを勉強しなければならないなあ〟と、あたかも、子供に、作文を義務的に書かせるような気持をもっていた。

こんな気持でいた時に、噴火山のようにN製作所の歴史などが出したのだから、本当に驚いたのである。——あとで話し合ってわかったことだが、会員の中には私のような考え方をしていた人も可成居ったようである。

N製作所の人たちは、組合をつくって二、三ケ月しかたっていない。しかし、組合がつくられるまで、長い間かかって、自分たちで考え、経営者にさとられぬようにこそこそと集って相談しながら、組合をつくっていった歴史をもっている。この地道な斗いの末に経営者のほとんど封建的に見えたおさえをはねのけて組合をつくった時のよろこびは、どんなであったろう？

——去年の正月までは、皆、酒をのむとよくけんかしたり、窓のガラスをこわしたことがあったが、今年の正月は、そんなことは一度もなかったという話を聞いても、このことは、はっきりと私たちでも知ることができるのである。

だからこそ、N製作所の人たちは、まだ組合をつくっていない人たちのこと！！新しい人の問題が、切実に自分たちのものとして、うけとめられ、考えられてくるようになるのであろう。早くこの喜びを伝えたい、伝えてゆくことによって自分たちの生活もっとよくなるに違いないという確信によって、まずしい姿で、〃N製作所の歴史が生み出されていったのである。私は国民のための歴史学をどうつくり出してゆくかという問題は、どんなテーマをきめるかで何ヶ月もなやんだり、どう史料をあつめるか、書く前に先ず理論書を山ほど読まねばならぬとか云った考え方とは、程遠いものであるということを学んだ。

〃N製作所の歴史〃の経験を誠実に学ぶという学風を、私たちの会のすみずみにまでひろげていくという努力の中から、おのずと私たちの会の方向も出てくるように思う。

〃N製作所の歴史〃に誠実に学ぶということは、国鉄のSさんもいっていたように、もっといろいろな職場の歴史を書くということではないだろうか。E君やS君たちの努力を、この会に出て来ていない無数の人々にひろめることと〃まず、つくろう〃ということとは、同じことである。

ざんねんながら、私たちにはこれまで、まだまだこのような努力が足らなかったように思う。なぜなら、N製作所の親方の方が私たちよりはるかにS君やE君たちのやったことを真剣に考え、自分なりに行動しているのである。

親方は、私たちの会に出てくる連中の家を、しらみつぶしにたずね、〃息子さんがあの会に出ると将来よくないことがあること〃母親をおどかしているし、その努力は東京だけにとどまらず、遠く長野県のS君の実家にまで出むいて行こうとしているのである。

私たちは　今までの反省を、この親父のありかたと関連させて考えてゆこう。私は、最後にたえず自ら反省し、誠実にN製作所の人たちに学んで自分の考え方を深めてゆく、Hさんの事にふれてみたいと思う。

Hさんは、今迄に何回となく〃労働者に学ばねばならぬ〃ということはわかります。けれども私はもっといろいろな事を読んで自分をしっかりさせてから、働く人と一緒に勉強した方がよいのではないでしょうか〃と私に話していた。ときには、会をやめたいかという手紙を頂いたこともある。

そのころ、Hさんはなやみぬいて、T大学の姉さんに「会をやめようと思うが」と話された。ところが日ごろ「もっと学生は学生だけで勉強する方がよい」とHさんに忠告していた姉さんが、「ここに真あり」を一度よんで、もう一度考えてごらんと言われたのである。

「――Hさんの話を聞いた時姉さんは「ここに真あり」を読んで、自分の今までの生き方とあのような素直な生き方の違いを感じ、一週間以上も勉強が手につかない最中であった。――」

Hさんは、このような人だ。しかも、N製作所の人たちは、学生の中では一番Hさんと親しく話し合っている。

日曜日をつぶして〃N製作所の歴史〃を組合の人たちがプリントしていた時も、Hさんはだまって一人で手伝いにいっていた。

親方の圧迫にK君のお母さんが怒って、K君をやめさせた時も自分のように驚いてK君の家までたずねていった。私は、さきに書いたように、この会にはまだまだかたいふんいきや、不完全さが残っている。しかし、唯一つ、自信を持って云えることは、この会は、Hさんのような人たちによって動いているということである。

E君やS君たちは「この会だけが、俺たちを勇気ずける」といっている。

国鉄のS君も〃私は命をかけてもやる〃とも云われた。

皆さん、自信をもって進みましょう。

（民科歴史部会　許　村　民　部）

職場の歴史について

私達が東芝を去って既に数年になる。この間に幾多の事件が起りサンフランシスコ条約が結ばれMSA協定が結ばれた。労働者の斗いの主だったものだけでも日立総連（二十五年夏）から始まって日産自動車（二十八年）尼鋼等労働者側に殆ど敗北の斗いをへ、やがて炭労及び三井鉱連、近江絹糸、東京証券、日鋼室蘭等の根強い巾広い斗争に移行しているし、一度は数の上で保守党に全く圧せられた共産党、労農党、社会党等の革進派も今度の選挙では兎も角憲法改正を阻止するだけの数には達している。このことは如何にも遅々として見え、時には絶望感さえ感ずる大衆の批判が矢張り正しい方向に進みつつあることを改めて確信させてくれる。

不幸にして私達は二十四年の東芝争議以後第一線からはなれてしまい生々しい斗いの体験をしていない。のみならず企業の経営に頭を突込んでしまった。然しこの体験は従来の組合活動を改めて検討させる機会でもあった。ストを嫌う商人や中小企業者の心理もこの体験から或程度つかみえたし組合運動では、それ程大きく表面に現れない利己心も、ここではハッキリ浮び上り、階級的な脱落が可成りの数を占めている事実も率直に認めねばならなかった。自らの後退を強く反省すると共に一面、物の見方に深さを加えた事も事実である。

たとえ小さくとも、その営む企業は常に大衆の幸福につながるものでない限り階級的堕落は必然であることも数多く見せつけられて来た。

こうした立場から改めてもう一度昂揚期（終戦直後）の労働運動から、やがて立直った資本家階級の圧力が加わった二十四年頃迄の斗争を考えてみるのも無意味ではない筈である。

◇　◇　◇

この頃の斗争で主要な役割を果したのは民間では東芝、東宝、電産であり、官公労では国鉄、全逓等があげられよう。民間企業を資本階級本位に運営するためには先ず東芝の労働者を抑えることであり（事実大企業の電気工業関係では二十二年から二十四年一杯かかった東芝斗争を最初に二十五年夏の日立斗争で一応終ったのである）官公労では国鉄、全逓が対象であった。当時単なる正義派とニセマニストの集りにすぎない東芝労連を、赤のレッテルの下に、絶えず圧力を加えたGHQ（[illegible]）が東芝労組を分裂させ[illegible]引きはなし従順な経営側の御用組合に変えさせ、それは東芝の労働者当事者と政府の重要ポストで指揮するという事の出たのもこの頃である。日本の二つの東（東芝と東宝）から赤を追い出すと資本家が呼号し東宝の争議に強い圧力を加えたのに対し東芝労連が全力をあげて東宝の斗いを支援したのも当然のことであった。

また之等民間官公労の先頭労働者を押えるために下山、三鷹、松川の諸事件が次々と組まれたことも今から見れば一層容易に理解されよう。

吾々の側からこの間の史実を扱ったすぐれた作品に〝現代日本の歴史〟（井上清他）〝戦後労働運動史〟（岩波日本資本主義講座才七巻、大河内一男他）の二著がある。この二著により先ず目的は達せられたと思われる。それにもかかわらずたとえ作品としては両者に劣っても、生々しい体験の薄れぬうちに、又相当ボー大な資料の失われぬうちに労働者の手によって直接斗争史を書きたいと思うのは――それが良心的な労働者であるならばまた当然の希望であろう。

こうした希望のもとに既に二年をすぎている。当時の事情から私たちは資料を確保することそれ自体でさえ、一つの大きな仕事であった。ボー大な資料は一応基礎的な整理をされた上で初めて共同討論に移され執筆される。一応この段階を経ぬかぎり簡単にこの会に持ちこむわけにもゆかない。

　多忙な商事活動（之もまた大切な仕事である）に追われどおしの二年間をへ、漸く今、ここまできかかったわけであった。

　今職場の歴史がこの会の中で次々と作られてゆくことは意義深いことであるし本当に喜ばしいことである。然も労働者と学者との協力によることは一層意義深いと思う。

　先ず始めることが大切である・歴史を書くことである、しかしムリは禁物である・〃理論に勝るインテリは兎角性急であり、労働者をムリに引廻す弱点がないだろうか。労働者とインテリとのズレは逆に云えば長短相補うことになる。このことを吾々は忘れてはならない。

　この会のスムーズな運営はとりもなおさず労働者とインテリの協力態勢――今後の国民運動の成功を如実に示すからである。


――一九五五、三、八――

民科歴史部会　石井弥二郎

民族の傳統のことなど
――焼津での感想――

　私たち（静大歴研米騒動サークル）が静岡の焼津に「米そうどう」の歴史をしらべにいこうということになった時、みんな「なぜゆきたい」気持と一しょに、何か気分が重くなった。「調査だから成果をあげなければ……」こう思うと負担は大きくたまらなくなってきた。だが、みんなで話そう――

「一日や二日ぐらい調査して、成果をあげようと考えるのが、まずおかしい。それに俺たちは、現地の人たちにおかまいなしに成果をあげようなどとは思っていない」「……」それなら向うで私たちと同様、勉強している仲間たちと話し合い、焼津の町の人と一人でも二人でもいいから話ができれば充分じゃないか。〃成果〃だとか〃調査〃だとか考える前に、まず行って話し合い、現地の空気にふれてこよう。そこから必ず学ぶことが出てくる」

　こういうことになって、私たち五人は朝早く東京を発った。しかし、はじめてのところへいくのはつらい、何だか重苦しい気分はぬけない。折から雪は雨に変り、静岡へついてから、しとしとと降る雨にぬれながら、大学をたづねた。丁度、静岡大学教育学部の歴史研究部の人たちは、「社会発展歴史」の勉強会をやっていた。

　いろいろはなし合ったのち、明日はみんなが焼津にいくという。「米そうどうについてはよく知らないが、とにかく手伝おう。その中から社会発展史の討論をもっと活発になるだろう」――「不安な気持はみんな同じだ。それでも大勢が上れば元気がでてくる。

×　×　×　×

　総せい十二名、三人づつ四組に分かれて町のなかに入る……

「まだ娘っ子のころだよ」――　五十九才のおばさんが子供をしながら話してくれる。

「……そのときやられた角三（カクサン）という米屋は、そのころではめったになかった自動車を買っていて、町のものはみんな、米や麦でぼろもうけしてぜいたくだといっていた。やつらは騒動がおきると殺されるというので自動車で温泉ににげたそうだ」

「……店の前のおけの小豆や麦、米をばらまいて、おやじを出せとたんかを切っているのを見た。多勢集って寄附を要求したが警察は一しょにやるふりをして、しるしをつけてあとで捕えたよ」

　いろいろはなしてくれたあとで、おばさんはこうつけ加えた。

「あんたたちはヤクザですよ。真面目な人はあんなことやりませんよ」

　みんながそれぞれ何人かの町の人たちと話し合ってから、海辺に集合した。みんな報告をしたくてたまらない、という生々しい顔をしていた。重くるしい気分はどこかにふっとんでいた。

「どうしてヤクザがやったというのだろう。一人の人だけでなく、みんながこう云うのだ。いつか誰かがそういう宣伝をしたんじゃないか……」と知りたいこと、調べたいことが沢山でてきた。だが、その前に……

「……その年はくるしかった。ぐんと苦しくなった。ほかのところでは給料をあげたが、国鉄ではあげなかった。それで私は非常に苦労した」

七十四才のおじいさんは、鉄道につとめていた当時についてこう語った。このことばは、私の胸にずしんとひびいた。一般的感状という事で、統計を出すのも大切だ。しかし、今までにこうした重みを本当にうけとめたであろうか。

このおじいさんは、更につづけて「それでも今の方がもっとひどい」と語っていた。

ほかにも、昼間から焼ちゅうをのんで酔っぱらっていた学校の先生も、「……今の方がよっぽどくるしいのに、なぜ米そうどうをやらないのか」といっていたという。

この何気なく語ってくれた言葉がいつまでも、私の耳にこびりついている。

私たちの米そうどうの話が、町の人たちの昔の苦しい話に一つの刺激を与え、うずもれている伝統を呼びおこすこと――「このとき以後、少くともこの町ではこうした経験はなかった」という米そうどうの体験、今でもぼろもうけしたやつらに憎しみをもった、きつけて語る米そうどうの思い出、しかし「やったのはヤクザだ」と語り、「今の方がもっとくるしいのに……」と訴える町の人たちの話……。

一日の経験では、軽そつであるかもしれないが、私はこうしたなかで、私たちの仕事について、又民族の伝統について大切な問題が含まれていると思う。

もっと町の人たちの話をきくこと、もっと率直に町の人たちから学ぶこと、そして私たちの果さなければならない仕事についてしっかりとつかむこと、この基その上に、私たちの理論をきたえていかなければ、私たちは町の人たち自身がこの尊い体験を、確信をたかめていくための援助を果せられないのではないだろうか。

静岡の仲間たちは、今度の旅行も焼津にゆくという。しかも現地の「おりづる会」(青年会)の人たちと一しょに、その人たちのお手伝いをしてやっていくという。これくらい、私たち自身をはげましてくれる「成果」

…5—

むくらにゃいかん

私の郷里の土佐では「勉強する」ということを「むくる」といいます。どうしてそういうのかわかりませんが今でも「むくる」という云い方が何かぴったりするような感じがします。で「むくらにゃいかん」とは「勉強しなければためだなあ」という位の意味です。

僕が学校で聴いている講義のなかみは試験でもすめば忘れてしまうようなものです。自分が本当にきく気がないからだといわれればそれまでですが、どうも僕にはそのファイトがわいてきません。経済の講義で商業資本とか償却積立金とかいってもその時は説明されるとなるほどそういうものか、ということになるのです。でもそれを自分が他人に説明したり、実際にはどういうぐあいなのかとなると、さっぱりなのです。これは僕がものごとをわかりやすく実際にあてはめてみないとなっとくできないためかもしれませんが。

働いている人たちはむつかしい話はつまらない、どうもピンとこない、といわれるのは僕にはよくわかる気がします。(僕もピンとこないのだから)そんなわけで働く人たちにとっても親しみがもてるのです。けれども僕は何も実際のことだけを考えていてよいというのではありません。実はそういうことを積重ねてもっと(立派なもの(いわゆる学問的にも)にのばしていくことが大切だと考えています。

昨日(十四日)竹村さんと銀座の三共製薬の小売部にいって組合長の方のお話をきゝました。その中で「不当労働行為が……」とか「仮処分は……」とかいわれましたが、僕はどんなことが不当労働行為で仮処分とは何なのか、ちっともわかっていないのです。それで、労働法もむくる必要があるなあという気持になりました。

又銀座印刷が労仂者の人たちの手で経営されているときいて、じゃ他のところのように労資対立はないだろうが、果してそれでうまくいっているだろうか、と思っていました。すると、話をきいて賃金の遅配が一番大きな悩みだということがわかりました。では、どうして民主的に経営されているのにそんなことがおこるのだろうか。そこからも一つむくる必要を感じました。

これからもいろいろのわからないことにぶつかると思います。それをひとつ〳〵ときあかしていくことによって、僕の考向が少しづつでもでき上っていくでしょう。

「むくらにゃいかん」はこんなところから僕の感じたことです。

沈神肇明（東大教養部　一年）

職場の歴史をつくるということ

三月八日、東証労組の「ひな祭り」の日にはじめて「職場の歴史をつくる会」に出席させてもらった私は、この会合に、自分たちの職場の歴史を自分たちでかこうという熱心な労仂者が参加している事実に強い感銘をうけました。

というのは、昨年の夏休み中に、私も都立大の社研について、目黒区内の中小企業経営調査に歩きまわったなかで、中小企業の労仂者たちが、われわれの想像もつかない程の困難な条件の下で自分たちを解放するための学習を斗いとっている姿を見出したからです。

中小企業の労仂者は自分たちの低賃金を、劣悪な労仂条件に反対しておやじと斗うなかで、おやじたちもアメリカと結びついた独占資本のギセイとなって、四苦八苦している事実をみとめざるを得ませんでした。おやじと斗いながら、しかも、おやじぐるみの斗いをも必要とする。そのためには、一体俺たちはどう斗ったらよいのだろうか。労仂者も経営の実情を知らなければいけないし、それと共に日本の経済全体についても知らなければならない。

従業員二〇名足らずの〇製作所では、労仂者がおやじをつきあげて、毎週木曜日、三時になるとピッタリ機械をとめて、おやじを囲んで「日本資本主義講座」の研究会をもっていました。そこまでいかなくても、近所の神社で毎週懇親会をもっておたがいの生活改善についてはなし合っている工場もありました。そうした個々の集りをもとにして、地域全体の中小企業労仂者の大会が、何度か持たれるようになっていました。

私たちの調査はいつの間にか、そうした労仂者の斗いの武器としての役割をになうようになってきました。地区労の役員もそれを期待して、助言を惜しみませんでした。それにもかゝわらず、私たちの調査は、あと一息というところで未整理のまゝ、放棄されてしまいました。

私たちはその原因について、まだ充分に反省するまでに至っていません。

ところが、昨年末、これらの中小企業の一つであるM研究所で組合が結成される寸前に、その幹部が解雇された事件がありました。私たち学生も、労仂者の応援のために、一ヶ月近くの斗争に参加しました。首を切られた組合の指導者たちは、決して会社をつぶすのではなくて、労資の健全な協調のもとで、会社の発展をねがうのが、自分たちの立場であることを、労仂者や会社側に訴えたのですが、会社側は頭からはねつけて問題にしようとしませんでした。

連日の激しい斗いの中で、最后まで斗った二人の労仂者は、学生や応援の労組の人たちとたくさんのビラを作って、仲間や附近の工場の労仂者にうったえました。その中の一つとして、工場の歴史——それは半紙一枚の簡単なものではありましたが——二人の労仂者自身の手で書き上げられました。

このビラには、終戦后、たった数人で始められた工場が、労仂者からのひどい搾取の上に肥え太り、三ヶ所の工場、数十人の従業員、十数台の自動車を持つ会社になっていった歴史が、現在の苛酷な労仂条件と結びつけて書かれていました。

争議は、形の上では、一応こちらの敗退に終りました。しかしこの斗いを通じて、参加した労仂者やビラを読んだ附近の中小企業の労仂者たちは自分たちのおかれた客観的な条件と主体的な力についてより正確な認識と斗いの方向についての理解を学びとったと思います。会社はあわてゝ、従業員組合を作らせ、労仂条件も多少改善してきています。首切られた二人の労仂者も「また元にあるよ」といって絶望した様子はみせませんでした。この工場では、昨年九月に同様な事件があり、そのときは、もっとみんなな敗北をした経験があったのでした。それに比べて、今度の成果は全く大きなものでした。

私は、以上のような限られた経験のなかから、次のことを考えるようになりました。

つまり、「職場の歴史をつくる」運動は、労仂者が、そして日本国民全体が、自己を解放するための重要な斗いの武器になってきていること。（それは「村の歴史」が終ったから、今度は「工場の歴史」などというような単なる思いつきでもないということ）しかも、このような運動に労仂者自身が参加するようになったことは、日本の労仂者の、そして、国民全体の大きな前進を物語っていると思うのです。

今井定男　都立大三年）

思いつくままに

この会も生まれてから早くも三ヶ月になりました。まったく時のたつのが早いのにはびっくりします。

さて、皆で必ず書くこと、と決ってそれはとても良いことだと思いましたが、いざ自分がペンをとると何を書いてよいのやら一寸とまどいします。私の感じたことを一つ二つのべて約束を果さしてもらいます。

——仲間——

出席された方も多いと思いますが、一月三十日、東京体育館で「世界民青連代表中央歓送集会」がありました。その日、千駄ヶ谷駅の出口を出たところで私は声をかけられました。みるとそれは東証のNさんでした。「先週の火曜日はちょっと用があって行けませんでしたが、どうでしたか」「この前は新しい人も大分参加し、国鉄の方のおはなしや、東大の学生が作った紙芝居をやりました」「……今度公判もひらかれるし、いろいろ都合があって思うように出席できませんが、次はなるべく出るようにします」「是非おねがいします」と云ったような話がかわされました。私は学校の友達と一しょだったので長く待たせておくこともできないのですぐわかれましたが、ビラをまくのを少しでもできないのが本当に残念でした。

ビラは「東証ストついに法廷へ、仂くものゝ権利をハク奪する暗黒の陰謀を断乎粉砕せん！」という見出しがあり、不当な弾圧と起訴を訴えたものでした。

Nさんは、私の父ぐらいの年輩の方で、こんなことといっては失礼ですが、声をかけられてあいさつしたときには、全く思いかけないところで「仲間」に合ったという気持、うれしさでいっぱいで会場にいそぎました。

東証のNさんに

「声」——東証労組機関紙（十五号）——をよんで

三月五日（東証のひなまつりに参加した日）にいただいた「声」（東証労組機関紙）面白く読ませていただきました。私のように歴史をやっているものは一応「日本労仂運動史」「農民運動史」といった類の学者の書いた本などは目を通す機会も多いのですが、労協組合の共同紙などは、読む機会が少しもありません。

一読して感じたことを述べて、いたゞいたお礼にいたします。

一頁で先ず気付いたことは、声という共同紙の右のはしにブライアント夫人の「私は日本の反米感情を和げ、親米的な空気をつくろうと思ってまいりました。ところが、日本へきてみると、反米感情は一向ありません。あるのはたゞアメリカ政府に対する反対だけです。しかし、アメリカ政府の政策への反対なら、私も同意見ですし、同意見の人はアメリカにもいくらでもいます」という言葉をのせていたことです。

私がもし編集者だったら恐らくこの余白には「MSA再軍備反対・徴兵反対・原水爆反対・黄変米を食わせるな」などと並びたてたであったゞろうと思ってひやりとしました。

たしかに私だったらのせたであろうスローガンは、基本的な正しい方向ではあると思いますが、時と所もわきまえず、とこでゝもヒステリックにスローガンだけを絶叫して、相手に押しつけてばかりいたのではないかと、それを見た瞬間感じました。これを共に私は充分反省しなければならないように思います。

「声」は、こうした配慮が紙面のいたるところに感じられました。これは単に、編集にあたった人たちのセンスが良いとかいうことでなく、この組合が民主的であるよい証拠であると思います。それは、編集後記の「組合員の一人〱が常に発行を待ちあぐむような〃声〃にして行かねばならない。今後の〃声〃にはどしどし原稿をお寄せ下さると共に、常に身近かに愛することができる共同紙にして行きたいと思う」にその一端がうかゞわれるように思います。

「主張、公判にのぞむ組合員の態度」にしても、固いごつ〱した四角ばったような文でなくして、しかも基本的な方向をはっきり示し、決して見解を押しつけていないように感じました。

二頁の法律の記事も対話形式をとり、やゝもすれば味けないものになりがちな法律問題を面白く読ませ、最後の頁の「私も一言」「図書紹介・林健太郎『明日への「史」』「随想」などもとても良いと思いました。

次に、こうしたらと思う点をのべさせていたゞきます。一頁の「群像の影絵」では人物スケッチをしていますが、私だったらここに似顔絵か写しんを入れたいところです。組合委員のうちのたゞ一人の女性であるSという人についてかゝれていますが、私は東証の事情をよく知らないのですけど、組合員の人々はSさんの顔をみんな知っているのでしょうか？六百人も組合員がおるのでは総会の役員紹介くらいではすぐ皆が知ることはできないのではないかと思いますがどうなんでしょうか。

六百人のうち　マンガの得意な人もいたら、もっとこの欄はひかるのではないでしょうか。同じことが最後の頁の歌う会の写真にも云えないでしょうか。この写真、私だったら皆が楽しくうたっている明るい顔でものせたいのですが、六百人の中には写しんの好きな人かいるのは確実だと思います。そうした人には写しんの面で協力してもらうように出来たらと思います。その他では「図書紹介」と同時に映画の欄もほしいように思いますし、日本の労働運動かどのようにすゝんでいるかも職場の内部の問題と関連させてのせることが必要ではないでしょうか。

以上、内部のことは何も知らないものが勝手なことを云って失礼な所があったらお許し下さい。最初にのべたように「声」から私の欠点を学ぶことができ、ついだら〱と長くなってしまいました。

東証労組が今後もます〱発展することを確信しております。

さようなら

高橋秀夫（教育大　二年）

ぐっとこみあげるものを

早稲田に入ってからもう一年になろうとしている。その間の會しい勉強は、遂に「工場の歴史をつくる会」参加となった。

私は最近平民新聞（自第一号至第四八号）職工事情の一部、横山源之助の著書などを読み、明治三十年代の労働者、農民たちの悲惨な状態にふれ、日本資本主義発展の裏に、異様な悲しみを感じた。それは又、日本資本主義発展の第一歩となった日清戦争後の労働者、農民の姿でもあり、日本帝国主義侵略の第一歩となった日露戦争前后の、労働者農民の状態でもあった。今を去る五十年の歴史は、現在数々の教訓をのこしている。民衆の具体的な生活を知ることなくして、果して歴史が書けるだろうか。歴史が勉強できるだろうか。民衆の生活を具体的にかいた著書は極めて少い。私は常にそのことを疑問に思っている。

我は悲しき機織り女
朝冴えわたる霜空に
冷き工場の床を踏み
夜ふけわたる露の床
疲れ休むる暇もなく
父も身を裂く明の笛

あゝ生き忍ぶ苦しさを
神よ哀れと見給わば
せめて恋しき故郷に
み親を一目み情の
み膝の下に死なせてよ

この詩は、平民新聞第五号（明治三十六年十二月）にのせられたもので、既に当時より「女工哀史」のあったことを、私たちに語っている。然し、彼女たちの大部分は、何のすべをも知らず、悲しさのうちに日々を送っていた。しかし、あれから五十年経過した今日ではどうであろうか。

友よ！
泣くだけが抵抗ではない。
紡績女工は、もう泣かないよ

私にだって母さんがどんなに苦しんでこれまで生きぬいてきたか、分りすぎるほど分っているのです。でも母さん、時代が変ったのですよ。私は自分の運命を切りひらいていけるだけの、つよい子になります。（野の草のように　より）

今日こうした力強い生きた紡績女工さんたち自身の多くの声に接することが出来る。五十年間の彼女たちの進歩はなんとすばらしいことだろう。悲しみにうちひしがれて逃げ、今は斗い、敗北から勝利に向って、そして団結に向って、民衆の歴史は前へ進んでいる。この五十年間における進歩の原動力、そうしたものからはなれて、私たちの歴史が成立するだろうか。

いよいよこの会も実際的に活動に入ろうとしている。そこでの勉強に私は多くの希望と期待をかけている。丁玲の〃桑乾河を照す〃の中に「彼は、農村こそが一つの大きな生きた図書館であり彼はそこでこそ、より実際の本を読むことができ、そこでの実際の生活こそ彼を啓発し、彼の人生観を明確にし、……中でも彼をそう希望せしめるものは、こゝに一種の非常に純朴な感情があり彼の冷静な理智を大衆の熱烈な波の中にとけ入れさせ、彼に充実と力量とを感じさせるからである」とある。これを読んだ時、ほんとうに貧しい私自身の経験からでも、それに同感できた。現在の私自身の生活の制約からどこまで出来るか、わからないが、自分自身の生活を通じて出来るところまでやってみたいと思っている。丁玲の作品は、インテリ丁玲の文学理論と、農村工作における実践の結晶であり、あの言葉は、丁玲自身のいつわらぬ気持であったろう。それは又、中国近代文学の祖魯迅の態度に通じるものであろう。魯迅は「人民」に引きおろしたものではなく、「人民」にまで高めたものである。こうした態度こそ私自身にとって最も大切なことであると思っております。(奈良和夫、早大)

確信と信頼と

この会の一人である或る人が、参加する心構、ひいては学問というものに対して、全く真険な態度でのぞんでいるのを知った時「ガーン」と一げきくらったような感じをうけました。

この真険さと比較して、素直に自分の行動を省るとき、真険さの足りなかったことを、会の発展を目さして、誠実に努力している人たちに、心から詫びる気持にかられて、筆をとり上げました。

私は、今まで、この会に限らず一連のこうした運動において、いつも、表面にでないように消極的に動いてきました。今考えてみれば、暗黙のうちに責任をのがれようとする気持が、心のどこかにひそんでいたのです。そしてこの消極性を、自分自身になっとくさせるために学校の特殊条件をもち出してきました。《私の学校はあるカトリックの大学でこうした運動とはあまりにかけはなれているのです。》私は自分の良心を満足させていたわけでした。《俺はこんな苦しい条件の中にあっても、出来るだけのことはしているんだ》と。逆説的に云えば、学校の困難な条件を利用してそのかげにかくれていたといってもいいすぎではありません。勿論、意識的には、このような卑怯とも云える態度をとれるわけはありませんが、無意識のうちにも、この気持を心のそこに抱いていたからこそ、学校で友だちに話しても説得力があるわけでなく話をきこうともしない人、話を聞いても運動に加わろうともしない人に対して、《やはりこの学校の奴は、しょうがねえやつらばかりだな》とけいべつし、時には憎しみをさえ感じたり、《こんな奴らに話したってしようがねーな》と、友人に対して不信頼感をいだくということにもなってしまったのです。《この学校でほんとうに生きようとしているのは俺だけだ》と考えてしまったことさえ時にはありました。不信頼の気持をもって接する相手に、理解してもらえない事は、はじめから明らかなことだったのです。このような態度で運動にとびこむのは、どのような困難な状況にあろうとかんたんですが、それではなんにもならないということに全く気がつかなかったのでした。

しかし、右のような態度は私の心構えだけから生れたものではありません。やはり誤った方向に導く原因があったわけです。それは、自信・確信をもっていなかったということです。「歴史を動かし、になうものは、働く民衆である」という命題、それは正しいことです。が、それを観念的に、頭の中でだけ理解していると思っただけでは《そんなわけのわからない会に出て、時間をつぶすより、図書館や研究室で一冊でも多く本を読んだ方がいいじゃないか》といわれたとき、それにこたえる事が出来ないばかりか、自分でもわからなくなってしまうのでした。研究会、サークルやいろいろな集会に出ていい気持になっても、研究室で無中に勉強している人たちを見ると、とたんに自身がなくなってしまい、いわゆる「国民のための「歴史学」といわれるものと、「アカデミック(学問的)な「歴史学」とどちらが正しいのか動揺してしまうのをどうすることもできなかったのでした。私のやっている百姓一揆の研究においても一つ一つの祖先の尊い斗いを学んでいくとき、いつも起るのは、どうしてあんなに強力な圧制のもとにあって、何千人何万人という大勢の百姓たちが、たち上ったのだろうか、という疑問でした。そして私は、その解決を、当時の経済構造、社会構造あるいは階級構造などを深く研究することによって得ようとしたのでした。その研究も、もちろん大事ですが、実際にはそんなところに解答はありませんでした。これで解決できるのでしたら、研究室に閉じこもって、一冊でも多くの本を読んだものゝ勝です。しかし「解決」のかぎは、私の眼前にあったのです。現実にこの目でみることのできる現在の労働者や農民の力強い斗いこそそれでした。自分と同時代の人たちの斗いを知らないで、どうして何十年も何百年も前の斗いを理解することができるものですか。「工場の歴史をつくる会」に参加して、数十日も経た今、はっきりと私の歴史に対する態度というものに確信が得られたのです。この確信を得てはじめてこの幼稚な自己批判も生れたのだと思います。この確信をみんなに広めよう。自分だけのものとせずに、友たちを信頼し、全てを投げ出して話し合えば必ず広まるでしょう。私はこの方向にそって努力します。学校といわず家庭にまでもちこみたいと思います。身のまわりから始めようということが正しいのなら、家族とのはなし合いがなされるべきです。会の成長に比例して、家族間のはなし合いも進むでしょう。

これが、大きなまわり道をして得た私の収穫でした。確信と信頼、これこそ全てを支えるものです。そして又、この確信と信頼を支えてくれるのはこの会です。この会が発展せぬ限り、私の成長もありません。しんけんにこの会の発展に努力したいと思います。

門　義一（上智大）

私のあゆみ（一）

「工場の歴史をつくる会」に出るようになってから三ヶ月、その間に得たものは多いが、最も大きな収穫といえば、大衆を信頼できるようになったことゝ、確信をもって勉強することが出来るようになったことである。考えてみれば私はこのこつを求めて出てきたのである。いつか私は「大衆は学ぼうとしている」（歴史と民族の発展）を読んでも納得のいかない時があった。不遜にも自分の方が、大衆の生活をよく知っているかの如く思った。なぜかといえば帰省中じっとまわりの人々を眺めたとき、石母田さんが云っていられることを信じたい〳〵と思いながらも私に与えられた解答は冷たかった。しかし、私は勉強しなければならなかった。もうそんなことに関しては考えるまいと思った。大衆から隔絶しようとしていた。だが、とても不安であった。そんな状態がつゞいていたころ、文化祭の座談会で月の輪古墳その他の話をきいた時、それらは新しいひゞきをもって私をゆり動かした。

すでに大衆は動き出しているといわれたではないか。また、どこにでも起るということを肯定することは出来なかったが、人のいうことを読んだり、きいたりしているだけでなく、自分も動かねばならないと思った。

その後、「工場の歴史をつくろう」という呼びかけを見たことは、私にとって幸運であった。（それに応じて出られる準備ができていたのは、文化祭の日のKさんの助言があったことを忘れない。

こゝに出ていろ〳〵なことを学んだ。いま、その一つ〳〵をかくことはできないが、私の歴史（人間）を見る目は生き〳〵としより深まったと思う。すべての人がこういうところを基盤として歴史を学んだら、本当に歴史を把握できるのではないかと思ったこともある。しかし、先にのべた大衆を信頼しても良いことがわかったことが一ばんうれしい。まだ〳〵全部をとは云えないが、誰れでもより良い、より美しい生活を求めているものである。その欲望を曲げられ、黙々として働いている人たちに役立ち、その人たちの生活をよくする方向を考えなければ歴史を学んでいるとはいえないと思う。

そのために、大衆の生活をもっと知り、大衆の中で一しょに考えていきたいと思ったこともあるが、現在、私にもっとも要求されていることは、許された特権を利用して（それを出来な人たちにかわって）人間の苦斗の中で生れ、つみ重ねられた凡ゆる学問を先ず学び、自分の中で生かすことである。そして、きっと大衆の中に来ることを確認し、つねに大衆と共にあることを意識しておれば、私は勉強することができると思う。

なお、先に、歴史を見る目だとか、歴史の相互云々といったが、勿論その重要性は明らかであり、歴史を学ぶものに永遠的に要求されるものであるが、それだけで良いものだとは誰も云わない。その意味からも私はこの会で得た体験を基にし、生かして勉強しなければならない。

私にとって、歴史学への期待は、この会で生れたと云っても過言ではあるまい。

働く人たちの中で、私が求めて来たものを得たと思ったとき、この会を一応やめようと思いました。これまでは勉強の方向に確信がもてず、やめることもできないほど、ぎりぎりのところできていたのですが、そうでないことを見出した時、ここで得た体験をもとにし、勉強しなければ、まだこのまゝやっていけないと思ったからです。しかし、やはり不安でした。こゝを離れてしまえば得られたものが、またうすれてしまうことを知っていました。だからこそ、学校でもやってみるべきだと思いました。

しかし、私は更に重要なことを忘れてしまいました。労組を結成したばかりの小工場の人たちが、自分たちの体験をまわりの中小企業に働いている人たちに伝え、働くよろこびを共にもちたい。生活をよくしたい、と思ったことは、彼らがそういう人たちの苦しみを最もよく知っているからです。この工場の人たちの努力をこれまで知りませんでした。たが、知ったことに満足してやめてしまえば何の意味もありません。知っただけでは、まだ出発点ですそこを更にすゝめて行くべきでした。

一冊のパンフレット、それは彼らが生んだ貴重なものです。今これを拡めることは必要です。たが、これを撒布することによって解決されるような問題ではありません。私は、まだまだ彼らとの近づきは浅く、表面的なことしか知らないのですが、希むところは大体同じであると思います。そのために勉強すれば、私は何

も労働者を利用しているという訳はないと思います。

最近、やっと会を動かしているものが、一人一人の力であることに気ができました。みんなが自分たちの会であることを確認したとき、絶対つぶれないはずです。私も国民のための歴史学を進めたいと思います。そして、この会がつぶれても良いと思わない限り、やめようとする前に真険に発展の方向を考えようと思います。

長谷川加代（お茶大）

おねがい

〝工場の歴史をかこうという名だけでなくこんなようにしてやっている、ということを知らせてほしいという声がきている。そこで次号では「会の発展の足どり」をつくりたいと思っています。それ故発言をのぞむため、会員でその人をよく知っている人は、至急民科気付で下さい（会報編集部）

あとがき

あつまった原稿を係がてきとうにならべてできたのがこの第一号です。係の不手際でたいへんおそまつですが、第二号からもっとよいものをみなさんといっしょにつくって行きたいと思います。

第二号を四月二十日頃出したいと思いますので、四月十五日までに原稿を民科気付で係までおくってください。

こんどの原稿は、六部分学生のもので多少さびしい感じがしますので、つぎからはぜひとも職場の方々の声をおねがいします。

いよいよ各職場にわかれていきましたが、そこでいろいろなニュースを必ずお送りください。

発行　千代田区神田神保町二ノ四・電話 九段(33)八八〇二番
連絡　民主主義科学者協会内
職場の歴史を作る会

高橋保管分、提供。

「職場の歴史」を創る運動は広がる

総会をふりかえって

〃おい、合評会はどうしたんだ〃

〃共同誌も一号が出たきりで、中断しているが、総会も開かれないし各地の職場の様子や、仲間達が何をしているのかわからない〃

〃合評会をかねて総会を開こう〃

・　・　・　・　・

会が発足して以来の全会員の努力は、「歴史評論」五月号を「職場の歴史特集号」として具体的に結実した。この特集号は、職場に労組に、学校に学者達の間に大きな反響を呼び起した。又新聞にも大きく取り上げられもした。こうした事は、職場の歴史をつくる運動が全国的に広まりつつあることをしめしているものと思われる。

以上の事は、企画が [illegible]

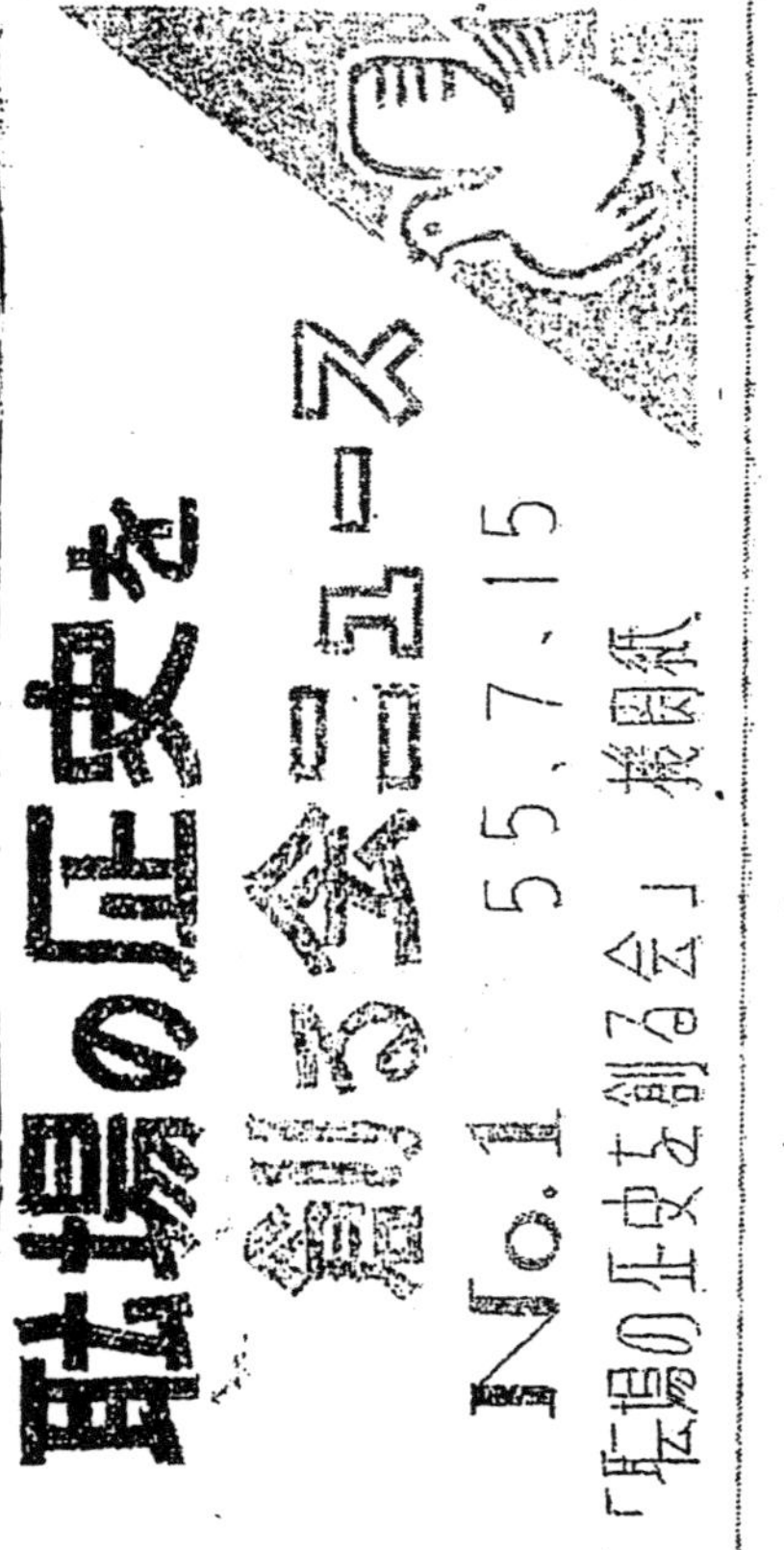

職場の歴史を創る会ニュース

No.1　55.7.15

「職場の歴史を創る会」機関紙

[illegible]

静岡県の読者からも、多くの人々が職場の歴史を書こうとしはじめているという便りがきている。

[illegible]

[illegible]る！

×加藤…×長谷川加代、池上廣司、岩淋田満智昭

○刊行…×高橋恭英、×小沢廣実、萩谷公代、新井洋、[illegible]

○会計…×秋山ヨリ（×印は新任者）

[illegible]連絡場所は[illegible]の間、[illegible]移転（池之端[illegible]一）に移りました。[illegible]一同まりまして[illegible]を強めていきたいと思います。よろしく。

〝戦後〟[illegible]の[illegible]の歴史を[illegible]発行「[illegible]十年のあゆみ」と題する[illegible]史の[illegible]が[illegible]大の[illegible]んがあたっています。

○七月三十一日より八月五日まで開かれる日本平和友好祭に職場の歴史を作る会の参加しようという声が起っています。具体的には職場グループの会合できめる事になっています。

○国民文化会議設立大会に職場の歴史を作る会の代表者三名が参加し色々参考となる問題を持ち帰ってきています。

○日鋼室蘭では青行隊の歴史を作る運動が大きくすすめています。

○総会の日時がきまりました。[illegible]十八日六時より、場所は国鉄労働会館の予定です。

[illegible]のように現在この会の経済は赤字を続けている状態です。経済的に確立していない事で活動が思わしくない事が多くある[illegible]。この会には多くの[illegible]皆さんの[illegible]がありますが、（具体的には[illegible]の問題）何とかこの実をお願いしなければなりません。なお日本には出版代三千円の[illegible]が[illegible]ないかえていますので会員の皆さんには[illegible]で[illegible]入②残っている。N製作所の歴史〝パンフレット〟の販売又は[illegible]に御協力下さい。又通信費その他・会の維持の[illegible]

販で使用された代金は（領収書をなるべくそえて）経済係へお届け下さい。（室越）

[illegible]の場合は目黒区上目黒[illegible]（秋山）

（ロ／よりつづく）

具体的にはなんかする一つのとつかかりがあると思われるがどんなものだろうか。

かつて日本の労働運動が新人会・黎明会等の学生たちの協力で勢よく上昇していったように、また中国の歴史の中でも労働者と農民と学生の結合が改革の運動を大きくすすめた歴史の事実を私たちは今一度想い起してみる必要はないだろうか。

今後の私たちのニュースがボボ[illegible]のあか[illegible]のようになったり[illegible]行きはならぬようになってゆけば、言いかえれば本当のことをギッシリと紙面がうづまるならば仲間はどんどん増えてゆくだろう。

〝仲間たちがみんなで話すことは、本当の事が知りたいためとは限らない〟の文句だけではないと思う。

（竹村 氏郎）

（七月十五日）

×　×　×

三月以降経済状態

収入の部

会費	1375.—
新聞雑誌の出版物	2025.—
カンパ	578.—
計	4478.—

支出の部

会場使用代	1640.—
孔版代	3200.—
通信費	310.—
[illegible]使用代	60.—
文具その他雑費	567.—
計	5777.—

△1289.—

職場の歴史を創る会ニュース

「職場の歴史を創る会」発行
No. 2
1955. 8. 16

◎こういうふうにして

『職場の歴史』を書こう!!

――先日の運営委員会の討論から――

※オレの職場では歴史が書けない※

◎ある職場の人は、『私の所で「職場の歴史」を書いて発表するとクビになる。組合ではまだそういうことに理解をもっていない』と語った。

◎それにたいして国鉄の労働者から真実は必ず理解されるから、恐れずに書いて発表してはどうか。

◎また他の人から、どこの職場でも歴史を示されているのです。もっと自信をもって「職場の歴史」を書いて行けるのではないか。

◎※それもそうだが、、、、

◎東証の労働者は、たしかにそうだが、もっと各職場の条件、状態を具体的に考えて「職場の歴史」を進めて行かなければ、うまく行かないのではなかろうか。

◎ある学生は、どこの職場でも本当の事が自由に言えない状態なのではないか。この事も考慮しないと、、、、、。

※こういうふうにしたならば、、、、

◎こういう事は言えるのではないか。

(い)本当の事が言えないことは事実だ。

(ろ)しかし、本当の事なら誰でも支持することは事実だ。

だから「職場の歴史」を進めて行く場合、今までのように若いものだけでやるのではなく、年輩の人、職制の立場にある人でも、話し合って一緒にやって行くことが大切であろう。そうして行かなければ本当の「職場の歴史」は生まれないのではないか。その方向でやって行けば、自信をもって行けるのではないか。

その場合、色々な協力をえたい職場には、皆で助けあって行こう。

~~モクモクと「職場の歴史」を書き続ける一労仂者~~

——年輩の石川島の労仂者（鋳物工）のこと——

○五年前から一人でコツコツと資料を集めたり、何十年も自分の工場に務めている同僚から職場の体験談をきいたりして、石川島の労仂運動史をまとめている。

○重労仂なので家に帰るとグッタリしてしまって、本を読んだり、何か書いたりすることができないので、往復の電車の中で、それをまとめてきた。時には一人でガリ切りをして、自分の職場の歴史をパンフレットにしてくばったこともある。

○「職場の歴史」を話したら是非自分も参加したいと言っていた。

"N製作所"にクビ切り来る!!

○「N労組の歴史」を書いたN製作所に、経営不振という理由から見習工六名に首切りがきた!! みな田舎の二・三・四男なので家にかえってもどうにもならないので、是非とも今の職場で仂きたいと希望している。

N製作所では、この問題にたいして、職人・年輩の人たちと話し合って一緒に会社に交渉しようとしている。

○「職場の歴史」を創る会でも、色々と話し合い、応援することになった。

※科学運動の発展のために!!

井尻正二先生が、私たちの会について、"国民の科学"八月号に「歴史の職場」という一文を書いて下さいました。皆で読みましょう。（民主主義科学者協会発行 ¥40）

☆おそくない

学生の皆さん、歴史を学んでいる皆さん。いま、工場や職場の人々は、みずからの職場の歴史を作りはじめています。皆さん協力しよう。

○「三越の歴史をつくる會」

現在組合は三つに分裂しているが、三つの組合の人が一緒になって三越の歴史を作ろうとしている。

○「恩給局の歴史をつくる會」

臨時雇いの人たちが組合つくり小さな要求から成功させている。

☆會計の秋山さん事故

「職場の歴史」の會計をやっている秋山さんは、去る八月六日スクーター乗車中チェック現在半身フズイ→

☆會長竹村民郎さん命拾い

八月三日 立山で雷雨のためソーナンし命拾いした。現在「職場の歴史」のためにフントウ中!

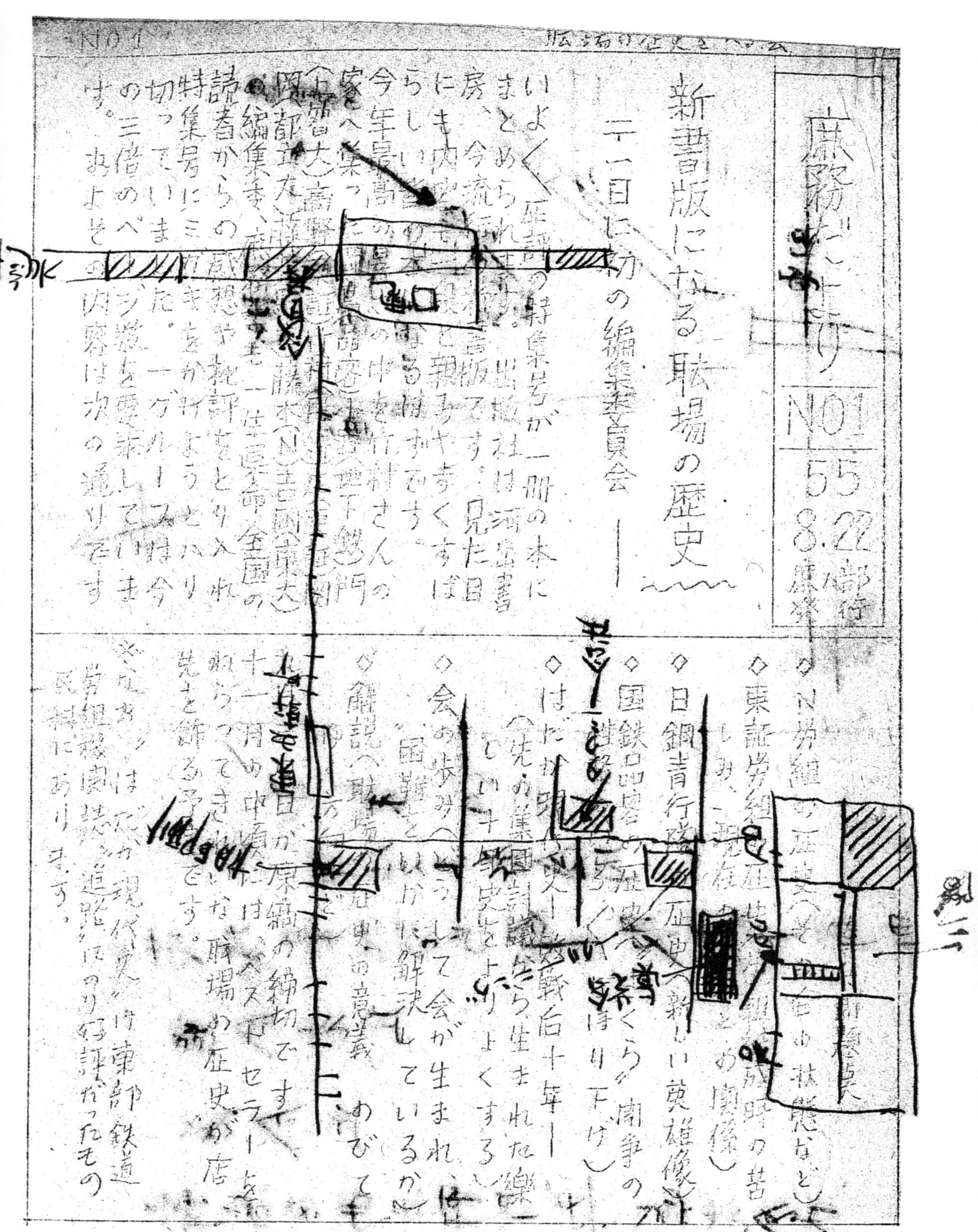

麻布だより NO1 55.8.22 発行 麻布

新書版になる職場の歴史

—二十一日に初の編集委員会—

いよいよ「職場の歴史」の特集号が一冊の本にまとめられます。出版社は河出書房で新書版です。見た目にも内容も親しみやすくすばらしいものになるはずです。今年最高の暑さの中を三村さんの家へ集った[illegible]（地下鉄）門[illegible]（全電通）高野[illegible]藤本（N）吉岡（東大）[illegible]都立大[illegible]の編集委、[illegible]読者からの感想や批評をとり入れ特集号にミスをかけまいとはりきっています。一グループは今までの三倍のページ数を要求しています。およその内容は次の通りです。

◇N労組の歴史（そのころの状態など）
◇東証労組の歴史（組合結成時の苦しみ、現在の関係）
◇日鋼青行隊の歴史（新しい英雄像）
◇国鉄品川客車区の歴史（くらしと闘争の掘り下げ）
◇はだか祭り—戦後十年—（先の集団討議から生まれた楽しい十年史をよりよくする）
◇会の歩み（どうして会が生まれ、いかに解決しているか）
◇解説（職場の歴史の意義）

九月末日が原稿の締切です。十一月の中頃にはベストセラーをねらって立派な職場の歴史が店先を飾る予定です。

※これまでは「現代史」は東部鉄道労組機関誌「進路」にのり好評だったものの資料にあります。

一、機関誌の発行に着手
九月二〇日に創刊号

職場の歴史をつくる会の現在の動き、会員の考え、問題、職場の様子などを親みやすく面白くのせ会を発展させることのできる機関誌が皆からもとめられていました。その創刊号が来月二〇日に出る予定です。美装　謄写版すり予価60

主な内容
石川島労働運動史(ニュース2号参照)
国際電信電話職場の歴史
若い製糸労組の話合
講座「科学と学習運動」
講師　井尻正二先生

次の総会は九月一九日(木曜)
——午後六時から九時まで

運営委員会が次の総会の日どりを発表しました。場所は未定ですが国鉄労仂会館か石川島になるでしょう。総会では　国高さん(品窓)の会の情勢報告、新しい機関誌はなる「石川島の歴史」のはなし、機関誌の合評その他です。

出席者は百人を越えるだろうとのウワサです。ぜひ会員の皆さんをはじめ一般の職場の人、学生の皆さんも出席して下さい。

"N製作所の力の首きられた人を激励する会"——二六日(金曜)

N製作所の、クビ切りの問題は六人のクビ切りが三人に減らせて一先ず落つくことになりました。本当の問題はなお後に残るわけですが、三人の方を招いて激励する会をもちます。場所は品川客車区整備の詰所　二十六日(金曜日)午後六時より——

会の発展のために"、
ルーレットの研究"

二一日、編集委員会が一段落してから集った委員会の面々、があいらしいルーレットで勝負事の味を研究——どうしたら"この味"に勝てる「職場の歴史」ができるか、みなさんちょっと深刻な顔をしてチョン。

御案内

朝夕は、めっきり秋らしくなりました。ますますはりきって御健闘のことと存じます。

職場の歴史を創る運動も、皆さま方の御援助により、次第に拡ってきていますが、今度、北海道の王子製紙苫小牧工場の組合史編纂委員会の方が上京され、皆さま方と意見の交換を希望しています。

「職場の歴史を創る会」では、左記のように懇談会を計画しましたので、ぜひ御出席の上、貴組合の御経験をきかせていただきたく、御案内申し上げます。

日時　九月九日(金)午后五時半

場所、品川食堂　国鉄、職員の食堂です。品川駅下車　三分

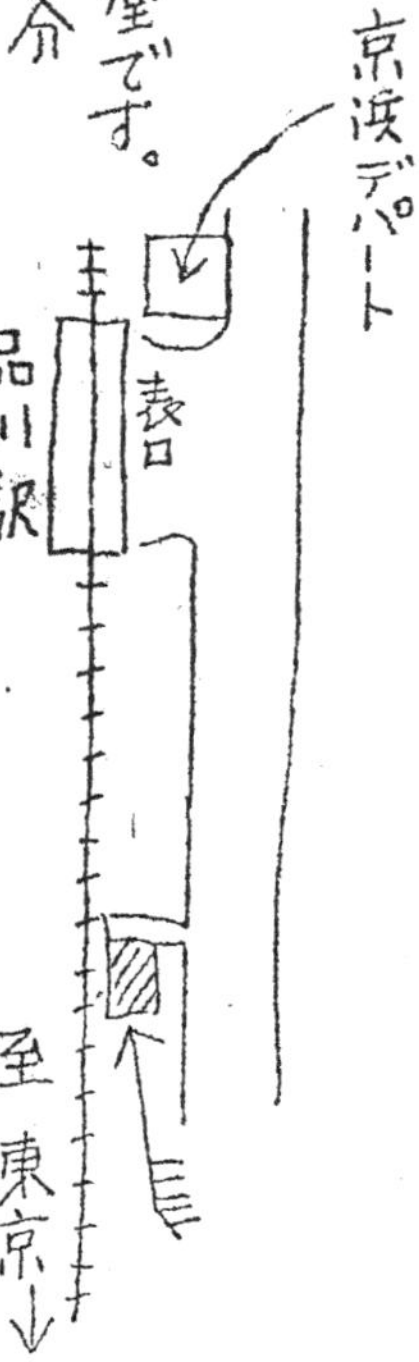

口鉄
下田
殿

職場の歴史を創る会

職場の「史」を作る会
連絡会のお知らせ

皆さん、お元気ですか。「職場の『史』を作る会」は、この所しばらくの間、集まる機会がありませんでしたが、今度下記の要領で連絡会を開きます。お忙がしいこととは思いますが、ぜひ御出席下さいます様御願い致します。

記

一、内容　十月に、総評国民文化会議と共同で「第一回組合史講座」を開くことになりましたので、その参加者を、どうするか、その内容について相談したいと思います。

一、日時　九月十七日（月）　午后六時より

一、場所：国鉄労仂会館四階会議室

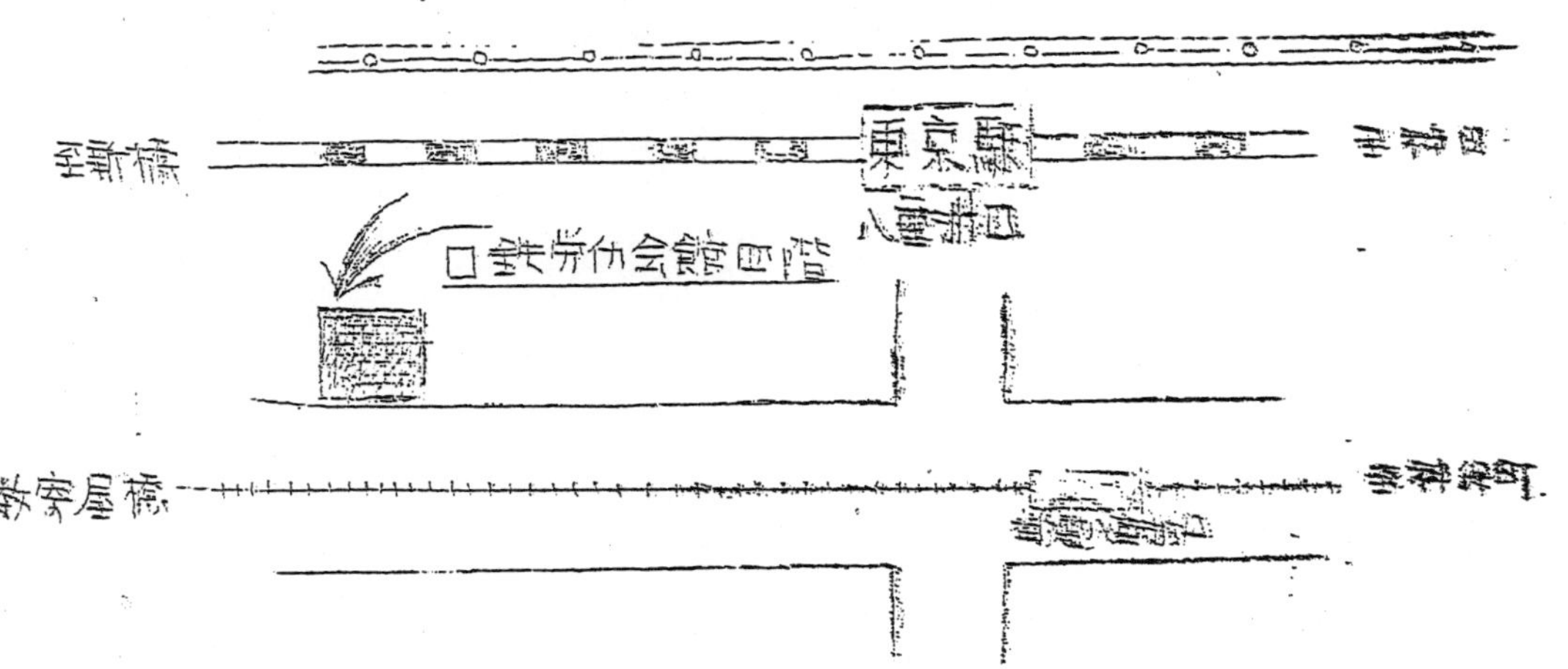

資料

一、なぜ労働者（国民）は歴史をもとめているのだろう

山陽製鋼労働者の場合 ………………… 職場の歴史

国鉄（品三分会）の場合 …………………

田子倉村民（電源開発で沈む村）の場合 ………… 村の歴史

石川島造船労働者の場合 …………………

近畿製作所労働者の場合 ………………… 職場の歴史

月の輪古墳発掘の場合 ………………… 村の歴史

東亜紡織泊支部女子工員の場合 ………… 母の歴史

合化労連日本水素組合史の場合（小名浜工場） ………… 組合史

"ある労働者の歴史" "ある農民の歴史" を書いた学生の場合 …… 歴史学創造の問題

[illegible]の場合 ………………… 職場の歴史

一、職場の歴史をつくる会が生れた理由

五四年の総評大会のこと

一、労働者はどの様な内容の歴史をもとめているか

1、歴史は斗争と敗北のくりかえしの様なものであってはならないこと

敗北の原因は何か、いかなる形の敗北か、全労働者運動の中でそれをどのように考えたらよいか。

2、民族は歴史のにないてであること

"ある農民の歴史"を勉強する中で全民族の[illegible]の歩んだこと、まわりの[illegible]はどのように人々に反映したのか。

3、民族は主権のにないてであること

労働者の権利はどうしてかちとられたか。

4、民族は理想をもとめていること

職場の人々の歴史は面白くない[illegible]という意見がありながら何故歴史を学んだか。

なぜ学習しているのか、その歴史的な必然性の再検討　[illegible]史に何を学んだか個々の研究

6、時期区分の明確化（歴史の段階をしっかりとつかまえること）
一つの段階から次の段階へうつる接点に求められる人々の思想も変っていくこと　　歴史はだらりと発展するのではないこと

7、労働者の意識を一般化してはならないこと
感想画の段階サークルの人々のやりかたに学ぶこと

8、労働者階級の役割の増大
"村の歴史"、"町の歴史"の数々の実際に学ぶこと

一、右の様な労働者の歴史の学び方を正しく伸ばす条件とは何だろうか

1、労働者の自主的な運動であること
2、運動（サークル）内部に民主的な気風のあること
3、知識人（助言者）との協力関係の正しいあり方
4、長期的なものであること
5、創造的なものであること
6、国民の運動（平和と民族の独立）の中にしっかり正しくすすめられていること
7、国際的な経験に学ぶこと

一、職場の歴史をつくる会の反省
前述の各項について考えてみたい
特に重要な点としては
1、経験の理論化が足りないことをあげて置く

「職場の歴史」原稿募集について

〔趣旨〕「職場の歴史をつくる会」では、創立一周年を記念して、これまでに会に参加した職場の会員のみなさんの手でつくりあげられてきた「職場の歴史」を一冊の本にまとめて出版し、全国のみなさんに読んでいたゞく計画をすすめております。　しかし、この計画を一そうみのり豊かなものにするため、まだ会に参加されていない職場のみなさんにも広くこの仕事に加つていただくことにしました。そこでつぎの要領で「職場の歴史」の原稿を募集いたしますから、奮つてご投稿ください。

投稿規定

1. 書いていたゞくこと……………あなたの職場の歴史

どんなことをどんな具合に書いたらよいか参考になるものとして、つぎの二つの雑誌をおすすめします。

「歴史評論」　第六六号（東京都千代田区神田神保町二ノ四　歴史評論編集部。送料とも七〇円）

「職場の歴史」　第一号（東京都新宿区四ッ谷一ノ十八　国民文化会議　教文部会内　職場の歴史をつくる会・送料とも七〇円）

2. 枚　　数……………べつに制限はありませんが、四〇〇字詰原稿用紙で五〇枚以内

3. 〆　切　日……………第一次締切　十一月末日　第二次締切　十二月末日

4. 送　り　先……………国民文化会議　教育文化部会内　職場の歴史をつくる会

5. 審　　査……………国民文化会議の協力をえて、職場の歴史をつくる会委員会が審査します。

6. 発　表……………入選のもの―職場の歴史をつくる会編集「職場の歴史」（単行本）

にまとめて発表

佳作のもの―「職場の歴史」誌上

手紙で採否、感想、その他の御連絡をいたします。

採択の分には、それぞれ掲載の本または雑誌のほか薄謝を呈します。

7. 投稿原稿は返送いたしません。

8. 連絡、その他のことがありますのでつぎのことをあきらかにしてください。

(1) 職　場

(2) 年　令

(3) 性　別

(4) 誌上とく名を希望するか、どうか。

☆おねがい☆

あなたの組合、職場で、これを機会に職場の歴史をつくる会をつくつて下されば幸甚です。また何かと私たちの会に御援助御意見を下さい。なおすでに同じような活動をしているサークル、個人、あるいは作品などを御紹介下さいますようお願いいたします。

十月廿日

職場の歴史をつくる会

各　位

職場の歴史をつくる会
連絡会議のお知らせ

前略「職場の歴史をつくる会」では今度左の要領で、連絡会を開きます。おいそがしい時ですが、是非御出席下さいますよう御願いいたします。

一、内容(1)会のすゝめ方について――生活記録と科学――
(2)総評国民文化会議の後援を得て「職場の歴史」（単行本）を出すことになりましたが、広く会員外から原稿募集することについて

一、日時　十月二十八日（金）午後六時～九時

一、場所　国際電々新宿分室

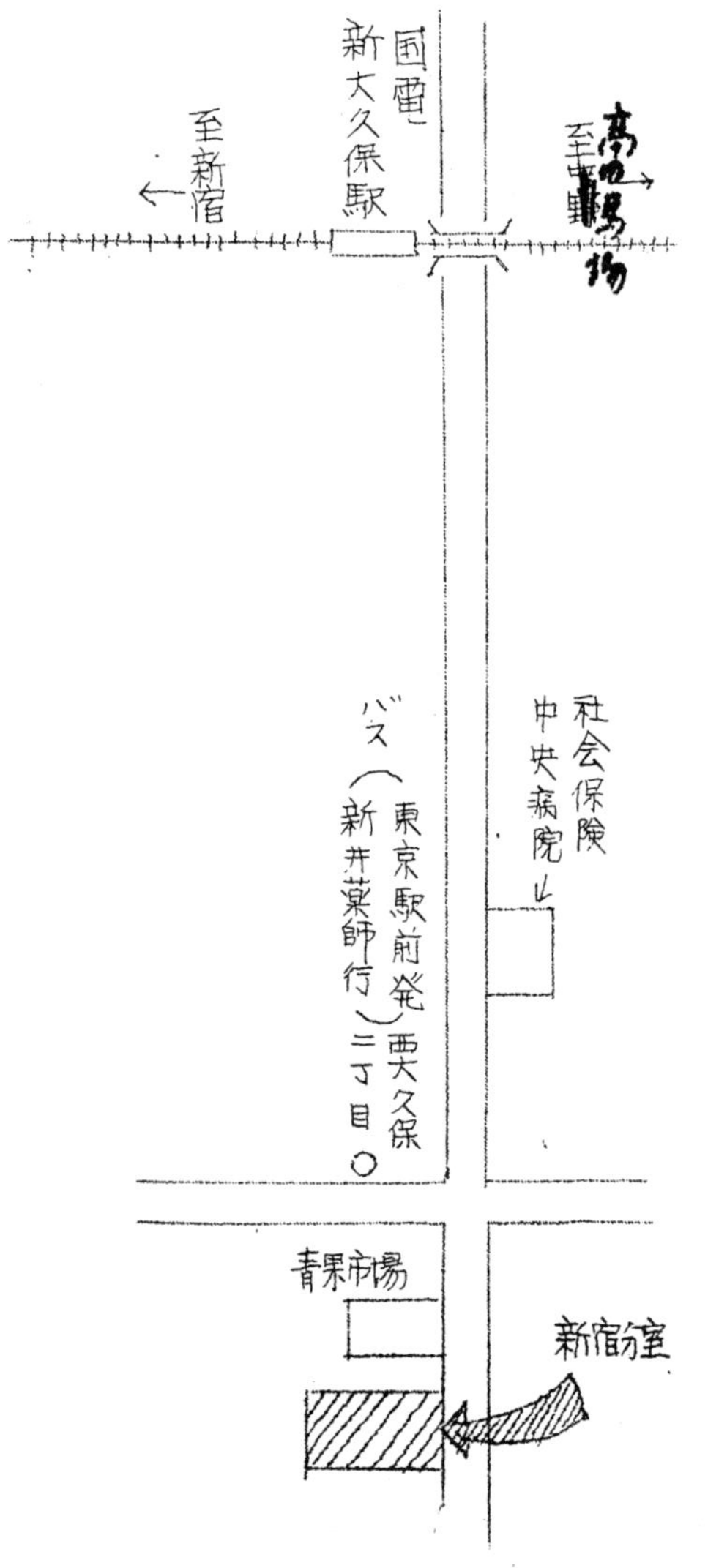

「職場の歴史」の原稿を募ります！

昨年から今年へかけて職場の歴史をつくるサークル運動が大きな流れとなつて進展し、労働界からも学界からも注目を浴びておりますが、この運動を結集している私たち「職場の歴史をつくる会」（国民文化会議、教文部会附属）では、創立一周年を記念してその成果であるいろいろな職場の歴史や労働者の歴史を一冊の本にまとめてみなさん方にひろくよんでいただく企画をたてました。　この企画をいつそうみのり豊かなものにするため、また私たちの会に参加していない組合や職場の方々にも広く御参加ねがうことになりました。　つぎの要領で、原稿を募集いたしますから、どしどし御投稿ください。

○、枚数　五〇枚以内（四〇〇字詰）　制限なし）

○〆切　第一次　十一月末日　第二次　十二月末日

○送り先　東京都新宿区四谷一丁目十八番地
国民文化会議　教文部会内
「職場の歴史をつくる会」

（なお、会のこと、投稿についての詳細は会に直接御問合せ下さい資料をお送りします。）

職場の歴史をつくる会

参考資料

「職場の歴史をつくる会」について

民科歴史部会の全国総会の開催を心からお祝い申上げます。

この総会に、一言、わたしたちの「職場の歴史をつくる会」について、ご説明申上げます。「職歴」の運動については、いま、歴史関係の一部でも、労仂界でも、注目されておりますが、この運動のもつ意義については、さまざまな観方があるようです。わたしたち「職歴」では、つぎのような考えで運動をすすめておりますので、ご参考にしていただき、とくに歴史部会の御理解と御後援をお願いする次第です。

1、「職歴」の現状。 昨年の労仂界の大きな動きのなかから、多くの職場で、職場の歴史をあきらかにしようという動きがでてきました。とくに東京証券、近江絹糸などの斗い以後、中小企業ではこの動きが、めだっております。この全たいのたかまりのなかで、中央ではいくつかのサークルがお互に連絡をとり、今年に入って組織として「職場の歴史をつくる会」（以下「職歴」という）という連合体が発足いたしました。この運動のなかから生れた成果の一部は、民科歴史部会機関誌「歴史評論」（五五年五月号）に特集として発表され、全国的にも大きく職場の人びとの共感をよびおこし、あたらしい組織的な発展が促進されました。この点わたしたちの運動に理解をもち、育ててくださった民科の方々に厚く感謝いたしております。現在では東京が中心でありますが、数十の職場のサークルが参加し、ぼつぼつ地方とも連絡がつきはじめました。会の機関誌「職場の歴史」第一号も発行され、常任体制もでき、事務所も近くできるところまできております。また、これまでの成果をとりまとめて一冊の書物にし、来春、某出版社から出されるはこびになっています。この過程で会は「国民文化会議」に参加いたしました。

2、「職歴」の運動のもつ意義。 「職歴」の運動は、民科歴史部会が主として研究者の研究上の要求をとりあげて活動されているのとはちがって、職場の仂く人びとが、現実にぶつかっている諸問題を解決したい、という要求を基盤にしたものであります。（運動のにない手＝労仂者、要求＝現実問題の解決＝研究したいとか創造したいということから直接出発していない）。たとえば、ある印刷小企業の職場では、オヤジさんも労仂者も非常に職人気質がつよく、労組もなかなか正しく発展できず、生活状態の向上ものぞめないというカベにぶつかっていた、そこではどうしても職人というものを正しくつかむ必要が生れ、これが明らかにされないと正しい方策もたたないことに気ずき、そこから「職人の歴史」をつかもうという動きがでてくる、といった具合です。だから、「職歴」の運動は働く人びとの文化活動としての性格をもつまで、従来の「うたごえ」や映画サークルのような芸術とちがう点は歴史というもの、科学を要求してきたということ、それも単に書物による学習とちがい、みずからの職場と生活のなかに（生産点と生活点に根ざして）これを求めはじめたことであります。すでに発表された成果についても「あれは歴史ではない」という批判もでておりますが、たしかに理論としての、また、いわゆる体系ずけられた歴史としては展開されておりませんし、またやっている人がとも研究成果をあげようとか、専門の研究者になろうとかいうことが第一義にはなっていません。この点で、専門研究者や学生諸君のご協力が求められます。（ただ協力の仕方という点では、働く人びとのほんとの要求と結合統一が求められるため、非常に困難なことがあります）。しかしいまのところ「職歴」の委員会としてはあまりその点に統くあせることはさけ、もっと自由にサークル活動をのばしてゆく方向で奉仕したいと考えています。そして、民科歴史部会をはじめ専門研究者の方々には、ほんとうにわたしたちの現実のもんだいを一しょにとり組んで下さるなかで歴史学を正しく発展させていただきたいと希んではおりますが、だからといって、民科歴史部会が、いますぐ私たちの要求にこたえることだけに解消したりひきずられたりしてしまうことには反対します。部会としては広汎な研究者の、歴史にたいする、要求をとりあげてすばらしい研究者の集りになっていただきたいとおもいます。お互にそうした発展が遂げられてゆくなかで、はじめてわたしたちの求めもかなえられてゆくもっと考えています。すこし余計なことに外れましたので、本筋へもどしますが、以上のことから明らかなように、「職歴」の運動は、もともと労働運動の発展のなかから必然的に生れてきたもので、普通の意味での科学活動のワクをはみだした側面をもったものであり、形としてはサークル活動として生産点、生活点に根をおきながら展開されてゆくものであります。

3．これからのこと。　「職歴」とおなじ性格をもち、同じような形で今後大きく発展してゆく見とおしと条件をもつものに「村の歴史」や「母の歴史」などの活動があります。すでにそうした動きは自生的にときどきいき出しております。もちろん、それぞれのもつ社会的な意義はその担い手である労働者、農民、市民のたつ基盤に応じて異ります。わたしたちは、ゆくゆくは「村の歴史」「母の歴史」などを含めた「

国民の厂史をつくる会」へ成長したいし、また、しうるという見とおしでやっておりますが、これも労仂者の「耺厂」を中心軸としてはじめて意義あるものとなり、そうしてこそ発展も可能になるものと考えていまのところ「耺厂」にもっとも力をいれております。

さいごに民科厂史部会への勝手なおねがいをのべさせていただきます。

「耺厂」は労仂運動の流れにのって、やっとひとり歩きができる、よちよち歩きのできるところへ参りましたが、ここまでくる過程では、民科厂史部会のお世話になり、また、そのため、時としては部会活動がこの活動につよく引ずられてしまうなど、いろいろご迷惑をおかけしました。そうしたことは部会活動の本来のあり方ではなく、部会活動だけをみるならば明らかにまちがいであったとおもいます。しかし、部会をはなれて広く労仂運動、文化運動、科学運動という視野をもって「耺厂」の運動を眺めてくださるならば、この運動のもつ意味も評価していただけるとおもいます。また「耺厂」にとっては、必ずしも第一義的なもんだいではありませんが、学問分野では大きなもんだいであろうと考えられる「国民のための科学」「新しい厂史観」などの点からも、何か「耺厂」の運動からひきだしていただけたらとおもいます。

「厂史」という縁につながって、おたがいにそれぞれの持ち味を生かしながら今后とも協力し合ってゆきたいと念願いたします。

民科厂史部会の一尸のご発展を祈ります。

一九五五年　十一月　廿日

耺場の歴史をつくる会

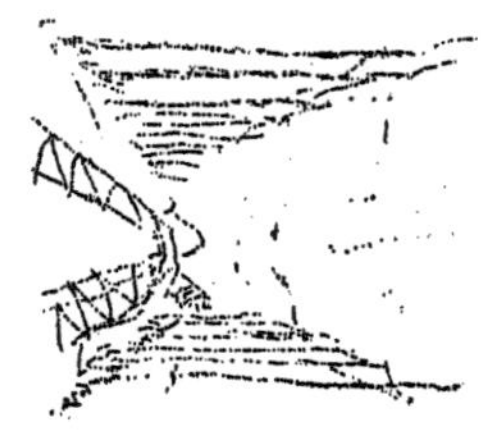

はつ春の集い

日時　二月十日（金）夜六時―九時半

場所　国際電々新宿分室

会費　三十円

プログラム

一、フォークダンス――参加者みんなで!!

一、コーラス――馬場のア史をつくる会
　　　　　　　　M石鹸若有志

一、田のア史――馬場のア史をつくる会
　ーシュプレヒコールー　恩給局婦対部有志

一、アベック歌合戦――全員

一、話しあい

主催　馬場のア史をつくる会

飛入歓迎!!

● 当日、厚生省ア史学研究会のみなさんの作った 絵巻物 ―田のア史― 展覧の予定です。

● 会機関誌二号（五十円）も発売します。

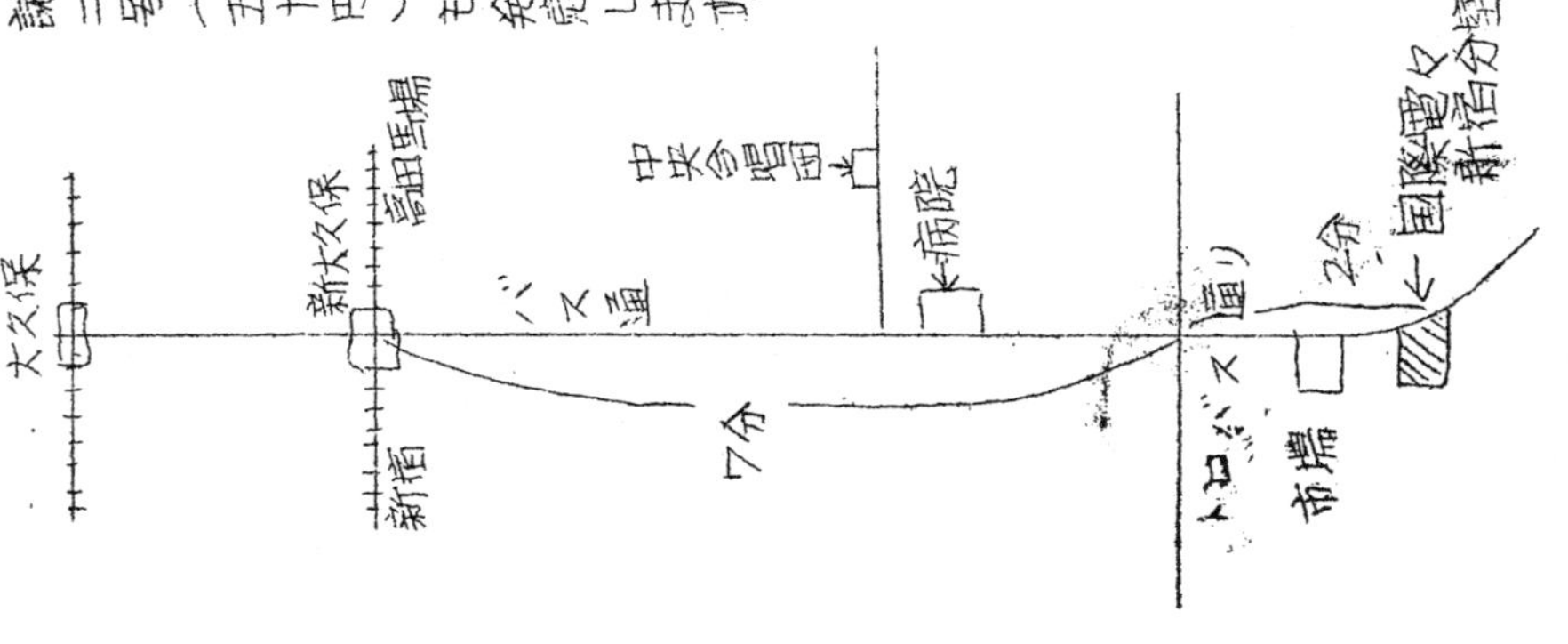

会報

職場の歴史をつくる会機関紙
月1回刊1号
発行人 菊池一徳
定価1部5円

規約改正間近か

組織部会は二月十六日・民科歴史評論編集室で、宮沢（國鉄）・大田・松本（S百貨店）・岩波（J大学）・菊池（杉山研）・内（歴評）・竹村等七名が集って開かれた。

同部会は(一)前回の決定（会員は必ず書いてくること）の確認、(二)総会開催の件、(三)職歴組織部の方針について、の三議題を中心に討論し、会規約の改正も三月に着手することに決定した。

その後新入会員大田さんの紹介があった。

討論の模様は次の通りである。

遅刻する人が多い、集りが悪いということから討論がはじまった。

が、俺は忙しいのだとか、親しい友達同志だということに甘えてきちょうめんさを欠いてはいないかということから熱意だけでなく事務的能力をも高めること、当然のことだが会の規約を守るということが強調された。組織部は遅刻や欠席は恩給局の仲間氏に必ず連絡することになった。運動方針なんていうとむずかしそうだが、結局こういう常識的なことが基礎になるのだという意見も出た。

主張

時間を守ろう

「職場の歴史をつくる会」も昨年末より組織、機関誌・財政の三部に分れて活動を開始した。が、各部様々な分化の悩みが生れている。各部とも共通なことは、部員の集りが徹底しないことだ。

ひとりひとりが職場をもっているので、フリーの人々より制約を受けていることは確かだが、この会の傳統ともなっている「時間の不正確」は各人の責任において改めなければならない本年の課題だと思う。

それと並んで問題になることは、各部の部員間が疎遠になりそうなことだ。何かかにかで始終集っていた頃に比べると各部の責任度も強くなるので、会のためには発展的な過程として当分は致し方のないことであろう。まず、「身近かな時間を守る」ことを考えてみたいと思う。第一に会常設の集会の場所がないことだ。いまのところ各部員に可能な範囲で各職場の事務所及び会議室を開放していただいている。第二として勤務時間の一定していない人・夜勤、日勤のある人等で、日時を決定しても守るのが無理な條件の部員が多いこと。第三に、各自の費用の負擔の大きいこと。例へばコーヒー店を使うと最低五十円、それに交通費、電話料等で始終集るには、しがないサラリーマン、サラリーガールには辛いことだ。このように「時間を守る」に不利な條件は多いが、これらを克服するには「会」の責務と各人の責任と熱情と合理性に頼る他はない。さらに「会の終了時間を厳守したいと思う。今年こそこのことの確立に各人の努力をお願いしたい。（庄公代）

当面の問題

当面の問題と感じていることについて各部員から次のような意見が出た。一、各職場に気軽に出かけられるようにする。二、新入会員に会や職場の中で具体的な仕事をしてもらう。三、会の動き、現状についてよくわからない。四、各部の連絡について。五、学習会のこと。六、規約の改正について。

仕事を分擔しよう

地方からたくさん来ている手紙の整理責任者を大田さんとした。

お互の理解と親ぼくのためのレクリエーション係は恩給局の清水君に決った。これらは三カ月交代である。

自腹を切らないように

各部・各サークル、各人間の連絡は不十分だが、今迄は連絡は自腹を切っていた。四月頃から足代・電話代は請求できるようにする。この為に請求伝表をつくることも決った。ただしこのためには機関紙部は自前で、つまり自分たちでガリ切りをすることが前提條件になっている。

各部は必ず連絡を

各部は会合をもつ場合に必ず前もって連絡し、終ってから執行委と組織部に報告書を出すことになった。機関紙部は会報を活用して各部・各サークルの連絡をはかり、サークルや研究会の現状を会報にのせてゆくことが要望された。

三本足でしっかりと

学習の問題に関連して、今後職場に職歴サークルができた場合は一、理論　二、歴史を書く技術　三、資料集め、の三つを平行させてゆくことになった。

近く總会開催

当面の問題の解決と、規約の各サークルへの連絡についての規定の明確化のために總会開催を決定。総会前に各部は必ず部会をもって部の方針を決め、それを各部代表者会議に提出して最終案を決めることになった。規約の改正案は各部代表者会議が提出する。総会召集の責任者は内君（歴評）である。

おわりに

機関紙部が約束の日に誰も原稿を書いて来なかった[illegible]が悪くて流[illegible]比べて組織[illegible]すらすら[illegible]あっさり過ぎるくらいに事をはこんでいた。

機関紙部動き

一月十六日於新宿ロール
・機関誌六号の配布一部五十円とする。責任者を杉崎、菊池とする。月報を出す。第七号を三月中旬に発行予定として原稿〆切を二月末日とする。（杉崎・菊池、清水、竹村・黒崎、小松）

一月二十五日於小川町サイト
今年の方針として現在の会員がまず書くことを軌道にのせる。合評会。中小企業の苦しみをもっと取り上げるように。新しく入会する人達のために「職場の歴史」の歴史をまとめる。

（裏面につづく※）

穴の中から這い出そう！

國鉄品川客車区　六兵衛

この項書く事がとんといやになってきている。しかし書くことがこの会の一つの仕事と私は思っている。「職場の厂史を作る会」も三回目の冬を迎えているが、私などまだ一回きり書いていない。そうしたことがこの会の延びない原因かと思う事がある。皆でなんでも良いから書こうとゆうことがきまった。現在、会の発展の為にも私は書き出したのである。

「かきますわよ」が現在の女性の間で流行しているらしいが、私なども書かれる一人かもしれないが、だが現在まで書かれでない所をみるとまだまだ普通の人達と同じ人間であると思える。まだ安心である。

私達の中で書く事のあまりうまい人は、いないらしい、皆は又話す事もうまくないらしい。しかしあまり文章がうまく書く事が出来なくても、話がうまくなくても良いと私は思っているが、その気持が、自分の穴の中で自己解釈をしている人達が多いのではないのか、その考えが、自分は書けないといってなにも書かない人達がふえてきている、私もその中の一人である事は確実である。

私達がなぜ書くのか、それは私の考えでは簡単であると思う。意見を発表することであるからだ。文章を書く事は、話をするよりずっとひろいと思う、例えば北海道の日鋼の人達と話をしようと思って大きな声をだしたってそれはとっても聞えはしない、しかし文章を書いておくれば、わたしの話はわかってくれると思う。

私達が書く場合、自分達がよく知っている事を書けばよい。よく知っている事とは、私達はみな職場で仕事をもっている。自分のやっている事、職場での出来事はよく知っているから、それらの自分達のやっている事を書く事だと思う。

※（表からのつづき）
月報の内容検討（杉崎、庄、秋山、小松、仲間、黒崎）
二月八日　於歴評編集室
合評会（庄、秋山、清水、杉崎、小松、黒崎、竹村）
二月十日　於歴評編集室
会報の原稿が集らないため、編集を十八日に延期（杉崎、庄、菊池、黒崎）
二月十八日　於小川町サイトウ
会報第一号の編集（菊池、庄、小松、竹村、黒崎）

おしらせ

一、総会開催の件
　日時　三月十六日　午后六時
　場所　國際電々新宿分室
　議題　1. 規約改正　2. 当面の運動方針
二、各部代表会議開催
　日　三月九日
　場所　未定
三、組織部会開催
　日時　三月二日午后六時
　場所　恩給局

Sサークル誕生す

S店では、以前から職歴サークルをつくる動きがあったが、この程サークルを結成し、國鉄、恩給局についで第三番目の職歴サークルとなった。同会メンバーは、松本、大田、門、岩波の四人である。二月二十二日第一回の会合を開く予定になっているが、同会の趣旨は次の通りである。

（一）「働くものこそ歴史の主人公であること」この真理を日常我々の生活の中から発見してゆくこと、

（二）未来への前進のために、M店の労組や各サークルの発展を厂史的に位置づけ、今后の正しい方向を打ち出すこと、の二点をあげ、

また当面の仕事として

（一）M店の厂史サークルを中心とした歴史をまとめること

（二）M店の労組員個々の成長の歴史をまとめること

（三）史的唯物論の研究会の開催

の三つを予定している。

× × × ×

なぜSで「職歴」サークルをもったか、

―発足にあたって―

歴研の皆さん、よせなべの読者の皆さん、私達職場の歴史を作る会の会員はこのS店にグループを作り発足することになりました。発足に当り皆さんにお願いしたいことがたくさんあるのですが、まず「職歴」とはどんな会かを皆さんに知っていただかねばなりません。

一、職歴の目的

1. 確信を持つために

「働くものこそ厂史の主人公である」という言葉をよく聞きます。私達はこの言葉の意味を本当に確信として受け取っているでしょうか。私達がただこれを言葉として知っているだけでなく確信として自分のものにして行くためには、私たち働くものがどんな厂史を作って来たのか、[illegible]どんな歴史を[illegible]あるのかを身[illegible]知ることが必[illegible]思います。その[illegible]達職歴の会員[illegible]現に[illegible]職場が[illegible]家庭[illegible]自身がどのよう[illegible]かわり発展し[illegible]て来たか。そこ[illegible]が私達のすんでいる日本とどんな関係にあるかということを今一生懸命に書いてゆこうとしているのです。そしてこれを書きつづけて行く中で一人一人を取って見れば全く平凡な人間にすぎない私達でも、まさに厂史の主人公であるという確信を持つことが出来ると思うのです。

2. 未来への前進のために

二、Sの職歴の仕事
三、当面何をするのか
四、皆さんへのお願い
は次号に掲載の予定

あとがき

予定より十日ほどおくれましたが、第一号ができました。あらゆる意味で不十分ですが、[illegible]

連絡会議のお知らせ

恥場の歴史をつくる会

一、日時　三月三十日（金）午后六時半

一、場所　国際電々新宿分室ホール　（左図参照）

一、会費　三十円

一、議題

１、書記局報告　国鉄労仂組合

宮沢武人

２、お花見について、

３、私達は恥場の歴史を

こう作った

日本鋼管

鶴見製作所

労組　熔析部

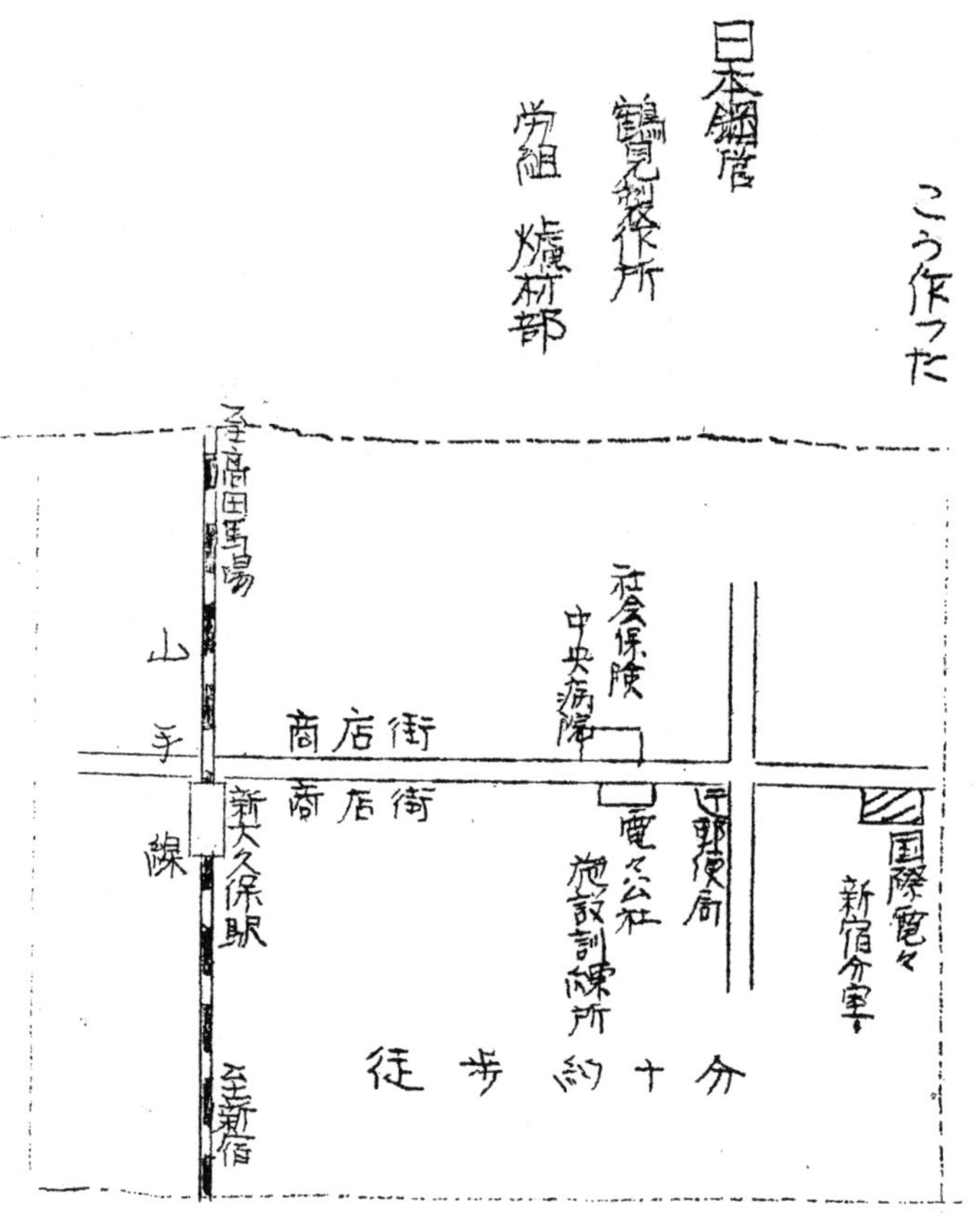

1956.9

二

〃職場の歴史をつくる会〃の歴史について

——九月職歴書記局会議の討論草案——

竹村民郎

職歴運動の前史

〃私たちの斗いはケ大三章の咲いたときから始まった。主婦は雨の日も風の日も雪の日も一日もかかさず駅に出迎え見送ってはげましてくれた。花畑をいも畑にし、われわれは一九三日も斗ってきた。その教訓として日鋼のわれわれが身にしみた統一と団結がどんなに貴重なものかを全国の労働者に知らせよう。わたしはながい当番である。わたくしはみなさんと分れて去ります。しかしわたし達はどこへ行っても職場の団結は忘れません。この労働者の統一と団結がどんなに大事なものかを全日本の労働者のものにするならば決して悲しくありません〃（一九五四年十二月二十六日日鋼室蘭労組組合大会に於ける一組合員の発言）

五四年の初夏以来、この日鋼室蘭労働者の斗いは、日本のあらゆる労働者の心をゆすぶり、まず近江絹糸の姉娘、東紙の兄弟が起ち、十年間の沈黙を破って、中小企業の兄弟たちが起ち上った。

一九五四年十月、日鋼労働者と主婦の会の一部の人々は中労委斡旋という斗争の新しい段階にそなえかつ、斗争の真実を全国の労働者に伝えるため上京して来た。

この時期に民科歴史部会員竹村、杉崎、梅田、青山等はしばしば日鋼労働者の宿舎を訪ね、夜おそくまで話し合った。

この話し合いの中で日鋼労働者がなぜ起ち上ったかをはっきりとつかむことができた。事実争議以前は日本一のダラ幹組合とも言われ、鉄鋼労連も日鋼室蘭労組は斗わないだろうと見はなしていたのである。

この情勢のなかで、日鋼室蘭の組合員、主婦、青行隊員は、苛酷な労働に親子三代耐えてきた代償としての首切りに対する怒りと、〃去るも地ごく残るも地ごく〃の現実に自請で決然と立ち上ったのだ。典型的な大衆斗争として始まった日鋼労働者の斗いを最も苦しめたのは〃反共理論〃を核に精密に組立てられた会社側理論――斗えば会社は潰れる――であった。このもっともらしい理論は斗争が長期化するに伴い組合員をとらえてゆき、組合員の斗争意欲を弱まらせ、さらに第二組合をつくらせる上で大きな役割を果していった。

加えて政府やあらゆる機関と系統的に協力し、警察力をも巧みに運用するという会社側の戦法は、職場生活だけしかしらされずにきた労働者や主婦たちをようしゃなく圧倒していった。

争議も後半に入る十月頃には〃実際の戦いに勝っても頭で負けるのか〃という無念さは、〃借りものではなく、工場や組合の実際の生活の総括の中から生れてくる理論を身につけたいと云う強い要求となって、日鋼労働者、主婦、青行隊員の間に拡がっていった。

民科の若い歴史研究者たちは、日鋼の困難な生活条件の中でいつも〃労働者の歴史学の在り方〃を考えながら、勉強してきたので、日鋼労働者のこの要求にまったく共感することができた。

日鋼室蘭の労働者と若い歴史研究者たちのこの共感は、さらに発展して、〃工場の歴史をつくる会〃（のちに職場の歴史をつくる会に変る）になった。

このように、職歴の運動は日本労働運動の斗いの伝統と智慧の結晶が団結をさらに前進させるためにうみだした輝かしい運動である。

だからこそ会の趣旨は当時激しく斗っていた東征、中小企業、国鉄等の労働者に支持され、労働者の運動となって急速に広がっていったのである。

一九五四年九月〜五五年五月（第一期）

職歴運動の第一期、運動は正しい方向に発展する芽と、そうでない方向に進もうとする芽とが、からみあいながら急速に発展しつつあった。正しい方向に発展する芽とは何か。

それは職場の人々の自発的な実践を会が援助したことにより、運動が集団的に労働者のものとして、西岡製作所、東京証券に拡がり始めたことである。

〃労組の歴史〃（一九五四年歴史評論五月号）が創られたのもこの時であり、西岡労組のいろいろな層の人々と、研究者、学生の座談会が開かれたのもこの時期であった。東証や日鋼の組合員との間にも同様のことがあった。

またこの頃会員は中小企業に働らく平松氏と相談しながら、〃ある労働者の歴史〃を書き始めていた。

しかし正しくない傾向も成長しつつあった。

会をつくってゆこうとする人々の中で、とくに民科関係の人々や、学生層の間には、〃労働の歴史〃等が具体的に職場の人々の創意で始められているのに抽象的な政治一般を論じ、ときに作品を高踏的に議論するといった傾向が強かった。

このような傾向は職場の人々の反撥を招いたが、（歴史評論一九五四年五月号N労働の歴史序言の項参照）第一期の後半以降にこの傾向は全運営の中で支配的な地位を占め、西岡労組の人々の正しい意見と創造の経験を会のものとすることを拒否していったので、会はN工場の経営者が突如西岡労組の歴史をつくる運動をつぶしにかかった時にも、会員と西岡労組の人々とを組織ともが有力な抵抗を行うことが出来ず、運動がもっとも進んでいた西岡労組の人々は分裂しこの期の前半につみあげてきた運動の成果を失敗に終らせてしまった。

しかし五月、歴史評論特集号として発行した〃職場の歴史〃は読者の支持をえて、増冊を行い、未知の人々より内容や運動についての批判や激励をうけた。この反面、歴史家側より〃文化運動としての価値は認めるが、これが歴史学の新しい体系に迫る運動とは認めがたい（井上清氏）とか〝歴史学の新しい体系化をめざす基本的な運動だ」（井尻正二氏）等々。職歴の提起した問題をめぐって数々の意見が出された。

この間放送されていた自由日本放送は、きみよの手に〟をその電波にのせた。

このような反響を整理する中で、会は〝N労働の歴史〟に典型的に見られるような大衆的に運動を拡げてゆく方向は、支持されていることを確認し、同時にわれわれの運動は歴史学界への重要な問題提起をもふくんでいることを知ったのである。

しかし当時会内部のハネ上った阿南（教育大生）等の言動は、井上清、遠山茂樹等の人々に運動の正しい本質をしばしば誤解させた。

特集号発行による有利な条件を背景に会が着実に成果をあげてゆこうとすれば、この時期に会内部でこれまでの経験を総結し、歴評出版により会の存在を知った人々の協力をえて、職場に基礎をおき、自発性、自主性による運動の正しいコースを確立することこそ必要であった。

一九五五年六月〜五六年三月（第二期）

六月からしばらくの間、混乱が続いた。この際会の創造過程はとまり、サークルも広がらない状態にあったので、会内部にいろいろ動ようが起った。会に参加してきた学生の多くは運動の見透しについて失望し、次第に会から離れていった。職場の人々の多くも職場斗争のいそがしさに伴って会から離れる傾向もでてきた。また会の運動とつかず離れず会の顧問のような態度をとり、困難な時には現われず、成果の発表等には積極的にやってくるというような傾向が生れ、この傾向は、会のその後の発展に永く尾をひき、損失を与えた。

会は、国鉄、西岡、東征等に自主的なサークルをつくるように援助し、この方針によって、国鉄（品川では、都立大、教育大、東大等の学生が客車洗いを手伝う中で職場の人々と、特急さくらが走る迄〃の成果を発展させる話し合いを続けたが、このことはかえって現場の人々の反発をうけ、学生側も消もうとしていった。

このような会計等の失敗に、専門家の一部の人々は〃会は科学を軽視している〃〃専門家は職場に行く前にやらねばならぬことが多くある〃等々の批難を加えた。

西岡労組でも経営者の弾圧政策に対するうらみは青年部の間に強く、そのため協調的な職人との間にしばしば感情的な対立が起っていた。

東征のサークルもまた、茂木、野牛が組合の仕事の忙しさに追われて何等策を考えることなく脱けていったので、会員庄一人が孤立し、高橋（教大）、奈良（早大）梅田（民科）等もこの現状打開に庄と相談して再建案を打出すことをせず去ってゆく〃きみよの手記〃の合評会すら開かれず、このサークルを解体してしまった。

こうして遂に、会のサークルは僅かに西岡労組員、加藤、藤本、竹村（民科）長谷川（お茶大）等のN工場サークル一つとなった。

このような困難な情況の中で、会員藤本（N労組員）は現実の矛盾の中から、〃職人の歴史〃の研究を会に提案してきた。

会はこの提案を中心に会とは別に石川島重工業で職場の歴史を書き続けてきた二見氏とも相談し、八日〃職人の歴史〃という題で総会を開いた。二見氏はレッドパージが石川島重工業を襲ったとき、労働者が労働者の首を切るという現実に直面し、この現実に疑問をいだき、一人で石川島労働者の歴史を調べ始めていたのである。この総会はこの時期で最も内容のある討論が行なわれた。新しく参加した恩給局総組の人々も過去に集団でつくり出した〃私の十年〃等の経験を土台に、二見氏等と〃職場でどのように歴史運動を拡げるか〃〃資料の集め方の経験交流〃等と討論が盛んに行なわれた。会はこの討論の中から二見氏の仕事の成果は職場の人々にこまず正しく伝えるべきりであり、まだ成果を発表させるには、職場の人々のひろい協力を必要とすることを確認し、この援助も会の大切な仕事の内容であることを教えられた。その具体的な仕事の一つとして梅田が二見氏に協力することになった。（この協力二、三回続けられたが、発表しないで終った。）

この総会はまた集まった研究者たちにも刺激をあたえ、この会に学んだ研究者の多くが、〃どうしたら形式的な労働運動史を脱却して、労働者の集団的な生活とその精神を織りこんだ労働者の歴史が書けるか〃という問題に示唆をあたえられたことは大きな成果であった。

この頃、王子製紙労組組合史編集委員梅津氏はその仕事を進める中で、とくに旧来の組合史の類型的な在り方から抜けでた職場の人々に支持される組合史の書き方について考えていた。歴評五月号の職場の歴史特集号はこの梅津氏の考えを発展させるうえに役立ったので、梅津氏は会に援助を求め、それ以来会との交流が続いていたが、九月梅津氏は、北海道より会をたずねて上京した。

会は梅津氏の来訪を機会に、中央電報局組合史編集委員の野里氏も招いて座談会を開いたが、この座談会の経験から職歴の運動は組合史編集の場合にも基礎になる大切な運動であることを知った。

また全国には可成広汎な組合史編集の仕事が広がりつつあることも同時に学んだ。

この座談会で梅津、野里氏が会に提案した問題は組合史編集の場合における資料分類の問題、資料批判等にし組合史研究法とも言うべきものであった。

これは全く新しい提案であり、加えて組合史編集の仕事は組合の責任に於て進行し、予算も数十万円という大仕事であり、会がこの仕事にこたえ具体的な援助をしてゆくには、会のこれまでの成果に立ち、会の内容と形式をさらに一歩高めるという努力なしには不可能な事であった。

八月の総会と座談会に参加した国鉄、西岡、東征、地下鉄等々の会員はその後東武労組機関誌「進路」の依頼で、集団的に〃はだか日本現代史」を書いた。これらの会員は、この経験の中で個人の経験にも時代の流れが貫いている事実を再認識し、個人の小さな経験も大切につみ上げてゆけば労働者の歴史を書いてゆけるという希望をもった。

このような様々な実践から会員は会の重要さを確信し、会員の間には原始的な会の在り方を変えなければならないという気運がようやくあふれてきた。

加えて「会を全国的なものにしてほしい」という梅津氏等地方会員の切実な希望はこの気運を一層推進した。

この頃新しく参加してきた恩給局労組の人々は、組合文化祭に恩給の歴史を劇にすると言う創意性を発揮し、ここでは運動は大衆的に広がろうとしていた。

このような放任しつつ、自然に生れてくる運動の現実とバラくにいる会員を会に統一し連絡をはかるために、この時期に始めて、ガリ版ずり五十七頁の機関誌一号が出版された。二見氏の石川島労働運動史がのっていた。この一号は忽ち売切りてしまったが、このように今までのニュース式の機関紙とは異り、具体的な内容の豊富にのった一号は会員に広く支持されていった。

機関誌の発行は全国に広がりつつある凡ての種類の歴史運動を会が断乎として推進することを広く宣言したが、それと同時にその推進の組織的な中心として、これまで会を発展させてきた労働者や研究者で書記局がつくられた。

この頃、書記局員藤本は職場での生活を生かして職人の歴史をどう書くかという一つの提案をした。

（機関紙２号、この手千両、竹村民郎　参照）

この提案はこの第二期の始に西両労組の会員の中にあった混乱が克服され運動が大衆的なものとして、再び西両製作所に拡がる方向を示すものであった。

書記局会議がひらかれてゆく過程で会の綱領規約を完成していった。この規約は当時の運動の状態を反映してまだかなり抽象的ではあったが、この後の会の規律ある発展の上で大きい役割を果した。

この頃総評のよびかけで国民文化会議が結成されたが、会もこれに参加していった。

この秋に行なわれた民科歴史部会全国総会（東京）の折、運動の意義を正しく理解せず、運動の実際から正しい批判援助を行うことを考えない宮川氏（近代史研究会所属）等によって、会の運動に批難が加えられた。このような傾向が必ず出てくるであろうと考えた会の研究者集団の一部の人々はこの総会へ会の現状、会の立場を明確にし併せて労働者の運動と学界の活動との正しい協力関係を要望したメッセージを送り、この歴史部会総会に集った人々が運動を誤解することのないように訴えた。このメッセージはとくに、会の運動は労働者の自主的な歴史運動であることと、労働者の歴史運動と学会との内の協力関係を明らかにした点で全く正しかった。

たしかに全国の職場や組合に広がりつつある運動に会は立ちお、れていたし、その推進母体たろうとする会の現実もまだ第一期末以降の混らんを整理できず、星雲状態のような有様だった。このことは会財政にも明確にに現われ、会の正常維持費である会費納入が七月〜八月の二ケ月でたった三人だけという現実であったこのころ会計担当の会員秋山は機関誌一号で会の在り方への反省を提案したが、この批判も全員の討論にならない実情であった。

会の立ちおくれを克服する具体案として常任、事務所制が会員竹村から提案されたが、会の混乱と財政の乱れているこの時期におけるこの提案は、会の困難を増すだけであきらかに間違っていた。しかし会はこの提案を充分審議せず採用してしまった。

この頃、河出新書編集の仕事が会の一部の人々の手で進められていった。五六年三月に開かれた三月の連絡会議は多くの新しい人々を集めたが、書記局の弱体はこの集会に正しい方針で臨めなかったので、会についての具体的な討論はできず、この集まりは例とおどりの会に変ってしまった。

しかし恩給局労組員の劇〝母の歴史〟はその新鮮さと、創意の豊かさに集まった人々を感動させた。

一九五六年四月〜八月(第三期)

会の第三期は書記局員宮沢(国鉄)の提案が示しているように(会機関誌三号)第一期二期の反省から始まっている。この提案は基本的に正しかった。それは会が、労働者の自主的、自発的であることを正しく宣言したからである。

それと同時にとくに会内部の学年の間にひろがっているセッカチ病を批判し、これが会を職場から浮上らせるものであることを指摘したからである。これらのことは完全に必要なことであった。だが他方でこの時期の書記局内部にも欠点と誤りがあった。

第一期第二期の歴史の総結が示しているように、会の運営が一部の人の肩にかかり、サークル活動が殆んど寒の根のような情況の明白な認識とその徹底的な再建対策を打出すことができなかったことである。
そしてまたあらゆる分野から会に援助を求めてくるものの正しい分析とそれに基づくそれぞれへの正しい政策をかいていたのである。

このような書記局内部の弱さは書記局編集による機関誌四号五号の内容が同人雑誌的な傾向となってゆくことを防げず、五号はついに発行できなくなったのである。しかしこの時期が書記局会議が漸く定期化し始め、この会議は第二期の後半に現われた事務所常任制を中止するうえで重要な役割を果した。

この方向は書記局員が日本鋼管鶴見製鉄所の困難な仕事の中で職場の歴史を書いている人々を訪ねて話し合ったり、運動の大衆的広がりに苦労している恩給局、国際電々、中電等々をたずねて会の発展を相談するという会の大衆コースの一歩進んだ時期に打ちだされたものであった。

四月下旬の河出新書の刊行は会の存在を歴部の発行のとき以前に全国的に示し多くの組合や職場の人々との連絡がついた。

文化人やジャーナリズム関係の多くが　会の方向に支持と激励をあたえてくれた。（朝日、毎日、東京、読売、図書、各新聞の書評、中央公論、婦人公論、知性、歴史地理教育）とくに朝日（関西版）は新文化運動への予備と激賞し、国民文化会議機関紙協会、新書の宣伝に協力し、また、各組合の機関誌（紙）の多くが書評やすいせん文を書いた。

だがすでに書いてきたように、この当時会の力の源である会独自のサークルの再建、財政の確立は全く実行されていなかったので、このような会の基礎の不安定さは、運動に対して情勢が有利になってくると、再び混らんを会に導いた。

それは新聞発行を契機に地方の組合史編集委員会、歴史サークル、その他多くの方々から会に援助を求める手紙がやってくる現実に、会員の多くが大変だ大変だと騒ぐだけになったり、機械的に手紙の処理係をきめて万事終れりとするような傾向になって現れた。

それはまた書記局内部でも、会の全国的な組織はいかにあるべきかといったような空論を重ねることとなって現われた。

この頃中電の会員野田は組合史編集に多くの切実な問題をかかえてなやんでおり、日本クリナーや松坂屋、国際電々の会員の中では職場の具体性に応じて職歴サークスをどのようにつくるかが考えられていた。

恩給局会員も新しい企画「目で見る恩給の歴史」も組合と相談しながらすすめていった。
しかし書記局の弱さは、このような会員の自発性と創意に学んで、会支部を職場にふやしてゆくという具体案をたてることができなかった。

五月中は科学院から会宛に交流をもとめるメッセージがついたが、この重要な問題もそれぞれ職場の中で討論をふかめてゆくということができなかった（ポーランド、コタンスキー教授と会の交流の際に現われたと同じ欠かんである）

一九五六年六月の連絡会議はこのような情勢の中で、書記局宮沢、岡島の提案をめぐって行なわれた。
討議の中、重要な点は次の四点である。

１、ここ三年の実践で会の役割は増大し、組合史編集の運動をも会は援助するように要せいされてきた。

２、会はこれまでそれぞ〱の情勢において、無方針、無政策であったことの確認。

３、会の歴史を総結してゆく中から過去の成果と欠かんをさぐり、今後の方針を打ち出すこと。

４、実際に作品をつくり出すこと。

この六月の連絡会議は「全国にひろがる運動をどう組織しよう」とか職域斗争に性急にこの運動を結びつけようとする傾向に反対し、運動の広がりに追随するのではなく職歴サークル独自の在り方や日常活動を進めるために会の歴史の総結が提案されたことは極めて大切であった。

当時、すべての会員は、これらの付議を基礎として直ちにその実践に参加すべきであったし、この付議を提案した書記局はその先頭に立つべきであった。

事実この頃会計担当の会員門の努力により会員証の発行が計画され、会の会費納入の正常化が始められてはいたが、財政についての正しい政策がないために会運営に最も重要な機関誌の財政も書記局員の一部の肩に重くかかり、書記局が事務局になってゆく傾向さえ現われていたのである。
だがこの頃職場で開始されていた選挙斗争の進むにつれ、会員の多くはそれに全力をあげることになり、六日連絡会議の付議事項は、討論されただけで、結局実践されずに終ったのである。

この時期の終りに青森銀行労組の夏季学校の招へいを受けて会員竹村、藤本、青山が参加し、藤本、青山は北海道王子製紙労仂組合までたずねた。

この旅行は職歴の運動を全国に広げてゆく具体的な端緒となるもので会歴史上大きな意義をもつている。

又この経験から三会員は〃職歴の経験の継続〃とその基礎に立ってそれぐ\の会員が、新しい創造にとりかからねばならない事に意見が一致したのである

三会員が王子、青森両組合の人々との話し合いで、これまで職歴の運動で行なわれてきた創造過程の実さいや職歴運動の意義を説明し、多くの作品や資料を示したこと等は両組合の人々に喜ばれたが、一方、第三期職歴会員の〃目で見る職歴の歴史〃だけしか生みだし得ないという会の現状に加えて、今迄の経験を系統的に整理して来なかった結果は、両組合員の切実な要求に充分答えることが出来なかったのであった。

一方三期の始め、機関誌三号に会員高橋（教大生）が王子製紙労仂運動史別冊についての感想を書いているが、このことは、この頃漸く学生がその知識を通じて労仂者の仕事を援助してゆこうという気運が出てきたことを示している。

この気運の中で会は、地質学の井尻正二氏の協力を得、会の研究者学生を集めて研究会をつくることができ、この後労仂運動史サークルも生まれたが、これらのサークルは会員の中にある経験主義的な考え方を克服する上で大きな成果をあげたが、会員竹村が提案した〃労仂者の具体的な創造に協力しながら、研究会をやる〃という原則の実践が守られなかったので、殆んど研究会に出席はするが、職場全員とは殆んど話し合ったこともないという人々の集まりになる傾向となった。

一九五六年九月～（第四期）

（九日始め総評大会が東京に開かれたとき、総評より会宛に招待状がとゞき、会員竹村、宮天が参加した）

九月に開かれた連絡会議は夏休以降書記局は開かれず機関誌も停刊しているという困難な状況の中ではあったが、二三の書記局員や会員の努力で開かれた。

この会議は六月の連絡会議の決議のコースを正しく実践し職歴運動の再建をはかるものとして極めて重要であった。

書記局の竹村が提案した会の方針案の内容についての討論中で大切な点は次の五点である。

(1)、会の歴史を総結する運動を当面会の最も大切な運動として展開してゆくことを改めて確認したこと。

(2) 会の任務を明確にしたいこと。

即ち会は(A) 歴史サークル運動 (B) 組合史編集運動 (C) 職場の歴史運動の三つの主要な運動を援助すること、※ この三つの運動の中で最も重要な運動は職歴の運動であることの確認。

(3) 会の任務を進める上での組織方針案を提案した。

(A) 歴史サークル協議会
(B) 組合史編集委員協議会
(C) 職歴サークル 〃
　　（以上）の結成を会が援助すること。

(4) 会の当面の具体的な仕事を提案したこと。

(A) 歴史サークル座談会
(B) 組合史研究集会
(C) 職歴の歴史をつくる運動の展開
(D) 職歴サークルをつくること

(5) 機関誌五号の発行

組合史編纂講座のお知らせ

めつきり秋らしくなりましたが、お元気で御活躍の事と存じます。

さて、日本の労働運動も戦后十年の貴い経験を重ねて、次第に動かし難い大きな力になつてきました。

このときにあたり全国の多くの労働組合において組合史の編纂が決定され、その準備が進められています。組合史の編纂はいうまでもなく私たちの経験を将来に残し、今後の教訓とする大切な事業であるとともに、なかなか困難な仕事でもあります。

ところでこの事業にとりかゝつた各労組が連絡も交流もなしに仕事をすゝめており、技術上の困難さもあつて非常に困惑されている御様子で当会議にも御相談をかけられるところがあります。

そこでお互いの経験を交流し合い助け合つて、よりよいものをつくるために、国民文化会議では、各労組の方々に集つて載き、組合史についての講座を計画したいと考えました。是非この趣旨に賛成して載き、準備会に御出席下さるようお願い致します。


なお討論の素材として、次のような案をたてゝみました。

皆さんの討論により実際に役立つプランをつくりたいと思います。

国民文化会議
職場の歴史を作る会

記

準備会日時　　月　　日　　時

場　　所

講座（案）

一　組合史の意義
イ　厂史とは何か
ロ　組合史の職場の厂史
二　戦後十年の労働運動・
三　厂史と文学の間
イ　厂史小説の組たて方
ロ　史料の消化、整理の仕方
ハ　民衆の厂史について
四　組合史はどう作るか
イ　"文章を書く"ということについて
ロ　厂史をおしすゝめる大衆の力について
ハ　厂史の時間区分について
ニ　聞きとり、史料とその批判について
ホ　統計のとり扱い方
ヘ　生の資料をどう再現するか
五　組合史を作った経験

講師（予定）

上原専禄
羽仁五郎
飯塚浩二
野村平爾
南　博
家永三郎
楫西光速
野原四郎
庄司吉之助
堀田善衛
田宮虎彦
佐多稲子
針生一郎
竹村民郎
梅田欽治
青山　崇
関岡　渉
門　義一
高橋秀夫
藤本敏雄
平尾三郎

経験をもっている組合
川鉄労組
鋳鉄労組
王子製紙
中電
美唄炭鉱
汽車会社大阪労組
朝日新聞労組（大阪）
国鉄労組

御招待

最近、私共の会に都内は勿論全国の組合教宣部・組合史編集委員会、職場の厂史サークル、厂史愛好者の方々より、会と交流をもとめるお便りが数多くまいります。二、三の例をあげますと、全食糧労組本部からは、「組合史」編集について貴会の協力を依頼し、かつ会の厂史研究者を編集委員にしたい」といった内容の申入がきております。青森銀行労組夏期学校からも〃職場の厂史運動についての講師依頼がまいりました。北海道王子製紙労組組合史編集委員会からは、毎月組合史編集の進行の中で起ってくる具体的な問題へ資料の整理、資料批判、時期区分のたて方等々）について援助をもとめるお手紙を頂きます。合化労連日本水素小名浜工場の組合史編集委員の方々は、この秋の上京の折会事務所に来られ、一日は会の労働者の方と、一日は厂史研究者との間で組合史を書く方法について懇談されました。

職場の厂史サークルの皆様からも、いろ〱な要請がきております。国際電々、S百貨店労組等々の・厂史サークルからは、「それ〲の地域の他の厂史サークルとの交流をはかりたいので、会の援助をもとめる」という要求が出ており、中小企業の皆様からは、「たくさんの小組合にバラバラになっている、厂史を勉強したい人々を集めて一つの厂史サークルをつくる仕事に協力してほしい」という要求が来ています。

又会は、すでに御承知かとも思いますが、この春東京証券、恩給局、神田の中小企業　々の厂史サークルの方々の御希望にしたがって、それらのサークルの方々の書かれたものを編集して河出書房より、〃職場の厂史〃として発行いたしました。

労働者の厂史について、ふかい興味をおもちの方々からも、たくさんお手紙を頂いています。たとえば、九州大学でも「九州の炭鉱の厂史資料」の蒐集が始められている、やっているうちに文書資料も大切だが〃労働者の厂史〃を掘りだすことが一番大切だということを改めて知ったそうである。そして杵島やその他の組合の青年たちが『われ〱の厂史をしろう』と動きはじめたことが

(1)

斗争の底力の一部になっているそうである」（九大経済学部正田　氏）といった、労働者の歴史運動の具体的なニュースが寄せられたり、「…！御手数ですが「職場の歴史」（第二号）（会機関誌）とニュースその他の資料がありましたらお送り下さいませんか、尚関西地方又は大阪で〝職場の歴史をつくる会〟に参加している方の住所、氏名、お知らせいただけたらと存じます。五月中旬に、二、三の職場のもので懇談することになっておりますので、今后何かと御指導をいただきたいと存じますし（大阪南河内郡　名越氏）といったような会の発展をのぞむ便りが、会や会員に寄せられます。

このように、職場の方々の歴史サークルへの要求が急増し、組合史編集の企画もとみに増えてゆくという事実は、単に労働者が歴史を知りたいとか、組合の十周年紀念事業のために組合史を書くとかいうことだけでは、すまされないものを私共に考えさせます。

事実、私共職場の歴史をつくる会の三年の歴史をふりかえってみましても、労働者が歴史を書くという運動の中には、前述の九大の正田氏の言っておられる様に、〝労働者の歴史を書くことが具体的な斗争の底力になりつゝあるという多くの事実を発見できます。

私共の会の生みの親である日鋼室蘭労組の方々は、私共と一緒に青行隊の歴史をつくってゆくなかで〝俺達は斗いで勝っても頭で負ける。尼鋼問題を例に精緻に組立られた会社側理論――例えば会社はつぶれる――は組合員を動揺させ、斗争の決定的な時に第二組合をつくらせてしまった。俺達に理論がほしい。借りものではなく工場や組合の実際の歴史の総結の中から生れてくる理論を身につけたい〟といつも語っていきました。

（裏面え）

このように考えるならば、私共はやはり現在日本全口にひろがりつゝある労仂者の厂史えの強い要求の底にも、日鋼室蘭の労仂者と共通の考え方が流れていると思わざるをえません。いゝかえれば労仂者の厂史をつくりもとめる運動は、日本労仂運動の斗いの伝統と考えの結晶が、団結を更に前進させるために生みだした重要な運動だといえるでしょう。

私共会員は、会の三週年を迎えるにあたり、労仂者の会によせられる期待のきわめて大きいことを改めて認識し、組合史や職場の厂史をつくる運動、職場の厂史サークル運動の正常な発展をすゝめるために、これまでの会の厂史を総括する中から、新しい方向を考えましたので、来る十月二十五日の会の三週年記念総会には、会の内外を問はず、ひろく労仂者の厂史をつくる運動に御理解の深い皆様方をお招きして、私共の考えについて御意見もうかがい、かつ、労仂者の厂史運動についての皆様方の具体的な協力を相談いたしたいと存じます。

私共会の志を御諒承下さいまして、多数御来場下さいますことを心からお願いいたします。

一九五六年十月　日

職場の歴史をつくる會

殿

※当日は三週年記念行事として、その行事を行います。

(1) 全口各地の組合史をはじめ、職場の厂史、町の厂史、村の厂史運動等様々な形で人々の運動の中からつくられた、作品、資料の展覧

(2)

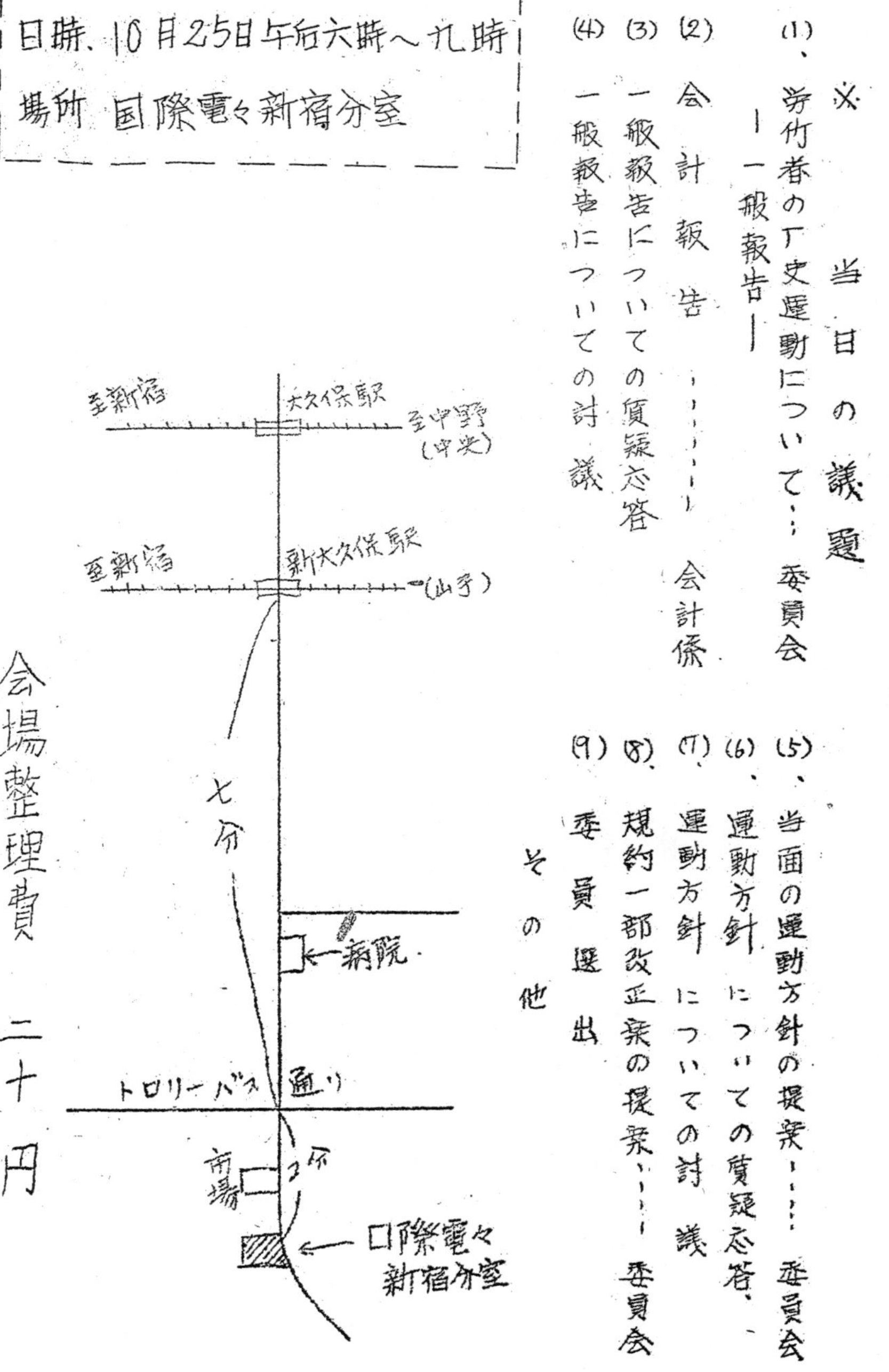

(3) 会員に、もれなく会報実誌の贈呈（バックナンバー）

※ 当日の議題

(1)、労仂者の厂史運動について……委員会
　―一般報告―
(2) 会計報告……会計係
(3) 一般報告についての質疑応答
(4) 一般報告についての討議
(5)、当面の運動方針の提案……委員会
(6)、運動方針についての質疑応答、
(7)、運動方針についての討議
(8)、規約一部改正案の提案……委員会
(9) 委員選出
その他

日時、10月25日午后六時～九時
場所 国際電々新宿分室

会場整理費　二十円

招待 御案内

晩秋の候となり日夜寒さも増してきましたが、各耺場に於く皆様御苦労様です。皆様すでに御承知のことゝ思いますが、別紙総評国民文化会議主催の文化集会の中で特に厂史の分科会がもたれることになりました。

先日、耺場の厂史をつくる会が主催して各組合史をつくっている人々に集ってもらい、耺場の厂史をつくる会の懇談会をもちましたが、そこで出た問題はとくにどうしたら皆に読まれるものをつくることが出来るかということでした

例をとりますと

耺場の厂史をつくる会の国鉄品川の会員達は、品川客車区の斗いの厂史「特急さくらが走るまで」を書いたが、せっかく書きあげたものが耺場の人達には読まれなかったというし、又神田の中小企業のN工場でも会員が一週間で書きあげるという驚異的スピードでつくられたが期待に反して読まれなかった。又、各地組合でつくられた組合史にしても、例えば、恩給局の会員の書いた「恩給局の厂史」は、本が出ると五〇部があっというまに売切れ、耺場の人達に読まれている。このような違いが出てきたのは何が原因なのか

このように、どうしたら皆の気持を組合史や耺場の厂史をつくる中にくみこんでゆけるか、そのためにどんなことをしたらよいか、ということも話し合いました。例へば足尾銅山労組では、組合員の一人々々の生活の厂史をアンケートによってつかもうとし、又、座談会を十回もして、何とか皆のもっている問題をひき出し、それによって皆の気持にぴったりくるものをつくり出そうとしたが、まだ〳〵不充分である。これをどう克服するかということが問題とされました。又、このことに関連して、書くときの当然の態度として、誰のために書くか、また、書くものは、誰の立場に立って書くかということが問題になりました。これは厂史を書くときの重大な問題だと思われます。専門家との協力にしても、書くものが、どういう立場から、どんな点で専門家に協力してもらうかということが一番大切なことになるのではないでしょうか。こういった点が問題となったのです。労仂者と専門家が協力し

てつくった「製糸労仂者の厂史」もベストセラーになったが、かんじんの職場では読まれなかったと話していました。又、あの本を読んだ労仂者は前半はよかった。しかし、後半は全く読みたくないといっています。では何故前半が読まれたかというと、前半では、学者は道具の発展につれて労仂者の斗いの方法も発展していったことを明らかにしましたが、これは多くの労仂者の懇談を通じ、又、資料を取扱っても問題を明らかにしたことが現在の労仂者のなやみにぴったりときたからではないかということになったわけです。つまり学者と労仂者の協力の問題もそのとり組み方によってはプラスにもなり、マイナスにもなるということがはっきりしたわけです。この他にもまだまだあると思いますが、私たちはこの懇談会で出された以上のような問題を、もっと深めてみたいと思います。皆さんの具体的経験の中からもう一度このような問題について意見を出し合い三、四日の集会で論議したいと思いますので御参集下さい。

議題　一、如何にしたら組合員の気持を反映した厂史が書けるか

イ、従来の組合史はどんな点がよく、又どんな点が不充分だったのか

ロ、組合史をつくる際、組合員の要求をどういうところで満たすよう努力しなければならないか、

二、組合史、職場の厂史をつくる運動は現在どんなところで困難にぶつかっているか

三、組合史を書くことゝ、職場の厂史を書くことの二つの仕事はどんなところで結びつきがあるのだろうか

四、学者と労仂者の協力はどのようにしたらよいか、

五、其の他

場所　専修大学　新館二階（千代田区神田神保町三ノ八）

日時　十一月三日、四日、　后一時〜八時

殿

職場の厂史をつくる会

職場の歴史をつくる会々則改正案

第一章　総則

第一条　この会は職場の歴史をつくる会という

第二条　この会の連絡先は　東京都港区芝高輪一ノ一　国鉄労組品川分会内とする

第三条　職場の歴史をつくる会は、職場の人たちと自然や社会についての科学を学ぶ人たちとを結びつけ　これによって職場から生れてくる働くものこそ歴史の主人公であるという確信と、未来への明るい見とおしを正しく発展させてゆき、そしてこの運動のなかから働くものがつくりだしてきた歴史の遺産をまもりそだてゝ日本国民の歴史を作りだし、その成果を広めて国民の、歴史に対する希望にこたえてゆくことを目的とする

私たちは、この目的のために参加する人々の、それぞれの立場をみとめあいながら　この仕事を通して世界の働く仲間の歴史の流れとふれあい　平和で健康な日本をつくりたい

第四条　この会の目的に賛成するものは誰でも会員となることができる　但しこの場合運営委員会の承認を得なければならない

第五条　会員は会則にしたがって会費をおさめ、また会の目的に沿い情況に応じてそれぞれの職場に職場の歴史をつくる会のサークルを育成してゆく義務を負う

第二章　役員

第六条　この会の運営をはかるために左の役員をおく

一、会長一名　二、運営委員若干名　三、会計監査一名

(一)、右の役員はすべて会員中より選ばれ、総会の承認を得なければならない。

(二)、役員の任期は各半年間とする

(三)、会長は会を統括し、予算を執行し、且つ会を代表する

(四)、運営委員は運営委員会の業務を分担する

(五)、会計監査は会の経理監査機関として会資産及び会計を監査し、決算の報告をうけ、またはこれを求め、これらについて不正を発見したときは運営委

員会に報告しなければならない。また会計監査は会機関のすべての会合に参加することができる

第三章 機関

七条 第一章第三条の目的を実現するため[illegible]の機関をおく

一、総会　二、運営委員会　三、組織部、機関紙部、会計部

八条 総会

(一)、総会はこの会の最高議決機関であり、会員の1/2以上の出席をもって成立する

(二)、総会は原則として隔月に開くものとする。但し運営委員会が必要と認めた場合には臨時に開くことが出来る

(三)、総会の議長及び書記は出席会員の推せんによりこれにあてる

(四)、総会で決議する主な事項は次のとおりである

(1)、運動方針、会約改正、予算決算に関する事項

(2)、役員の選出及び承認

(3)、他団体への加入及び脱退

(4)、その他

九条 運営委員会

(一)、運営委員会は会の執行機関である。但し、執行は総会の意向を正しく反映して行うものとする

(二)、運営委員会は会長及び左の各部の部長及び副部長によって構成される

(三)、運営委員会の下に左の三部をおく

(1)、組織部、(2)、機関紙部、(3)、会計部の三部とし、各部に部長、副部長を置く

(四)、運営委員会の執行する主な事項は左の通りである

(1)、総会で議決された事項

(2)、総会及びサークル代表者会議の招集

(3)、執行上必要な具体案の作成

(4)、規約改正案、予算及び決算報告書の作成

(5)、入会及び脱退の承認

(6)、賛助員の承認及び賛助員会の招集

(7)、その他

オ四章　サークル代表者会議

オ十条　サークル代表者会議は各サークルの連絡、交流をはかり、これによって将来この会の運動の主要機関となるものである。

この会議は次の方法で開催される

(一)運営委員会がこれを召集し、各サークルの代表者及び運営委員二名以上をもって開かれる

但し、有志の個人的参加はこれを承認する

(二)サークル代表者会議は運営委員会がこれを必要と認めた時及び各サークルの要求があった時開くものとする

(三)サークル代表者会議の議長及び書記は、出席者の中からその都度選出される

オ五章　賛助員及び賛助委員会

オ十一条　運営委員会が認めた場合、主として各界の有識者を中心とした賛助員会をおくことができる。但し、これは総会に報告しなければならない

(一)、会と賛助員の連絡をはかるために運営委員会は賛助員会を召集する

(二)、賛助員は賛助員会に出席し、会役員に会の発展に必要と思われる助言勧告等を行うことができる

(三)、会長及び運営委員は賛助員会に出席しなければならない。

(四)、賛助員は会の主催する事業、行事などに優先的に招待される

オ六章　会計

オ十二条、この会の経費は会費及び事業収入をもってこれにあてる

オ十三条　会費は月額百円とし、この中に会機関紙、会報代を含む
賛助員は月額五百円とする但し機関紙と会報は贈呈する
新入会員は会費に入会費二十円をそえて納入しなければならない

オ十四条　会計報告は年二回行うものとする

但し、総会及び会員の三分の二以上の要求があった場合には行わなければならない。

補則

オ十五条　労仂組合及びその他の文化団体は団体加入することが出来る

但し会ヒは~~十中年円~~半年分円とする

第十六条　この会則は昭和三十二年　月　日をもって効力を発するものとする

私たちの会はこれまで三年間ずっと職場の歴史をつくる運動をひろげてまいりましたが、今度新しく『戦後の労働運動の歴史』をいろいろな資料や実際の調査に基づいて、研究することにいたしました。私たちの会ではこの新しい研究会を始めるにあたり、会員はもちろんのこと、会員以外の方にも広くよびかけて、集団で楽しく『現代日本』の歴史を研究していこうと思います。

すでに研究会は始められましたが、この会には労働者（中小企業に働らく人、国鉄・全電通・鉄鋼労連等の組合員）やサラリーマン・科学者・学生の皆さんが続々と参加されています

会は、お互の立場を認めあい、真実をさぐろうとする熱意のある方々なら誰でも歓迎します。

職場の皆さん!!

お友だちをさそって、おいで下さい。

（当会はすでに「職場の歴史」（河出新書）を出版し好評でしたが今回の研究会の成果も来年秋に整理して出版する予定です）

一、日時　毎週日曜日　午後二時～五時

一、場所　当会事務所　新宿区諏訪町一五三　竹村方

一、会費　月額　百円（調査費その他を含む）

（但し、新入会員は入会費三〇円を納入すること）

※研究会についてのお問合せは、当会の連絡先（東京都港区芝高輪一ノ一国鉄品川客車区分会内「職場の歴史をつくる会」）に十円切手同封でお願い致します。

- - - - キリトリ線 - - - -

申込書

貴会の「研究会」に参加します

会費・入会費　円納入します。

職場の歴史をつくる会殿

（職場名　連絡先　住）

（氏 ふりがな 名）

（年令　さい）

(1) ① 会の水準をあげるために

学生と良心に知識人の協力をたのもう。

(イ) 岩波（上智大 英文）、高橋（教育大 史）君の能力を尊重しよう。

(ロ) 田中、杉崎、内竹村 諸学徒の知識に学び、その能力の発展を援助しよう。青山、長谷川氏をたえずはげまそう。

(ハ) これまで会の発展に努力してくれた学生（小西、平尾、関岡、藤井、奈良等）にも会の今日の発展を報告し、援助をもとめよう。

(ニ) これまで、会の発展に助言してくれた諸先生（井尻、林、石母田、太田、藤田、等）にも、会の今後の援助をお願いし、これまでの力ぞえに感謝しよう。日民文化会議、民主主義科学者協会に感謝しよう。

(ホ) 以上の様な実践を土台に、今年はひろく知識人の援助をもとめよう。

(1) ② 諸団体とのつながりをつよめよう。

私一全国總会をひらけるようにしよう。

(イ) 会に手紙を下さった人々、会支部をつくりたいという希望をのべた人々に連絡をとし会の現状をしらせ、東京サークルの実践をつたえて、会地方サークルをつくるようにお願いしよう。

(ロ) 地方に散ってゆく会員（藤本、青山、長谷川 等）とたえず連絡をとり、地方サークルをつくるように援助しよう。

(ハ) 地方からきた手紙その他一切は 組織部長の責任で敏速に処置し必ず返事も出そう。

(ニ) 希望している地域の職場（大阪、日本文化会議 京都、げんぶ石けん 福島 日本水素 等） に会の委員を派遣し、会の運動を積極的にひろげよう。

(ホ) 以上の様な実践を土台にして、地方支部の確立を実行し、地方支部 東京の各サークルが協力して職場全国総会をつくる準備を始めよう。

(2) 職場サークルと組合との関係を発展させよう。

(イ) 国鉄品客労組の援助（連絡場所）の[illegible]に感謝しよう。今後も協力を強めよう。

(ロ) 組合機関誌（紙）等による宣伝（例、社会タイムス、国鉄文化（東武）道路）を積極的にお願いし 会の運動を組合員に拡げよう。

(ハ) 組合各機関に正式に会の援助を依頼しよう。

(ニ) 組合内部の他サークルとの交流（恩給局職場サークルの様に）を強めよう。

(ホ) 組合各機関役員からの会への発言、助力等を盛んにしよう。

(ヘ) 總評の援助（總評大会への招待等）に感謝し、今後の協力を強めよう。

(3) 丁史サークル協議会　組合史協議会をつくることを援助しよう。

(イ) 国民文化集会の決議を尊重し、組合史協議会の設立を援助しよう。

(ロ) 会が前項の仕事を推進するためさきにお願いした日向氏（中[illegible]）にその後の経過をしらせて頂こう。そして同氏と相談し適当な処置を至急はかろう。

(ハ) これまで会に連絡をとってきた組合（足尾、げんぶ　日本水系　専売等）に具体的な援助をすゝめよう。（会機関誌　ニュース　の送付　通信の指導　等）

(ニ) 会員の職場にある丁史サークルと共同の仕事をすゝめてみよう

(ホ) それらの仕事を通じて丁史サークルと親密になり、丁史サークルの困っている問題（講師のあっせん　内容のふかめ方）を会員は援助しよう。

(ヘ) 丁史サークル同志の交流（例厚生省丁史サークルと国鉄サークルとの交流）をできる所からすゝめ会も協力して、丁史サークル協議会をそだてよう。

(ト) 国民文化会議と共同で　労働者の丁史を書くための講座その他の集りを実施しよう

(4) 各国の労仂者に取り運仂をひろげよう。

(イ) ポーランド　コタンスキー先生（ワルシャワ大学　日本語科）との交流を定期化しよう。機関誌の送附・各会員よりの通信を確実にしよう。

(ロ) 中国科学院（くわくまつじやく氏）からの書簡を主旨を尊重し、中国両国（かいの不幸ぎわを反省し　会としての正式なあいさつを資料（会報関誌、その他）を近日中に送ろう。

(ハ) ポーランド、コタンスキー氏　中国科学院を通じて　ポーランド、中国の労仂者（国民）と交流するように、コタンスキー氏、中国科学院に会からお願いしよう。

(ニ) このような実践を土台に　我々の経験を伝え　又ポーランド　中国の労仂者より我々の運動への援助もお願いしよう　そして積極的な交流をすゝめよう。

あらゆる耺場にサークルを育成しよう
——「耺厂」運動方針——

私たちの運動を進めるために先ず何よりも大切なことは耺場の厂史を書くという具体的な行動です。そしてその書かれる厂史は、常に自分の耺場の中からみたものでなく、できるだけ広い視野から、労働者階級全体の立場に立った「自分の耺場」の厂史でなければなりません。そのためには、正しい厂史観をやしなう必要があり、また単なる個人によるものでなく、より多くの人々によって、あらゆる角度から書いてゆく必要があります。

これだけのことからみても、私たちは今まで、私たちがやってきたような個々ばらばらな活動でなく、それぞれの耺場の中に耺厂のサークルを育成しなければならないし、その中でこそ具体的に書く運動も、学習も、またその耺場独自の創造的方法によるいろいろな厂史活動も可能になってくると思われます。また「サークル」はそれ独自の性格から常に明るい雰囲気の中で、一つ一つの活動を楽しく押し進めることができるし、そのことゝ、その中で作られた一つ一つの成果を耺場の人たちの間に示すことは、とりもなおさず「耺厂」自体に解放性を与え、新しい会員の獲得につながることになるわけです。

以上のことから次のことを運動方針として提案します。

① 正しい厂史観に基いた、正しい厂史を書くためにまたその運動を楽しく押し進めるためにあらゆる耺場にサークルを育成しよう。

② 各サークルは、その耺場のいろいろな条件に応じた独自の活動を行い、一貫した耺場の厂史を書くと同時に厂史理論の学習を系統的に押し進めよう。

③ サークル間の経験交流のためにサークル代表者会議を充分に活用しよう。また各サークルはお互いにサークル全体の交流も続け、耺場見学や耺場行事(文化祭、ハイキングその他)への招待などによっていろいろな耺場の人たちと深く結びつき、お互いが助け合いながらそれぞれの運動を進めてゆこう。

④ 中小企業や学生などで、自分のサークルを持ち得ないものは会員がそれぞれ他の近い耺場のサークルに参加しよう。

お願い

近江絹糸、日鋼室蘭、東証等々の労仂者の、生活と人権を守る斗いが、はばひろく進む中で誕生した私共の会も、そのあと都内、全国の仂く仲間の支持をうけ、又、国民文化会議、労史学研究会民主々義科学者協会等の民主団体の御協力をえながら、現在まで三年の間に、労仂者の耺場の労史をつくる自主的な運動として、鉄鋼労連や全電通等、さまざまな耺場にひろがってまいりました。

会では、今回事務所を設立し、全国各耺場にひろがりつつある運動をさらに進めることにいたしました。

それとともに事務所内に書棚をもうけ、内外の労仂運動の古典や資料その他を設置し、運動を推進するなかで耺場の労仂者の強い要求である理論水準の向上をもみたしてゆきたいと考えます。

現在、会では、この目的を成しとげるために全員さまざまな形で努力いたしておりますが、これ迄私共の運動になにかと御指導下さいました皆様方にも、会の主旨をおつたえし、御協力を仰ぐことにいたしました。

生れて三才になったばかりの赤子ではありますが、「はえば立ち、立てば歩む」のことわざの様に、更に進んで行こうとしている私共の会に、なにとぞ皆様のお力ぞえをお願いいたします。

記

募金総額　三万円

内訳　事務所敷金　一万五千円

図書費　一万五千円

殿

職場の歴史をつくる会

御案内

＝総会開催について＝

発足以来三年余をすぎた私たち「職場の歴史をつくる会」も、いま重要な段階にさしかかっています。

今まで会がやってきたことをいろいろの面から批判し、その上に立った新しい活動方針、その他いま早急にやらねばならぬ問題は山積しています。

それらの問題を解決し、私達の運動をいっそう押し進めるために、左記によって総会を開きたいと思いますので是非御参加下さい。

記

一、日時及び会場

三月二十六日（火）午後六時より

国鉄労働会館内中会議室（四階）

—— 東京駅八重洲口下車 ——

一、会費

三十円（会場費及お茶菓子代）

一、討議される主な議題

運動方針・予算決算・規約改正　その他

※　尚当日は必ず会員証を御持参下さい。

（但し会員証をお持ちの方だけ）

職場の歴史をつくる会

会員各位殿

会報 職場の歴史をつくる会

発行所 "職歴"機関紙部
発行責任者 小松洋一

総会提出「運動方針案決る」 運営委員会

三月九日夜、国際電々食堂で運営委員会が開かれ、同会議では主として総会対策、規約改正問題、機関紙部長の選出等について協議した。（出席者は竹村、内、黒崎、菊地、中向、清水、渡辺。）委員会は、はじめに組織部長と機関紙部長が部会の活動を報告し、その後機関紙部長の選出に移り、委員互選の結果秋山さんが就任することになった。

ついで総会に提出する会の運動方針の審議に移り七項目よりなる方針大綱が決定し、規約改正についての審議、総会役員の決定等を行い午後八時散会した。

同会議の詳細は次の通りである

① 運動方針大綱

一、職場の中にサークルを作って行くこと。

二、会に明確な形式を与えること。規約の改正、履行、仕事の分担を含めて。

三、赤字財政の克服—会費内でまかなうようにする。

四、地方との連絡を密にする。

五、外部団体との関係、国際交流の促進。

六、予算案の提出。

七、機関紙内容の強化。

②規約の改正案については小委員会（竹村、岡島、六さん、内、秋山、菊池、渡辺で構成）を設けて新規約案を作成し、同案を総会前に印刷、配布することに決定した。

③ 総会については、まず運営委員会を代表して竹村、宮崎両氏が運動方針を発表し、ついで菊池氏から規約改正案の提出があり、討論に移ることになっている。討論ではとくに各サークル（国鉄品川・東証・[illegible]Sサークル、国際電々）の準備に基づいた発言が期待されている。

④ 総会役員としては次の人たちが決定した。

総会議長　中向、内
〃 書記　秋山、黒崎又は青山
議事運営委員　渡辺、竹村、議長

総会案内

日、時、三月二十六
ところ、国鉄労働会館
国下車、国電

※運営委員会よりのお願い
国鉄労働会館会議室に限り会場とします。なお当日

ひろば

この二十六日に予定されている総会を前にして、各部会は、自分たちの会合を活発にひらいて、総会にのぞむ具体案を真険に検討している。「今度の総会はそうとういけるぞ」と今から張り切っている丁君の顔も本当に明るいが、何となく沈滞していた「職場の歴史をつくる会」にもいよいよ春が訪れたという感じだ。

ちかごろ「職場の歴史を作る会」の存在が各方面から世間の注目を浴びてきた。しかしその反面「世間の期待にこたえるのに、余りに力が弱い、期待にこたえられない」という悩みもしばしば語られていた。これは昨年末に開かれた「組合の歴史をつくる懇談会」の席上でも青山君が「いま全国的に起っている労働者の要求にこたえられない……」という率直な発言をしていることでもわかる。

最近「私たちも何か書こう」「苦しかったことでも、楽しかったことでも、僕らで何か書いてみよう」と云う職場の中で次才にひろがりつつある波紋の中にあって、それらの職場の動きをしっかり会に吸収していくためには、どうしても会自身がもっと組織化され、機能化された力強いものでなくてはならない。こう云う問題をどうしたらよいかというので、運営委員会は十七日の会合で、サークル連絡協議会案を今度の総会に議題としてだすことに決めた。

しかしながら問題はそれだけでは解決できないことは勿論である。

横のツナガリとヒロガリと云う会の大きな目標も結局は会員自身の力強いツナガリとたゆまない学習をとおした質的ヒロガリ

村関誌部
村関報

機関誌第七号 編集に着手

御期待乞う

村関誌部は三月四日、菊地、杉山、渡辺、小松、青山、竹村、杉崎の七名が国際電々に集り、会報について、(2)部内の責任者の問題、(3)村関誌第七号の編集、について討論した。まず、先日発行された会報について、会報の性格があいまいだった。会員のために会の内部の出来事を主にするのか、会員以外にも宣伝する目的なら内容をもっと変えなければ読まれないのではないか、と云う意見がだされたが、やはり、会の動きを主として、対外的には後から充実させて行くオがよいのではないかと云うことになった。

定価は、財政上の関連もあるが村関誌部としての意見は、会報は無料、村関誌は会員には無料、会員外には五〇円〜六〇円を徴収することに決定した。また発行日を書くことと、組織部からの要望として、定期刊行を守ることについては、今後努力することとした。

責任者は、杉崎氏の休養のため、菊地、秋山氏とし、会報発の責任者は小松、渡辺氏となった。田中氏の参加を確認し、青山氏は山形へ帰ってからも、会員として毎月原稿を送ることがきめられた。

村関誌第七号は四月一日発行を目標とし、三月二十三日迄に原稿を集める。内容は、耺丁の会を始めた当時からのノート（青山）、職場の个史研究法（竹村）、M店での研究の事実、或る組合員の个史（恩給局）、ハンガリー問題と職場の个史（左）、総会の記事など、その他、何んでもいいから今一番自分が考えていることを書んなで書いたら――至の人柄を理解するためにも――村関誌部は会員のみなさんに大いに期待している。

日、PM六時〜九時半
（時間厳守）
四階中会議室（東京駅八重洲
鉄道橋下車
ねがい。
の借用料は八〇〇円なので今
て各自三〇円のカンパをおね
は茶菓を用意する予定。

によって、勝ちとられることと、思う。この意味からしても今度の総会は各部会からもちだされた具体的な案をそのまゝ受けとると云う形でなくてもっと自分たちの身近な問題から出発した具体案を個人個人が提示していただきたい。会員一人一人の中で、各部会からだされた具体案が本当に生きたものとして受けとられ、会員一人一人の批判から生まれた力強い明日への実践が約束されるためにも、是非そうしていただきたいと思う。

（小松記）

＝村関誌部から一言＝

先日村関誌部は総会にのぞむ最終態度を決めるため恩給局で会合を開いたがその席上「年に一度単行本を出しては」と云う発言があった。ヒョウタンからでるコマは何時の日やら？ コマをだすためにもヒョウタンを。トックリ位にしたいものだ。

●・・星座の神々・・●

△Mデパート職場サークル会員若志（松本、大田、内）は登山隊を編成して二十一日（祭日）奥多摩の川苔山を征服した。同コースには、残雪が相当ありびざまでぼつする雪道を、若さの情熱にまかせて一息に登った模様である。なお別の筋からの情報としては松本、大田両嬢はこの登山中しばしばおくれ何回か「死んだオが楽だ」と思ったとのことである。（ウソマンズ発、張津田利通信員）

△脚気のため郷土で静養中の杉崎君は、その後の経過もよく四月中旬には上京の予定
同君の住所
福島県相馬市[illegible]　杉崎隆

△しばしば深刻ななやみをひっさげては、会に出現し、人々の頭をしぼらせたお茶大の長谷川加代さんは、今回めでたく同大学史学科を卒業された。彼女は三重県（郷里）で先生をやる予定である。ちなみに同嬢は未婚である。念のため。

△ウエットな青山先生は今回教育大研究生の一年生を無事終了し、山形県（郷里）の高校教員として帰郷することとなった。彼としばしば（精力発電等の雑言をわめいていたYYクラブの悪童連は仲間がへるので新入を募集中である。

△三月六日夜 乞食をまじえた又十一名の一行が上野を立っていった。それから三日たった九日の夜、樹氷の山、蔵王のスロープには無残にも数知れぬ穴があけられていた。犯人は誰か知る人ぞ知る、宮沢のロクチャン、岩波のオンボロ人生、その他の国鉄労仂者諸君である。ところで彼らの日頃の精進が悪く連日吹雪がふきまくり、せっかくの樹氷の美がみられなかったとさ。

穴の中から這い出して

青山　崇

会報一号で六さんは「自分の穴の中で自己解釈をしている人達が多いのではないか」と思念し、私たちの一番よく知っている各々の職場のことを書いて、各々の穴の中から這いだすことを提案した。まずせまいようでも私たちの一番よく知っている職場のことを分け、そうすれば書く過程の中でも、書いたものに対する他からの批判からも自分の偏見が分って——自分の正しかったことはなお一層はっきりと——自分の穴の中からも外からも正しく認識され、自分の問題も解釈されてゆくのだ、と云っていると私は解釈する。中口には"知って云わざるなく、言って尽さざるなし"と云うことばがあるそうだが、"知って書かざるなし書いて尽さざるなし"だ。

"これだけでは、まだ書け書けが始ったと云われそうだ。"で六さんの提案につけ足して私の意見を一つ。

私たちは、意見を書いたり話したりする時"これこれについてこう思う"という書き方、云い方をする。その際、異論や異見がでて、相手との論争の段になると、互いにお互いの意見の基礎になっている事実材料である"これこれ"の方はすっかり忘れて"こう思う""こう思う"を連発し、最後には"見解の相違だ!"となり物別れになることがよくある。

私たちの会の仕事としては、意見を発表するために書くと云うよりは——それは"こう思う"に当るのだが——六さんが最後にのべている職場の仕事、出来事、歴史"これこれ"に当る方を忠実に書くことの方が、今の私たちの段階では心がけるべきなのではないか。

"あった"こと"ある"ことをあるがまゝ、書くと云う段階だ。

どのように書くかと云う以前の段階だ。"こう思う"が"これこれ"と云う母親から全くはなれて一人歩きしないようにしよう。

(職場だより)

系統的な活動で再発足

学習会を開く　図給局

今度、私たちも職歴の「サークル」として、系統的な独自の活動を始めることになりました。と云うのは、私たちが職歴のグループを作ってから一年半になりますが、この間、はっきりした「サークル」として動かなかったために、何か副業的なヒマな時の時間つぶしみたいな活動に終始してしまいました。

職場の斗いや、その他各自が属している他のサークルの活動などを理由に、職歴サークルとしての活動は常に二次的になり、そのために現在職場の歴史をつくる運動が私たちの職場で発展するどころか殆んど有名無実になってしまったのです。ところが、最近の職歴のいろいろな会合で各職場にサークルを作る必要が話し合われ、具体的にMデパートなどではすでに、発足したし、また他の職場でもそのサークルを作る動きが表面にでています。そこで私たちも今日(三月九日)土曜日の午后にいろいろと話し合った結果、やはりサークルとして系統的に活動しなければいつまでたってもこんな状態以外に出れないということになり次のような活動方針を決め、今日から改めて発足しなおすことになりました。

その具体的内容は

① 月二回　第二と第四土曜日の午後に、会員の下宿で「史的唯物論」の学習会をひらく。これには誰でも参加して良く、すでに会員外からも三名の参加希望がでています。

② 五月に行われる組合の文化祭に、職歴サークルで或る組合員の記録「(仮題)」と「日ソサークル」との合同で上演する

青山君を送る

去年のたしか六月だったと思うが、図給局で開かれた「職場の歴史」(河出版)の合評会の席上、職場の歴史をどのように書きとめるかと云う問題で青山君が云った「読んでいながらその職場に働く労働者の顔が一人々々見えるような歴史……」と云う言葉は、当時まだ職場の歴史の何ものかもはっきり把めず今後自分の職場の歴史をどのように書いてゆくかに思い迷っていた僕にとって、何かはっきりとした

口内に成長する運動を明らかにする

した指針を与えられたような気がした。これが今度山形の郷里へ帰る青山君が特に僕の中に強く印象づけられた最初の出来事である。

次にもう一つは、これもやはり職歴の会合でのことであるが議題の討議に入る前に六さんや関島君の間から春斗における国鉄の斗いが出された時、彼がすぐノートをひろげてメモしながら、その話しに熱心に聞き入つたことである。このことはちよつと考えると何んでもないことのように思われるが、つねづね僕らが見ている「インテリ」(ヘン)の中にはほとんど見かけられないことである。僕のみたこの彼が在学中は高校の職場の中で、そこに働く人たちと共に歴史研究をつくり、彼の父親を書くために或る労働者の家に何回も通って資料を集めたことなど彼がどんな人間であるかを示す最も適切な例だと思う。

何んだか彼を送る言葉がそうでなく彼の紹介になってしまったようだが、要はこう云う彼が、今東京から離れることは、この僕らの職歴がようやく軌道にのりかけた時であってみればほんとうに惜しいと云うことである。しかし職歴の運動は決して東京にいなければやってゆけないと云うものではなく、その行った先々で、条件に応じて活動できるものであるから、青山君もそこで思う存分活やくしてもらいたい。

（一会員）

。そのた　た四月十日までにその脚本を完成することになっています。

③文化祭参加と平行して、組合、職場、サークル、その他の年表（組合結成から今日まで）を作ってゆく。

と云う三つの方針が決まり、文化祭の合同参加はすでに「日・ソサークル」との話し合いもつけた次第です。（N）

職歴サークル誕生

四月十日発足する国際電々

国際電々では、三月五日、職歴サークル結成のための第一回の会合を行った。電報、電話、整々社（建物の整備などを受持っている子会社）から六名が集り、(一)発足の目標を四月十日とする。(二)同じビルの中の国際電々の従業員の人達に呼びかけ、「国際電々職場の歴史をつくる会」と云う一つのまとまつたサークルとしてやっていく(三)三月十四日に第二回の準備会をもち、呼びかけの方法など具体的な問題を話しあう、等をきめた。

以前から組合活動家の有志の間では、サークルを作ろうとする努力が重ねられていたが、今度ようやく職場の働く人達が実際に考えていた、「婦人の職場を守るためにも昔からの自分たちの職場の状態をもっとよく知りたい」「これまでの活動家中心的なサークルにはない温い巾の広いつながりがほしい」「自分たちのたたかいの記録をのこしておきたい」「あたらしい組合活動のやり方をみいださなければ」等の事と、会からの積極的な援助が約束されて、第一足をふみだすことができたものである。

従来、サークル活動が、労協強化、会社側からの圧迫、自分たちの中だけに閉じこもりがちな傾向などから行きなやみの状態だったので、新しく生れる「職歴サークル」は、支部とのワクをはずしたはじめてのサークルとして注目されている。

（黒崎記）

編集後記

◈毎度のことながら発行予定日よりは、はるかに遅れて了って申しわけありません。総会の前には、全員の手元にとどく事をねがっていましたが、とどかなかった人もあること、思います。

発行予定日には、ださざるを得ないような、投稿の多くなることを望んで、やみません。どしどしおよせ下さい。

◈前号、会報第一号について批評も掲載しましたが、やはりここ数回は、会員外へのアッピールと云うことより、会員内のニュース、意見の交換の場として持ってゆきたいと思います。

◈又前号のガリ切りは、編集部の菊池さんのフントウのタマモノで、世辞にも上手いと云うものではなかったと思いますが、何よりも、大変見やすく字も大きく、新しみのあるものとして好評でした。

◈その点、今回は字が幾分小さいのですがどうでしょうか。

又「主張」は「ひろば」と改名しました。◈村関誌七号も着手します。「穴の中から」でどしどし投稿ねがいます。

―その(一)―

初めて就職して社会に出ることが誰にでも希望をもたらせる様に私もいわゆる高遠な希望を新たにしてつき進む若者の姿よろしく自分の仕事に誇りをもってきわめて会社に忠実な私でしたその頃の私は食堂の給仕をしてせっせとお金をはこんでいたのですがその中の多くの人がこの仕事に非常な不満を持ってなにかなげやりな態度をあらわす様になっても私には仕事として労働が過ぎると云う以外に不満の余地は全くなかったのですそれから二月三月と仕事がなれてゆくにしたがって次第に周囲を見る余裕がでてくると入社するときに抱いた希望などは句海なく むしろそのときの私には汚い、間ちがったものばかりしか目に入ることがなかったことに気がついてきました同時に今迄何もかも仕事に持ちこんでいたものが突然はなれてゆくことになり その中のお友達さん(広い意味で)信じられなくなり自然自分の中に入りこんでしまうごく消極的な人間になり 以前の様なあく迄もものにつきあたってさっさ

――と自分の思い通りに改めて行くと云う様な積極性が馬鹿らしくさえ思われはじめて来たのです

しかし一方その余ったエネルギーが何かを求めていたのは事実ではっきりした意志もなく物足りない考えを更に目的とする程のこともなく映画をみたり本を読んだりみつ豆を食べたりの生活に甘んじていたわけです それが太田さんの紹介で代々木のコーラスに新しい楽しみを覚えてからは当然家に帰ってはそこでおぼえた新しい歌を唄う様になり家の人を驚かせたりしました。私は姉の家に同居していたので、そこでは兄が私の責任者の様な形になりいつも私の行動や考へ方は彼のある程度の支配下にあったわけです 姉も兄も人間としては優しいと云はれるタイプで勿論妹の私には年が離れているところから父母の様なかたちで私の世話をしてくれるきょうだいです

ところが次第に私の行動が一方的になり

（その二につづく）

と云うのは一ケ所と云う研究会にそのころ又入ったために
今までの様に時間が家では自由にならず 当然 話すこ
となども 映画や音楽のことより 月曜日の会の話や火
曜日のコーラスの話が多くなり 家の人達には一方的な私
に見えだんだん、それを許し難くなり ついには私のことで
しばしけんかさえ家の中で起す様になって来たのです
自分が正しいか そうでないかは別として 勿論 私は父母の思
いで兄達を納得させ様としたのですが ますます それは嵐
中もますずくすることとなり 結局 弱虫の様ですが一人
生活する 以外に自分の考えをおし通すことが出来ないと考

（その（二））

えました、

〈メモ〉

——

〈三月二七日 研究会 文例〉

〈参考書〉

文章読本 について

——文章の書き方——

新潮文庫 新文章読本 ¥50

川端康成著

——生命ある文章へのノスタルジア——

竹村所有す

河出新書 文章読本

伊藤整著 ¥90

☆古本屋で探せば¥60程度であり

岩波所有す

文章読本

古本

〈稀本〉 谷崎潤一郎著

¥250程度

殆んどの本屋になし

あれば買った方が可 前者より秀れている

ーまえがきー

私達職歴サークルは誕生後、第一回の作品として私達が生活している職場を取りあげて書く事にしました。

"職場のプロフィール"という形で、自由に感じたまゝをどんなに短かくてもよいから一人〃が書くという事にしました。ごく身近な事でありながら、漠然としてかきようがなく、むずかしい問題でもありましたが、他の会社の人から"貴女方の職場ってどんな所ですか?"と聞かれた場合の説明のつもりでかいて見ました。各人それぞれの角度からいろいろのことを取りあげて書いてありました。

しかし皆のものに一貫して見られたことは、会社に対する不満や組合に対しての意見等でした。ここにのせてあるのは、それをみんなで検討した後、集約したものです。

大根物語

ー職歴サークルー

一、一万坪の片隅で

私達の働いているデパートは、全国に五つの支店をもつ全国的デパートです。この店は地階から七階、屋上まである近代的なビルですが、外観と内容は大ちがいです。

キレイでよいといわれますが、実際は、店員の休憩室、食堂は、一万坪もある面積の隅っこにおしやられ、汚ない、暗い場所です。売場のシャンデリアや飾りケース、クリスタルエスカレーター、宣伝催事などとは対照的です。

二、天照らすサラリー

しかもデパートは給料が格安ない、とにかく[illegible]どに報道されるのと実際に私達がもらう給料では格段の差があり、賞与も年四回とゆうのは表面だけで、実際にはデパートの中でも給料が低い方で、勤続年数の短い女店員はベースまではとても手が届かない状態です。

三、ねりま大根の由来

労働條件は給与の面だけではなく仕事、勤務時間もそう。女子の多い職場では見かけのよさに反して一日中立ち通しで足がむくんで来るような労働をしています。

営業時間は十時開店、五時半閉店ですが、現在では半恒久的に六時閉店になっています。お客様にとっては都合がよくても、私達には毎日廿分づつの残業をしかも正規な二割五分増の残業手料のつかない残業をしているの[illegible]延長をさ毎年[illegible]以上に時間延長をさせられ[illegible]売場に居れば毎日、サー

仕事は売場に居れば毎日、サー

ービス、サービスと一にも二にも接客をいわれ、一日立ん棒で仕事をし、事ム関係では売場が忙しければ応援にだされ、仕事のたまった分は残業をすることになります。その他、商品を運ぶ人、配達をする人、売場から出たゴミを焼く人、e.t.c 縁の下の力持ちをする人が沢山います。こうして毎日、いっしょうけんめい仂いている私たちに中元や年末になると平常月の数倍の予定を課されて、売場毎で売上競争をさせられます。売上競争が始まると、職制は普段以上に目を光らせ売上をつくることを勤ム員に何回となく云います。職制が理解がないため休暇や生理休暇がとりにくい職場も多く、勤ム員にあらゆるシワよせがきています。

四、支部長は課長さん

組合は設立、十一年たちましたが、ホワイトカラーであることを誇りにしている弱い組合で、職制も部次長までは組合員です。支部長始め四役、執行委員になる人たちは勤ム年数も長く大部分は職制で、現に今の支部長は課長です。こんな組合の組織構成ですから賃上や臨時手当の交渉でも、殆んど経営協ギ会で交渉し、団体交渉は最終的段階になってやっとひらかれる状態です。こんな形で交渉され、結局は組織の力が弱いからこれ以上の線は無理だという理由で私たちの納得できない額で妥結してしまいます。ですから一般組合員は組合に対して自分の組合だという親近感がもてず、不信の方が強いのです。それでも組合も少しづつ時代の動きと共に歩み、代ギ員にも若い方が増えてきて、運動より団交をという声もでてきています。

五、腰掛と託児所

従業員の中、七割を占めている女子は、会社が採用する時、いろいろと条件をつけて家庭のよい人たちをとっているため、組合より映画や服装に興味をもち、腰掛的な気分の人たちも多かったのですが、最近は経済的な面から結婚しても共稼ぎをする人が増え、ベビーが生まれても仂いている人が少数ですがいて、託児所の問題が組合婦人部の中でも真けんに取り上げられてきました。

女子だけでなく、男子も厳重な身元調査をして採用した人が多いため、職場の中を改善しようという人が少く、そういったような家庭環境が今デパートに仂く人たちに影響している面が多いように思われます。

六、育ちゆくねりま大根

しかし、無気力に思われるなかでパートの中にも新しい芽はでてきてります・二年半前に丁度の小さいサークルを会社にも組合にも知らさない非合法的な集りとして持ち始め、二年半の間に人の入れかわりはあっても成長して来て、現在では三ツのサークルに分れ、ニュウスも定期的に発行しています。この集りも始めは何かを知りたいとゆう大で集っていたのが最近では一人一人が店の中を明るく働きよい職場にし、ひいては日本を新しい日本にするためにといえる程になって来ました。

Sの巨大なビルの中であちらに一人こちらに一人とわかれわかれの職場に居ながら、いつも一諸に居るつもりで信頼しあって活動しています。組合の代議員にも出ています。そしてこの小さい力を一人一人に呼びかけて、もっと強い大きい力にしていこうとしています。

―あとがき―

総意は集約されたこの作品を検討し、意見を出しあい、大体次の様な七ツの問題を引き出しました。

一、賃銀。
一、労働環境。
一、組合。
一、労働条件。
一、従業員の家庭との関係。
一、サークルや組合の中の民主化努力について。
一、社会的にみた百貨店。

以上の事でしたが最初は賃銀の問題を深め考えて行くことにしました。出来るだけ多くの事実を拾いあげて行くことそれが深めて行くことの一番大切な方法であると思います。

丁度時期としても賃上げが決った後でありその結果を調べるのも面白いと思います。

その後の問題もとりあげる時にその方法を考えながら序々に進めて行くつもりです。（一九五七・四・二十）

―おねがい―

まことにさゝやかなものですが、とにかく私たちはいっしょうけんめいでした。なんといっても小人数ですので一人よがりのようなところがあると思います。私たちはもっともっと立派なものにするために、どんな努力も惜しみません。今後いろいろと皆さんの力をお借りして充実したものにしていきます。この作品についても、会いたいことはなんでも、ぜひおきかせください。（I.C, I.T, I.W, KA, OE, SA, YU, WA）

―おわり―

―三十日のハイキング―

待望のよせなべ会のハイキング奥高尾の陣場山にきまりました。くわしいことは別にプリントにしてお知らせします。三十日を御期待ください。

―よせなべ会当番―

五月十五、十六、十七日の三日間にわたり、芝の女子会館で全百連の婦代会議が開かれました。私は十六日の才二分科会"婦人部の活動をすすめて行くにはどうすればよいでしょうか"に出席しました。

まずはじめに各単組の悩みを話し合いました。一番共通した悩みは会議に人が集らないと云う事でした。私達婦対部の悩みは部長が男なので女性の声が上部に届きにくいことです。けれども当日感じた事は他労組に比べると、うちの婦対部は活溌に動いている方だという事です。ニュースは毎月一回必ず発刊され、メーデーや母体保護月間の特集号を出したり、座談会や講演会も開催され、一応集まりもよく成功しているといえると思います。

この日、ある単組の人から「おたくは二、三年前と現在では組合の幹部が大巾に変っているのかしら、昔は婦対部で何かやろうと思っても幹部の圧力で何も出来ないと悩みばかり聞かされていたから」と質問されました。たしかにその頃は圧力が強く何も出来なかったそうです。当時と現在では、役員もそう変らず條件は大体同じで会社や組合幹部からの圧力もあります。(よせなべ43号参照)しかし上から云われる事を気にしていたのでは何も出来ないと思います。

婦対部長には女性を

非協力的な男部長

私達は言動に注意して文句の出ないようにしながら、眼はあくまで下に向けてみんなの声を聞き、部員はそれぞれ仕事を分担してニュースの編集をしたり、掲示板をグループに分けて交代で利用し、講演会の講師との交渉も順番にやっています。

けれども、今私が一番不満な点は現部長が私達部員の上にアグラをかいていることです。今年度ニュースは9号発刊されましたが、一ぺんも一緒にやってくれた事がなく、稿すらも出した事がなく、ある執行委員の話によれば、ニュースについて上から文句を云われると「まだ読んでありませんからよく読んで注意します」と引きさがっているそうです。又予算面でも残高が四千円ぽっちになる迄黙っていてせっぱつまってあわてたり、執行委員会で問題になった事も私達に話してくれず、ツンボサジキにされている現状です。私達は部長も我々と一緒にバシヤ馬のようにやってくれなど要求しませんが、もっと協力的な態度が欲しいのです。

次期からは是非とも執行部に女性を送り、婦対部長には女性を選び、女性の声は女性の手で吸いあげてもらい、婦人だけの問題にしておくことなしに、全組合の問題として解決するようにしたいと改めて感じ、次期婦代会議にはうれしいニュースの報告が出来るようにしたいと思います。

国際
電々

耺場の歴史を創る会
発会の集い

皆さん耺場の厂史を創る会というのをちょっと御説明致しましょう。

耺場の厂史を創る会という会は文字通り、耺場の厂史、つまり仂いている人達の本当に生きている厂史を創っていこうという会です。厂史といってもカミシモを着てしゃちこばったものでなく、例えば電報局にある落書帖、カワラ版といったようなものからも大いに資料を仕入れて、仂いている人達のじかの姿を生々しくつかんでゆこうという会てです。それと同時に社会全般の流れをも知り、仂く人の、名もない一労仂者の生活の厂史を、それと結びつかせ、厂史の主人公は俺達、仂く無数の大衆だということを本当に自覚してゆこうという企てを持った会です。

この会は民主々義科学者協会の厂史科学者と、現場の労仂者で創られました。今近国鉄の品川客車区の労仂者が中心になって、色々な職場の厂史を書いて来ました。昨年それらの厂史をまとめて河出書房から出版された『職場の厂史』という本は朝日新聞からも賞さんされました。会では今後あらゆる耺場に会の組織を創ろうという方針をたて、活動しています。そこで国際電々でもその会を発足させようということになった訳です。ひとつ国際電々の厂史をつくってみたいと考えられる方は誰方でもふるって御参加下さい。

日時　五月二十八日(水)　午後五時～七時半

場所　八階会議室

内容　"だけのこのうた"―電話の一女子組合員のありのまゝの生活記録―を中心にその当時の厂史を色々話し合い研究する。

"炉材工場と労働者の変遷史" 合評会 S百貨店職場サークル

日時 7月20日 pm7〜9
於 有楽町富士アイス

——そのまとめから——

良い点

1 おもしろく読ませる
2 職場生活そのまゝの言葉を豊富に使用
3 戦時中の抵抗がうまく書いてある
4 自分たちの力で進む状態がよくわかる
5 資本の搾取が歴史の流の中で書いてある
6 個々の重要な事実が可成でている
7 労働者と経営者の対立がよくわかる
8 日常のくるしい生産状況がまとめてある
9 斗いの伝統がよくつかめる
10 組合とよく連絡し集団で書いたこと。

不充分な点

1 具体的事実と事実との間に説教が入る
2 第三者的であり胸に迫るものが少い
3 職場や仕事の内容がよくわからない
4 一つ一つの良さをつっこんでない
5 炉材工場の特長が不明かくである
6 鋼管製鉄所の人々とのつながりが出てない
7 女子工員の恋愛が具体的に深められない
8 組合の団結が具体的に進んでゆく点が不明
9 戦後史全体が戦前の頃に比し具体的でない
10 戦争と労働者との関係が不明確である

※ この様な批評のほか或る会員から長文の感想が提出された。

"炉材工場と労働者の変遷史" 合評会

——そのまとめから——

恩給局職員サークル
日時 7月20日 pm4〜6
於 恩給局労働組合

1. 一つ一つの話しが皆良い面をつかんでいるのだが その話しが一つ一つ具体的でない。
2. 職場の特性が出てない。
3. 数字が出てない。
4. 炉材工場とはどんな仕事をしているところか具体的に出ていない。
5. 男工のことをもっと書いてもらいたい。
6. 恋愛のことを取りあげるのなら一つの典型をえらんで深くつっこんで書けば良い。
7. そうしないと話しと言葉の上だけになる。
8. 人間としての労働者がいないような気がする。
9. ふしくれだった手足をしていた女工さんが恋愛をしてそれからどうなったか心配でならないこんな人達がどうなったか調べてほしい。
10. こういう女工さんたちがどんな田舎から出て来てどんな家庭環境だったか知りたい。
11. 歴史ということにとらわれてあまり流れるように書きすぎたのでないか。
12. 良さが頭だけ出かけてすぐ次にうつっているのはおしい。
13. お百姓さんに対する反感がいつの間にかお説教に変っている。
14. しかしこういう職場の中の言葉で話しがすすめられているのは実に良い。
15. "そうだこういう形式を生かしてもっと深くつっこんで書けばどこにもないような立派な組合史になる。

16. 終戦後どんな人達が組合をつくったのか書いてない。

17. 与えられた組合など、一般論にならないようにはっきり書いてほしい。

18. 鶴鉄は戦争の中心になって来たところだ苦しんだこと犠牲になったことだけでなく戦争との協力体制をとらされていた点など客観的に書いてもらいたい。

19. 生産量やその当時の生活賃銀と実質賃銀との比較他の会社との比較などグラフや数字をあげて書いてほしい。

20. 要するに今出ている良い面をもっと深くつっこんで書いてもらうことと良く調べて分析して。

—以上—

資料

正史をつくる会運営委員会

1957年度第二回總会

總会

職場の

招待

太田春名

殿

総会のおしらせ

暑中御見舞申上げます。

このたび運営委員会では、三月総会から現在までの会の運動をとりまとめて御報告し、皆さんに御批判をお願いするため左記の要領で御総会をひらくことにいたしました。今皆さんの御出席と御批判を御待ちしております。なお今回はとくに総会を第一部と第二部にわけ、第一部には日本鋼管鶴見製鉄所炉材支部の人達を特におまねきしました、各単産組合史編集委員会の人達をもお紹きして「炉材工場と労仂者の変遷史」（職場の厂史第七号）の合評会を開きたいと思います。職場のお友達をおさそいあわせの上御出席をお願い致します。

記

月日　七月二十一日（日）

第一部　午後三時〜五時半（合評会）

第二部
午後六時～八時半
運営委員会報告討論
場所　国際電信電話株式会社（大手町～東京駅より五分）
地下食堂奥洋画

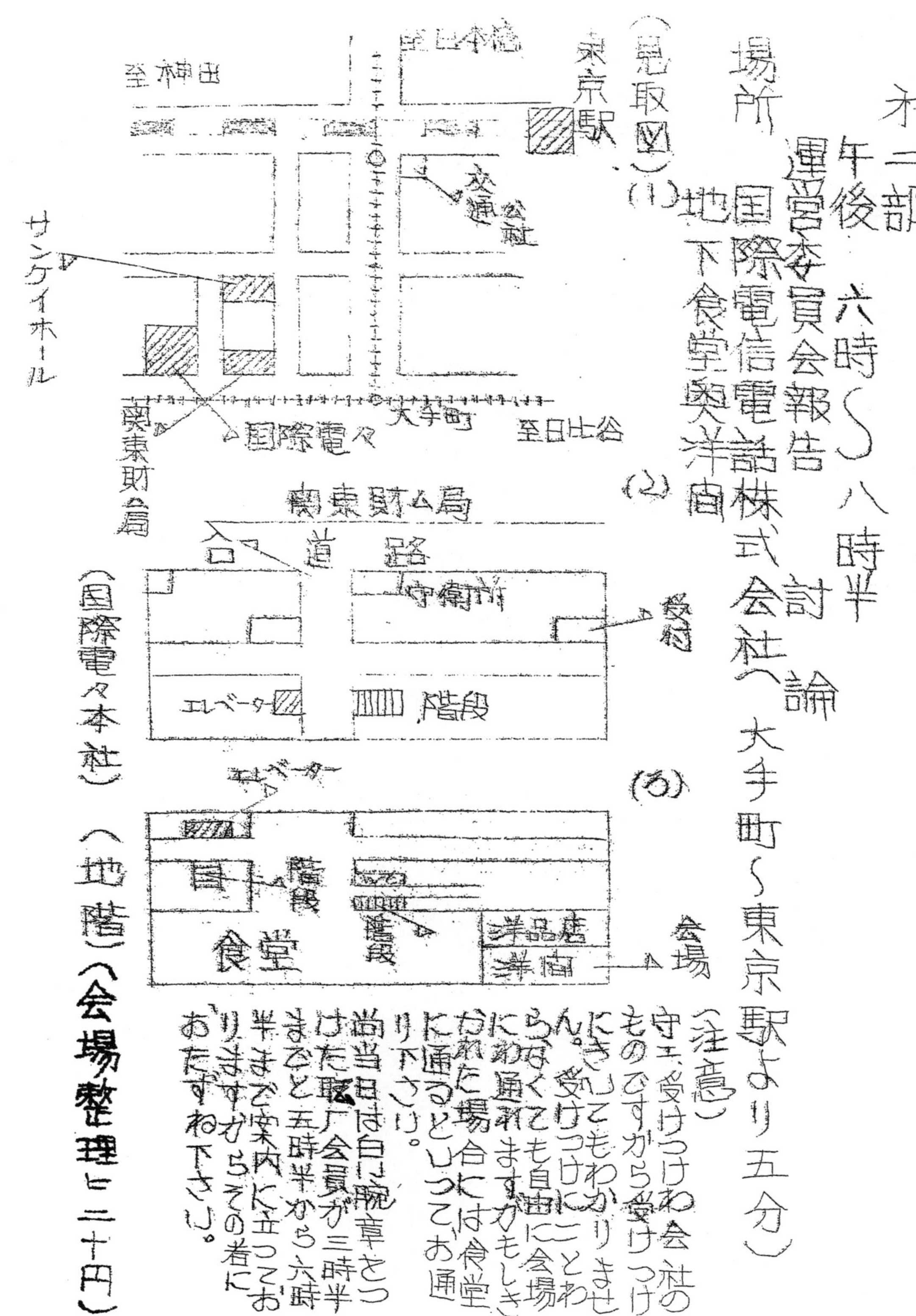

（会場整理ヒ二十円）

（注意）
守衛、受付けは会社のものですから受付けにきかれてもわかりません。受付けにことわらなくても自由に会場に通れますが、もしきかれた場合には食堂に通るといってお通り下さい。
尚当日は白に腕章をつけた職歴会員が三時半までと五時半から六時半まで案内に立っておりますからその者におたずね下さい。

職場の歴史をつくる会

第二回総会を前にして
——職場の労史をつくる運動のまとめ——

運営委員会は六月二十日に予定されている第二回総会迄の間に職場労運動の具体的な現状をいくつかにわけて総括し、その都度それらを文書にして、会員のみなさんに御報告することにしました。運営委員会は職場サークルや会員の皆さんがこれらの報告書にもとづいて活発な討論をひろげられ、その討論の結果を運営委員会に報告して下さることを希望します。

報告書（一）
——国際電々職場サークル——

入野徹「進むことを知っていた」について。

(一)入野君のパンフレットを読んで一番残念に思うことは組合をつくるための行動を起してから二ヶ月足らずで組合結成に成功しているその原因が不明確なことである。普通中小企業の労働者の組合結成を目ざす斗争の場合、その斗いは孤立した環境で行われ長い準備期間を要するものである。整々社（入野君の職場）の労働者たちがそのように早く組合を作ることに成功したのは何といっても整々社と同じ建物の中に国際電信電話の組合の労働者が存在し、その援助が大であったこととその様な条件のために資本（整々社は国際電信電話株式会社（KDD）の子会社の性格をもってできた）の圧力が他の中小企業の場合と決定的に異っていたからであろうと推定される。中小企業とは言っても前述のような特殊な条件にある整々社の特殊性が正しく分析されていなければ「進むことを知っていた」は他の中小企業に働らく兄弟のための良い参考書（組合をつくるための）とはなりえないであろうし、今後の整々社労組の進むべき方向をその中からさぐりだすことも不可能であろう。

(二)某々社で組合が結成される場合、アルバイトではいった学生の指導性が大きく働らいているがこれらの学生層一般組合員との間には職場生活の面でいろいろと相異があるはずである。この相異（矛盾）はその後の組合の発展の中でどのようになってきているかについても明らかにしてほしい。

(三)つぎにこの作品の中にでてくる言葉の問題を考えてみよう。 例えばこの中には「地下工作」又は「工作」を進めるとかいった様な表現がしばしばでている。この言葉は労仂者の職場生活から離れた言葉であるために、読者にはこの言葉の現す意味がよくわからないと思う。言葉をどこからか借りてくるのではなく職場生活の中に生きている適切な言葉を豊富に使って職場の歴史を書いてもらいたいものである。

(四)進む事を知っていた」が発行されると職場の人たちが列を作ってこのパンフレットを買ったという報告を運営委員会は受けているが入野君自身が職場の人たちがパンフレットによせたこの様な期待の内容―職場運動への労仂者の期待―を詳細に調査してほしいものである。

報告書

――口際某々サークル　黒崎菊枝「筍のうた」――

会員黒崎君が「筍のうた」を書くに至った問題意識―職場生活の歴史と労仂者としての自覚を持つまでの過程を具体的に書くことを通じて自己と職場を持つ意義を再認識し、今後の組合活動家としての生活を充実させてゆく――は「きみよの手記」（河出新書職場の歴史）「母の歴史」（河出新書母の歴史）等に共通するものである従来これらの系列の作品は、内容が私小説的になりやすく、一箇の労仂者の生活の条件―社会的背景、職場生活、家庭環境―の捨象される傾向をもっている。このため作品を書いた労仂者は職場の労仂者の全面的な共感を与えられにくくかえって反撥される場合がある。 したがって個人の歴史を書く場合は個人の歴史を書く意義を職場の仲間と充分討論する中から「どんな内容について書くか」ということを発見するようにしたいものである。

たとえば国際電々の労働者によって開かれた「笛のうた」の合評会の時だされた意見――朝鮮戦争下の労働者の状態という観点から一人の労働者の成長をとらえねばならない（黒崎君が入社できたのは朝鮮戦争のために通信が増加しオペレーターの不足となった為めである）などは、今後「笛のうた」を展開してゆく場合に大へん参考になるものである。全般的にみて第一集は日記からの抜き書きといった印象である。運営委員会としては黒崎君が委員会並びに職場の仲間の批判を入れて「笛のうた」の内容を高められることを希望する。

報告書（三）

――S百貨店職場サークル編「大根物語」について

大根物語のまえがきの中に「私たち職場サークルは誕生後第一回の作品として私たちが生活している職場をとりあげて書くことにしました。」と書いてあるがこのパンフレットを読んで気になることは、書いている私たちと読む私たちとが分裂していることである。つまり私たちという立場（りS百貨店の労働者）が一貫して貫らぬかれていないという問題である。そのため、この文には働く人たちの生活感情が書かれていないのでこれを読むと八百屋の店先を想い出す様な散まんな印象をうける。

運営委員会は職場運動の中で職場の状態をとりあげて書く場合には職場の細々とした事柄の暴露に終らず経営生活の大きな典型的な欠かんの暴露を発展させてほしいと思う（参考エンゲルス、イギリスにおける労働者階級の状態） すべての労働者と職場活動家が資本の搾取を具体的に知り憤激する様なものを!! すべての労働者と活動家の興味をよびおこすと共に知識を豊富にし視野を拡大しおくれた地方や未組織労働者を目ざめさせるものを!! 同産業の労働者の共感を強め連帯感を強固する様なものを!!

次に「大根物語」の各章にそってその内容を検討してみよう。

「一寸坪の片隅で」「天照らすサラリー」「ねりま大根の由来」を読むとサークル員の中に、正しくまとめようとする要求のあることを知ることができる。しかし、これらの要求は正しく発展せずまだ極めて部分的に止まっているようである。今後職場における労仂条件の問題を事実を豊富に集める中で追及して頂きたい。例えば全百貨労組の斗争の運けいのもとに全日、又は都内百貨店毎の主な要求、労仂条件の調査、それらと各百貨店内との比較研究、S百貨店内でも各支店や本店の中での相異など。

「支部長は課長さん」「腰掛と託児所」「育ちゆくねりま大根」の各項の中には若干一面的な評価が現れている。例えば「支部長は課長さん」の中ではS百貨店労組の組合の人的構成や斗い方についての不満が述べられてあるがその不満の書き方は「支部長さんは課長さん」といった題のつけ方に極端的に現れている様に、内容のない一面的な評価である。斗う組合員である限り、組合に対し注文を持つのは当然であろうが、それはあくまでも組合の政策方針等についての具体的な批判でない限り被批判者に対する建設的な批判とはならないと思う。又田子組合員に対する批判を述べた箇所(「腰掛と託児所」)にも同様なことが言える。職場や経営の矛盾の発展、国内的、国際的な矛盾の激化の中で労仂者一人一人の意識が変化してゆく側面を正確にとらえてゆく努力が一方に進められていなければ批判は一面的、主観的になるであろう。職場のサークル活動の評価が「育ちゆくねりま大根」の中でされているがこの評価もS百貨店労組全体の斗いの発展の中で位置づけてほしい。それと共にサークルと斗争との(職場生活その他)関係も今後具体的に展開してほしい。運営委員会はS百貨店職歴サークルが各方面からの批判を率直に受け入れて「大根物語」の検討を行いその結果さらに「大根物語」に対する公開合評会を計画していることに賛成しその様な大衆的な形で職歴運動を進めてゆくことに敬意を表するものである。職歴会員はS百貨店職歴サークル諸姉兄の仕事のスタイルに学ぶと共にSサークルの発展に協力してほしいものである。

本報告書は六月九日に開かれた運営委員会に提出された討論原案(竹村委員提出)を運営委員が検討し原案中のいくつかの部分を修正して出来あがったものである。

職場の歴史を作る会運営委員会

——報告書(4)——

独立採算の機関紙体制

(その内訳)

自主出版必要経費 7号ヲ基準トス

原紙	25枚	単価9円	225円
びょう	1箱	35円	35円
~~上質洋~~わら紙	1000枚	(含交通費)	350円
上質洋紙	110枚		180円
			790円
ガリキリ代	70円×24		1680円
自主販売及ビ売上ゲ			2470円

全部数106部(内会員用贈呈用40部)

106−40＝66……販売数

50円×66＝3300円……売上総額

3300円−2470円＝830円

830円……機関紙基金

(以上)

新会員を毎月いくらづゝ増せば良いだろうか(今年度第一期中に)

6月末会員数31人

7月会員増加予定数30人

8 〃 17

9 〃 17

地方特別会員10人

地方会員10

都内会員10

合計95人

報　告　書（5）

○事ム所常任体制の確立

○独立採算制による機関紙の定期発行

○職歴サークル体制の確立

○運営委員会の強化

○上記のコースを保証しうるだけの財政の確立

2000円 + 3000円 + 1000円 = 6000円

事ム所費　常任費　諸経費　総額

現在の会財政状況（会員数は会費2ケ月以上払っているもの）

31×100=3100　3100×0.4=1240　滞納率40%

3100−1240=1860 ------ 毎月平均会収入額（会費のみ）

6000円−1860=4140　新しいコースを実現するには4140円不足です

この問題の解決として次の諸点が考えられる

（1）新会員の獲得　（2）滞納費の回収　（3）会事業の工夫

新会員を何名増加すればよいか？（増加案の1例として）

会員1人が2人仲間をつれてきた場合を考えて見ると、

（この他事業等を通じて会を宣伝し会員増加をはかることも考えます）

31人×3=93人　93×100円=9300円　滞納率30%として

9300×0.3=2790　9300−2790=6510

・毎月確実に6510円が収入となり会の基礎が始めて安定する

〜左下段へ〜

職場の歴史を作る会運営委員会

報告書六　会計部の反省

会員の財政に対する正しい要求時にサークルを結成している会員からの要求に学んで運営委員の一部が会員と協力し次のように財政々策の改善を行なったので、従来会の大きななやみのたねであった財政の問題が六月から七月へかけての二ケ月の間に正常化しつゝある。

1.会費納入の実体を明らかにし個々の会員の納入状態をはっきりつかんだこと。

2.会費の使用状態をはっきりつかんだこと。

3.会の方針と会計は不可分の関係があることを明らかにしたこと。

4.サークル結成と会計の発展とは不可分のものであることを明らかにしたこと。

5.長期にわたる会の財政状態を総結したこと。

6.長期にわたり且つ会の発展に相応するような予算案をつくったこと。

7.会財政事ム能率を高めたこと。

8.会員の会財政についての認識をたかめたこと。

9.会の帳簿の完全な整理を行ったこと。

以上のようなことを通じてとぼしさをなげきながらも一応建全化のみちをたどりつゝあるが　新しい方針をうちたてる前に会計部は次のことを反省する必要がある。

第一組織部と同じような点（組織部の報告書参照）が運営委員会にあったことは事実である。しかし会計部独自の仕事会費を集めたり滞納を調査したりする仕事をしなかったことは最も反省しなければならない。

第二運営委員会に財政状態を報告しなかった

第三最近会計部の平部員が代ったが種々の問題があったにもかゝわらず今迄のことを反省し経験を新しい部員に伝えることをしなかった。

第四事ム所をつくったときと当時としてはやむを得なかったのではあるが一部会員の大きな負担にしたり個人的なカンパに訴えることしか出来ず会員の全面的協力を組織出来なかったこと。

第五最近の財政に対する関心の高まりに学んで運営委員会が示しているような会の大衆的コースと保証する財政々策をうちたてる力が足りない、こと。

第六現在会の活発であるにもかゝわらず会費の入り方が系統的でない、ためすぐ雑費やその他こまかな金でむてしまうまた事ム所費を分割払いでなければ払えない、状態である。そしてこのような状態にもかゝわらず　相変らず滞納者が多いことは会計部の責任です。

尚これらの項目についての具体的なことは当会場に持ち出します。

当面の会計部の仕事

会計部の仕事はこの赤字を出来るだけ早くなくし事ム所費をとっと多くし常務費を出せるようにして行くことだと思います。ですから会計部がとりあえずの方針確実に会費を納入してもらえるようにし滞納をなくしてゆくことです。そのために

(一)会計部員は会ったらすぐ会費のさいそくをするがサークルのあるところはサークル内の適当な人に依頼して会費を集めてもらう　(二)　会員証を発行しそれに会費の納入状態をチェックしてゆく(つまり納入印をおすことなど)。三ケ月以上滞納すると会員としての資格を失う。(三)　会費の納入や使用の状態がはっきりわかるようにグラフや表などにしておく。このようにして財政の状態は誰でもそしていつでもわかるようにしておく。(四)会計の事務の処理の正確化と迅速化。

報告書七

現在までの組織部の動きと反省

組織部として總会以来何一つ具体的な仕事をしていない。組織部一同何よりも先に反省しなければならないことだと思う。その原因として次のことが考えられる。運営委員会の機能がまひしていたため、会全体がどのような方向に進んで行くのか、会全体で何をなすべきかという方針が出ないので、組織部としても具体的な仕事の内容がわからず、責任者から一般部員まで何をしていいかわからないという状態が作り出された。

組織部がそういう状態にあったため、職場にサークルのある会員はサークルにとじこもり、孤立した会員もそれぞれの場に立ちすくみ、また一部のものは、本来運営委員会のやるべき基本方針を作り出す仕事を集団的な討議をへずにやるという、てんでんばらばらな状態をつくり出した。

その結果、書くべし、サークルをつくるべしという、ごく一般的な方針がくりかえし出されるだけで、具体的にこうしようという仕事の内容はいつまでもはっきりせず、会の統一を保証するという組織部の任務は事実上放きされた。

そのため機関誌は原稿があるにもかかわらずいつまでも出すことが出来なかったし、会費も集らず、会全体が低滞し、会員がへり、サークルは運営委員会を信頼出来ないまゝ独走する一方、そのサークルの経験が他に伝わらず、サークル作りがいつまでも進まなかった。

前に述べたことをもう一度總括すると、運営委員会のキ能がまひしていたため、組織部としての独自の仕事が見つからないまゝ、部員は運営委員会そのものを強めようとはせず、運営委員会のするような仕事を組織部の中でじたり、サークルにとじこもったりして組織部本来の仕事―サークル作りや地方との連絡、会組織の実態調査、会員名簿の作成等―は放きしてしまっていたことが何よりも反省しなければならないことであるということに在る。

これを改めるにはまず運営委員会の機能を強めるように組織部としてはとくに援助することと、具体的な組織部の仕事を押し進めることが何よりも大切である（その内容については後でのべる）。

運営委員の一部は、会のこのような状態を改め、会を発展させるにはどうしても事務所を作ってそこに会員と会のあらゆる事務、会ぎ等を集中し連絡を密にしなければならぬと考えて事務所設立を実行にうつした。この事務所づくりは一部の会員の大きなふたんではあったが遂に新事務所は出来あがった。そこにすべての事務が集中された結果、会の状勢が具体的にわかるようになり（例えば会費の納入状態やサークルの状態など）それにともない運営委員会を守りそだてようという会員の熱意によってまず運営委員会の機能が次才に回復しはじめた。

会全体を運営委員会に結集して会を発展させるためには、運営委員会がまず会員の実践活動に学び、会員の要求にもとずいて責任をもって会の方針を立てる一方、会員の作品を親切に批判し向上させて行くことに努力すべきだとし、大根物語その他の合評会が開かれた。こうした中で次才に一般会員の運営委員会に対する信頼感がまし、それにつれて会は活発かつ機動化し、はじめて機関誌七号も発行され、我々組織部でもこのような反省が書けるようになった。今後はこのような会のスタイルをしっかりと守ってゆく上からも組織部の生き生きとした活動は大切である。

報告書八

現在までの機関部の動きと反省

会を組織する場合機関紙のはたす役割は大きい。今後会が会内部を充実させながら大衆的な広がりを進めていく場合、機関誌部としては、機関紙の質の充実と事務能力の向上定期刊行、これを保証する機関紙財政、これら四つは不可欠の条件である。

三月総会以後これらの条件のうち機関誌出版にともなう財政面は、ようやくきどうにのることが出来た。そして更に七号の発刊後その経験を学んで機関誌部においては独立採算制をかくりつすることが出来るという、自信を持つことが出来た。それと共に機関誌の質、の向上も第一回総会に出席した日本鋼管鶴見製鉄所炉材支部の歴史を出版したいという要求を正しくくみあげ機関誌部員が協力しその実現に努力した。こうして第七号には炉材支部の歴史をのせることが出来た。この「炉材支部の歴史」は大衆的なやり方で多くの労働者の協力をえて職場の歴史を明かにしていった為にその作品も従来職場機関誌にのったものに比べて、労働者の立場が一貫して生活に密ちゃくしたことばを豊富につかって書かれであるので極めて迫力があった。このことは機関誌発行後ひらかれた合評会の中でも明かにされ、各職場会員にしげきを与え今後の作品を書いて行く上で大きな力をも与えた。この様な仕事をつうじて機関誌部員は機関誌の質を高めることは最も運動を発展させる上で重要なポイントであることを身体でつかんだ。機関誌部会では全員一ち機関誌の質を高めるために部の活動のスタイルを改めることをきめた、それと共に最近の如き急速な運動の発展に応ずる機関誌事務を行うことになった。このことは七号の販売する場合にただちに実践され出版後二週間目には機関誌の大半が売りつくされ、資金が回収された。このように機関紙部は会の大衆的なひろがりと共に成長しつつある。

反　省

私達は次のことを反省している

1　キカン誌の定期刊行が守られず発行がおくれたこと。

2、七号発行準備の進行中部の統一がしばしば失なわれ一部会員の方に重荷がかかった。

3、ニュース発行がまったくとまってしまったこと。

4.　自主的な編集委員会制が計画されたがこのことはかえって機関誌部としこの活動が不活発化した。

今後これらの反省に学んで機関誌部としては独立採算制を守り編集会議を機関誌部の中に確立しこのような物心両面の基ソの上に活動を推進する。

当面の組織部の方針

先きに運営委員会で出された基本的な方針

①新しい会員をふやす

②現在の会員をかためる

③各職場に職匠サークルの結成

④宣伝活動の強化

の四項目について組織部では過去の欠陥等をまじえて検討した結果当面の行動方針を出してみました。

(1) 強力な説得活動

職匠会員は前総会当時より多少増えてはいますが、目標としていた会員数からまだ多く増えたとはいえません。組織部も此の点を批判して今後もっと強力な説得活動が必要であることを話しあいました。そのためには会員は職匠機関紙等を利用し、職匠の会あることを出来るだけ多くの組合員に呼びかけ職場の問題点を出しあい、一緒に話しあう中で積極的に宣伝する必要があると思います。組織部としてはサークルがいきずまらぬよう出来るだけ多く各職場のサークルの経験を集めたり、各職場サークルどうしでも連絡がとれるようにしていきます。なお一職場だけではせまい範囲になってしまうので組合と連絡をとり作り個人、個人の集りではなく集団で統一した中で進めていく必要があります。サークルの出来てない職場には、組織部より説得班を派遣して、サークルのある職場を参考にしながら説得活動をしていきたいと思っています。

(2) 機関誌合評会

職匠機関誌が出来たら各職場で必ず機関誌合評会を開くようにして出された問題点を全体の合評会に盛り上げていくために、其のような場を作ることを話合ました。これ等の中で次の機関誌には会員の作品を多くのせるよう会員全体で考えてもらい機関誌の充実をはかりながら連絡のついた各職場の様子を全ての会員が知るようにしたいと思います。

(3)地方会員との連絡

最近地方会員より連絡がないがどうしたのかとのとい合せがきているが会の現状からみて説得班を出すのはむずかしいので機関誌、郵便等で連絡を密にするようにし、その地方で組織してもらうようにしていきたいと思います。

(4)サークル問題

三月総会以来 各職場にサークルづくりの運動がすゝめられてきたが 現在M百貨店を先頭にして恩給局、日鉄 国際電々等において機関誌、合評会等をテコにしてこの運動が活発化しはじめている。そしてこれを更に活発化するため次の二つのことが必要であります。

(1)総会等の討論を通じて会の意義を明らかにすること。即ち職場の人達の生活からくる要求は様々であろうが、それらの諸々の要求と職場運動との関連を明らかにして会の活動を行いたいものです。一例をあげれば、会の仕事と労協・平和・文化・学生 各運動との関連を明らかにして会の活動を位置づけ、会員の一人一人が説得活動を職場で展開して下さい。職場運動のすぐれていることを抽象的に話すだけでは説得される人々は会の意義を正しくつかめず、とまどうばかりでしょう

(2)現会員の一人一人の会に対する要求 たとえば 何をするために会に入ったのか、どんなことを書きたいか。何を学びたいか等々を具体的につかみ それに基づいて職場の歴史をつくりだす仕事や会の運動を進めること。

⑸組織部では運営委員会の方針にもとづいて以上のことを実際的に進めるため　部員の仕事の分担を決定しました。つまり組織部は運営委員会で決定した方針にもとづいて実際的な事務を行います。

(一)組織部＝サークルの実状　会員の現状　種々の会合の運行状況　総会の準備　各種の連絡等を正確に調査し　常に会組織活動の円滑な発展を推し進める仕事を行います。

(二)書記部＝各種資料の作成と整理　名簿等組織活動上必要な資料の作成と保存　会員　地方会員との連絡活動等を行います。

(三)情宣部＝新入会員に対する援助　新入会員拡大についての一切の事務　機関誌配布状況の調査と検討　機関誌合評会の計画その事務　会員の書いた「職場の歴史」の調査　出版活動事務　カンパニヤの事務等を行います

老いた父をうしなつた母と子はいま悲しみから立ち上り、ふたゝび明るい生活を築きはじめています。そして、二人はそのくらしの一日一日を充実させることにより息子の仕事を理解し励ましてくれた父の遺志を果そうと思つているのです。

その母と子とは、私達の友人、竹村民郎君とそのお母さんです。その父というのは去る八月十三日肺がんの為六十三才で世を去つた民治郎さんのことです。

故人は、御承知のように、ごく地味な人でその一生は苦難の連続でした。故人はその体験から三つの悪を心から憎んでいました。

人間が人間を支配するという社会、人を殺し合う戦争、出身や性別による人間の人間に対する差別この三つです。故人はこれらを解決するにはあまりに無力なのを口惜しがりながらも、その六十三年の生活の中で自分の力の及ぶかぎりこの悪に苦しめられている人々を救けようと努めました。

その生涯は日本の歴史の流れからみればとるに足らぬほど小さなものかも知れません。

しかしこの名もない一人の父親の生涯とその意志とは私たちの父や母の生いたちと全く無関係なのでしょうか、私たちの父母の一ページ、一ページはやはりその様な生活の連続であり、明日の正しさを子に伝えようとした真実の歴史ではないでしょうか。

竹村君が願い、そして私たちが準備している十五日の追悼会は故人の追憶にひたり、竹村君やお母さんをはげますだけに終らず、私たちの父や母の生活と思想にもふれあいながら、これから生きていこうとする私たちの歴史も大切に語り合いたいと希つているのです。

あわたゞしい生活の一時をさいて集り、気軽に普段着のおやじ、おふくろを語り、その我がまゝ息子や娘である私たちのことも考えてみようではありませんか。

記

と　き　九月十五日【日曜】午後六時半〜八時半

（時間はかならず守つて下さい）

ところ　国鉄労働会館会議室【五階】

（東京駅八重洲口、（有楽町寄り）下車三分）

会　費　一人　一〇〇円

（当日会場受付でいただきます）

一九五七年九月

故竹村民治郎氏追悼

「父の歴史を語る集い」

世話人一同

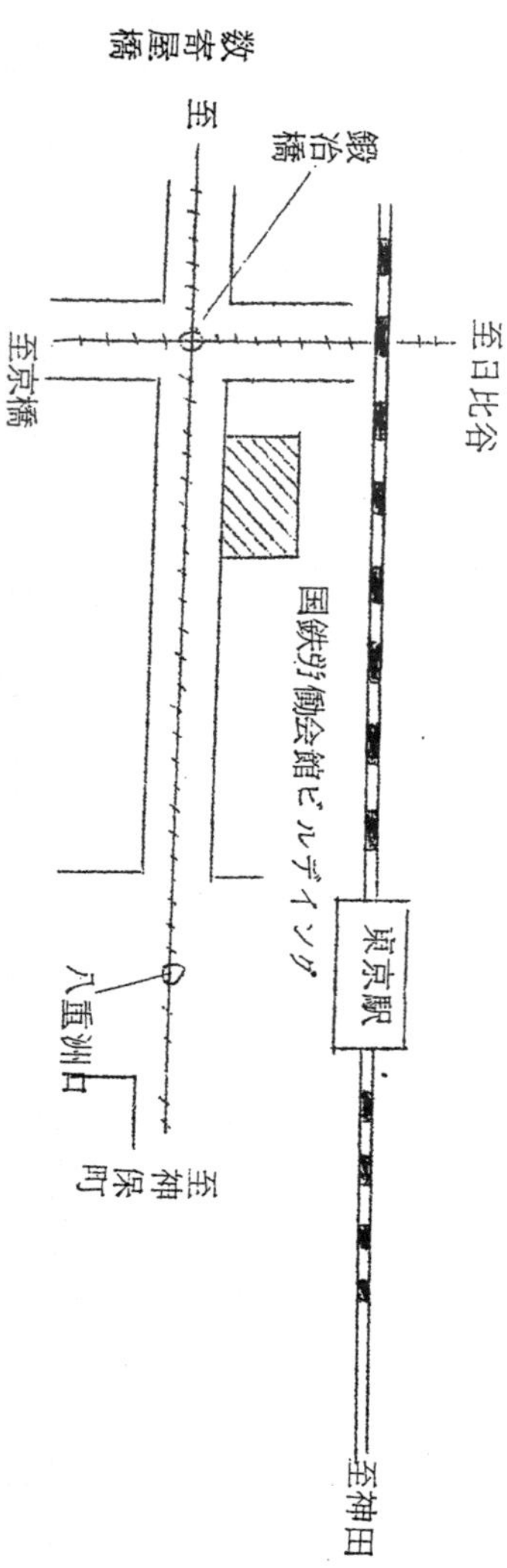

勉強会のお知らせ

前から計画中の理論の勉強会につきましては、運営ニュース三号でもお知らせいたしましたが、最終的にプランが決まりましたのでお知らせいたします。

会員の皆さんの多数参加を希望いたします。尚運営委員並各サークル責任者の方は必ず出席して下さい。

九月	題	講師	紹介	時間
20 金	新国鉄経済の見方 太田 和田 内	辻 清吾	早大大学院在学中 近代経済学専攻	7.30七―九
21 土	国鉄労働組合というもの 宮沢 太田 関島 内	大島 藤太郎	中大教授、国鉄労働組合 著書「国鉄」(岩波)他	七―九
22 日	歴史と数学(統計) 宮沢	遠藤 [illegible](予定)	明大講師、元私鉄[illegible] [illegible]	三―五
〃	日本の労働者階級	座談会(会食をかねる)		六―九
23 月	歴史教育論 太田 伊藤 内	田中 正俊	横浜市大助教授 歴史学研究会委員	7.30七―九

[illegible]

尚時間は二時から[illegible] [illegible]

一、場所　本会事務所(村野 宅)

一、会費　全講座　百円　[illegible]が[illegible]ます。全講座出席出来ない方も百円で[illegible]。[illegible]

会食費　百円　日曜日夜の座談会は[illegible] 会食し[illegible]ます。これは出席の方から[illegible]ます。

会ヒは九月一日に必ず[illegible]

昭和三十二年九月十七日

職場の歴史をつくる会

かいらん 「職場の歴史」第八号をお読み下さい

——九月十七日・合評会を行います——

「職場の歴史」第八号ができました。みなさんの中にすでに御存知の方もあるかと思いますが、私たち職場の歴史を作るサークルは、過去"国鉄の歴史"を書き河出新書より発行しました。

"歴史"と云うと何か学問的な、また、私たちには縁の遠いものゝ様に感じます。又、今までに非常に多く書かれ、研究された歴史や、学校で教わって来た歴史は不々にして私たちに、私たちの進むべき道を与えてくれませんでした。

私たちの歴史を作るサークルはこの様な間違った、歴史の見方、歴史に対する考え方を改め、私たち自からの手で、私たちの方向をはっきりつかみたいと思い努力しております。

「職場の歴史」第八号には私たちの職場に働く一職員の歴史がのっております。これはまだ／＼不十分なもので今後みなさんの多くの批判の上にたって書き変えたいと思っております。同時に出来るだけ多くの人々が私たちのサークルに入ってきていただき、自分自身の歴史を書き、又職場の歴史を書いて自身のそして職場の遺産としていきたいと思っています。みなさんの積極的な加入を期待します。

今日から「職場の歴史」第八号を発売しております。できるだけ多くの方が読まれることを期待いたします。「職場の歴史」一部三十円。尚合評会は九月十七日の昼休みに行いますから是非多くの方が合評会に参集されることをお願いします。

尚、連絡は清水（電三五一）まで。

国鉄細胞「職場の歴史」をつくる会

拝啓　益々御健勝の御事と拝察いたします。「歴史評論」に種々御援助たまわり深く感謝いたしております。

さて、今度、「歴史評論」において「職場の歴史」運動の現状についての報告（職場の方々の討議のうえ執筆されます）をとりあげましたが、この問題は「国民の歴史科学」運動の一環として民科において全体の討議を必要とするものと存じます。

最初の予定では、松本新八郎氏に「民族」の方から出される問題を中心に、「民族の問題、民族の文化」を含めて総括的に民科の運動の評価をあらためて検討していただくことにしておりましたが、広い範囲の方々に必ずお集りねがって討論会を行い、その後、松本氏に執筆していただく方がよいものと判断し、左記の方々にお集りねがうことにいたしました。

記

石母田正氏、松本新八郎氏、藤間生大氏、林基氏、
太田秀通氏、田中正俊氏、中岡三益、
私どもの方からは、竹村民郎氏、川義一氏、岩浪忠夫氏
日時……十月二十日(日)午後一時半より
場所……民主々義科学者協会(神田神保町二丁四)
日曜日で折角お休みのところ申しわけございませんが、何卒
よろしくお願い申し上げます。
敬具
歴史評論編集部
十月五日
竹村民郎様
川義一様
岩浪忠夫様

(十三行)

コクヨ 243

御招待

秋もふかくなりました。お元気でお過しと存じます。本年も国民文化集会が十月二六日二七日の両日開催されます。第三分科会「労働者の歴史運動について」では別項の様な報告で議事を進める予定です。

本年度はとくに労働者の歴史運動について御経験の豊富な方におねがいして討論に参加して頂くことになっております。この様な趣旨を諒承され、当日の分科会にぜひ御出席下さり、助言を頂くことを希望致します。

国民文化会議
職場の歴史をつくる会

殿

日時　十月二六日午後一時～六時
場所　教育会館（国電水道橋下車 十分 都電 専修大学前下車 二分）

記

報告者

組合史編纂の経験	凸版印刷労働組合板橋支部	島川三郎
組合史編纂の経験	岩崎通信機労組	渡辺栄補
一つの感想	恩給局職員組合　まどかサークル有志	松岡幸恵
歴史を勉強するということ	日本書籍株式会社　歴史サークル	神保潤一郎
国民と国鉄	国鉄労組品川客車区分会　歴史サークル	西島博
私たちの生活	■■■■　歴史サークル	大田千江
職場の歴史	恩給局職組　歴史サークル	清水澄夫
歴研の歩み	厚生省　歴史サークル　有志	

総会御案内

三周年記念集会を次のような要領でひらきますので御参加下さい。

記

日時　十一月二十四日（日曜日）

十三時〜二十時半

場所　国際電々新宿分室

議事

報告

1、臨厂運動一般報告並びに運動方針

2、各サークル報告並びに運動方針

3、各報告についての討論

4、役員改選

5、その他

注①会員の方は当日までに機関誌九号にのっている各報告をお読みのうえ討論に参加して下さい

②会員証を持参下さい

会場費　二十円

略図

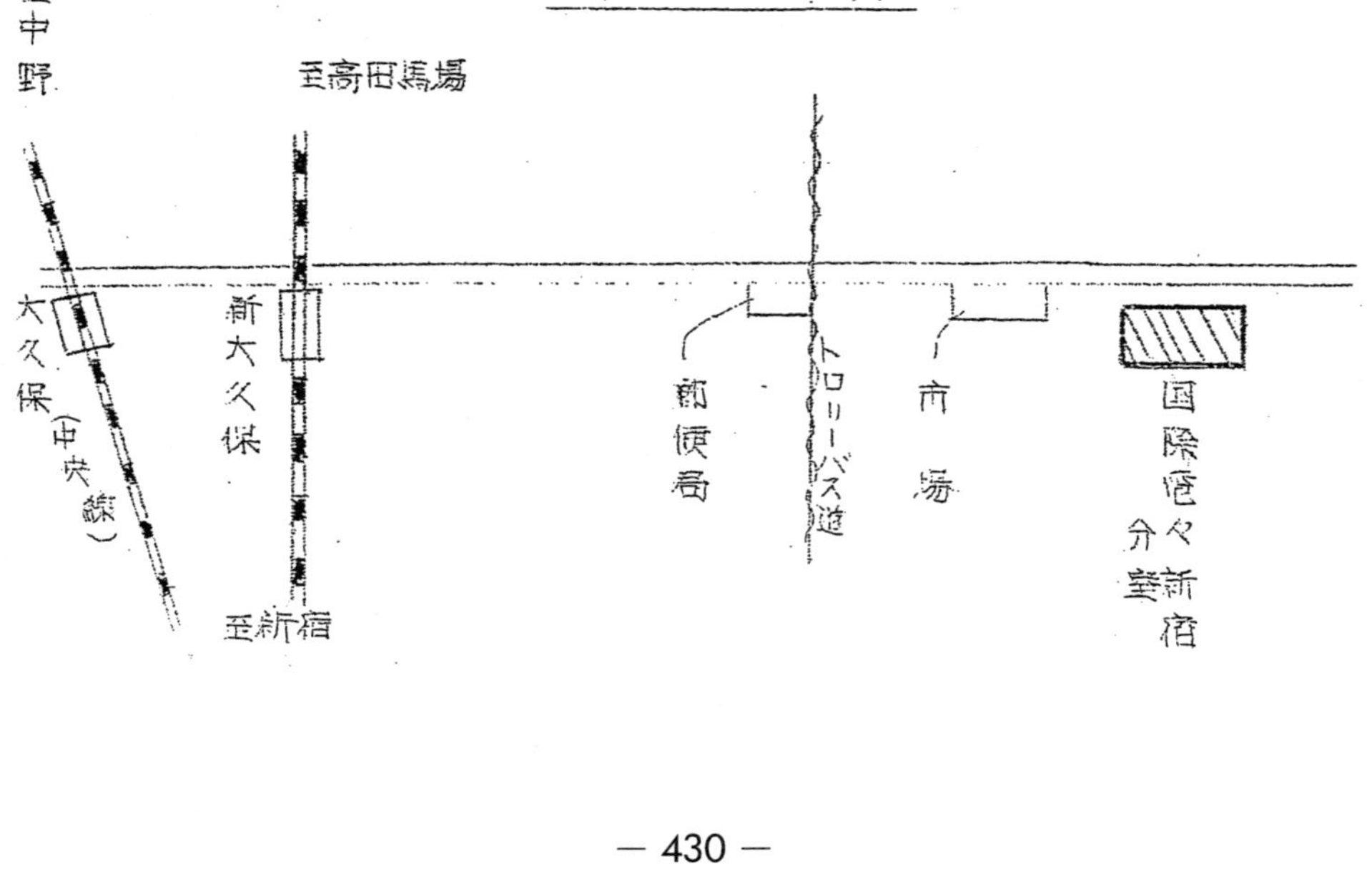

至中野

至高田馬場

大久保（中央線）

新大久保

郵便局

トロリーバス道

市場

国際電々新宿分室

至新宿

お知らせ

「職場の文化を作る会」、会員、岩浪さんを中心に此の度、読書会を開く事になりました。

岩浪さんは文学部専攻の学生ですが、来年三月の卒業をひかえ、論文作成中です。

論文の原稿として取り上げたのが、「廿日鼠と人間達」でなじみ深いスタインベックの「怒りの葡萄」です。それでこの読書会には「怒りの葡萄」とその他、今迄私達が読んで来た小説の中に見られる様々の人物や、その人達の生活態度等、広く話し合いたいと思います。

又、私達自身の生活が現代の小説の中にどの様な反映があるのか考えてみたいと思います。

「怒りの葡萄」を読んだ方は勿論、まだ読んでない方も是非、御参加下さい。

なほ、この読書会は、今月初旬にするはずだったところ、こんなに延びてしまいましたが、お詫び致します。

日時　十一月二十七日
閉店后、九時迄

場所　銀座松坂屋裏、「中華そばや銀楽二階」にて。

「職文サークル」

小説の歴史（第一図）

時代	文学の形式	英文学の作品と作者	英文学に於ける作者の属する階級	英文学に描かれた人間の形象	他のヨーロッパ文学の作品
古代	英雄叙事詩	「ベイオウールフ」（民衆の口伝え） 作者 吟遊詩人	英国古代の民衆	魔女を殺してデーン人の国と民衆を救う王様	「イーリアス」 「オデッセイ」（ギリシヤの吟遊詩人ホーマー）
中世	宗教文学 騎士物語	「アーサー王と円卓の騎士」（ジェフリー） 「愛の手紙」（ヘールス）	キリスト教の司祭	貞淑な貴婦人と優雅な騎士 天の花婿（キリスト）と霊魂（人間）	
ルネッサンス	演劇（悲・喜劇） 小説の萌芽	「カンタベリ物語」（チョーサー） 「ユートピア」（モア） シェークスピアの悲劇・喜劇	チョーサーとモアは宮廷の役人。 シェクスピアは宮廷に出入りする劇団の作者。	有閑市民・王・貴族等がなく、個性が強く、階層の範囲も広い。	「デカメロン」（ボッカチオ） ドンキホーテー（セルバンテス） 人間嫌い（モリエール）
十八世紀	近代小説の誕生	「ガリバー旅行記」（スイフト） 「ロビンソンクルーソー」（ダニエル デフォー） 「パメラ」（リチャードソン） 「トム ジョーンズ」（フィールデング）	スイフト（貧乏牧師） デフォー（肉屋の息子） リチャドソン（印刷屋） フィールデング（新興ブルジョアジー）	まずしい市民、田舎の小間使い、捨子等、いわゆる下層民。	マノンレスコオ（プレボー） 新エロイーズ（ルソー） 若きエルテルの悩み（ゲーテ）

現在までの組織部の動きと反省

七月総会以来四ケ月簡単に今迄の組織部の動きをふりかえってみたいと思います。

前総会にとりあげられた方針にもとづき組織部は特にサークル育成に重点をおいてやってきました。まだ多分に個人的な動きが中心になりがちで十分組織的に行われたとはいえませんがとにかくサークル設立は成功し、現在Ｓ百貨店サークルは新会員一人をかくとくし「賃金問題」を中心にして創作活動が活発化しておりますし、恩給局では機関誌にのった「魂あいふれて」を中心にして「組合員相互の結びつきをつよめよう」という問題をとりあげてサークルの定期化にむかって進んでいます。国鉄では「テキストの研究」「国鉄は真に国民のものか」等の問題をとりあげてやっています。

特に大きな成果といえるのはＡサークルが出来たことです。今迄職場にサークルも持っていない会員をどうするかという事が会の大きな悩みになっていましたが今度組織員と特に地方会員等の努力によりこれらの会員がＡサークルに結集して会の仕事を進めることのできるようになったことは大きな喜びです。また地方との連絡網が出来た古い資料が整理されたこと等やはり一部会員の努力によるものでありますが成果の一つとして報告しておきます。

このような成果の反面会員の数はふえず国際電々に於ける会員の動きは今尚極めて不活発であります。また国鉄や地方会員に退会者の出たことは相変らず連絡のない会員の多いこと等解決されなければならぬ多くの問題が残されています。七月に出した方針が総て書いた餅だという批判が多くの会員の方からよせられましたが、ここにはっきりみとめなければならないのは会員獲得の説得活動が強力に行われずまた鑑賞会の合評会等もかけ声だけに終っているし、会全体の運行状態を正確につかむ努力も十分になされなかったこと、組織活動に必要な名ボの作成等も十分でなかったこと等々です。前に述べたような欠かん特に現在まで五人の入会者しかいないのに六人もの退会者を出しているということは、一つには組織部が方針を充分に守らなかった結果として今後いましめて行くことを確認します。

これまでの実践と反省でわかったことは新会員の獲得も、現在の会員をかためることも宣伝活動の強化も、全て各職場にサークル結成することあるいはAサークルのような合成サークルを作ることによって孤立会員をなくすること新会員がこだわりなくうけ入れられるようにすること、そしてそれらサークルを育成して推進力となり活発な成果をあげることによってのみ促進されるということです。

このことにより七月総会に於いて出された組織部の方針は基本的に正しくこの方針をより現状に則した形で今後とも押し進めて行くべきだということを十一月総会に当って組織部では再確認することにいたしました。

現在団結、S百貨店、国鉄、Aサークルは多くの問題をかかえながら前進しています。また国際電々その他の職場にもサークルの結成の動きが会員諸兄姉の一そうの協力をお願いします。

当面の行動方針

基本方針

(1) 各職場に拡大サークルの結成
(2) 新しい会員をふやす
(3) 現在の会員をかためる
(4) 宣伝活動の強化

(1) 現在あるサークルの育成
各サークルが月に一度或いは隔月に一度直接に交流出来るような機会を作る

(2) 新会員の獲得は従来のような個人的な説得によるものだけでなくサークルや各部を通じ組織的に行うよう努力する。サークルの拡大と組合史協議会等を通じての獲得と二本立で進む。

(3) 会員相互のつながりは(A)名ボや連絡体制の完備 (B)各会員相互の理解と援助によって促進される
名ボや作成会員個々の現状等の調査を出来るだけ進める。新年会を開く。

(4) 機関紙の売上げがよくなるよう機関誌部との連絡を強め対策をねる。

組織部の構成

七月の総会に出した組織部の構成は複雑で事務をとる上でかえって面倒なので今度次のように改め当分続けて行くことにいたしました。

部長 國島(国鉄サークル)

(1) 企画班

(A)新入会員に対する援助 ① サークル ② 個人 ③ 地方

(B)種々の会合の運営(例) 総会準備 (C)サークルや個々の会員の実状の調査

(D)会員の啓発、機関誌配布状況の調査 機関誌部との連絡

「班責任者」 岩渡(Sサークル)

「班員」 本條(Aサークル) 國島(国鉄サークル) 高橋(患者サークル)

(2) 事務班

(A)各種資料の整理と保存 ①会の歴史 ②図書 ③サークル

(B)各種組織活動上必要な資料の作成、保存

(C)会員、サークル、地方、外部団体との連絡

(D)会計部との連絡

「班責任者」宮沢(日鉄サークル)

「班員」 飯塚(Sサークル) 藤本(Aサークル) 松崎(Aサークル)

一九五七年十一月

三周年記念総会の討論のまとめ

一、個人生活を援助する問題について、
岩浪忠夫

二、会員の増加を強力に推し進めることについて、
田中正俊

三、新しい運動方針にそったサークルの当面の実践について、
竹村民郎

―職場の厂史をつくる会運営委員会―

個人生活を援助する問題について

総会の一般方針の討論の中で、会員の個人生活を会がどう援助するかという問題が討議されました。総会まで会員一人ひとりのを知り、困っている人達を援助しようとする気運がすでに生れており、実際に病気の時はすぐに見舞状や電報がとゞいたりして家族の人達にも会に対する信頼が増して来ていることなどが報告されました。総会の席上でも二、三の会員から個人的に困っている問題が出され（例えば兄さんとの関係や恋愛問題等）また竹村さんのお母さんに栄養をとってもらう会をやることや、現在病気で寝ている大木さんに見舞に行くことが討議され、大木さんのことは早速翌日にSサークルの二名の会員によって実行されました。このようなことを通じてより一層会員間の結びつきを強めようという話合いがなされたことは今までになかったことです。

しかし私達は、このような会員の熱意をより一層皆のものにし、長く会の良風として保って行くために、会全体として次のようなことを考える必要があると思います。

㈠、我々はこのような会員の熱意を長く保つため、我々の会にできること、会の力量を十分考え、一時的なものでなく長い見とおしと計画を持つようにすること（例えば、会の組織の民主的運行の推進、会の実状に基づく会活動の実践、会財政の一部に基金を設置すること等）㈡、会員が現在なしている援助を尚一層進めることゝ同時に、会員は同時にそれぞれの職場に属する人間であるから、我々は会員個々の問題をよく見きわめ、会員がそれぞれの職場の中で守られるように具体的に援助すること。㈢、現在あたゝかい思いやりをもって会員のめんどうを見ている人達だけにまかせておかないで会としても常に会員個々の生活に気をくばって会全体でとりくめる体制をつくっておくこと。㈣、個人の生活と会員としての生活との相違点をはっきり認識し、どんなことならその人に援助できるかを考えながら、あたゝかく話を聞く態度でありたいこと。㈤、相互援助と一緒にやはり会の守るべき規則は守るという態度でありたいこと。

大体五つに分けて問題を出しましたが、要するに個人を援助するにも原則と計画性が必要だということです。総会のあのあたゝかい討論を更に深め、今後の会を発展させるために是非必要なことゝ思われますのでこの五つの問題について各サークルで討議してもらいたいと思います。

会員の増加を強力に推し進めることについて

（文責・岩浪）

現在の会の状態は、今までに見られなかったほど強化されてきている。したがって、会員を一挙に増加し会の活動を飛躍的に発展させるだけの内部的な条件とちからとが揃っている。このことは総会でも明らかにされた通りである。しかし一方、そとに対しては、会員の増加の運動が余りはかばかしい成績を収めていないこと、「職場の歴史をつくる会に入って欲しい」といって、たゞこちらの考えを説明するだけでは、職場の人々に理解されず、会員増加の運動が行詰って実状にあることも、多くの発言に窺われた通りである。このような現状に対し次のような点について各サークルが全員による討論を早急におこない、次回運営委員会（十二月二日）までに、その計画を提出するよう、総会において決定された。

㈠　職場の歴史をつくる会は、職場の人々が職場においてもっている実際の矛盾や悩み（それは目立たない極めて地味なものであることが多いが）－また職場の人々がその生活のなかで直面しているいろいろな問題をはっきりつかみ、職場の人々がこれを少しずつ、着実に解決してゆけるよう援助してゆくなかで、「職場の歴史」をつくり、会員を増加しなければならない。したがって、会員を増加するためには、各サークルはまず右のような現在の矛盾や問題が何であるかについて調べ、討論すること、そして、幾つかの問題を具体的に出すことが必要である。

㈡　こうして現在の問題や条件が幾つか出されたら、それを前提として、何日までに、どのような形の運動をおこない、大体何人ぐらいの新会員の増加を期待することが出来るか、について具体案を立てゝ欲しい。

㈢　右の具体案は、運営委員会その他において更に討論されるための材料ともなるものであるから、単なる結論だけでなく、幾つかの異った意見なども一緒に、また、それぞれの考えの基礎になっている事例なども添えて提出して欲しい。

（文責・田中）

新らしい運動方針にそった
サークルの当面の実践について

三周年記念総会を準備する過程、およびに記念総会に於て、会の全員は新しい運動方針を充分討議し、運動についての理解の一致をみることに成功した。

会の団結が一歩すゝみ、会は新しい段階を迎えることが出来たのである。新しい段階は、〃職厂運動が職場の人々にしっかりと守られて進む段階であり、その中で会も益々充実し職場の厂史を書く仕事も急速に進むことにその特徴がある

現在会のすみ〴〵にひろがっている運動を職場にもり上げ様とする熱意を基礎に、新しい段階における会活動を成功させるためには、夫々の職厂サークルはまずどんな仕事から始めたら良いだろうか、実際に職厂サークルが当面している仕事は色々あるだろうが、何よりもゝ一に夫々の職厂サークルは夫々の職場でどういう地位にあるかを調査する必要がある、即ち、組合と職厂サークルとの関係・経営者（当局）側と職厂サークルとの関係を具体的に調査することである。

新しい段階を迎えて会の活動が職場に急速に展開するためには、どうしても職場のいろ〳〵な分野を上手に通過して進まねばならない、若しそうしなければ運動は一歩も進まず、かえって行きづまってしまうのである。

このことを充分理解するために一つの実例をまずあげておきたい。去る十月一日、三重県四日市市の東亜紡績泊工場労組（全繊所属）は同工場の生活を記録する会（母の厂史＝河出新書出版）を悪質な分派行動なしているサークルとして解散を命じている。

進歩的な組合が進歩的なサークルに攻撃を加えると云うことは、労仂者が労仂者の首を切った過去の誤りと同様に労仂運仂の発展に大きな損失をあたえるものである。私はこの事態をひき起した責任については、サークルを保護し育成する立場にあるはずの組合がその責任の大半を負はねばならぬと考えている。サークルに集る女子労仂者のより良い明を望む熱意は会社側の搾取えの深いいきどうりえと発展し、時には組合の非民主的な在り方えの不満にまで高まったことであろう。この若い女子労仂者の熱意こそはより良き明日を準備する力として大切にする必要がある。

だがしかし、サークルの側にも一一の誤りがあったと思われる。即ち、生活を記録する中で自己と職場の関係をより客観的にとらえ様とするはずのサークルの人々が、サークルと職場（組合）との関係に

ての正しい判断と正しい見通しを持たずにサークル活動を続けていたのではないかと云うことである。職丁より進歩的に、より積極的に運動として職場にひろがるためには、サークルと職場へ組合・経営者側ーとの矛盾の適切な処置が絶対に必要である

若しサークルを推進する主体がこの判断を誤って強引に進むならばサークルと職場との矛盾は急速に激化し、遂には敵対にまで至るのである。私は泊工場の生活を記録する会の実状について殆んど知らない。しかし会の三年の実践から得た教訓と現在東亜紡の組合と生活を記録する会とが敵対している現実から考えて、生活を記録する会の方針に正しくない面があったのではないかと判断するのである。又、生活を記録する会は、今回の事件の起こる数年前にも会社側の攻撃をうけて会のリーダーのS氏が解雇されている。

この時の敗北の経験からも生活を記録する会はどれだけ真剣に学んだのであろうか。この敗北の経験がサークルでは該されその教訓へのどんな弱い組合であったにせよ、その組合との間の協力関係を粘りづよく結ぼうとする努力なしにサークルが独走している場合若しそのサークルが経営者より攻撃されたならばそのサークルの斗いは孤立した斗いになり犠牲が出ると云うこと②サークルは組合幹部や組合員と日常様々な大衆的な活動を通じて結びつき、その実践の中で具体的にサークル活動の意識を宣伝すること等々）に基づいてサークルが再建されていたならば今回のような組合とサークルが敵対すると云うような最悪の条件は回避されたのではないだろうか。

生活を記録する会の運動全体にみられる欠陥としては(一)にサークル員が職場の矛盾の研究を軽視していなかったと云うこと(二)にサークルが大衆的な巾広い活動に支えられて前進するスタイルが充分でなかったかと云うことにあると思われる。

東亜紡泊工場の生活を記録する会に起った事件をいろいろな面から考えて、研究する中からもわかるように職丁運動を急速に職場に拡げることに成功するためには会の実状から判断し当面次のような二つの実践が最も大切である。即ちそれは(一)に、職丁サークルの職場における地位についての正しい評価であり(二)に、職丁サークルが職場に於て正しい地位を確立するためのサークル員の適切な努力、この二つである。

総会で可決された一般報告の主旨に沿って職場に運動を実際に広く発展するために、各サークルは当面サークルと職場との関係について次のような事項を時間をかけて慎重に実践しその結果を運営委員会に報告す

ことを提案する。

一、組合と職工運動(サークル)との関係について

(イ) これまで、職工運動を実践する中で夫々職工サークルは組合や内部の各種団体とどのような協力関係をすゝめてきたか……

(ロ) 前項の検討の中から今後組合や内部の各種団体とどのような協力関係を発展させることが出来るだろうか。

(ハ) 職場(組合)の実態及び組合員の活動情況を正しく認識するために、組合で出されている各種資料、(新聞、機関誌 その他刊行物等)をサークル内に集め研究すること

(ニ) 組合との協力が可能な職場に於ては 調査部長、情宣部長に協力依頼して 組合幹部に集まってもらい職工運動について検討する会をひらくこと、この会の中で会員は組合の幹部に学び職工運動が組合の斗争に協力出来る面を発見すること、又組合幹部に会の主旨を理解してもらうこと

(ホ) 組合との協力関係が種々の事情により困難なサークルでは、サークル内部にある組合活動に対するせまい考え方を批判し合い、組合に対する間違った考え方をキッパリとすてること、サークル員は一致協力して、職工運動が組合に承認されて発展するよう努条件をつくり出すことを当面の任務とすること。

(ヘ)、職場の条件が良い場合には運動に関心をもつ職場の組織的な活動家に集ってもらい、職場の人々が生活状況、現在の要求、経営者(当局側)の職場に於ける攻勢の実態等について話合う懇談会を開くこと。この会の会員の活動は(ニ)項の例に準ずる。

(ト) 職場の条件が良くない場合には、職場の人々に個別的な面接訪問等を行い、職場の人々の生活の切実な[illegible]すること。個別的な面接訪問は会の活動が発展の中で継続的に行い(組合幹部、職場の人々等)前項の実践で得た理解を正確に深めることが大切である

(チ) 各サークル員は夫々の職場について職工運動を推進する場合の幹部であることを自覚し ニュース[illegible]等を利用して現在の情勢を理解すること、また内外の労働運動の中から生れた古典等の学習を職場の実際と結びつけて行く必要がある。サークルは職場の諸問題をつかみ、学習と結びつけて、[illegible]要求をかかげている会員を表彰し、実際的な討論がはじまる場合には直ちに批判を組織してほしい。

二、経営者(当局側)と職工運動の関係について

(イ) 経営者の動向を知る一切の資料を集め研究すること(会社 社長派・社内報・経営(生産)の情況・HR

5

（信用調査・面接制度・監督制度）のやり方、オートメイション化の動向、国の内外の情勢が経営者側にどの程度反映しているか等）　—

㈣　組合の調査部の良心的な人々と協力すること、とれと共に正確な実態を研究しようとするまじめな学者学生に依頼し、経営の実態を調査すること、

㈤　会社（当局側）の注意を要する人物（労務担当係長等）の調査表をつくっておくこと、又経営者内部の情勢についてもサークル代表者は充分理解していること、

㈥会サークル員の積極的な活動は極力目立たぬ様にし運動を大衆的に巾広く進めること、

㈦　経営者側の攻撃の長所を研究しておくこと、

㈧、経営者側の当面の攻勢の中心点を充分注意し調査すること　との変化にも注意すること、

㈨　経営者側（当局、警察）のスパイ活動には充分注し、新しい傾向については充分調査しておくこと、

三、家庭と職場サークル員との関係について、

㈠　サークル員がこれまで運動に参加する中で家庭との間に起った様々な事情についての調査を行っておくこと、

㈡　その事情を上手に処理し（家庭が運動に理解する者ことに成功した実例がある組織[illegible]サークル員共通の経験にすること、

㈢　現在サークル員が家庭内のどのような事情についてこ、なやんでいるかについてサークル委員は充分理解しておくこと、又、サークル委員は会員の家庭の状況を理解しておくこと、㊟会活動の必要からサークルが会員の家庭を利用する場合には充分その家庭の状況や状況を理解して行動し、良い印象を家庭の人々にあたえること

㈣　家庭条件の良い会員は、無理のない形で会活動の成果や民間施設の紹介等を家庭（家族）に行い、〃職場運動はわかい者の得になることに〃会は明朗な大衆団体であることを宣伝する必要がある、その様な実践の中で家庭の人々の会活動についての理解や意見を集める様に努力すること

㈤　会の様々な活動（リクレイション、座談会等）に家族の参加をもとめ家庭の人々が実際の経験を通じて会の活動の良さを理解するように努力すること、

㈥　サークル員は会員間の心という立場な気持でむやみに他の会員の私生活に立入るようなことはさけることしかしサークルが家庭内部の事情の処置についての相談をうけた場合には、ふくざつな家庭の条件を具体的に調査したうえ正しい解決を援助すること

（文責　[illegible]）

6

会計部報告　別表その1　決算報告

	収入			支出		
	摘要	金額	%	摘要	金額	%
7月	前月からのくりこし	81	2	交通費	405	6
	会費	3420	46	通信費	1527	21
	カンパ	1300	17	事務所費	2400	32
	賛助費	600	8	文具費	913	12
	借入金	1427	19	返済金	649	9
	雑収入	560	8	雑費	1139	15
				次期へのくりこし	355	5
	合計	7388				
8月	前月からのくりこし	355	13	交通ヒ	738	28
	会ヒ	1800	68	通信ヒ	-	-
	カンパ	400	15	事務所ヒ	1300	51
	賛助費	100	4	文具ヒ	100	4
				雑ヒ	433	17
	合計	2655		（赤字）	-23	-
9月	会ヒ	4660	62	交通ヒ	603	8
	カンパ	285	4	通信ヒ	835	11
	賛助ヒ	500	7	事務所ヒ	2000	27
	借入金	2000	27	文具ヒ	470	6
				返済金	1700	23
	合計	7445		雑ヒ	1339	18
				次期へのくりこし	498	7
10月	前月からのくりこし	498	14	交通ヒ	320	6
	会ヒ	2900	78	通信ヒ	767	16
	カ・ンパ	300	8	事務所ヒ	2000	41
				雑ヒ	478	10
	合計	3698		図書ヒ	330	7
				機関誌部へ、	1000	20
				（赤字）	1197	

別表 その2. 会の借入金

なまえ	金額
門義一君から	1500
黒崎菊枝さんから	2000
岩波忠夫君から	4000
竹村民郎君から	1.500
菊池一徳君から	2.000
その他日常の活動費を数人の人から数百円づつたてかえてもらっている。	

別表 その3. 会員数と会の収支

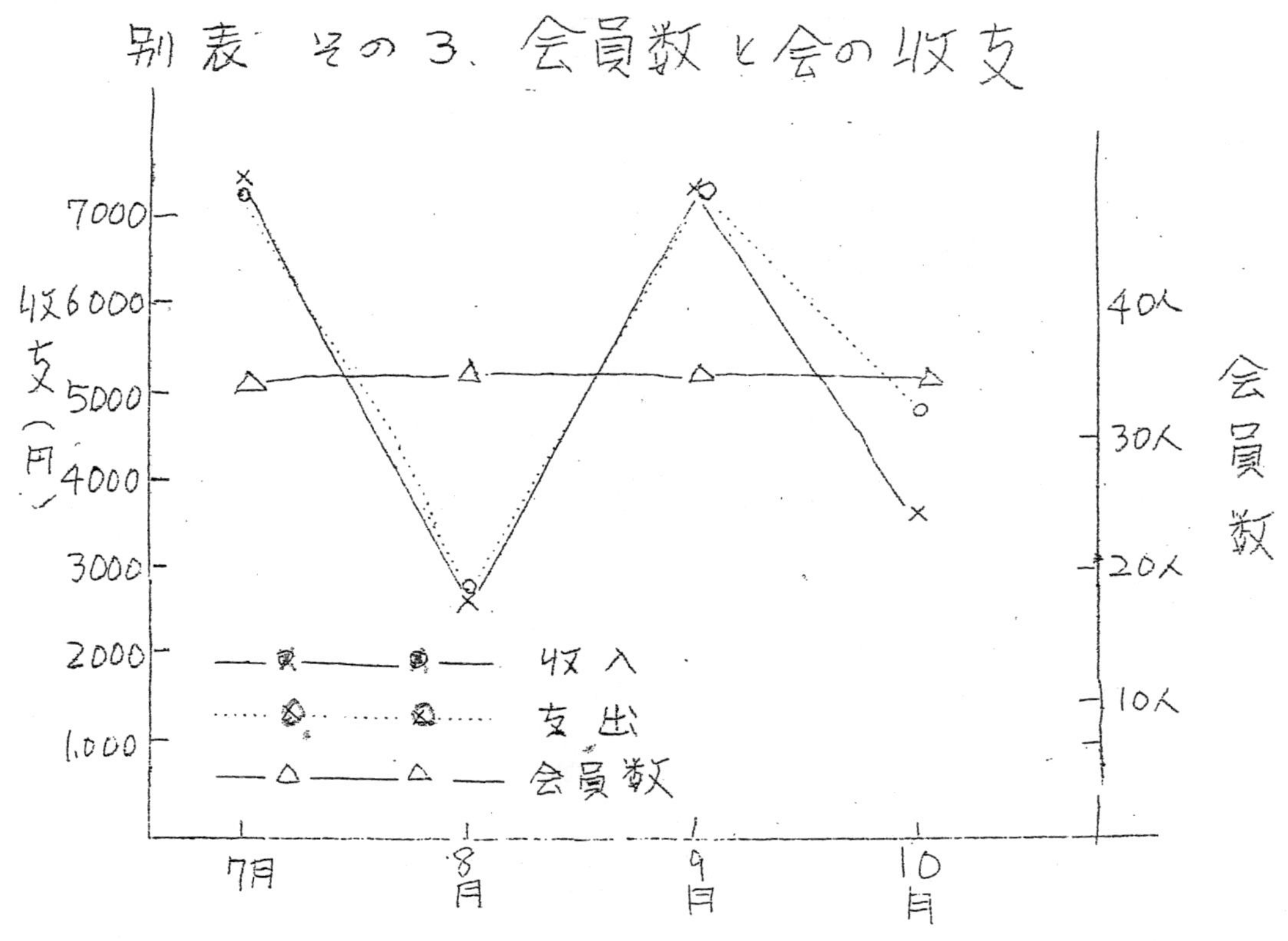

●編者紹介

竹村民郎（たけむら・たみお）

一九二九年　大阪市生まれ

元大阪産業大学経済学部教授

主要著書　『大正文化帝国のユートピア　世界史の転換期と大衆消費社会の形成』（増補）三元社、二〇一〇年

『竹村民郎著作集』全五巻　三元社、二〇一一～一五年

編集復刻版

「職場の歴史」関係資料集　第3巻　ISBN978-4-86617-039-8

第2回配本［第3巻〜第4巻］分売不可　セットコード ISBN978-4-86617-038-1

2018年5月30日発行

揃定価　本体40,000円＋税

編　者　竹村民郎

発行者　山本有紀乃

発行所　六花出版

〒101-0051　東京都千代田区神田神保町1-28

電話 03-3293-8787　ファクシミリ 03-3293-8788

e-mail : info@rikka-press.jp

組版　昴印刷

印刷所　栄光

製本所　青木製本

装丁　臼井弘志